JOSÉ ORTEGA SPOTTORNO

# LOS ORTEGA

*Prólogo de* Juan Luis Cebrián

TAURUS

PENSAMIENTO

© José Ortega Spottorno, 2002
© De esta edición:
 Santillana Ediciones Generales, S. L., 2002
 Torrelaguna, 60. 28043 Madrid
 Teléfono   91 744 90 60
 Telefax    91 744 92 24
 www.taurus.santillana.es

• Aguilar, Altea, Taurus, Alfaguara S. A.
Beazley 3860. 1437 Buenos Aires
• Aguilar, Altea, Taurus, Alfaguara S. A. de C. V.
Avda. Universidad, 767, Col. del Valle,
México, D.F. C. P. 03100
• Distribuidora y Editora Aguilar, Altea, Taurus, Alfaguara, S. A.
Calle 80, n.º 10-23
Teléfono: 635 12 00
Santafé de Bogotá, Colombia

Diseño de cubierta: Pep Carrió y Sonia Sánchez

ISBN: 84-306-0473-1
Dep. Legal: M- 10.547-2002
Printed in Spain - Impreso en España

# ÍNDICE

*A toda la gente de* El País,
*y a Juan Manuel, en memoria de su padre*
*Eduardo Ortega y Gasset muerto en el exilio;*
*con el afecto de*
EL AUTOR

# ÁRBOL GENEALÓGICO

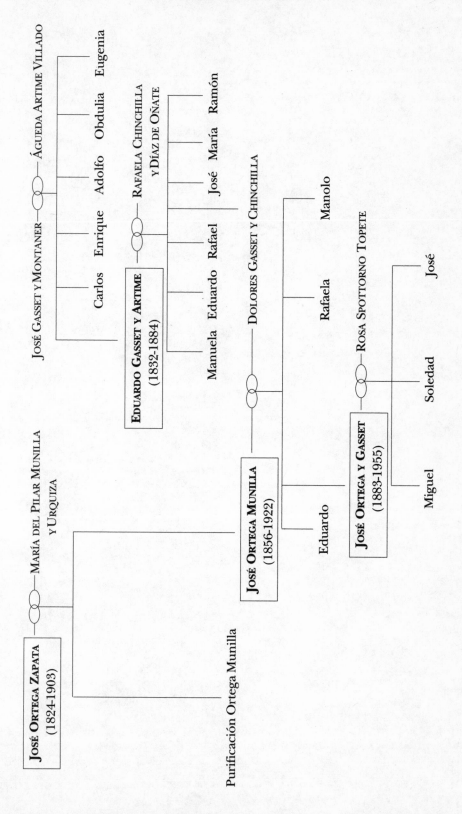

# Ortega y la otra historia de España

## *Juan Luis Cebrián**

A comienzos de los años sesenta del pasado siglo, los estudiantes de filosofía solíamos practicar el español arte de la división a base de abanderarnos en escuelas de pensamiento. Estaban de moda las polémicas entre unamunianos y orteguianos, que se consideraban discípulos o seguidores de dos formas distintas de contemplar España y de dos actitudes aparentemente contrarias ante la reflexión filosófica. De don Miguel de Unamuno atraía su particular existencialismo ibérico, su individualismo radical, entre anarcoide y surrealista, y su racional aversión al racionalismo, a la consideración del hombre como ser pensante antes que como ser viviente, cuya defensa los jóvenes solíamos atribuir, en cambio, a don José Ortega y Gasset. Frente al liberalismo ilustrado y el europeísmo decidido que éste representaba, a muchos seducía el personal y atrabiliario comportamiento del que fuera rector de Salamanca, decidido a hispanizar Europa y a denunciar el cientifismo en nombre de una visión trascendental, mitad lúdica, mitad agónica, del destino de la vida humana. Políticamente, seguir a Unamuno resultaba menos arriesgado, pues al fin y al cabo él convivió sus últimos días con el franquismo, bien que a disgusto en muchas ocasiones, mientras Ortega había sido un exiliado de la dictadura y evocaba aún el influjo de la Agrupación de Intelectuales al Servicio de la República, a la que perteneció. La obra y la vida de Ortega y Gasset eran, ya entonces, ejemplos paradigmáticos de un liberalismo intelectual considerado más que pernicioso, y de una decidida actitud de disidencia, por templada que a algunos les pareciera, que si bien pudo verse endosada por sectores de la alta burguesía, con cuyo trato disfrutaba el profesor, nunca dejó de suscitar sospechas a los ojos de la ortodoxia

---

* De la Real Academia Española

franquista y de sus secuaces de la policía política, convencidos como estaban de que la difusión del pensamiento orteguiano suponía un fermento de protesta de consecuencias no previsibles.

Cuarenta años después, la polémica desaparecida, parece bastante evidente que la influencia del pensamiento de Ortega sigue mucho más viva en las generaciones actuales que la de don Miguel, y que la España de nuestros días se parece mucho más a la que el primero vislumbrara, y por cuya existencia luchó con denuedo a lo largo de su peripecia vital. Sin duda eso se debe al acierto de sus observaciones y a lo atinado de su juicio pero también, y en gran medida, al esfuerzo que a lo largo de décadas realizaron sus numerosos amigos y discípulos por difundir los principios de la filosofía orteguiana y por aplicar sus consecuencias al comportamiento social y político de nuestros compatriotas. Entre esos amigos y discípulos, el más fiel, el más aplicado y el más coherente con el mandato del maestro, ha resultado ser su propio hijo José Ortega Spottorno, autor de este estudio biográfico sobre los Ortega que hoy presentamos, cuyo punto final estampó semanas antes de su muerte en Madrid, a principios del año 2002. La redacción del ensayo histórico sobre los orígenes de su familia sirvió como acicate formidable a Ortega Spottorno para continuar con vida, en medio de una lucha atroz contra el cáncer que le consumía las vísceras, hasta que pudiera culminar su voluminosa obra, que coronaba una interesante y tardía carrera literaria. Su mayor ilusión hubiera sido verla publicada, y fue deseo reiterado suyo que yo pusiera estas torpes líneas a manera de prólogo, empeño que realizo ahora con el único pesar de no haber sido tan diligente como para que el propio José lo leyera antes de fallecer.

*Los Ortega* es un recorrido pormenorizado, lleno de anécdotas, de observaciones y aún de chascarrillos, por el devenir de la saga de intelectuales y periodistas que llevaron con enorme garbo ese apellido desde que el bisabuelo de su autor, José Ortega Zapata, se estrenara como colaborador en diversas publicaciones de la capital de España, a la que había llegado desde su Valladolid natal. Su empleo, inicialmente sin sueldo, como funcionario de la Junta Municipal de Archivos, le permitió menudear sus contribuciones periodísticas y fue el trampolín desde el que saltó a un puesto de relativa importancia en el gobierno de Cuba. Desde entonces, el apellido Ortega ha estado íntimamente ligado a la historia del periodismo, la política y el pensamiento españoles. Los tres periódicos de mayor influencia en el devenir de los acontecimientos patrios, y de renombre casi universalmente aceptado a lo largo de los dos últimos siglos, son fruto en gran medida del esfuerzo y la contribución de esta saga familiar que desde Ortega Zapata se proyectó a través de su hijo Ortega Munilla, director durante muchos años de *El Imparcial,* Ortega y Gasset, inspirador principal de *El Sol,* y Ortega Spottorno, inicial promotor de la fundación de *El País,* cuya dirección ejercí durante trece años gracias a su ofrecimiento. La historia de los Ortega es pues, básicamente, la de una familia de periodistas, escritores y editores, que se cruza además en el tiempo con la de los Gasset, cuyo más epónimo representante fue don Eduardo, fundador y director de *El Imparcial,* antes de traspasar la antorcha del diario a su yerno, padre del filósofo. No encuentro, por eso, mejor explicación para el urgente y personal encargo que el autor de este libro me hizo, que el hecho de que él quisiera resaltar a los ojos de todos esta condición periodística de su familia. Tan arraigada estaba, por lo demás, que lo mejor de la obra filosófica del propio Ortega y Gasset vio la primera luz en forma de artículos o de folletón, y sus cualidades de agitador y sus perfiles de intelectual comprometido tuvieron cauce principal en colaboraciones en los diarios. Quizá este protagonismo de los periódicos en la vida intelectual de nuestro país ponga de relieve el papel singular que juegan los medios no sólo a la hora de crear cultura popular sino también como instigadores de las vanguardias y arietes de la investigación y la reflexión. Las frecuentes acusaciones que se hacen a los periódicos por su falta de rigor, y las exculpaciones consiguientes que aluden a la rapidez en su elaboración, no oscurecen el papel eminente que los medios de comunicación en general, y la prensa en particular, desempeñan en la elaboración de la opinión pública y en la contribución al pensamiento social y político. Roles que hoy es fácil atribuir con amplitud a otros medios, como la radio, y que podrían ser jugados también por el audiovisual si éste no pereciera entre el abuso de los poderes públicos y la rendición unívoca al abaratamiento de sus productos.

A lo largo de su relato, el autor de este libro, que ya había ensayado aventura similar con motivo de la redacción de su *Historia probable de los Spottorno,* aprovecha para pintar un fresco impresionista de la España en la que tocó vivir a sus antepasados. Particularmente amena resulta la primera parte, donde ofrece una visión peculiar de los acontecimientos de la última mitad del XIX, con una prosa llena de humor. Algunas de las anécdotas que narra, como de pasada, eran muy de su gusto y ya se las había oído yo en las muchas sobremesas que compartimos a lo largo de su vida. Vuelve a llamarme la atención la del criollo cubano linchado por sus esclavos negros, que sólo en el último momento es salvado por un piquete de soldados españoles, cuando ya la soga le apretaba el cuello, balanceándose su cuerpo colgado de un árbol. "¿Ha sufrido usted mucho?", le preguntó el capitán que acudió en su auxilio, mientras le retiraba la cuerda del gaznate. "Ca, señor, ¡placer inmenso!" contestó el otro, gozoso por haber experimentado el orgasmo del ahorcado. José se reía, entre tímido y regocijado, cada vez que contaba el cuento, que era uno de sus preferidos, más que nada por el seseo de la víctima, que le sugería, acaso, cuánto más satisfactorio es el placer pronunciándolo con ese, al estilo del trópico y de toda su querida América Latina. Algunas otras historias recogidas en este volumen las había utilizado con anterioridad en colaboraciones literarias, como la trifulca organizada en torno a la pretendida invención del submarino por el español Isaac Peral, que se cita en uno de sus *Relatos en Espiral*, pero muchas son del todo inéditas y sirven, desde luego, para describirnos el ambiente en el que la familia Ortega crecía y se reproducía a lo largo de los tiempos, insertando con toda su naturalidad el devenir diario, las tertulias a la hora del café, los viajes y las estancias estivales, con los acontecimientos de la política, la polémica de la ciencia y las reyertas literarias. A través del relato descubrimos los perfiles de una familia de clase media acomodada, respetuosa de las convenciones sociales, cuya llama se encargan de mantener las mujeres, generalmente en un discreto segundo plano, pero en ningún caso reverenciadora de ellas. De alguna manera los orteguianos y los Ortega eran una misma cosa y se confundían, entrelazaban y entremezclaban entre el asueto doméstico y el devaneo intelectual. Proliferaba en torno suyo un mundo de excelencia en todos los sentidos, donde palabras como respeto, tolerancia, diálogo y raciocinio aparecían encumbradas. Nada que ver con las atribuladas pasiones que atravesaban la espina de los componentes de otros grupos en cierta medida comparables como el de *Bloomsbury*, con muchas de cuyas tesis, pronunciamientos y actitudes coincidían sin embargo, en el fondo, los integrantes del círculo de don José Ortega y Gasset, pese a la raíz germánica de su pensamiento y los contactos predominantemente alemanes que el maestro cultivaba.

En ese sentido, la aportación más notable de esta obra es la que se refiere al desvelamiento de muchos aspectos de la vida del propio Ortega y Gasset, al juicio sobre él de sus contemporáneos, y a la descripción de la elipse amistosa y familiar que le envolvía, tanto durante su vida de prócer intelectual como en los años de exiliado errante. Como el propio Ortega Spottorno reconoce, su padre fue una figura central a lo largo de toda su existencia, influyó sobremanera en su comportamiento, en sus creencias, en su actitud vital y en sus decisiones más cruciales. Descubrimos así, a lo largo de cientos de páginas, el testimonio filial de un observador atento y de un colaborador perseverante en las tareas del gran pensador, cuya faceta humana se revela con toda naturalidad. Los expertos orteguianos encontrarán, en esos capítulos, claves novedosas y diferentes que les sirvan para aclarar algunas de las interrogantes que todavía se ciernen sobre la figura del filósofo. Éste se muestra como un individuo repleto de humanidad, de un activismo incansable, dispuesto siempre a emprender nuevas aventuras. Es patente su debilidad ante las mujeres, su adoración un poco quijotesca por ellas, demostrada no sólo en su relación conyugal sino, y de forma particular, en la amistad intensa que le unió a Victoria Ocampo. El repaso pormenorizado que hace de sus amigos, contertulios y discípulos, sirve además para reivindicar la imagen de Fernando Vela, uno de los más estrechos colaboradores de don José, a quien siempre admiró mucho Ortega Spottorno, al tiempo que se lamentaba por lo cicatera que ha sido la memoria histórica de los españoles a la hora de valorar la aportación de aquel asturiano formidable al mundo de la literatura, el pensamiento y el periodismo del siglo XX.

Sospechoso siempre de la división del mundo entre buenos y malos, en mi juventud de estudiante yo nunca llegué a alinearme claramente en ninguno de los bandos establecidos entre unamunianos y orteguianos, que pugnaban por exaltar los méritos de sus respectivos maestros. Reconozco no obstante que, durante algún tiempo, me sentí arrastrado por el atractivo carpetovetónico del filósofo vasco. A ello pudo contribuir, quizá, la campaña feroz que desde muy amplios sectores de opinión se lanzó contra Ortega y Gasset a su regreso a España y que perduraba varios años después de su muerte en 1955. A la par que se elogiaba la pureza de su prosa, se manipulaban o utilizaban con aviesa intención política sus expresiones sobre España y sus meditaciones sobre la patria, y se criticaba su pretendidamente trasnochado liberalismo. El paso de los años, la repetida lectura de sus obras, y el posterior y frecuente contacto con sus descendientes, me sirvieron para redescubrir a Ortega y Gasset, valorar no sólo, ni principalmente, sus escritos de juventud, y agradecerle como español su aportación inestimable a la modernización del país. Ahora, la lectura de *Los Ortega* me ha servido para completar un cuadro en el que es fácil distinguir la historia de una familia arrebatada, desde hace siglos, por los principios de la libertad y enamorada de los dictados de la razón. Es ése el último favor, de entre los muchos que me hizo, que le debo a José Ortega Spottorno, favor que será fácilmente compartido con cuanto lector curioso se adentre en estas páginas que rezuman una parte de lo mejor de nuestra historia colectiva, sin necesidad de apelaciones al pensamiento único y barato que desde hace años nos inunda. Éste es un libro, en fin, que se inscribe con todos los honores en la otra historia de España, ésa que no supieron enseñarnos en la escuela y sobre la que todavía se libran escaramuzas a puñados, en defensa de los particulares intereses del poder.

Hace pocos años me entretuve en hacer la historia «probable» de mi familia materna, los Spottorno, gente oriunda de la Riviera genovesa. Ahora intento contemplar el panorama de mis antepasados con una historia similar de mi familia paterna, los Ortega. Es empeño mucho más difícil porque los Ortega fueron personas más complicadas y porque uno de ellos, mi padre, fue un filósofo, un intelectual de primer rango en la España contemporánea, cuyo pensamiento sigue vivo —y por ello discutido— en España y fuera de ella.

Cuando se va ya viendo la espalda de la vida, es curioso cómo nos invade un gran interés por saber más de los seres queridos que poblaron nuestra infancia. El eco de los antepasados parece resonar, a veces, en el latido de la sangre, y muchas reacciones, caracteres y sentimientos de una persona se explicarían si conociésemos cómo fueron otros miembros de su linaje. No se hereda todo pero hay características vitales que se perpetúan más fácilmente, como la salud, débil o recia. El temperamento, los deseos, las pasiones son menos propensos a esa relativa continuidad, aunque pienso que cuando descubrimos en algún rincón de nuestro almario una pasión escondida, muy bien pudiera ser el rescoldo de esa misma pasión que estaba en algún antecesor nuestro señoreando, implacable, el centro de su alma. La inteligencia es, por el contrario, la herencia más difícil a no ser la formalista de las dinastías musicales o matemáticas, como los Bach o los Bernoulli o los Halffter, en nuestro país. Pero no hay duda de que los antepasados, cuando sabemos o recordamos algo de ellos, nos hacen a veces guiños desde la ribera oscura.

Creo más justo y razonable que, cuando un hombre es ilustre, la fama y los honores irradien, como sucedía en el Celeste Imperio, sobre sus padres y no sobre sus descendientes; algo aportan aquéllos al triunfo de sus hijos, sea el peculiar ritmo en la hélice de su ADN, sea la atención, el aliento o el ejemplo que supieron darle. Y habiendo sido mi padre un hito en la historia cultural española, debemos hablar de su progenitor, José Ortega Munilla, y de su abuelo, José Ortega Zapata, músico, jurista y periodista, porque algo heredó de ellos. Sin olvidar su rama materna, los Gasset, gente asimismo valiosa que dejó su huella en la España del siglo XIX, el cual, como es admitido, remonta más allá de 1900.

En mi caso, el centro de mi vida ha sido, naturalmente, mi padre: por su personalidad, por el atractivo de su modo de ser y de sus ideas, por la bondad de su carácter, por la convivencia asidua con él y porque los acontecimientos de nuestra reciente historia me llevaron a ocuparme más de él en los momentos difíciles de la Guerra Civil, del exilio y de la posguerra. Pero no por haber vivido cerca de una persona podemos pretender explicar su vida, que es siempre enigma para el otro. La biografía, en última instancia, es un empeño imposible pero cabe desentrañar algo de esa «misteriosa trama de azar, destino y carácter» que era para Dilthey la vida. En un hombre de pensamiento que se va haciendo cuestión de su propia vida, sus escritos pueden ayudarnos a revelar su horizonte vital, aunque en ningún momento trato de exponer sus originales ideas filosóficas. Esto lo van haciendo —por cierto cada vez con mayor profundidad y perspicacia— sus discípulos, tanto los que le conocieron en vida como los que le han ido descubriendo en sus escritos.

Mi propósito es movilizar mis recuerdos para ir tratando de despejar las incógnitas en que consiste toda vida y que son ante todo, a mi juicio, éstas: los padres y la familia, el predominio de la soledad o la compañía, los amigos (o la falta de ellos), los enemigos (a veces ignorados por el personaje), la educación sentimental («la mujer es el encanto y el desasosiego del mundo» es una definición bellísima que daba Azorín, poco mujeriego por cierto), la vocación, dotes y capacidades, los problemas económicos, los grandes acontecimientos vividos, la salud (longevidad o vida breve), los éxitos y los fracasos, los caprichos y manías, y lo que en esa vida podemos atribuir al azar y la suerte. Y, como tarea más empinada, tratar de dibujar el mapa de sus sentimientos, pasiones y ensimismamientos.

Probablemente mi propósito supera a mi capacidad de relatar la vida de mi padre o la vida de mi abuelo —a quien traté de niño— y de mi bisabuelo, que sólo era ya anécdota en mi casa. Pero si me he decidido ha sido al darme cuenta de que nada podía hacer con mayor fruición en estos años postreros de mi propia vida que lograr la reviviscencia del paso de mi padre por la suya. Me perdonará el lector que sienta, además de cariño, entusiasmo por aquel hombre que, en frase de su colaborador máximo Fernando Vela, «más que un hombre fue un acontecimiento».

# Capítulo I

# José Ortega Zapata
## (1824-1903)

VALLADOLID

Mi bisabuelo, José Ortega Zapata, nació en Valladolid el 8 de abril de 1824 en el número 7 de la calle de las Damas, muy próximo a la catedral chiquita, como llamaban entonces a la iglesia de las Angustias de la capital castellana. Su padre, Fernando Ortega y Montaner —y ésta es la única noticia que tengo de la hora postrera de mi tatarabuelo a través de lo que escribió su hijo en 1895—, «era Comisario Ordenador de los Reales Ejércitos del distrito de Castilla la Vieja —tal se llamaba entonces el destino equivalente al de intendente militar de hoy—. En julio de 1828, el rey Fernando, de vuelta de Cataluña, con ocasión de los disturbios políticos de aquella época[1], era esperado en Valladolid después de su estancia en Burgos.

»Mi padre, muy adicto a la persona de Fernando VII por haber pertenecido a la *servidumbre* del monarca en el Palacio Real de Madrid, y por haber ido muchos años con la real familia, *de jornada,* a los sitios de El Pardo, Aranjuez, El Escorial y La Granja, quiso hacer el viaje a Palencia para incorporarse allí a la regia comitiva. No habiendo halla-

---

[1] Fernando VII volvía del Principado, adonde tuvo que acudir a finales del año 1827 para combatir, por mano del sangriento conde de España, la revuelta de los «agraviados», llamados así los nobles españoles que, en la guerra de Sucesión entre las armas del archiduque Carlos y las de Felipe V, tomaron partido por la casa de Austria y no fueron por ello reconocidos por el Rey como Grandes de España. La revuelta fue importante porque se unieron a ella partidarios del absolutismo apostólico, y, en realidad, se extendió a toda Cataluña, desde una Junta constituida en Cervera. La represión fue brutal, el conde de España ahorcó a los más destacados insurrectos, y Fernando VII no quiso prestar oídos a las vehementes sospechas de que habían apoyado el movimiento tanto su hermano Carlos María Isidro, como su propio ministro Calomarde. El regreso de Fernando a Madrid quiso hacerse como un viaje triunfal.

do otro carruaje de alquiler que una tartana, en ella emprendimos la expedición mi padre, mi madre y yo, a la sazón de cuatro años. Pasado Torquemada y ya cerca de Magaz, volcó la tartana y cayó en una zanja de la carretera; mi padre, que era muy corpulento, tuvo la desgracia de que, en la caída, se le fracturase la clavícula derecha. Moribundo fue llevado a Magaz; desde allí envió mi madre un propio a Burgos noticiando el triste acontecimiento. El Rey dispuso que dos médicos de Cámara tomaran la posta para asistir a mi padre, pero cuando llegaron ¡mi padre era cadáver y estaba enterrado en Magaz!» [2].

Ese cargo regio permitiría, sin duda, que la familia se mudase, teniendo el bisabuelo dos años de edad, al cuarto bajo de la Casa Polentinos como llamaba «todo el Valladolid de 1826 al gran edificio, de fachada y proporciones señoriales», en la calle de San Salvador, donde el conde de Polentinos tenía sus despachos. Un piso bajo con grandes rejas de hierro donde el bisabuelo se soltó a caminar con los andadores que le pusieron sus padres, el carretón y la pollera de mimbres que se usaban entonces «para los mamones que empezábamos a dar nuestros primeros y vacilantes pasos». Y aunque no debía de ser excesivamente lujoso el tenor de la vida de aquel Comisario, como demuestra el que no dispusiera de carruaje propio y tuviera que tomar uno de alquiler para ir a honrar a su amado Rey, su muerte cambió la situación de la familia, y en ese mismo año de 1828 se trasladaron a la calle de María de Molina y en 1833, a la de Santiago, a pisos más modestos.

Todo esto nos lo cuenta Ortega Zapata en *Solaces de un vallisoletano setentón* que publicó *El Norte de Castilla* en 1895 para contar a los pincianos [3] de entonces lo que era el Valladolid de 1830 a 1847, fecha desde la que no había vuelto a pisar su «inolvidable suelo». El último de los 34 *Solaces* lo escribió en 1895, en la propia mesa de redacción del famoso periódico castellano, pero la casi totalidad de los restantes los enviaba desde Miraflores de El Palo, barriada malagueña donde residía, a ratos con sus nietos, y donde moriría en 1903. El propio *Norte de Castilla* recogió en 1895, en forma de libro [4], la mayor parte de esas remembranzas, que demuestran, por cierto, una gran memoria. Y hace pocos años —en 1983— el sacerdote y catedrático de la Universidad de Valladolid

---

[2] Probablemente, me dice un amigo médico, porque se le clavó el hueso de la clavícula en el pulmón.

[3] Pincianos se decía a los de Valladolid porque se creía que era el lugar de Pincia, una mansión romana.

[4] Que se abre con esta dedicatoria: «A Eduardo, José, Rafaela y Manuel Ortega Munilla Gasset *(sic)*, os dedica mi primer tomo de estos *Solaces,* que se publicaron en *El Norte de Castilla* vuestro abuelo José Ortega Zapata».

Lorenzo Rubio González ha publicado una nueva edición, crítica y completa, que debemos agradecerle todos los descendientes de José-Dionisio Ortega Zapata, como firmaba el autor sus *Solaces.*

Su buen hijo, Ortega Munilla, ya entonces periodista de gran talla e influencia, puso unas líneas de preludio —que no prólogo— a ese libro con el título *Antes de empezar,* que transcribo en parte:

«Los *Solaces de un vallisoletano setentón* no tienen pretensión alguna ni su autor, que empleó buena parte de su vida en las faenas del periodismo, ha aspirado jamás a los triunfos literarios. Por distraer ocios de anciano y vigilias de enfermo, fue anotando al correr de la pluma sus recuerdos infantiles y remembranzas de mozo... y así desfilan ante el lector, dentro del cuadro del Valladolid de los años 30, los tipos castizos y rancios, las costumbres sencillas y modestas, correspondientes a una época de transición; el buen vallisoletano que viajaba, acompañado de escopeteros, en galera o en el coche de *Tragaleguas;* que hacía visitas en *bombé;* que encendía los cigarros en chufeta y se alumbraba con velas de sebo; [sus paisanos actuales] recorrerán con curiosidad los *Solaces* en los que verán restaurada y reproducida la ciudad antigua con el movimiento de la vida».

Pero aunque no seamos vallisoletanos, lo que cuenta mi bisabuelo de la ciudad de su niñez resulta curioso y divertido. Era Valladolid el vestigio desarbolado de la capital de los Austria, de edificios sonoros pero ya menesterosos y deshabitados. Téophile Gautier, que pasó por allí pocos años después en su famoso viaje por España, decía que «era una ciudad de 20.000 habitantes capaz para albergar 200.000». Y ese interés de los relatos del bisabuelo procede de su probado sentido periodístico, como lo demuestran, por ejemplo, estos titulares del *Solaz XVIII:* «Una copla socialista y comunista»; «Avanzar cuatro años para retroceder tres»; «La supresión de los manteos de los estudiantes»; «Anguarinas, capas, chaquetas, levitas, sombreros gachos y de copa»; «Aire, agua, fuego y tierra».

No voy, naturalmente, a comentar cada uno de esos *Solaces* pero sí quiero señalar dos temas que, sin duda, le impactaron. Uno, el de la higiene —o, mejor dicho, la falta de ella— en la ciudad del pestilente Esgueva; otro, su entusiasmo por la pastelería de Gordaliza, de cuyo hijo Gabino sería gran amigo, «que era el Lhardy de Valladolid». «La higiene —nos dice en el *Solaz XII*— era completamente desconocida en Valladolid en los años 30 y siguientes [...] Lo único que se echaba de ver algo, estaba en que por la mañana, a primera hora, barrían la calle los presidiarios [...] Como no había cuartos escusados, retretes comunes en las casas, había que suplir la falta tal con cosa *precisa, necesaria y secreta.* La *olla* desempeñaba un gran papel en las primeras horas de la mañana y en las de nueve en adelante por la noche. Las criadas de las casas cargaban con la olla, se la ponían abrazada con el brazo izquierdo en la cintura, y emprendían la marcha al vertedero más próximo del río Esgueva. El aroma que envolvía Valladolid durante dichas horas [...] no olía a ámbar». Más adelante insistiría en la urgencia de «alcantarillar el Esgueva para que puedan construirse escusados en todas las casas de la ciudad, escusados que son *inexcusables*».

Pero, en cambio, se le endulza el recuerdo con la pastelería de Gordaliza. «Tu buen padre —dice dirigiéndose a su amigo Gabino— ¡qué guisos tan apetitosos daba, y sobre todo tan sanos! Los de cabrito, tostón, y pavo asados; la gallina en pepitoria, el pollo con guisantes o tomates, según la estación; la perdiz estofada [...], las truchas, las anguilas y las tencas, con el aderezo natural que estos pescados piden, el salmón por Semana Santa [...]; los palominos y pichones criados en los palomares de Villalón [...], las liebres y los conejos de la dehesa de Fuentes, de los montes de Corcos y Torozos (del monte Torozos, terror de los que tenían que atravesarlo para ir de Valladolid a Rioseco porque lo poblaban más ladrones que conejos y liebres había en sus matas [...]); los entremeses [...] y las golosinas de postre». Pero sobre todo recuerda el brillo de «los cubiertos de plata hechos a martillo y no de plata imitada de Meneses o Christofle». «Todo ello presentado por módico precio, pero como había *jubileo perpetuo*, resultó hacer rico a tu padre [...] y entraba el dinero a talegas, que así se llamaba la suma de 20.000 reales».

Y se emociona hablando del pan de su niñez. «Pan como el que se comía en Valladolid, no exagero al afirmar que desde que salí de mi querida ciudad no he encontrado ninguno que le iguale en sabor y calidad, a pesar de haber corrido mucha tierra, aquende y allende los mares». Y se extasía enumerando con detalle las numerosas clases de panes: el pan de *polea*, que era «el pan de los pobres» por su baratura, «que cundía mucho»; los panes de Cigüeñuela y Villanubla, etcétera.

Tenía once años cuando se matriculó en la universidad para cursar los estudios de Filosofía. No resulta nada extraño que a tan temprana edad —nos dice Rubio y González— aquellos universitarios casi niños organizaran sus juegos en la plaza de la universidad y hasta en los propios claustros. De 1835 a 1838 aprobó los tres cursos de Filosofía y de 1838 a 1841, los cuatro de Leyes, que le permitían optar al grado de Bachiller, grado que obtuvo el 19 de diciembre de 1842, tras un brillante examen que aprobó *némine discrepante*. Ese mismo año de 1842 la Facultad de Leyes cambió su denominación por la de Jurisprudencia, y en ella estudió tres años más para obtener el grado de licenciado en Jurisprudencia el 25 de octubre de 1845.

Don Claudio Moyano, el famoso político, admirado sobre todo por sus dotes de gran orador, formó parte del tribunal de esa licenciatura.

Ya conocía Moyano al joven Orteguita de los conciertos de violín que daba en casa de la familia Nieto y Wall, cuyos tres hijos completaban el cuarteto. Mi bisabuelo siempre alude a Claudio Moyano con cariño y respeto.

## Madrid

En 1845 tenía pues, el joven José Ortega Zapata, veintiún años y tres licenciaturas. Dos años después, la noche del 12 de octubre de 1847, salía de Valladolid «para irme a Madrid en una fementida diligencia-coche, que echaba en el viaje treinta horas, desde la capital de la Vieja Castilla a la de la Nueva, o sea, de *Valladoliz a Madriz*». La Diligencia General de Coches se estableció en 1763 y redujo casi a la mitad el tiempo que llevaba viajar de un punto a otro de la Península en las rutas servidas. Bajo el reinado de Carlos III se había hecho una red de caminos muy estimable pero los destrozos de las guerras napoleónicas y la inquina de Fernando VII contra la Escuela de Ingenieros de Caminos, creada por Agustín de Bethencourt, unido a la falta de dinero, dilató mucho su restauración y ampliación.

La diligencia ordinaria solía tener una *imperial* en la cubierta, detrás del pescante; una zona de primera denominada *berlina* a la que seguía una zona *interior* con mayor número de asientos. En el compartimento de atrás había una *rotonda* con asientos laterales que debía de ser bastante incómoda.

El ir y venir de nuestros antepasados del siglo XIX, antes del ferrocarril, les obligaba a viajar por esos caminos españoles tan broncos e intransitables, sujetos a tormentas, nevadas y bandidaje, y a pernoctar en sórdidas posadas y ventas de las que tanto han abominado los viajeros extranjeros que han publicado después sus viajes por España: Gautier, Dumas, Gustavo Doré, Richard Ford, etcétera. Así padecerían los huesos y la higiene de mi bisabuelo en los numerosos cambios de destino a que le obligó su vida, como veremos [5]. Empezaba para Ortega Zapata la vida, esto es, la vida personal que tenía que inventarse por sí mismo.

No tenía dinero e imagino que se defendería escribiendo gacetillas sin firma en algún periódico o revista. Poco después de llegar a Madrid, el 12 de abril de 1848, era nombrado auxiliar sin sueldo de la Junta Su-

---

[5] Todos estos datos los tomo del libro de Gonzalo Menéndez-Pidal *España en sus caminos*, que es un paradigma de esa nueva rama de la historia que se denomina "Historia por la imagen".

perior de Archivos, destino en el que sirvió hasta el 12 de junio de 1851. Ya por entonces su firma aparecía en publicaciones madrileñas de cierta fama, como el semanario ilustrado *La Semana*, y en *El Mensajero, El Orden* y *El Constitucional*, e incluso en el diario *La Época*, que desde su salida obtuvo buena audiencia. 1851 a 1854 es el periodo en el que consta que aparecieron sus trabajos, de crítica musical especialmente. Pues no hay que olvidar que era violinista de afición y se decía que daba también clases de violín para completar sus ingresos, más necesarios que nunca porque a mediados de 1851 contrajo matrimonio con doña María del Pilar Munilla y Urquiza, de familia extremeña radicada en Plasencia. De esos años, Baltasar Saldoni, autor de un famoso *Diccionario Biográfico-Bibliográfico de Músicos Españoles*, aparecido en 1881, al hablar del tenor Buenaventura Balart, que debutó en el Real con la ópera *Lucrecia*, señala que el mejor artículo sobre este cantante es el publicado por Ortega Zapata en *El Orden* el 6 de noviembre de 1851.

No olvida el bisabuelo su carrera administrativa, y el 16 de noviembre de 1849 es nombrado «aspirante a la Clase de Auxiliares del Consejo Real» y, en 1853, oficial de la secretaría general de dicho Consejo.

## La Habana

Sin duda las reformas administrativas del general José de la Concha (1809-1895), que había tomado posesión como gobernador de la isla de Cuba el 21 de septiembre de 1854, consistentes en un control más estricto y un mayor papeleo a la «moderna española» —que no debía de ser un modelo de eficacia, por cierto—, se traducirían en mayores necesidades de burocracia. Eso explicaría que José Ortega Zapata fuera destinado por Real Orden de 2 de enero de 1855 como oficial segundo de la secretaría política de Gobierno de la isla de Cuba, cesando en el puesto que ocupaba en el Consejo Real, un empleo con cierto prestigio pero muy mal remunerado. Yo pienso que entre las razones que tuviera mi bisabuelo para irse a ultramar había dos principales: el deseo de prosperar económicamente y su curiosidad de periodista para conocer otros mundos, en este caso esa isla que los españoles consideraban la perla de las Antillas.

Debió de embarcarse en seguida, con su esposa, en un viaje entre Cádiz y La Habana que duró unos veinte días. Imaginamos la abigarrada masa que compondría aquel pasaje: emigrantes, militares, hombres de negocios de la sacarosocracia y aventureros que querían llegar a serlo, algún político complicado en la reciente «vicalvarada» de 1854 que querría poner mar por medio, y otros viajeros pintorescos.

No era ésta la primera vez que el general de la Concha ocupaba la Capitanía General de Cuba [6]. Ya lo había hecho de 1850 a 1852, y fue precisamente su energía en la represión del intento de invasión del general venezolano Narciso López [7], que fue capturado y condenado a garrote vil, lo que le valió al general de la Concha los títulos de vizconde de Cuba y marqués de La Habana. Su nueva etapa como gobernador general duraría hasta finales de 1859 y cubriría por tanto los dos años largos que duró la estancia de mi bisabuelo en Cuba.

No ha contado el periodista nato que era Ortega Zapata sus experiencias cubanas, sin duda por la discreción a la que le obligaba su condición de empleado del Estado, pero podemos percibir la Cuba de su tiempo en las *Memorias de La Habana,* escritas por Antonio de las Barras y Prado [8] que estuvo por allí a mediados del siglo XIX, en los mismos años que mi bisabuelo, como empleado de la firma Noriega, Olmo y Cía., dedicada al comercio en general y a representaciones diversas. Muy probablemente se conocerían porque de las Barras tenía que despachar en Capitanía muchos asuntos de su empresa con el gobierno de la isla.

Seguramente mi bisabuelo vería al llegar, desde el vapor, a medianoche, la farola del Morro de La Habana, cuya luz le tranquilizaría después de una travesía normalmente aventurada, y su sorpresa sería grande al encontrarse «con una hermosa ciudad que nos llevaba (a los de la Península) cincuenta años de ventaja en toda clase de adelantos. Una población grandísima y de moderna construcción. Tiene hermosos paseos, como el de *Carlos III,* donde va la gente a pasear en carruaje; la *Alameda de Isabel II,* que divide la población nueva de la vieja». Dentro de la población vería la Plaza de Armas, delante del palacio del capitán general, «donde todas las noches, de ocho a nueve, hay retreta por una banda militar. Durante ella se llena la plaza de gente y los alrededores de carruajes con señoras que van a oír la música. Terminado el concierto la gente se va [...] salvo la que se queda en los cafés y casas de refrescos de la acera frente a Palacio, que conservan su animación hasta las diez y media de la noche, hora en que

---

[6] Manuel Moreno Fraginals: *Cuba/España-España/Cuba,* Crítica, Barcelona, 1995.

[7] Narciso López, caraqueño, estuvo al servicio de España, hizo la guerra hasta embarcarse en Puerto Cabello en 1873, al ser tomada la ciudad por Páez y sus llaneros. Narciso López no quería la independencia de Cuba, sino su anexión a los Estados Unidos.

[8] Antonio de las Barras y Prado: *Memorias de La Habana* (La Habana a mediados del siglo XIX), Ed. de Francisco de las Barras y Aragón, Madrid, 1925 (Biblioteca Nacional (B. N.), Signatura: 2/85859).

se ven obligados a cerrar». Todavía existían intramuros los restos de un convento de San Francisco cuya torre tenía predilección por los rayos en día de tormenta, desde el primero que descabezó la estatua del santo en lo alto. «Yo he visto —nos cuenta de las Barras— una vez un caballo malojero, y pocos días después otros dos, muertos al pie de dicha torre por los rayos».

«En general, la ciudad estaba muy cuidada: adoquinadas las principales calles, los paseos y jardines bien cuidados». Los teatros, donde tanto gozaría mi bisabuelo, eran excelentes: «El de *Tacón*, tal vez el mejor de América [...], en donde han cantado ópera italiana voces insignes como la Bossio, la Alboni [...] y nuestra compatriota, la Cruz Gasier, tenores como Salvi y Brignoli, etcétera». Además frecuentaban el citado teatro las mejores compañías españolas de zarzuela, género que conserva en toda América su fama y su presencia hasta hoy en día.

También señala nuestro memorialista «los circos, lujosos y elegantes, como el de *Chiarini* y el de *Nixon*, en los que mucha parte del año hay espectáculos de todo orden y bailes». Y frecuentaría como buen español los buenos y lujosos cafés, como el de La Dominica, Escauriza o El Louvre.

Cuba, por su situación geográfica en la proximidad del trópico de Cáncer, tiene un clima subtropical. Goza de cuatro meses frescos al año, de noviembre a febrero, lo que allí llaman invierno, en general seco y con temperaturas moderadas. El verano dura de mayo a agosto, con altas temperaturas y lluvias frecuentes, y los meses peores son los de agosto y septiembre, época de los ciclones tropicales que a veces se convierten en devastadores huracanes.

También en ferrocarriles Cuba se adelantó a la metrópoli. Si el primer ferrocarril en la Península fue el de Barcelona a Mataró, inaugurado en 1848, la primera línea de ferrocarril iberoamericana fue la de La Habana a Güinees, construida en 1837, bajo la Regencia de doña María Cristina, para dar salida al azúcar de los ingenios del interior, cada vez más numerosos, arruinada Haití por su revolución de los esclavos negros. Según Moreno Fraginals, en 1848, cuando España inaugura su primer ferrocarril de 29 kilómetros, Cuba cuenta ya con 618 de vías férreas y diez años después duplica esta cifra.

Pero el gran deslumbramiento para Ortega Zapata serían los baluartes y castillos que hacían de la plaza fuerte de La Habana, en palabras de Antonio de las Barras, «El Sebastopol de América». El más famoso, el castillo del Morro, defiende la entrada del puerto, «hermosísimo, acantilado en gran parte, con muelles que pueden recibir los buques de mayor calado».

Tomaría el bisabuelo para sus desplazamientos el quitrín o volanta, que era un carruaje cómodo de dos asientos, montado sobre sopandas en dos grandes ruedas y tirado por un caballo en el que va encaramado el calesero. Y nunca dejaría ir sola a su mujer: las señoras únicamente salían a pie por la calle los Jueves y Viernes Santo. A veces, si tenía prisa o pocos pesos, podía el bisabuelo tomar el ómnibus, que por un real cada asiento hacía una carrera de más de una legua, desde la Plaza de Armas hasta el Cerro de Jesús del Monte, o utilizar el tranvía, tirado por caballos, que recorría los principales centros de la ciudad.

Un sinfín de vapores enlazaban los distintos puntos de la bahía, y varios ferrocarriles llevaban al cercano pueblecito de Guanabacoa o más lejos, hasta Matanzas y Cárdenas, una de las jurisdicciones más ricas de la isla.

Siempre he oído en la familia que el bisabuelo había sido juez en Cuba, y su nieto, mi tío Eduardo, afirma que era juez de Primera Instancia e Instrucción en Cárdenas [9], pero no veo que ese puesto en la secretaría política del gobernador de Cuba fuera lugar para ejercer ese cargo. Más bien lo veo como asesor jurídico, dados sus conocimientos, de esa Capitanía. Como buen Ortega, no hizo dinero, aunque algo ahorraría del sueldo de 2.000 pesos anuales que tenía asignado y que, para los tiempos, era bastante digno. Además no estuvo en ese cargo ni siquiera un año porque el 6 de noviembre de 1855, por Real Orden, es nombrado administrador de rentas de Cárdenas, lo que suponía un ascenso que aceptaría también por estar esa ciudad en una región más sana que La Habana, donde la fiebre amarilla se cebaba más en la población, quizá —observa de las Barras— «por las emanaciones deletéreas de los manglares que forman toda la zona Sur de sus alrededores».

## CÁRDENAS

«La gran llanura roja —nos explica Moreno Fraginals— de La Habana a Matanzas (capital de la principal provincia de la isla), un peniplano que se alarga unos 200 kilómetros de oeste a este, se convirtió en la región plantadora por excelencia. Es una extensión de tierras lateríticas, con alto contenido en hierro que le da ese típico color rojo oscuro, cubierta por un bosque milenario que al ser talado (para alimentar a los hornos de los ingenios) dejó la herencia de un humus donde las siembras de cañas y cafetos dieron rendimientos sorpren-

---

[9] Eduardo Ortega y Gasset: "Mi hermano José", *Cuadernos Americanos*, México, mayo-junio, 1956.

dentes»[10]. Pero poco a poco, antes de llegar Ortega Zapata, el tabaco había desaparecido de esa región para irse a tierras más lejanas, porque el transporte del azúcar sólo lo hacía rentable cerca de los puertos de embarque. Además —nos recuerda el historiador cubano— «en 1844 y 1846 esa zona fue azotada por dos ciclones, uno de ellos considerado como de los más terribles que recuerda la historia, que arrancó de raíz miles de matas de cafetos».

La prosperidad de Cárdenas se debe precisamente a ese *boom* azucarero. Fue fundada, según consta en acta del cabildo, el 8 de mayo de 1828, y lleva el nombre de don Mateo de Cárdenas y Guevara, procurador general del cabildo habanero, quien, a solicitud de don Diego Sotolengo, concedió merced en 1709 a un sitio de ganado en la costa norte de Cuba, a 28 leguas a barlovento de La Habana. Próxima a la ciudad de Matanzas —a unos 50 kilómetros— queda la bahía frente a la península de Hicacos donde está Varadero, con su larga playa de 20 kilómetros de finísima arena, lugar de descanso entonces de las familias pudientes de Matanzas y ahora lugar turístico por excelencia de Cuba. Por los años en que llegó mi bisabuelo, Cárdenas tenía unos 11.000 habitantes y Matanzas, unos 30.000. Parece ser que en la playa de Cárdenas fue donde desembarcó Colón al pisar por vez primera en 1492 tierra cubana[11]. También allí, en 1850, desembarcó la expedición de Narciso López, de la que hemos hablado, y, aunque el general de la Concha los rechazó, tuvo tiempo el general caraqueño para poder ondear la bandera masónica que había diseñado; por ello a esta ciudad le llaman los cubanos desde la independencia «la ciudad bandera».

Cárdenas era una ciudad hermosa y bien construida. Edificios con soportales, casas de estilo colonial de dos pisos, el superior muchas veces con balcones de rejas labradas, calles bien trazadas, la plaza principal con su glorieta de música, y numerosos cafés, como el de La Dominica, que sería años más tarde lugar de reunión de los conspiradores de las guerras de 1868 y de 1895, y donde se juega a las cartas y se cambian muchas pequeñas fortunas de mano. Las peleas de gallos apasionan a pobres y ricos que apuestan, como en toda Cuba, y, es curioso, asisten a ellas también mujeres.

Pero el baile es la diversión favorita. «No hay una reunión, ni jira, ni celebración —nos dice de las Barras— que no concluya con el baile»; el

---

[10] Obra cit., pág. 210.

[11] Según la información que me da mi primo Juan Manuel Ortega Gómez. Todos los puertos de la costa norte de Cuba postulan su ilusión de la primera pisada de Colón. La verdad es que lo único que tenemos es la referencia del padre Bartolomé de Las Casas.

más típico «se llama la danza y se compone del *paseo*, la *cadena* y el *sostenido*, según lo va marcando la música, animada y alegre, que sólo tocan bien los músicos de aquí, que saben dar el *chic* que reclama su índole».

También en Cárdenas se hacía la fiesta habanera de «los *bandos galleros, azul y punzó*. Consiste esta fiesta en la formación de dos bandos que ostentan cada uno su color respectivo, que eligen cada uno su reina de la hermosura y éstas, a su vez, por medio de diplomas, nombran sus ministros, damas y caballeros, rodeándose de una corte por la que se hacen guardar [...] Las reinas reciben a la corte sentadas en su trono y cuando salen a la calle una banda de música les toca la marcha real. El pueblo se divide también en dos bandos, ostentando cada cual, en la corbata o en la cinta del sombrero, el color de su reina». Mientras tanto los periódicos —alguno había no diario en Cárdenas— insertan poemas y ditirambos de improvisados trovadores ensalzando la hermosura de la reina de su bando. Lo más curioso es que eran las peleas de los gallos de uno y otro bando las que decidían cuál de ambas reinas era la más hermosa.

El puesto de administrador de rentas daría al bisabuelo y a la bisabuela Pilar cierto prestigio e influencia en aquella sociedad criolla, que era, en definitiva y por encima de la estructura civil y militar española, la que mandaba en Cuba. Contaba después el bisabuelo que un conocido hacendado que, además de utilizar a los esclavos en su ingenio, era negrero y marqués —uno de esos títulos de nobleza concedidos por la Corona para afianzar la adhesión de la colonia—, fue asaltado por un grupo de sus esclavos rebeldes, que llegaron a colgarle de un árbol para ahorcarle. Cuando estaba la soga apretando su garganta llegaron las tropas españolas y, al descenderle, el capitán le preguntó: «¿Marqués, ha sufrido usted mucho?». Y el negrero, con su seseo criollo, contestó: «Ca, ¡plaser inmenso!», porque había sentido el orgasmo involuntario que produce la soga al ir apretando el gaznate.

Año y medio estuvo Ortega Zapata en Cárdenas desempeñando su puesto hasta que cesó por Real Orden de 8 de junio de 1857. Nació en este tiempo su primer hijo, el que sería director de *El Imparcial,* el 26 de octubre de 1856, que fue bautizado el 4 de diciembre en la iglesia parroquial de la Purísima Concepción, un ingente edificio neoclásico construido en 1846. Está situado, y aún se conserva lozano, frente al Parque Colón, cuya estatua, erigida por orden de Isabel II en 1862, queda frente a la iglesia. El párroco, don José Martínez Navarro, le puso al niño por nombre, en esa larga retahíla usual entonces, José-Evaristo-Isidro-Pilar-Mariano-Jacinto-Tomás. Fueron sus padrinos don Mariano Zapata —sin duda tío materno del catecúmeno— y doña Jacinta Fernández de Cossío, de la que nada sé.

¿Por qué regresó tan pronto de Cuba Ortega Zapata? Nunca se ha contado nada en la familia, pero yo pienso que, aunque era feo, católico y menos sentimental que el marqués de Bradomín, el atractivo de alguna de aquellas bellas cubanas, de dulce decir y gesto sensual, estaba amenazando su matrimonio, y la bisabuela Pilar trabajó como pudo para que le trasladasen a la Península. Un dato a favor de esta hipótesis es que el 25 de diciembre del año siguiente era nombrado promotor fiscal del Juzgado de Plasencia, villa extremeña de donde era oriunda doña Pilar.

Pero también cabe otra explicación, dado que Ortega Zapata no era dúctil ni maleable: que resultara incompatible con algún superior del Gobierno General de Cuba y se considerase forzado a partir.

## PLASENCIA Y, DE NUEVO, MADRID

En el expediente de Ortega Zapata del Ministerio de Gracia y Justicia, que se conserva en el Archivo Histórico Nacional [12], consta que siguió en Plasencia durante los años 1859 y 1860 como suplente del juez de paz de la ciudad, «cargo que desempeñó con inteligencia y celo», según reza en el documento. Pero desde ese año al de 1865 no se dice dónde estuvo destinado. Quizá en ningún sitio, o tal vez volvió a su destino anterior de promotor fiscal en la misma Plasencia y se dedicó más al periodismo o a preparar el semanario musical con el que venía soñando. En efecto, el 5 de octubre de 1865 salía el primer número de una *Gaceta Musical de Madrid* [13], que aparecería regularmente todos los jueves al precio de dos reales, o seis al mes para los suscriptores, y 21 por trimestre a los suscriptores de provincia. Admitía también anuncios al precio de un real por línea para los suscriptores y el doble para los que no lo fueran [14].

Sus propósitos los explicó en un prospecto preliminar: «Hace mucho tiempo que se viene sintiendo la necesidad de un periódico dedicado exclusivamente a tratar las cuestiones musicales, y apenas hay círculo alguno donde no se hable del arte y se le rinda culto, en que no se lamente por todos la falta de un órgano que contribuya a propagar la afición, y a dar cuenta detallada, minuciosa y nunca interrumpida de cuanto a la música y a los músicos se refiere». Luego añadía: «La empresa y la redacción de esta *Gaceta* se hallan constituidas por personas que sólo conocen del pentagrama lo bastante para hacer una escala

---

[12] Archivo Histórico Nacional (A. H. N.), Fondo Min. Justicia, Leg. 4810, Exp. 8944.

[13] Jacinto Torres Mulas en su estudio sobre *Las publicaciones musicales españolas (1812-1900)* señala que, con ese mismo título, había publicado otra Hilarión Eslava en 1835.

[14] B. N., Sec. Música: M-1730.

diatónica sin desafinar, pero sin más adornos ni accidentes, y que manejan la pluma con la ligereza necesaria para poder llenar algunas cuartillas sin gran trabajo [...] Nuestra invariable divisa es y será: Todo para el arte y por el arte [...] pero debemos añadir que nuestras críticas, así de obras como de artistas, aunque severas, no por eso dejarán de ser tan galantes como lo permita lo que una dilatada práctica nos ha enseñado: "Y que más perjudica un inmerecido elogio que una justa censura"».

La *Gaceta Musical* se dividía en varias secciones: 1) El *Teatro italiano,* señalando que «en los momentos que escribimos este prospecto, ¡es tan oscuro el porvenir de la próxima campaña en el teatro Real!». 2) La *Música religiosa,* al abrir cuya sección «rinde un tributo de respeto a los compositores de música sagrada, anteriores y contemporáneos [...] que tanto han contribuido a colocar a España en el rango de los pueblos artísticos, si es que no a la cabeza de ellos». 3) El *Conservatorio de Música,* estudiando «los resultados que da para el arte, la difícil cuestión de premios y ejercicios públicos, y las atribuciones de la comisión de exámenes». 4) Las *Sociedades Corales en España y en el Extranjero,* donde se quería atender las actividades del «Orfeón artístico matritense» y las 85 sociedades corales de Cataluña, sobre todo; y 5) La sección de *Correspondencia,* donde se insertarían las informaciones de los corresponsales de la *Gaceta* en las principales capitales españolas y europeas.

La verdad es que la empresa y la redacción eran una sola y misma persona: José Ortega Zapata que instaló su redacción y administración en su propio domicilio de la calle de Fuentes 3, cuarto tercero.

En esa misma casa, según me ha informado Pedro Ortiz Armengol, máximo galdosiano sobre la tierra, vivió Benito Pérez Galdós en el piso segundo hacia noviembre de 1862 hasta junio de 1863. ¡Por poco no se cruzaron en la escalera el gran novelista y mi bisabuelo! El biógrafo de Galdós me añade que don Benito frecuentaba esa escalera porque en el piso tercero vivía la viuda del magistrado Mendo...

El número 1 de esa *Gaceta Musical* dedicaba su portada —4 páginas de papel marquillo compuestas a 2 columnas formaban cada número— al próximo estreno en el Real de la ópera de Meyerbeer *La Africana.* El cronista, que firmaba con el seudónimo de Mario Halka, había asistido a las primeras representaciones de esta obra en París, había estudiado su partitura y por ello podía dar una precrítica con solvencia. Este análisis se continuó en el número 2, de modo que el lector de la *Gaceta* que asistiera al estreno en el Real el sábado 14 de octubre estaba preparado para seguir la representación y para juzgar la crítica que cinco días después el jueves 19 publicaría la *Gaceta* en su tercer número. El cronista —firmaba ahora X— no se ataba la lengua, porque principiaba así: «Noé, con su familia, se refugió en un arca para salvarse del diluvio. El Sr. Caballero [que era el contratista de aquella temporada], con la parte de la compañía que hasta ahora conocemos, se ha refugiado en *La Africana* con un fin parecido». Ortega Zapata elogia los efectos de la luz eléctrica y la magnificencia del escenario pero los cantantes, la señora Rey-Balla y el señor Bonehée «son dos artistas apreciables, no tanto por lo que ejecutan sino por lo que dan a entender que comprenden. Son las que se llama una *mediocritá*, en *La Africana* al menos».

Y como cosa periodística curiosa, esta Noticia que venía en el número anterior:

«No parece sino que siempre que se han estrenado óperas de Meyerbeer, el huésped del Ganges ha querido ser *partichino* en las mismas. Decimos esto porque la historia de estas óperas suministra los siguientes datos:

1832, primera representación de *Roberto il diavolo:* Cólera.

1849, primera representación de *Profeta:* Cólera.

1854, primera representación de *Etoile du Nord:* Cólera.

1865, primera representación de *La Africana.*

No dirían nuestros lectores que no es un *dilettante* de raza *il signor cólera-morbo*».

Y así fue, en efecto. El médico Antonio Espina y Capo «recuerda con tristeza —dice Joaquín Turina Gómez en su reciente libro *Historia del Teatro Real*— aquel estreno de *La Africana,* no por la música de Meyerbeer, sino porque "aquella noche, al salir del teatro se había oficialmente declarado el cólera en Madrid y nos encontramos por las calles las camillas con los enfermos, yéndonos los estudiantes a los puestos de socorro"».

El propio Galdós, que escribía una «Revista de la semana» en el diario *La Nación,* en su crónica de 18 de octubre de 1865 se hace eco de la salida del nuevo semanario musical con estas palabras:

«Ha aparecido el primer número de la *Gaceta Musical,* revista semanal que viene a llenar un vacío que se notaba hace tiempo en la prensa de Madrid. Vivimos en un país que manifiesta cada vez más afición por el arte de Mozart y de Rossini, y el infinito número de personas que se dedican a cultivarlo, no indica el gran movimiento musical, sustentado por los principios que rigen la literatura, que ha tomado un carácter más elevado [...] Damos, pues, la bienvenida a la *Gaceta Musical* y le deseamos un porvenir tan brillante como el del arte sublime que viene a representar. Deseámosle también gran cosecha de suscriptores, si bien sabemos que no serán tantos como se merece, porque el público en general es más dado a la política que a la música, y el periódico en cuestión no obtendrá favor unánime hasta que haya política musical, o música política, a no ser que su director se dedique, lo cual no creemos, a explotar ese género de elocuencia en que entra la política y la música y que se llama oportunamente *música celestial*. El primer número trae artículos sobre *La Africana*, sobre la música religiosa y sobre Rossini. En todos ellos se conoce que el periódico está llamado a honrar el arte. Recomendamos a todos los *dilettanti* y artistas su adquisición» [15].

La *Gaceta Musical* aparecería regularmente todas las semanas —con algunas litografías en encarte— pero se interrumpe los dos últimos jueves de junio de 1866, sin duda por la sublevación de los sargentos del cuartel de San Gil, de tan sangrienta represión por O'Donnell —¡fusiló en las afueras de la Puerta de Alcalá, el 25 de junio del 66, a 21 sargentos, a los dos días y a otros 19 después, a 13 más, en total, 53!—, que crispó la vida política y endureció mucho la censura de prensa. La revista se reanudó el 4 de julio pero moriría el 5 de agosto, día en que apareció el número 43, que iba a ser el último, aunque su director y propietario no dio en sus páginas ninguna explicación ni despedida. Por las reclamaciones de pago que hacía a los suscriptores, sobre todo los de provincias, en números anteriores deduzco que la falta de ingresos acabó con esa estimable revista del arte musical.

Me perdonará el lector si me he extendido demasiado en hablar de esta efímera revista. Pero fue la primera aventura editorial de un Ortega. *El Imparcial, El Sol,* la *Revista de Occidente,* Alianza Editorial y *El País* estaban esperando en el horizonte a los descendientes de José Ortega Zapata, único Ortega, por cierto, que ha entendido algo de música.

«Mi padre —contó Ortega Munilla— [...] había desempeñado cargos de algún relieve en la Administración de Justicia, como letrado que era, y [...], por lo tanto, formaba en la legión de los llamados *polacos*. En mi casa la idea revolucionaria era objeto de desprecio y antipatía. Por eso yo sentía un horror indomable por lo que oía [a un compañero suyo de un colegio humildísimo donde recibió las primeras enseñanzas]. Andando los años he cambiado de parecer» [16]. Melchor Fernández Almagro, en un artículo que publicó en *ABC* en el centenario del nacimiento de mi abuelo, recuerda que Ortega Zapata «formó parte de la redacción de numerosos periódicos: *El Reino, La Libertad, El Puente de Alcolea, El Eco del Progreso, El León español* y *El Tiempo*» [17].

---

[15] Que tomamos del estudio que publicó el profesor W. H. Shoemaker sobre "Los artículos de Galdós en *La Nación"* publicado en *Ínsula* en 1972.

[16] En el artículo a su novela *Estracilla*, Renacimiento, 1917.

[17] Artículo sobre "Ortega Munilla" en *ABC,* 26 de octubre de 1958.

Justamente en *El Tiempo*, un órgano de los moderados alfonsinos, fundado por el conde de Toreno y el de San Luis, Ortega Zapata fue redactor jefe.

José Luis Sartorius, conde de San Luis, que era oriundo de Polonia —de ahí el apelativo señalado de polacos que daban a sus partidarios—, tuvo una larga actuación política bajo Isabel II. La «vicalvarada» puso fin a su último gabinete y presidió las últimas Cortes del reinado de la Reina castiza. Ortega Zapata fue un periodista batallador apoyando al partido moderado e intérprete de las doctrinas del conde.

No imagino bien cómo podría el bisabuelo compaginar su trabajo en la Administración con esas labores de redactor que exigen una atención a la actualidad y mucho gasto de tiempo y de relaciones para informarse, sobre todo en destinos que no radicaban en Madrid.

## DE CUENCA A MÁLAGA

Así, en efecto, fue nombrado el 4 de agosto de 1866 jefe de la sección de Fomento de la clase segunda con destino en Cuenca.

Año y medio vivieron los Ortega en esa ciudad, ejemplo de la España fantástica, cuya inevitable atmósfera mística influiría, sin duda, en que el joven Ortega Munilla comenzase sus estudios para sacerdote en el seminario de la ciudad. «Yo iba a ser cura —decía años después en una entrevista— por cierta vocación y entusiasmo mío, y seguí los estudios eclesiásticos en los seminarios de Cuenca y Gerona durante cinco años: por eso sé tanto latín». En Cuenca lo hizo con el humanista Antonio Cantillo, e incluso ganó a los diez años un premio creado por el entonces obispo de Cuenca, Payá y Rico. Pero el 14 de noviembre de 1867 su padre fue nombrado secretario del Gobierno Civil de la provincia de Gerona, y allí se trasladó toda la familia.

En Gerona siguió el hijo sus estudios de latinista en el Seminario Tridentino gerundense con el sabio presbítero Mosén Antonio Riera.

Ortega Zapata tomó posesión de su secretaría el 19 de diciembre de 1867, pero habiendo dimitido de su cargo el gobernador Pedro Esteban Herrera a finales de julio de 1868, el bisabuelo actuó de gobernador interino durante los meses de agosto y septiembre (antes lo había hecho durante un mes por ausencia del titular). «Sólo vemos —dice Enric Mirambell— actuaciones del gobernador interino en asuntos de trámite, como la represión de juegos prohibidos, la penalización por falta de peso en la venta de pan. Pero también una disposición muy significativa, dirigida a los alcaldes, advirtiéndoles que ellos y todos los responsables del orden público han de actuar de acuerdo con las autoridades militares». Significativa —añado yo— porque la revolución liderada por Prim estaba ya en marcha y eran inútiles precauciones. Y cuando hubo, en efecto, triunfado la «Gloriosa», una revolución que «al cerrar los estudios religiosos y anular la validez para los efectos oficiales de su enseñanza» acabó con la vocación sacerdotal que todavía sentía el abuelo.

La revolución de septiembre del 68 le debió de coger en mala postura política, y «en cuanto triunfó, la familia se fue a Zaragoza», recordó su hijo en uno de sus escritos autobiográficos.

Sus destinos posteriores le llevaron a ser promotor fiscal de diversos juzgados: Castrojeriz, Castellote y Colmenar Viejo. En este último debió de tener un enfrentamiento con el juez titular porque intervino el fiscal de la Audiencia provincial, pero en esa ciudad vivió muchos años la familia [...], sin la madre, doña Pilar Munilla, que había fallecido en 1869, «año —según escribió su hijo— más triste de mi existencia porque en él perdí a mi madre».

Jurada ante el gobernador de Madrid la Constitución de 1869, Ortega Zapata siguió en sus actividades habituales hasta 1888, en que, sintiéndose mal, se retiró a Miraflores de El Palo, en Málaga, donde luego acudirían sus hijos y nietos, y donde murió en 1903, a los 79 años. Fue enterrado en el cementerio de esa pequeña barriada malagueña pero no he encontrado ninguna lápida que lo recuerde.

Conservo dos fotografías suyas, ya viejo, con sus párpados oscuros como de indiano y su blanca sotobarba. Creo que fue un hombre bueno, honesto y sin grandes ambiciones en su vida.

Su nieto mayor, mi tío Eduardo, lo describió así: «Breve de cuerpo, de prodigiosa retentiva que recordaba fechas y hechos muy lejanos, ostentaba algunos rasgos que se extremaron en la capacidad intelectual de su nieto José. Aunque adoleció de achaques seniles, vivió hasta cerca de los 90 años».

CAPÍTULO II

# EDUARDO GASSET Y ARTIME
# (1832-1884)

## LOS GASSET

Muy bien hubiera podido servir de inspiración a don Ramón del Valle-Inclán para perfilar la figura de su marqués de Bradomín la persona de mi tatarabuelo don José Gasset y Montaner, de haber tenido noticia de él, con quien empieza la vinculación de los Gasset con la tierra gallega. Nacido en Barcelona en 1800, hijo del brigadier Manuel Gasset Rodríguez y, por esa condición militar paterna, cadete en el ejército teniendo sólo doce años, en plena guerra con los franceses, carrera militar que terminaría como teniente en 1828. Para unos había pedido el retiro por razones de salud pero las investigaciones de José Piñeiro Ares [1] llevan más a pensar que durante su estancia en Cataluña se apasionó por los «apostólicos», que movía en la sombra el hermano del Rey, don Carlos María Isidro, y participó en su rebelión de 1827 contra Fernando VII, que se extendió por toda Cataluña, junto a los agraviados por la guerra de Sucesión. Fernando VII lo desterró de Cataluña y acabó en Galicia, donde quedaría estrechamente unido al marqués de Villaverde de Limia, apostólico relevante y, muerto Fernando VII, adelantado de una de las familias del carlismo gallego, en cuyo pazo de Berr pasaría cierto tiempo.

Quizá por el padrinazgo del ultramontano marqués, y para paliar su absoluta indigencia [2], fue nombrado en marzo de 1830 funciona-

---

[1] Que citaba José Antonio Durán en un excelente artículo en *La Voz de Galicia*, 19 de julio de 1994.

[2] La *Biografía de un pontevedrés ilustre: Eduardo Gasset y Artime*, La Coruña, 1996, de Eugenio Cobo, habla de un posible proceso incoado al tatarabuelo «por haberse ausentado sin permiso de sus superiores de su destino en Cádiz en 1820, permaneciendo catorce meses en Mallorca, donde residían sus padres. No se presentó al juicio y se consideró en rebeldía; no se llegó a condenarle pero quizá influyese en su pronto retiro».

rio de la Administración de Correos de Pontevedra, cargo que permutaría dos años después por un destino, mejor remunerado, en la Dirección General de Loterías. Esta nueva situación le permitiría contraer matrimonio con doña Águeda Artime Vallador, de acomodada familia oriunda de Asturias, con casa solariega en Iria inserta ya en Padrón. Este lugar sería el punto neurálgico de la acción política de los Gasset, en cuyas generaciones sucesivas siempre hubo, como veremos, algún diputado a Cortes por esta hermosa villa de la ribera del Ulla. Desde ella llegaba su mano «a Órdenes, Arzúa, Noya, Puebla, y otros distritos donde sus pazos y quintas, en sus años de poderío, tenían a veces nombres de la literatura: Brandeso, Xunqueiras, Vista Alegre, Arcosa, Remesil».

Mi tío Eduardo sostiene que los Gasset eran de origen levantino, de Castellón de la Plana, ciudad donde todavía es muy numerosa la rama troncal de esta familia. El matrimonio Gasset-Artime tuvo seis hijos: Carlos, Enrique, Adolfo, Eduardo, Obdulia y Eugenia; pero al no proponerme hacer la historia de los Gasset sino la de los Ortega, sólo hablaré con alguna morosidad de sus dos representantes más destacados: mi bisabuelo Eduardo Gasset y Artime, fundador de *El Imparcial*, y su hijo, Rafael Gasset y Chinchilla, político importante de la Restauración y promotor entusiasta de aquella política hidráulica regeneracionista que, muy justamente, se denominó el plan Gasset.

Pero todos ellos vivieron en Madrid o en Galicia, se sintieron inmersos en las dos culturas, la gallega y la española común, y fueron sensibles al duende y misterio de esa cauta tierra en la punta de Europa, cuyas nieblas, creadoras de meigas y aparecidos, pueblan de fantasía el fondo del alma de sus habitantes.

### En Madrid a los once años

Algunas tribulaciones económicas debió sufrir la familia, sobre todo al llegarle la cesantía al tatarabuelo en 1835, con unos haberes insuficientes de 6.300 reales, incluido lo que pudiera ganar en la Administración de Bienes Nacionales, donde se incorporó el año 1844 [3]. No es, pues, extraño que Eduardo, con sólo once años, tuviera que ponerse a trabajar. Había nacido en Pontevedra el 13 de junio de 1832 y lo envían sus padres a Madrid el 11 de diciembre de 1843 para soltarse, como alumno sin sueldo, en el Banco de San Fernando, antecesor del Banco de España. Pero lo hace bien y a los seis meses es nombrado merito-

---

[3] Véase la citada biografía de Eugenio Cobo.

22

rio con un sueldo de 1.100 reales y, al ir teniendo más quehaceres, le doblan sus ingresos el 9 de marzo de 1846 y, al año siguiente, es escribiente auxiliar con 4.000 reales de haber. Pero es ahora el Banco de San Fernando el que tiene problemas presupuestarios que le obligan a una reestructuración que deja cesante al joven Eduardo cualquier día del año 1848. Tenía entonces 16 años: no se arredra y vuelve a ser admitido en el banco —tras un año de paro—, que dejaría voluntariamente el 9 de septiembre de 1853 para ingresar en el Ministerio de Hacienda.

Debía de saber moverse entre la dominante burguesía madrileña de aquel reinado de Isabel II, porque en 1855 contrae matrimonio con la joven Rafaela Chinchilla y Díaz de Oñate, de familia rica e influyente de Marbella —era sobrina política del general Serrano—, cuyo padre, Juan Chinchilla, sería presidente del Tribunal de Cuentas, y en cuya casa familiar de Madrid, en la calle de la Salud 19, viviría el joven matrimonio. Sus tíos políticos también habían alcanzado puestos importantes. Uno de ellos, don José Chinchilla, llegaría a teniente general y tomó parte en todas las acciones bélicas del Ejército español a lo largo del siglo XIX. Por su pericia militar sería llamado por Sagasta para ocupar la cartera de Guerra en su gabinete de 1898.

El destierro de los generales liberales O'Donnell, de la Concha, Serrano y San Miguel, fue una medida errónea del conde de San Luis, porque esos desterrados [4] iban a constituir el núcleo en el que se aglutinarían todos los descontentos de la política ultra que, desde hacía diez años, llevaba la Corona. Los escándalos financieros recientes contribuyen además a hacer popular el levantamiento en Zaragoza del general Dulce al frente de su caballería, seguido, dos días después, del de O'Donnell con Serrano y el joven Cánovas. La batalla tuvo lugar en Vicálvaro, a las puertas de Madrid, sin resultado claro: levantados y gubernamentales dejaron muchos muertos sobre el terreno y los primeros se retiraron hacia La Mancha y los otros, a Madrid. Pero el *Manifiesto de Manzanares* que redactó Cánovas en la villa manchega por encargo de Serrano tuvo una gran resonancia en todo el país. El 14 de julio se alza Barcelona, el 15, Valladolid, el 16, Valencia y en Madrid se constituiría una Junta de Salvación, presidida por Evaristo San Miguel, que consiguió de la Reina que llamase a Espartero, quien, muy tranquilo en Logroño, esperaba los acontecimientos. Formaría al llegar a Madrid un gobierno con O'Donnell que convocó elecciones.

---

[4] Véase mi *Historia probable de los Spottorno,* Siddharth Mehta, Madrid, 1992.

## DIPUTADO POR PADRÓN

La dedicación de Eduardo a la política estaría, pues, aparentemente servida al presentarse y ser elegido, en 1858, diputado por Padrón a esas Cortes constituyentes. Y aunque su padre y los Artime le ayudarían, no se presentó como afín a las ultraconservadoras ideas familiares, sino, todo lo contrario, como liberal, inclinación política que, con uno u otro matiz, conservaría toda la vida. En ese Parlamento se enfrentaban los progresistas puros, liderados por Olózaga, y, más a la derecha, la Unión Liberal, curiosa amalgama de gentes moderadas como González Bravo, Serrano y Ríos Rosas, junto a personalidades más radicales, como Evaristo San Miguel, Calvo Asensio (director de *La Iberia*, el periódico más leído en aquel momento) y Joaquín María López. Más a la derecha estaban presentes Cándido Nocedal y Claudio Moyano.

Pero el impulso decisivo para que Gasset y Artime saliera diputado como candidato de la Unión Liberal, vendría del flamante ministro de la Gobernación, don José Posada Herrera, que quería situar en el nuevo Parlamento el mayor número posible de adeptos a esa Unión Liberal. El profesor de la Universidad de Santiago, Xosé Barreiro Fernández, autor de un estudio sobre *Los Diputados Gallegos en el siglo XIX*, me ha adelantado gentilmente su relato de las vicisitudes que pasó aquel gran muñidor de las elecciones que era Posada Herrera —no en balde Olózaga le puso el mote de Gran Elector— para conseguir que eligieran a aquel diputado cunero que pedía el voto a los 159 electores —no existía todavía el sufragio universal— del distrito de Padrón. Y como el caciquismo fue durante muchos años una condición lamentable pero estructuradora de la política española, creo interesante reproducir algo de lo que nos cuenta el profesor Barreiro.

En primer lugar, el ministro quería —y lo conseguiría— sacar diputados no sólo a Gasset y Artime sino también, por otros distritos, a Álvarez Bugallal, Romero Ortiz, Riestra, Rubín, etcétera, pertenecientes todos ellos a la Unión Liberal. En el caso de Padrón tenía a su favor que el diputado enfeudado en ese distrito, don Víctor Méndez, había fallecido hacía un año. Para ocupar su lugar la oposición presentaba al candidato Jacobo Flórez, mucho más conocido en Galicia y con mayor experiencia política que el desconocido Eduardo Gasset y Artime.

Nuestro candidato se presentó en Padrón, acompañado «por varias autoridades, como alcaldes y jueces de distrito que habían sido advertidos por el gobernador de la visita y de la conveniencia de que le acompañasen». Pero el gobernador, temeroso de que esas visitas no bastasen para el triunfo electoral del nuevo aspirante, «empleó otros sistemas más eficaces» [5]. Como la oposición se había hecho fuerte en los ayuntamientos de Teo y Rianxo, fueron cesados varios funcionarios del Estado que pertenecían a ella, pretextando falta de residencia; el sobreestante, segundo del anterior; dos hermanos, titulares de sendos estancos en aldeas del distrito. Y aún más: el regente de la Audiencia territorial, por su lado, cesó en sus funciones a los jueces de paz y hasta al propio alcalde de Rianxo «por imputársele una supuesta coacción legal». Y hasta se tomó la medida cautelar de detener al párroco de Padrón, don José Martelo, entusiasta de la candidatura, «que posteriormente sería desterrado, acusado de ejercer influencia en las elecciones». Éstas son algunas de las razones que invocaban en su protesta —ignoro con qué veracidad— los derrotados en aquella elección que acabó ganando Gasset y Artime por 72 votos favorables de los 123 que votaron del censo electoral, como hemos dicho, de 159 electores.

Este tipo de protestas era habitual en aquellos tiempos pero la Comisión de Actas del Congreso no aceptó esas alegaciones y el propio bisabuelo defendió la regularidad de su elección.

Cerca de dos años durarían los debates constitucionales hasta llegar a la Constitución de 1858, que se aprobaría pero no se promulgaría —de ahí que se la denomine la nonata— porque los tres poderes, la Corona, el Gobierno y las Cortes se detestaban mutuamente. A los dos años de ese Gobierno conjunto, el propio O'Donnell, ministro de la Guerra, organizó unos sucesos violentos en Valladolid que movieron a Espartero a pedir a Isabel II su destitución; y no habiéndola conseguido, dimitió y se volvió a su lugar de descanso en Logroño. Pero durante esos debates de florida oratoria, el bisabuelo aprendería muchos de los misterios, de las hipocresías y de las prácticas, buenas y malas, de los políticos. Y, responsablemente, consiguió la aprobación de una proposición suya de ley de defensa de la industria gallega, aceptada por el Congreso tras el discurso de Gasset, el 21 de mayo de 1839, que resultaría muy beneficiosa para el devenir de la misma.

## La tentación del periodismo

Pero sus aficiones literarias y periodísticas no estaban dormidas. El bisabuelo se relacionó con los jóvenes poetas y escritores, muchos de los cuales ocuparían más adelante un lugar destacado en las letras españolas: Cánovas, Castelar, Ayala, Eguilaz; y entablaría amistad con

---

[5] Del informe de protesta que llevaron al Gobierno, tras la elección, 76 electores del distrito de Padrón.

Ángel Fernández de los Ríos, el periodista más influyente del momento. Por él empieza a colaborar en el diario *Las Novedades* y en el *Semanario Pintoresco Español*. Entre él y sus contertulios del café Suizo hacen un original *Almanaque Ómnibus para 1856,* que tuvo gran éxito, y un *Álbum de la infancia* del que sólo se conserva un ejemplar en la Hispanic Society de Nueva York. Sus colaboraciones suelen ser poemas que no han dejado huella alguna, ni en el ámbito familiar.

Abrumado Fernández de los Ríos con tanto frente periodístico como atendía —director de *Las Novedades,* un diario, y de su consecuencia semanal, *La Ilustración,* y director del citado *Semanario Pintoresco Español*— decide traspasarle su dirección y propiedad a Gasset. Con su instinto periodístico, Gasset trata de modernizarlo manteniendo los colaboradores consagrados, como Hartzenbusch y Ríos Rosas, y buscando otros nuevos —jóvenes o maduros— como Trueba, Murguía, Martínez de la Rosa y Alarcón. De éste tuvo la primicia de *El clavo,* un relato que ha quedado en la historia de nuestra literatura. Cambia de imprenta: ahora imprime el *Semanario* en los talleres de la viuda de Palacios, más al día, pero no consigue mantenerlo a flote y deja la responsabilidad a la propia imprenta. Había, además, otra razón para este abandono.

Y es que su carrera de funcionario, a la que no puede renunciar por mucho que le tienten la política y la prensa, le lleva a sucesivos y distantes destinos: el 9 de septiembre de 1854 es nombrado contador del Ministerio de Hacienda en Segovia. El 8 de mayo del año siguiente retorna a Madrid como jefe de negociado de tercera clase en la Dirección de Contabilidad y, cinco meses después, a la sección de Rentas Estancadas. Pero su ascenso a funcionario de segunda categoría —lo cual significa unos haberes de 20.000 reales— le llega con su nombramiento, el 30 de junio de 1856, en la Administración Pública de Albacete, al que seguirían traslados para la misma tarea en Cuenca, Burgos, Oviedo y Murcia. Imaginamos la complicación que supondría para toda la familia el cambiar de casa, adaptarse a cada lugar y tratar a «los importantes» de esas provincias. Máxime cuando el 14 de abril de 1856 nace la primera hija del matrimonio, Manuela. Pero, al fin, Gasset es destinado a Madrid el primero de mayo de 1857 en la Dirección General de Contribuciones. Un destino madrileño que le iba a permitir ir haciendo realidad sus proyectos editoriales.

La Unión Liberal ha vuelto al poder con O'Donnell y va a gobernar durante cinco años, desde 1858 a 1863. Quizá eso influyera en el nombramiento de Gasset y Artime como inspector General de Contribuciones, por Real Decreto de 8 de marzo de 1861, pero también lo justificaría la eficacia que había demostrado en la reorganización de la labor fiscal del Estado durante sus anteriores destinos. No sabemos por qué renuncia al cargo de diputado pero en las elecciones parciales que se convocan para cubrir esa vacante vuelve a presentarse y se sucede a sí mismo. Y me interesa hacer constar que el 7 de febrero de 1860 venía al mundo el segundo vástago del matrimonio Gasset-Chinchilla, otra vez una niña: la que iba a ser mi abuela Dolores.

La guerra de África es la gran epopeya de aquel periodo. Aunque costó 10.000 bajas y 237 millones de reales, fue seguida por el pueblo con entusiasmo y los valientes generales ganaron sus títulos nobiliarios por sus acciones bélicas durante la contienda que acabaría en 1860. Así O'Donnell, que ya era conde de Lucena por sus méritos en la primera guerra carlista, fue hecho duque de Tetuán por mandar las tropas que decidieron la principal batalla de aquella guerra. Al general Prim, ya conde de Reus y vizconde del Bruch, le dio Isabel II el título de marqués de los Castillejos al conquistar bravamente el cerro del Morabito. Desde esta hazaña el nombre de Prim iría adquiriendo notoriedad creciente, peraltada por la expedición a México que tuvo lugar en esos años y de la que se retiró sabiamente. Y el primo de Gasset y Artime, el general Manuel Gasset, obtuvo el marquesado de Benzú en recuerdo de su valentía en el picacho xarifeño de ese nombre. Marquesado, por cierto, que ningún Gasset posterior ha reivindicado.

## Un periódico para Prim

Entonces, pienso, empezaría el fervor de mi bisabuelo por Prim que representaba en la Unión Liberal el ala más progresista. Quizá con el afán de brindarle un órgano que defendiera sus ideas, Gasset y Artime fundó su primer periódico, *El Eco del País*. Apareció, como semanario, el 3 de febrero de 1862 para convertirse en diario en octubre siguiente. La vocación editorial del bisabuelo se demuestra, además, al proyectar, junto al diario, una *Biblioteca de El Eco del País,* que iba a estar dedicada a los «poetas vivos» de su tiempo pero de la que parece que sólo apareció un título que nadie ha encontrado aún en ningún archivo.

Pero todavía Gasset y Artime no ha dado en el blanco periodístico: las finanzas de *El Eco* van mal y, además, el bisabuelo ha dimitido de su puesto de Hacienda en solidaridad con la Unión Liberal, caída del poder. Otros datos aseguran que no hubo tal dimisión sino un cese fulminante como inspector General de Contribuciones que decreta el 6 de mayo el nuevo ministro de Hacienda del gabinete del marqués de Miraflores, a quien la Reina había llamado para sustituir a O'Donnell. Y como suele ocurrir en la vida, sigue la mala racha del bisabuelo, pues a su cesantía y a un periódico que le costaba un dinero que no tenía, se une una recaída de esa mala salud que fue una de las características de su vida. Unas vacaciones en Marbella no bastan y decide abandonar La Admninistración del Estado y trabajar en la empresa privada: entra como contador de libros en la Compañía del Ferrocarril de Pamplona. El 6 de julio de 1863 pasa la dirección y propiedad de *El Eco del País* a su cuñado Juan Chinchilla y se despide con una carta noble y sincera. Pero los Chinchilla no lograrían sacar adelante el diario, cuya agonía duró algo más de dos años.

Nuevamente en el poder, Narváez convoca elecciones; Gasset se presenta por su querido distrito de Padrón pero es ampliamente derrotado por el candidato ministerial, Manuel María Moreno.

Sin embargo, los sangrientos sucesos de la noche de san Daniel, en que mueren muchos estudiantes y manifestantes, y de los que fue responsable, además de Narváez y González Bravo, el capitán general de Madrid, que era el general Gasset, marqués de Benzú, hacen que Isabel II vuelva a llamar a O'Donnell. La Unión Liberal está de nuevo, por poco tiempo, en el poder y Gasset y Artime es nombrado gobernador civil de Pontevedra. Parece ser que hizo una meritoria labor en su lucha contra el cólera, que brotó con virulencia en Galicia; y en la rectificación de algunos abusos perpetrados por sus antecesores. Imagino que el retorno a sus lares gallegos sería grato para el matrimonio. Allí, en Vigo, nacía el 28 de julio su primer hijo varón, Eduardo.

Un año después, el 23 de noviembre de 1866, nacería el segundo varón, Rafael, que mantendría el prestigio del apellido.

## La Institución Libre de Enseñanza

Creo muy firmemente en la eficacia para explicar la historia de la teoría de las generaciones que estableció mi padre y de la que hablaré más adelante. Pero en abreviatura metafórica, alguna vez ha representado Ortega la generación histórica «como una caravana dentro de la cual va el hombre prisionero, pero a la vez secretamente voluntario y satisfecho. Va en ella fiel a los poetas de su edad, a las ideas políticas de su tiempo, al tipo de mujer triunfante en su mocedad, y hasta al modo de andar usado a los veinticuatro años. De cuando en cuando se ve parar otra caravana con su raro perfil extranjero: es otra generación. Tal vez un día festival, la orgía mezcla a ambas pero, a la hora de vivir la existencia normal, la caótica fusión se disgrega en los dos grupos verdaderamente orgánicos. Cada individuo reconoce misteriosamente a los demás de su colectividad, como las hormigas de cada hormiguero se distinguen por su peculiar odoración. El descubrimiento de que estamos fatalmente adscritos a un cierto grupo de edad y a un estilo de vida es una de las experiencias melancólicas que, antes o después, todo hombre sensible llega a hacer. Una generación es un modo integral de existencia o, si se quiere, una moda que se fija indeleble sobre el individuo» [6].

Eduardo Gasset y Artime perteneció así a la generación que luego se llamó del 68, porque fue la que hizo posible la Revolución de septiembre —aunque sus líderes fueran más bien de una generación anterior—, pero que yo prefiero llamar la generación de Galdós, por estar centrada en el año 1841 en que nació el gran novelista. A este grupo de edad pertenecen, junto al bisabuelo, y por citar sólo nombres españoles, Castelar y Ruiz Zorrilla, Cervera y Weyler, Giner y Azcárate, Bécquer y Núñez de Arce, Sarasate y Pedrell, Fortuny y Beruete, etcétera.

Todos los intelectuales de su generación, aunque él no lo fuera propiamente, fueron sensibles a las doctrinas filosóficas de Krause —y el bisabuelo asimismo por sintonía generacional—, un pensador idealista alemán que había descubierto el profesor don Julián Sanz del Río en la estancia que hizo en Alemania enviado por la Universidad madrileña. «A la hora de entrar en contacto con la filosofía alemana —dice Julián Marías en su *Historia de la filosofía*— los krausistas escogieron un pensador secundario, mucho menos fértil que las grandes figuras de la época». Pero Sanz del Río «inspiró, al regresar a España, un núcleo filosófico de extremada vitalidad que influyó en la vida intelectual y política durante casi todo el siglo». Gasset y Artime fue tocado por ese movimiento, que alcanzaría su máximo prestigio con don Francisco Giner de los Ríos. Quizá se ha olvidado que en la fundación de su Institución Libre de Enseñanza estuvo presente el bisabuelo formando parte de su primera junta directiva, constituida el 31 de mayo de 1876. Le acompañaban, aparte de Giner, Figuerola, Montero Ríos, Moret, Salmerón, González Linares y Azcárate, entre otros, todos ellos de claro talante liberal.

Pero no nos adelantemos.

En 1866 Gasset y Artime es nuevamente diputado, lo que no le impide proyectar un semanario satírico que se iba a llamar *Las Tijeras* y que no acabaría de nacer. Lógico intento siempre que el absolutismo anega un régimen y sólo cabe la sátira y el chiste. Los dos puntales del régimen de Isabel II, Narváez y O'Donnell, se odiaban sinceramente, y el ambiente olía a fin de régimen, como corroboraba don Juan Valera escribiendo a un amigo en abril del 67: «Esto está perdido y podrido». Isabel II iba a llegar a su consunción por no haber sabido abrir las puertas a la sociedad que su mismo régimen había engendrado, mo-

---

[6] Véase *En torno a Galileo, Obras completas*, vol. 5, pág. 39.

mento político que siempre enfrenta a sus defensores y une en contra elementos muy dispares.

## Fundación de El Imparcial

Y en ese momento Gasset y Artime escribe a su amigo don Cristino Martos una carta en que le anuncia:

«Ya sabe Ud. que soy un loco que anda suelto gracias a la benevolencia de las gentes; pero si lo dudara, con decirle que emprendo la publicación de un diario político titulado *El Imparcial* y que va a ser mucho más radical que Ud., cuando pueda se convencerá por completo de que soy un loco. Recibirá Ud. *El Imparcial* y mándeme para él correspondencia y artículos, cuanto quepa dentro del dogal que nos tiene puesto el *liberal* González Bravo».

Y terminaba con estas palabras: «Creía que me conocía Ud. algo más. No puedo apartarme de la política. Los peligros me estimulan, las contrariedades me alientan» [7].

Y, en efecto, la tarde del 16 de marzo de 1867 —porque durante los primeros meses fue un diario vespertino— salían los repartidores voceando por las calles de Madrid el nuevo periódico. Iba a vivir —próspero y con creciente influencia— lo mismo que duraba entonces la vida media de un hombre, es decir, cincuenta años, hasta las vísperas de la guerra europea, aunque su decadencia duraría hasta 1933.

La redacción se instaló modestamente en la calle de Recoletos número 4, la composición y la tirada, en máquina plana claro, en un taller improvisado.

«Nuestro criterio político —decía la *Declaración de Principios* en el primer número— será el que no puede menos de ser en la época en que el mundo se cruza de ferrocarriles, en el que el telégrafo eléctrico suprime las distancias para la palabra y el pensamiento, en que los cables de ochocientas mil leguas unen los continentes, en que la ocupación constante de las sociedades no es yacer en el marasmo, sino pensar, discutir, moverse, engrandecerse, elevarse a regiones cuyos límites no se divisan». «¿Debe haber —añadía—, puede haber en nuestra patria otro criterio político que el liberal? Con gusto examinaríamos cómo se fue apagando el faro de nuestra grandeza a medida que de aquel criterio nos hemos ido alejando».

Propósitos que, a pesar de su retórica muy de la época, se cumplieron. *El Imparcial* fue siempre un diario liberal e independiente, una in-

---

[7] Manuel Ortega y Gasset: *Biografía de El Imparcial,* Zaragoza, 1956.

dependencia que chirrió levemente cuando alguno de estos Gasset —el padre y el hijo Rafael— formaron parte de algún gobierno.

La situación política en la que nacía el nuevo diario no estaba para lanzar un periódico liberal. El primero que lo sabía era el propio Gasset, pero su adscripción ya antigua a Prim seguía llevándole a brindarle un órgano que apoyara su política de acabar con el reinado de Isabel II. Gobernaba Narváez y no tuvo por ello nada de extraño que ya el segundo número de *El Imparcial* fuera recogido por la autoridad gubernativa, que era, en la ocasión, el temido gobernador civil de Madrid, Carlos Marfori, sobrino político del general. El hecho se repetiría numerosas veces. Y en sus talleres se imprimirían muchos pasquines clandestinos.

Alguna vez he contado que esa adicción a la noticia que sentían los Gasset y los Ortega debido a su tradición periodística le hacía muchas veces a mi padre sentirse tristón los días magros de noticias y de acontecimientos importantes o nuevos. Pero Gasset y Artime no se pudo quejar —las noticias son el alimento de los periodistas— en esos momentos de despegue de su invento, porque el 4 de noviembre de 1867 moría en Biarritz, donde se había retirado, dolido del desagradecimiento de su reina, el general O'Donnell; y en los primeros días del 68 corría por Madrid el rumor de que el jefe del Gobierno estaba gravemente enfermo. Pero el temor a la dura Ley de Imprenta vigente hizo que el periódico no hablara del asunto hasta momentos antes del fallecimiento del duque de Valencia. Y muy simplemente, en la «Sección de Noticias» del número del 24 de abril venía este suelto:

«A las 7 de la mañana de ayer, rindió su último aliento el general Narváez. Rodeábanle Osorio, Seijas Lozano y Marfori».

Y a continuación daba cuenta de la formación del nuevo gabinete de González Bravo.

Los regímenes políticos suelen caer más por los errores de sus partidarios que por los aciertos de sus adversarios. Y fue un grave error de Isabel II nombrar a este político duro pero poco hábil. Los nombramientos de De la Concha y Novaliches como capitanes generales provocaron la repulsa del teniente general más antiguo, don Juan Zabala, que con otros dieciocho generales se ofrecieron a Prim. Éste logró el acuerdo de Ostende a primeros de agosto del 67 entre demócratas y progresistas, en el que estuvieron físicamente presentes Milans del Bosch, Sagasta y otros emigrados y, en relación indirecta, Matos, Ruiz Zorrilla y Rivero, ocultos en España. No hay que añadir que el destierro a Canarias de ilustres mandos del Ejército como Serrano, Letona y Caballero de Rodas, y la destitución del almirante Méndez Núñez, héroe de la reciente guerra del Pacífico, que mandaba la escuadra, sumaron al movimiento contra Isabel II lo más granado de la oposición política y militar.

Pero si la conjura era popular, flotando en el aire el prestigio del general Prim, no hubiera sido un movimiento revolucionario si el pueblo no lo sintiera como cosa suya, y esto ocurrió por la crisis de subsistencias del 68 que tan bien ha estudiado Nicolás Sánchez Albornoz[8].

Todo esto lo seguía, naturalmente, el director de *El Imparcial* con verdadero interés personal, aunque en sus páginas fuera imposible el menor comentario. La famosa proclama del contraalmirante Juan Bautista Topete al sublevar la escuadra en aguas de Cádiz el 8 de septiembre del 68 se conoció pronto en Madrid, así como su famoso vítor final: *¡Viva España con honra!* Imagino cómo se mordería los puños el bisabuelo al no poder reproducir en su periódico esa vibrante alocución, redactada, como en seguida se supo, por don Adelardo López de Ayala. Pero no ocultó que Novaliches se encontraba incomunicado en Despeñaperros. El 28 de septiembre tenía lugar la batalla decisiva del puente de Alcolea con la rotunda victoria, tras doce horas sangrientas, de las tropas que mandaba Serrano; y el 30 podía por fin *El Imparcial* publicar en primera plana estas palabras: «En el momento en que el grito triunfante de la libertad...».

Tenía ya el periódico una tirada de 30.000 ejemplares y un prestigio rápidamente ganado, que iba a situarle en una posición ventajosa en medio del maremágnum de los órganos de partido.

*\*\*\**

El lector que haya leído mi saga de los Spottorno y las páginas precedentes de ésta de los Ortega habrá observado lo importante que fue para tres de mis bisabuelos la Revolución de septiembre. Si a José Ortega Zapata le obligó a refugiarse en Zaragoza, a Bartolomé Spottorno y a Eduardo Gasset y Artime les llenó de alegría y esperanza el triunfo de su amigo el general Prim.

En definitiva, como todos los creadores, Gasset y Artime aplicó a *El Imparcial* los mismos criterios que venía ensayando desde sus primeros intentos editoriales: dar variedad a las secciones, no limitándose a los asuntos políticos, aunque proporcionándoles la más rabiosa actualidad; estar siempre técnicamente a la última en las formas de acelerar la llegada de las noticias de sus corresponsales (muy pronto tuvo en exclusiva el servicio de las agencias Havas y Galoud), y dar profundidad y dramatismo a los sucesos. Además fue el primero en pagar a sus redactores un sueldo mensual y no por línea publicada, lo que contribuyó a dignificar la profesión. Fue igualmente el primero en España en

---

[8] Véase *Revista de Occidente*, 2ª época, septiembre, 1968.

instalar una rotativa, sin la cual no hubiera podido alcanzar las tiradas que reclamaban sus numerosos lectores; y fue el primero en organizar la recepción de noticias por telégrafo —y más adelante, por teléfono con Londres y París—. No olvidó nunca la importancia de contar con las mejores firmas literarias y científicas de su tiempo, una característica que ha conservado desde entonces la prensa española. A la par, supo organizar financiera y contablemente la empresa, que a su muerte era muy rentable y poderosa. Y prestó una creciente atención a los anuncios, aunque relegados durante mucho tiempo a la cuarta plana.

«Gasset —ha contado su nieto, mi tío Manuel Ortega y Gasset, en su historia de este periódico— lanzaba ágilmente a los cuatro rumbos sus bandas de gacetilleros [los que se llamaron reporteros después] y acopiaba de esta suerte las menudas palpitaciones de la calle».

«Fueron aquellos días [primeros] —recuerda *El Día* del 21 de mayo de 1884 en su necrología— de campaña ruda y activa para Gasset. Trabajaba de día y de noche; luchaba con el poder despótico; aguzaba el ingenio para lograr que escapase de la previa censura algo que diese interés a su periódico y alientos a los liberales. El gobernador civil, el fiscal de imprenta y el lápiz rojo, eran su pesadilla. No sabía si al despertar de uno de los breves momentos que consagraba al reposo, iría a la cárcel o al destierro, y luchaba siempre. Sus esfuerzos fueron recompensados; su periódico iba entrando en el hogar y ganando ese puesto que es fuerza y vida de una publicación».

## LA REVOLUCÍON DE SEPTIEMBRE

Como escribí en otro lugar, el sexenio democrático (1868-1874), desde la Revolución de septiembre hasta el naufragio de la Primera República, fue un periodo a la vez de esperanza y de decepción. Gasset recibió el triunfo de Prim con ilusión al tiempo que sintiendo la responsabilidad que incumbía a su periódico, que tanto había colaborado al triunfo, de que la revolución no derivase en un desgobierno y en una anarquía. Aquella revolución venía en plan más decidido y violento que las anteriores, puramente políticas o de golpe militar. El poder inicial de las Juntas revolucionarias, constituidas a raíz del levantamiento, que el Gobierno del general Serrano doblegó con dificultad; la falta de consenso en la forma futura del Estado —república o monarquía— y, aun dentro de los monárquicos, la falta de acuerdo sobre qué dinastía, y el hecho verdaderamente revolucionario del establecimiento del sufragio universal por decreto del Gobierno de 9 de noviembre de 1869, no hacían fácil la navegación del nuevo régimen. *El Imparcial* se impuso la tarea de combatir todo extremismo y quizá su profesión de fe quedó definida —y muy estimada— en el editorial que, con el título *Lógica, liberales,* publicó en su número del 6 de febrero de 1869, atacando las medidas que pretendía imponer el nuevo gobernador civil de Valencia, señor Peris y Valero, de denunciar y perseguir las actividades de un clero cerril: «No queremos nosotros que las autoridades se duerman en una ciega confianza —decía—, lo que queremos es que no se repitan, en ninguna parte, las visitas domiciliarias, las detenciones y prisiones arbitrarias y los despejes de cafés y establecimientos públicos a horas determinadas».

La Junta revolucionaria que se constituyó en Madrid nombró alcalde interino a don Nicolás María Rivero y, entre los concejales, a Gasset. Cargo que se veía confirmado en las elecciones municipales que tuvieron lugar en diciembre de aquel año y en las que Gasset fue elegido concejal por el distrito de La Latina con 2.334 votos universales. En enero de 1869 tienen lugar las elecciones generales para las Cortes constitucionales y Gasset es elegido diputado por Santiago. Unas Cortes donde brillaría la mejor oratoria del siglo con Castelar, Pi y Margall, Salmerón y el propio Prim, y, en el campo opuesto, con don Vicente Manterola, Montero Ríos y otros. Es digno de recordar el famoso discurso de Castelar en la sesión del 12 de abril defendiendo la libertad religiosa. Fueran republicanos o monárquicos —*El Imparcial* se consideraba monárquico sin rey a la vista—, todos los periódicos elogiaron al día siguiente la oración del gran tribuno. Quizá el más significativo fue *El Imparcial,* precisamente por estar muy alejado de sus ideas:

«El señor Castelar no pertenece a la minoría ni a la mayoría, ni aun a la Cámara: el señor Castelar es una gloria nacional. El párrafo final de su discurso, la soberbia protesta contra la fatalidad invocada por el señor Manterola, fue de un efecto indescriptible y de los más artísticamente patéticos que hemos oído [...] La sesión de ayer fue altamente simbólica: el señor Manterola representa lo antiguo, el señor Castelar, lo por venir. ¡Paso al porvenir! [...] ¡Descanse en paz todo lo antiguo, descanse en paz el señor Manterola que bien lo necesitará!».

Y ahora caigo en la cuenta de que esa oración memorable de Castelar la escucharon mis dos bisabuelos: Gasset y Artime, que asistía en su escaño a la sesión, y don Bartolomé Spottorno, que, como conté en la historia de esa familia, tuvo la suerte de estar ese día en la tribuna de invitados. Ambos fueron sensibles a la magia de la buena oratoria que penetra en el lado solemne del alma.

Pienso que el bienio 69-70 sería para el bisabuelo, si por casualidad tuvo después algunos minutos en su vida para meditarlo, el de mayor actividad e importancia. Llevaba el periódico al detalle, controlando todo: los editoriales —muchos de su propia pluma— y las polémicas; y el traslado, consecuencia del éxito, de la redacción y talleres a la calle de

34

Oriente número 3, con nuevas máquinas y nueva composición. Al tiempo la política le absorbe más de las horas que tiene, preocupado por serenar los extremismos de muchos grupos. Pero además del Parlamento se ocupa «del ayuntamiento, de asociaciones de escritores y de enseñanza, y aún le queda algún ratillo —dice su biógrafo Cobo— para dedicárselo a su numerosa familia y a sus amigos». Por lo menos el 19 de octubre de 1870 estaría en su casa, porque nace su sexto hijo, José.

Además en abril de 1869: el Consejo de Administración del Banco de España le nombra inspector de contribuciones [9]. Y, además, el 22 de febrero de 1869 ha muerto en Padrón su madre doña Águeda Artime, lo que le motiva varios viajes a Galicia.

Las Cortes se abren el 11 de febrero con un discurso del general Serrano que convirtió su título de Jefe del Gobierno provisional en Presidente del Poder Ejecutivo. Prim prefiere quedarse como ministro de la Guerra. En los primeros días de marzo comienza sus trabajos para sentar las bases de la nueva Constitución, una comisión formada por los unionistas Ríos Rosas (que la preside), Posada Herrera, Silvela, Vega de Armijo y Ulloa; por los demócratas-monárquicos (compañeros ahora de Gasset), Martos, Becerra, Moret, Godínez y Romero Girón; y por los progresistas Olózaga y Montero Ríos. La comisión trabaja de firme y el 30 de marzo presenta el proyecto a las Cortes. Su discusión dio motivo a famosos discursos —como el que hemos destacado de Castelar—, y finalmente, la Constitución fue promulgada el 6 de junio de 1869.

Había sido aprobada por 214 votos a favor y 55 en contra porque fue acatada pero no aprobada por la minoría republicana —que era numerosa: sólo los federales contaban con 80 diputados— en la que brillaban Castelar, Pi y Margall, Salmerón y Figueras, y rechazada por los 35 diputados carlistas, liderados por el copioso orador don Vicente Manterola, que ni siquiera tomaron parte en la votación. Fue una Constitución que, como era natural, recogía todas las promesas de la Revolución: sufragio universal, libertad de cultos, de enseñanza y de imprenta, de reunión y de asociación, y proclamaba además la Monarquía como forma de gobierno con unos poderes reales más recortados. Fue la Constitución más liberal de las que habían regido en nuestro país y, a juicio de don Adolfo Posada, «en rigor, nuestra verdadera declaración de derechos». Y aunque su vigencia fue corta —cuatro años— hasta que la Primera República promulgó la Constitución federal de 1873 (que duraría aún menos), «su importancia estriba más que en su vigencia real, en el influjo que tuvo en la etapa que se inicia luego, con la Restauración, que hubo de recoger en su código político

[9] Obra cit., pág. 78.

gran parte de su espíritu, sobre todo la consignación de los derechos y garantías individuales» [10].

El Gobierno ha resignado sus poderes y Serrano es nombrado regente; éste encarga a Prim la formación del nuevo gabinete, en el que el general se reserva la cartera de Guerra. Entra como ministro de Estado Cristino Martos, que se empeña en nombrar a su amigo Gasset subsecretario, a cuyo sueldo renuncia en seguida al enterarse de que es incompatible con el de diputado y hasta con el de concejal, al que también renuncia. Sólo permanece dos meses como subsecretario mientras sigue Martos. Pero no siente que esté mal —o quizá no estaba mal considerado entonces—, como nos cuenta Cobo, usar el papel con membrete de la subsecretaría para recomendar alguna aspiración de su primo Luis Varela Artime y de su amigo Valentín Viñas.

La visita que le hace Gustavo Adolfo Bécquer para proponerle fundar una revista ilustrada de la actualidad nacional calienta de nuevo su pasión editorial. Así nace *La Ilustración de Madrid,* cuyo primer número aparece el 12 de enero de 1870 bajo la dirección literaria de Bécquer, Fernanflor como redactor jefe y como director general de la aventura el propio Gasset. Valeriano Bécquer es el principal dibujante. Dos años y medio dura la revista quincenal, que pronto adquiere prestigio por las primeras figuras de la pluma y el pincel que colaboran en ella. La ilusión con que habían emprendido los hermanos Bécquer esta nueva publicación les duraría bien poco, pues en septiembre de ese año moría el pintor; muy afectado por su desaparición, moría tres meses después de una pulmonía complicada el propio Gustavo Adolfo. Esta doble muerte era de mal agüero, y Gasset disolvió su revista en otra que había emprendido el periodista Abelardo de Carlos de imitado título, *La Ilustración Española y Americana,* que duraría varios lustros.

## En busca de Don Amadeo

Había que buscar un rey que no fuera Borbón. Si nunca fueron muchas las posibilidades del duque de Montpensier, candidato de Topete [11], todas se fueron al traste al matar en duelo el Orleans al infante don Enrique de Borbón, que había publicado varios manifiestos contra «el duque francés». El duelo se celebró en las ventas de los Caraban-

---

[10] Gaspar Gómez de la Serna en el *Diccionario de Historia de España,* Revista de Occidente, Madrid, 1970.

[11] Véase mi ya citada historia de la familia Spottorno.

cheles un 12 de marzo y don Enrique cayó muerto al tercer disparo de su adversario. *El Imparcial,* por cierto, dio al día siguiente una información muy detallada del luctuoso lance.

Fernando de Coburgo, rey viudo de Portugal; un primer intento con el duque de Aosta que éste rechazó; el viejo general Espartero, propuesto por Salmerón y que Prim veía con buenos ojos, pero que, hombre experimentado, no quiso tanto honor; varios candidatos escandinavos que no aceptaban convertirse al catolicismo, fueron penosas etapas en la búsqueda del nuevo rey hasta dar con la candidatura del príncipe Leopoldo de Hohenzollern. La noticia de su aceptación, que se quiso mantener secreta, se filtró pronto y provocó la indignación del Gobierno francés, que lo consideró *casus belli* frente a Alemania. La verdad era que tanto Napoleón III como Bismarck buscaban un pretexto para enzarzar a sus ejércitos, y Francia declaró la guerra el 19 de julio de 1870, a pesar de que el Hohenzollern, aconsejado por los ingleses, deseosos de mantener el equilibrio europeo, ya había renunciado. Fue la «guerra del 70» cuyo rápido desenlace tras la batalla de Sedan, dos meses después, desmoronó el frágil imperio de Napoleón III. *El Imparcial* ganó nuevo prestigio con sus crónicas desde el frente.

Volvió, pues, a surgir la candidatura del duque de Aosta, que esta vez fue aceptada por la presión de su padre, el rey de Italia, y en la sesión del 3 de noviembre de 1870 Prim comunicaba a las Cortes la aceptación. El 16, en sesión extraordinaria, era elegido rey de los españoles el representante de la casa de Saboya, con el nombre de Amadeo I. Pero la votación no fue muy lucida: sólo votaron a favor 191 diputados de un total de 344.

Ocho días después partía de Madrid para Florencia una comisión parlamentaria para ofrecer la corona a don Amadeo. La presidía Ruiz Zorrilla, presidente del Congreso, y le acompañaba Madoz, Sardoal, Berenguer, Balaguer y Gasset. Desde la estación de Aranjuez, en todas las estaciones del trayecto hasta Cartagena, saludaban el paso del tren con bandas y charangas. «En Tembleque —dice el corresponsal de *El Imparcial* que viaja con la expedición— eran los vivas a las Cortes Constituyentes al compás del himno de Riego; en Campo de Criptana sonaba la antigua marcha real [...]; en Albacete toda la población desbordaba los andenes»; pero en Cartagena, según informa un cronista local, «la recepción oficial fue ostentosa, con salvas de todas las baterías de la plaza, aunque el pueblo anduvo retraído, y una parte de él, con signos de protesta». La comisión pasó rauda por la Comandancia para embarcarse en seguida en la fragata *Villa de Madrid* a la que acompañarían la *Victoria* y la *Numancia*. En el espléndido banquete que ofreció a bordo la Marina, hablaron cada uno de los comisionados, empezando por Ruiz Zorrilla y, cuando le tocó su turno, Gasset pronunció estas palabras:

«He defendido siempre, como diputado y como periodista, una candidatura italiana; y la he defendido porque creo que España necesitaba buscar un rey en la monarquía mas liberal de Europa, pues España necesita un rey que sea fiel guardador de la Constitución democrática que hemos votado»[12].

## LA MUERTE DE PRIM

El 27 de diciembre los secuaces de Paul y Angulo —en posible connivencia con el Montpensier— atentan a tiros contra Prim, que iba en coche sin escolta por la calle del Turco. Muy malherido, llega a pie hasta el Ministerio de la Guerra y muere tras tres días de sufrimiento. Inmediatamente asume la presidencia del Gobierno Topete, que es quien encabeza la comisión que recibe a don Amadeo al desembarcar del *Numancia* en el muelle de Cartagena. Minutos antes se han enterado el nuevo Rey y su comitiva del asesinato de Prim, que iba a ser su gran valedor en los primeros pasos de la nueva monarquía. Eran las siete de la mañana de un día frío y gris del que don José de Echegaray, que formaba parte de la comisión como ministro de Fomento, ha dejado constancia en sus *Recuerdos:* «Todo fue oscuridad, soledad y silencio y algo amenazador flotaba en el ambiente. Nadie salió a recibirnos más que las autoridades militares y algún empleado administrativo. Ni el Ayuntamiento, porque no lo había, suspendido y encausado por su ausencia anterior. Así que llegamos a la estación, en donde no tuve que pronunciar ningún discurso, como no se le hubiera pronunciado a la soledad y al silencio».

Gasset viviría esos momentos con gran preocupación, y quizá contribuyeron a defender con mayor ahínco en su periódico la difícil tarea de don Amadeo I.

El 2 de enero entra en Madrid el nuevo Rey, y su primer acto oficial es la visita a la iglesia de Atocha para rendir homenaje póstumo al cadáver del general Prim. Después del juramento constitucional encarga formar Gobierno al duque de la Torre —que, naturalmente, ha dejado de ser regente—, quien forma un gabinete de conciliación incluyendo a Ruiz Zorrilla, Martos, Sagasta, Moret y López de Ayala. En marzo se celebran elecciones y Gasset sale diputado por Padrón. Pero cada cual tiene su opinión, y como dice el propio Gasset ante la Comisión de Presupuestos «hoy realmente la conciliación no existe; no existe en el Gobierno, no existe en la mayoría, no existe en ninguna

---

[12] M. Zapatero: *Viaje a la Italia hecho por la comisión...*, Madrid, 1870.

parte». Y, efectivamente, el consenso se esfuma y don Amadeo, que trata de cumplir lealmente con los preceptos constitucionales, llama a Ruiz Zorrilla para formar un gabinete más radical. *El Imparcial* saluda al nuevo Gobierno con un artículo titulado "Ahí están los nuestros" que despierta los ataques personales de *La Iberia*, órgano de Sagasta, y de otros periódicos contra Gasset, censurándole incluso que se olvide de sus deberes políticos por irse a San Juan de Luz a reponer su incierta salud. El gabinete siguiente, de Sagasta, convoca elecciones y Gasset es derrotado en su feudo de Padrón por el candidato ministerial.

## GASSET, MINISTRO DE ULTRAMAR

Pero aparte las disonancias de los políticos del régimen, se conspira en cien puntos del reino, se reanudan los levantamientos carlistas en Cataluña y Navarra, se atenta contra los Reyes en la calle del Arenal en Madrid, y Serrano pide a don Amadeo la suspensión de las garantías constitucionales. Al negarse el Monarca, hay un momento de incertidumbre que cubre el general Fernando Fernández de Córdova, que promueve el partido radical. Consigue que forme Gobierno Ruiz Zorrilla como presidente y ministro de la Gobernación, con Montero Ríos, Cristino Martos y Gasset en el Ministerio de Ultramar. El nombramiento coge al bisabuelo en Piedrahíta, donde realizaba una inspección por el Banco de España que no abandona hasta terminarla.

Todos estos tristes acontecimientos de la vida política española en esos años supusieron para *El Imparcial* una prueba de fuego respecto a su independencia, que supo mantener aunque su director fuera al tiempo diputado y miembro de un partido, como lo demostraba la tirada creciente del periódico, que por esas fechas estaba ya en 40.000 ejemplares. Es de general experiencia que siempre que el lector percibe cierta inclinación de su periódico por el Gobierno, sus ventas y suscripciones descienden. Pero al llegar a ministro se imponía la separación de sus funciones. Y así, antes de tomar posesión de su cartera, deja Gasset la dirección de *El Imparcial* a su íntimo amigo y miembro de la redacción Mariano Araus, que sería después elegido diputado por Jaca en las Cortes siguientes.

Su primer decreto reorganizando la economía cubana es unánimemente elogiado, y eso le permite tomarse dos semanas de vacaciones en el sur de Francia, rehaciendo su quebrantada salud con las aguas termales de Eaux Bonnes.

Cuba y Puerto Rico no dejan de plantear problemas, entre ellos, un movimiento insurreccional de los independentistas cubanos. Pero el grupo de diputados abolicionistas que encabeza Ramón María de Labra presenta una propuesta de ley para abolir la esclavitud de forma inmediata en los dos florones que le quedaban a España de su imperio ultramarino. El *lobby* cubano en Madrid insta a Gasset y al Gobierno a que no contribuyan a descomponer esas provincias tomando tales medidas abolicionistas. Gasset tiene una posición intermedia: quiere conservar la integridad del territorio y llevar a ultramar las consecuencias de la Revolución septembrina. Pero el presidente del Gobierno quiere atender las peticiones de los abolicionistas que Gasset sólo quiere aceptar en parte —un tercio por de pronto, como propugna Moret— y se ve obligado a dimitir de ese ministerio que sólo había regentado seis meses al no aceptar las Cortes su proposición transaccional. Pero uno de los que vota en contra de ella es el propio Mariano Araus. El 22 de diciembre *El Imparcial* publica dos cartas, una de Araus en la que justifica su postura, y otra de Gasset «en la que se ve sangrar el corazón del fundador con una herida que no se cerró: el abandono de Araus» [13]. La carta dice así:

Sr. D. Mariano Araus.

Mi querido amigo:
Sólo faltaba para que mi soledad fuera completa que me abandonaras tú, mi querido Mariano. ¡Cómo ha de ser! ¡Ni me quejaré ni te culpo!
Nuestro partido es joven en España, y los españoles, como meridionales, serán eternamente impresionables y vehementes. Procura adquirir la serenidad de espíritu que yo conservo ante la casi unánime reprobación de mi juicio sobre la abolición de la esclavitud de Puerto Rico, y cuando se discuta el proyecto, emite la opinión que juzgues razonable, sin tener en cuenta la mía: que no te han elegido tus paisanos de Jaca para que yo los represente por apoderado.
Solo como estoy, condenado como estoy por todas las intransigencias, me siento fuerte, sin embargo, porque estoy de acuerdo con mi conciencia, y ella me dice que soy más español que los negreros, más abolicionista que mi partido, y más humano que los émulos, en el arrebato, de aquella convención francesa que con tan generoso entusiasmo condenó en un día a perpetua barbarie su próspera colonia de Haití.
Antonio Álvarez, que no es diputado y tiene más experiencia que tú, dirigirá *El Imparcial* mientras te dura el vértigo, y en el ínterin escribe lo que te plazca, dejando las cuestiones de Ultramar para que las trate como entiende que debe hacerlo tu mejor amigo,
Eduardo.

---

[13] Obra cit. de Manuel Ortega y Gasset, pág. 21.

La muerte de esa amistad producirá, más adelante, en 1879, la situación de mayor peligro para el periódico de Gasset.

Pero los acontecimientos se precipitan: la guerra del norte se extiende a Navarra y Gerona, hay intentos de rebelión republicana en Galicia, y el nombramiento por el Gobierno Ruiz Zorrilla del general Hidalgo como capitán general de Cataluña provoca la oposición en bloque del cuerpo de Artillería. Ruiz Zorrilla intenta mantenerse firme y consigue que don Amadeo firme un decreto para su reorganización, pero al tiempo el Rey le anuncia el envío a las Cortes de su mensaje de abdicación.

Aquel Rey efímero —como lo calificó el conde de Romanones en la biografía que le dedicó— había vivido siempre en aislamiento casi absoluto, bloqueado por las clases altas —siempre mal educadas—, mal entendido por las populares y mareado por los políticos. En su mensaje decía: «Dos años largos ha que ciño la Corona de España, y la España vive en constante lucha, viendo cada día más lejana la era de paz y de ventura que tan ardientemente anhelo [...] He buscado ávidamente [el remedio para tantos males] dentro de la ley y no lo he hallado [...] Fuera de la ley no ha de buscarlo quien prometió observarla [...] Estas son, señores diputados, las razones que me mueven a devolver a la Nación, y en su nombre a vosotros, la Corona que me ofreció el voto nacional, haciendo de ella renuncia por mí, por mis hijos y sucesores».

## LA PRIMERA REPÚBLICA

La abdicación llegó a las Cortes el 11 de febrero de 1873 e inmediatamente hicieron venir a los miembros del Senado para constituir la Asamblea Nacional, que aceptó la renuncia y proclamó la República por 258 votos contra 52. Don Amadeo, con la Reina muy enferma y el heredero de un mes, el duque de Aosta, madrileño de nacimiento, partían hacia Portugal en un vía crucis lamentable. Ninguna autoridad fue a despedirle a la estación de Atocha, salvo el almirante Topete, siempre caballero. Y la familia real tuvo que tomar un refrigerio en la fonda de la estación de Alcázar de San Juan porque ninguna comida se había previsto. El bisabuelo había estado en Palacio a despedirse de los Reyes y el editorial de *El Imparcial* del día siguiente, 12 de febrero, refleja la dignidad y la amargura de su fundador:

«Mantenedor *El Imparcial* de la candidatura del ilustre príncipe para rey de España, defensor constante de la Constitución y de la dinastía creada por las Cortes Constituyentes, hoy que nos deja el caballeroso, el leal, el digno vástago de la Casa de Saboya, que durante los dos años que ha reinado no ha dado motivo ni pretexto siquiera para que pueda formularse una queja sobre su digno proceder, hoy que al abandonar esta nueva patria, adonde no ha de volver, sólo lleva consigo el recuerdo de tantas injusticias como recoge en todos los pueblos, y especialmente en España, el que ejerce un elevado cargo, acompaña al ilustre príncipe nuestro profundo respeto por la lealtad con que ha cumplido el pacto constitucional; nuestra gratitud por todo el bien que ha procurado a esta trabajada nación; nuestro cariño por su inteligente generosidad con la desgracia y la indigencia; nuestra admiración por la grandeza de alma que ha demostrado renunciando a la Corona de una gran nación antes de consentir que, para mantenerla, derramaran una gota de sangre sus revoltosos y mal avenidos súbditos».

Y, ante la proclamación de la República, fija así su postura:

«Fieles a nuestros antecedentes democráticos, acatamos respetuosamente todos los actos de soberanía, y la República española tendrá en nuestras columnas el más holgado espacio para la defensa del ideal de la democracia, sin que el respeto que a nosotros nos debemos nos permita modificar los fundamentos sobre los que descansan nuestras arraigadas convicciones, antecedentes y títulos».

Es decir, seguía siendo liberal y monárquico sin rey.

A mediados de marzo marcha Gasset a París y está fuera de España mes y medio. La muerte de su padre, don José Gasset, se produce en su ausencia el 31 de marzo. Ha abandonado «para siempre» la política y ha vuelto a su trabajo en el Banco de España y a ocuparse de *El Imparcial.*

Pero la República, a pesar del prestigio intelectual y moral de sus dirigentes, se deshace en la anarquía de las insurrecciones cantonalistas; las de Andalucía fueron dominadas por las tropas del general Pavía y las de Valencia abandonaron su propósito sin lucha al ver aproximarse las fuerzas del general Martínez Campos. Pero el cantón de Cartagena, que se proclamó el 12 de octubre de 1873, fue muy serio. Dirigido por Antoñete Gálvez y el general Contreras, fue un foco poderoso de la rebelión federalista con baterías en sus cuatro fuertes y disponiendo de los mejores barcos de la escuadra.

Pocos días después nacía en Madrid el séptimo hijo de Gasset, al que bautizaron con el nombre de Ramón.

Y el 3 de enero de 1874 el general Pavía, capitán general de Madrid y amigo de Castelar, ocupa el Congreso y termina la República. Provisionalmente ocupa la presidencia del Gobierno, una vez más, el duque de la Torre. El general López Domínguez, que tiene sitiada a Cartagena y que se adhiere al golpe de Novaliches, logra el 11 de enero la rendición de la ciudad.

## La Restauración de Alfonso XII

La proclamación de Alfonso XII en Sagunto por el general Martínez Campos el 30 de diciembre de 1874, formadas ante él las escasas fuerzas de la brigada de don Luis Dabán, cambió radicalmente el panorama nacional. *El Imparcial* da cuenta del movimiento calificándolo de "cuartelada" [...] cínicamente cuando está el ejército frente al enemigo pensando en la guerra del norte, fallo periodístico por no atinar con la verdadera significación del acontecimiento. Es sabido que esta precipitación castrense no le sentó muy bien a Cánovas, que llevaba desde hacía meses la operación de la restauración alfonsina con todo cuidado y quería que el nuevo régimen naciera de un modo nacional y no ligado a las armas. El Gobierno Sagasta, por guardar inercialmente las formas, detuvo a Cánovas en el Gobierno Civil, donde pocas horas después recibía las primeras adhesiones y desde donde puso el famoso telegrama a doña Isabel, a París, anunciándole la proclamación y el gran triunfo «alcanzado sin lucha ni derramamiento de sangre».

Cánovas formaría el Ministerio-Regencia el 31 de diciembre, y el 9 de enero de 1875 llegaba don Alfonso a Barcelona en la fragata *Navas de Tolosa* que le había mandado a Marsella el Gobierno. Hasta la apertura de las nuevas Cortes constituyentes, Cánovas gobierna en dictadura, y no es extraño que en ese periodo no gozara *El Imparcial* de ninguna blandura por parte de las autoridades, que lo miraban como el portavoz de la dinastía de los Saboya. Recibió trato de enemigo, recogiéndosele numerosas ediciones, y estuvo a punto de ser suprimido si no le hubiera tendido una mano generosa don Ignacio José Escobar, director de *La Época*, que era el órgano oficioso de Cánovas. Sí hubo una suspensión de quince días que ordenó el ministro de la Gobernación, Francisco Romero Robledo, con el pretexto de un editorial del periódico, en su número del 21 de mayo, en el que protesta de la excesiva duración del periodo sin garantías constitucionales. Suspender la salida de un diario es siempre fuente de grandes pérdidas pero en *El Imparcial* éstas se compensan con la creciente tirada y el respeto a sus informaciones. Por ejemplo: las crónicas de la guerra carlista que con el título de "Cartas del Norte" publica Mariano Araus, desplazado a aquellos frentes, se leen con pasión. Y Gasset como empresario no se arredra y en mayo de 1875, en plena suspensión, monta su primera rotativa Marinoni, que va a imprimir nada menos que 16.000 ejemplares a la hora.

El año siguiente, 1876, comienza mal para Gasset. En los primeros días de enero enferma gravemente su mujer, doña Rafaela Chinchilla. Gasset acude en seguida a Málaga donde su mujer fallece el 1 de abril. Están presentes todos los hijos mayores, que vuelven apesadumbrados a Madrid. Desde allí Gasset se tomará unos días de descanso en París «afligido por la pérdida de la mitad de mi alma y enfermo de la otra media».

En ese afán de mejorar algo cada día en *El Imparcial*, Gasset, desde el lunes 27 de abril del año 74, introduce una modificación que tendría un gran éxito: los lunes el diario, normalmente de dos hojas, constaba sólo de una. Gasset le añade una segunda hoja cultural, que titula precisamente *Los Lunes de El Imparcial*. La dirige Fernanflor —abreviatura con que firmaba Isidoro Fernández Flórez— y van a colaborar en ella las mejores firmas del país. Pero como su auge lo tuvo cuando entró a dirigirla José Ortega Munilla, hablaremos de esos *Lunes* cuando aparezca mi abuelo en esta historia.

Las primeras elecciones de la Restauración llegan en 1875. Cánovas ha dejado sabiamente el Gobierno a Jovellar para celebrar las elecciones bajo la vigilante mirada del ministro de la Gobernación, Romero Robledo. Promulgarían los señores diputados —no hay ningún republicano elegido— la Constitución de 1876 que había preparado con todo cuidado Cánovas, y que alguna virtud tendría porque estuvo vigente durante 50 años, hasta el golpe de Primo de Rivera en 1923. Cánovas volvió en seguida a la presidencia, salvo el paréntesis del Gobierno Martínez Campos de 1879 para aprovechar el prestigio ganado por el general con la paz del Zanjón conseguida en Cuba.

## CISMA EN *EL IMPARCIAL*

En ese año de 1879 *El Imparcial* está en plena preponderancia. Es el líder de la prensa española, pero alentaba en su seno la discordia. Y la tarde del domingo 18 de mayo la repartidora Ignacia —a la que la familia pensionó en su vejez— dio aviso a las hijas del fundador de que se estaba produciendo algo raro en la redacción y talleres y no iba a poder salir el número siguiente del lunes. Porque abandonaban la redacción, sin previo aviso, los señores Polanco —que era entonces el director—, Fernández Flórez, Araus, Vargas, Pacheco, Anchorena, Fernández y González, y salen con ellos el administrador señor Palma, catorce operarios de la imprenta, entre oficiales y aprendices, y el ingeniero Varinaga, del departamento de máquinas. Pero, además, la complicidad de administración y talleres había permitido a los traidores arramblar con todo el equipo de callejeros y listas de suscriptores.

Es obligado declarar que los promotores del cisma consumaron su fechoría sabiendo que el fundador se encontraba en el balneario de Fitero buscando sol para su salud.

Las hijas llamaron en seguida a Fernanflor, que era íntimo de la familia y comensal asiduo de la casa, que, aunque acudió a su llamada, confesó que le habían arrastrado sus compañeros.

Pero con los redactores que quedaron fieles, uno de ellos, Manuel Fernández Martín, noblemente auxiliado por don Ignacio José Escobar, director del competidor *La Época*, logró hacer salir el periódico ese día 19. Era lunes y estaba preparado el original para la página literaria de *Los Lunes*, lo cual facilitó la salida del número, incluso con la noticia de la defección, en primera columna y sin epígrafe ni comentario alguno. El azar hizo que justamente en la hoja de ese *Lunes* se publicase el cuento de Ortega Munilla titulado *Tremielga*.

Gasset vuelve precipitadamente de Alicante y asume la dirección del periódico hasta que nombra para el cargo a don Andrés Mellado, que daría muchos motivos de gloria al periódico. Pero como Fernanflor es uno de los sublevados, *Los Lunes de El Imparcial* han quedado sin director y Gasset nombra al joven Ortega Munilla, de 22 años, director de la hoja. Había hecho una especie de rápido concurso en el que se destacó el que iba a ser mi abuelo con una crónica que apareció el 26 de mayo titulada "Los chinos" y que empezaba así:

«¿No los han visto Uds.? Van en fila, con reposado andar y grave apostura. Sus faldas, de azul y morado, besan el suelo descomponiendo el elegante tableado con el movimiento de los pies que calzan chinelas de terciopelo con punta retorcida. Mil amuletos penden en lujoso racimo de oro en sus cuellos, y por corbatas llevan la cinta de To-hi, hecha de papel de amianto. Sus ojos oblicuos rasgan la aceitunada piel del rostro como dos acentos circunflejos; su boca redonda, pudiera confundirse con un paréntesis; sus cráneos rasurados, ebúrneos, relucientes, parecen un juego de bolas de billar, enviados aquí para hacer carambolas diplomáticas».

Era la embajada de China que se desplegaba por las calles de Madrid para presentar en Palacio sus credenciales.

Once días después se explicaba aquella defección al salir el 30 de mayo el diario *El Liberal*. En su editorial de apertura, denominado "Explicaciones", afirma «que se les ha retirado confianza, iniciativa y autoridad» aunque siempre estuvieran «bien retribuidos, contentos y conviviendo fraternalmente». El director del nuevo diario es el propio Araus. Pero la razón es que Gasset va aceptando la Restauración y los disidentes querían hacer un diario republicano. Esa orientación iba a tener siempre *El Liberal*, y ese grupo «abrigaba una inspiración más radical». «Pudo convivir con Gasset durante los años epicenos que siguieron al golpe de septiembre, pero al tomar *El Imparcial* el sesgo de la nueva monarquía, vieron defraudadas sus esperanzas y se marcharon [...] La defección de Araus fue la que dolió más al fundador [...], los hijos de Gasset, Rafael y Eduardo, cuando alcanzaron edad respetable, se batieron en duelo con Mariano Araus, en ocasiones separadas por algunos años. Sin embargo, el móvil del cisma fue menos innoble en lo personal y más sombrío en lo político»[14].

## APARECE ORTEGA MUNILLA

La simpatía y confianza que le produce a Gasset el joven periodista José Ortega Munilla se troca pronto en cariño al casarse éste con su hija Dolores, el 9 de junio de 1881 en la iglesia madrileña de San José. El matrimonio Ortega-Gasset se queda a vivir en la misma casa de Gasset de Alfonso XII 4: don Eduardo con sus otros hijos ocupa el piso principal y el nuevo matrimonio el piso tercero. Allí nacerían Eduardo y José Ortega y Gasset, a quien el bisabuelo llegó a conocer.

Aunque Eduardo Gasset quiere olvidarse de la política, Martos y sus antiguos amigos del partido radical le animan a reconstituirlo en un partido progresista-democrático que participe, desde un ángulo de centro-izquierda, en el régimen. Don José de Echegaray redacta el oportuno manifiesto, que *El Imparcial* publica en su número del 12 de abril. Empujado por esos amigos, Gasset se presenta a las elecciones de 1879 y sale diputado otra vez por Padrón por 1.297 votos, ganando al candidato gubernamental. En las elecciones de 1881 repetiría el triunfo, pero en ninguna de ambas legislaturas pronunció discurso alguno, limitándose a la labor de Comisiones. Gasset ha aceptado así la dinastía de Alfonso XII y en enero de 1884 es nombrado senador por designación real.

## APOGEO DEL PERIÓDICO Y MUERTE DE GASSET

Su salud va de mal en peor y su afección crónica pulmonar se agrava. La medicina de entonces no puede atajar la septicemia que se le declara, tan intensa que se le produce una terrible inflamación facial que afectó a los ojos del paciente y contra la que nada pudo el bisturí del doctor Creus, el especialista del momento. Eduardo Gasset y Artime muere a las nueve y veinte de la noche del 20 de mayo de 1884. Tenía apenas 52 años.

El entierro fue multitudinario. «Una inmensa multitud —informaba el periódico al día siguiente— asistió al entierro, desde el presidente del Consejo de Ministros, Cánovas, hasta el más modesto obrero ma-

---

[14] Obra cit. de Manuel Ortega y Gasset

drileño. Cuanto Madrid contiene de notable en la política, en el foro, en el periodismo, en las artes y en las letras, dio ayer pública y elocuente demostración el altísimo aprecio que a todas las clases de la sociedad merecía el fundador de *El Imparcial*». La primera plana venía orlada de luto y don José de Echegaray, su amigo y correligionario, fue el encargado de hacer su necrología en nombre de todos:

«Hizo Gasset un periódico *nacional*. Es esta virtualidad la que hizo de *El Imparcial* el periódico de todos [...] Para conseguir esta gran obra era necesario romper los moldes del viejo periodismo y variar las condiciones económicas del periodista, convirtiendo en verdadera carrera la que era en muchos casos precario recurso y fluctuante ocupación casi siempre [...] Dar estabilidad al personal periodístico, dar consistencia y vida duradera al periódico y convertirlo en una poderosa fuerza en el seno de la sociedad española ya es mucho [...] y es imposible recordar la activa y digna existencia de mi buen amigo Gasset sin hablar de este *Imparcial* [...] sin confundir, en una palabra, al obrero con la obra [...] que será siempre en la historia del periodismo español su mejor título de gloria».

Todos los colegas, de Madrid y de fuera, dedicaron amplio espacio al acontecimiento, sin excluir a *El Liberal,* que —decía— «ante el cadáver del fundador de *El Imparcial* nos descubrimos con respeto y con tristeza. No recordamos sino que vivió mucho tiempo en nuestro corazón. Si nuestros modestos consuelos pueden mitigar algo el intenso dolor que hoy aflige a los infortunados hijos de Gasset, no dejen de admitirlos como profundos y sinceros [aunque] la muerte del fundador arrebata la esperanza de reanudar antiguos lazos que, si las pasiones de la política y el contraste de caracteres pudieron dejar en suspenso, nunca consideramos definitivamente rotos».

No fue el primogénito de sus varones, Eduardo, el que tomó las riendas de la empresa y del periódico al morir el fundador, sino su segundo varón, Rafael Gasset y Chinchilla, sin duda porque, desde pequeño, deambulaba por los talleres y la redacción, y hasta trabajó en ésta con sus primeros escritos. Eduardo asumió la gerencia económica hasta 1894 en que se retiró a Galicia y le sucedió su hermano José. Rafael no había cumplido aún 18 años pero le apuntalaban Andrés Mellado, que seguía como director político del periódico, y su cuñado José. Bajo la jefatura de Rafael el periódico y la empresa alcanzarían sus mayores éxitos en tirada, negocio e influencia. Además se lanzaría muy pronto a la política como liberal dinástico, y fue el promotor de un famoso plan hidráulico. Su figura nos exige dedicarle algunas páginas.

La sociedad editora se denominaba legalmente Establecimiento tipográfico de los Srs. Gasset y Cía». Se inició con un capital de 180.000 reales de vellón, del que aportaron, aparte los íntimos amigos de Gasset, los abogados y periodistas Mariano Mielgo y Eduardo de la Loma, cuyas participaciones adquiriría más tarde la familia. El capital de esta empresa familiar se dividió por partes iguales entre los siete hijos del fundador. Al fallecer éste dejaba a su periódico con una tirada de 60.000 ejemplares.

Siempre estuvo atento a los avances técnicos en confección, impresión y comunicación. Comenzó tirando 600 ejemplares, impresos en máquinas planas llamadas imperiales que imprimían el papel por un solo lado, a una velocidad máxima de 1.000 ejemplares por hora. Y como hemos dicho, el 17 de mayo de 1875 comenzó a funcionar la primera rotativa que llegaba a España, una Marinoni, capaz de imprimir en papel continuo, por ambas caras, 16.000 ejemplares por hora. Ya bajo Rafael Gasset se dotó de las primeras linotipias de composición, que tanta velocidad y seguridad ganaban sobre las viejas y venerables cajas de imprenta.

Como ya he apuntado, fue asimismo uno de los primeros —junto con *La Época*— en establecer corresponsales propios en las capitales europeas con un servicio telegráfico que mereció los elogios de profesionales extranjeros. Y Rafael Gasset utilizaría el servicio telefónico con Londres y París para lograr mayor rapidez.

Con todo esto y con redactores de primera fila que siempre tuvo no fue ninguna petulancia que, desde el 16 de enero de 1882, junto a su cabecera se afirmase que era el «periódico de mayor circulación en España».

Su nieto Eduardo ha escrito que «la disciplina de Eduardo Gasset y Artime para el ahorro, avivada por una pintoresca afición numismática, le llevaron a guardar en una hucha cuantas monedites de plata de dos reales pasaban por sus manos... Al cabo de mucho tiempo las monedites habían formado un ejército de mil duros» que le bastó para fundar [alguna de sus primeras publicaciones].

CAPÍTULO III

# JOSÉ ORTEGA MUNILLA
## (1856-1922)

Debo hacer aquí la misma observación que hice en la otra saga familiar al hablar de mi abuelo Juan Spottorno. Y es que el perfil de una persona que no hemos conocido, al estar alejada de nosotros por el tiempo o por la distancia, resulta más fácil de dibujar que el de otra más próxima, a quien hemos tratado, única o más intensamente en una sola época de su vida. La figura alejada podemos seguirla con mayor ecuanimidad y acierto porque todas las fases de su vida —sus años de formación, sus años de decisión, sus momentos de plenitud y los de desaliento y retirada— tienen la misma fuerza y realidad cuando intentamos componer su biografía. Pero las personas con las que hemos convivido en una determinada etapa de su existencia parece como si solamente hubieran tenido para nosotros esa cara y esa edad, cuya luminosidad deja en sombra todo el resto de su vida, que hay que escudriñar después con la linterna de la lectura y de la investigación.

## ABUELO Y NIETO

Así mi abuelo paterno, José Ortega Munilla, ha quedado en mi recuerdo como un hombre de edad, no un anciano, a quien la vida había arrinconado prematuramente, dulce casi siempre, a ratos huraño y hasta indignado cuando se le encrespaban en el alma los demonios interiores. Pasé con él muchas tardes en su último domicilio de la calle madrileña de Claudio Coello 81 —casa sin ascensor y con descansillos en las esquinas de los rellanos de cada piso—. Tenía yo cuatro y cinco años, y le miraba ir y venir por el largo pasillo, costumbre familiar que heredamos su hijo y su nieto. Siempre le recordaré en esos paseos con su barba gris, su chaqueta de punto de lana, las manos en la espalda. A veces se paraba y decía en voz alta: «¡Qué imbécil!» o «¡Qué canalla!», exclamaciones que a mí me dejaban entre curioso y asustado y que debían de corresponder a gentes de esa condición voceada que surgían en sus meditaciones. Porque mucho después de que pasan las cosas malas que nos suceden es cuando entendemos al fin por qué ocurrieron y de quién fue la culpa, sin excluirnos a nosotros mismos.

Le divertía oírme recitar poemas que él mismo me había enseñado, o escuchar la pianola que yo manejaba, jadeante porque casi no me llegaban los pies a los pedales. Fumaba constantemente una pipa que aculataba de cuando en cuando, sentado a horcajadas en una silla jineta, resto de una antigua tertulia, apoyados los brazos en el capitoné delantero, que se abría como una caja que contenía todos los utensilios y materiales del fumador de pipa: picadura, cerillas, cucharillas, baquetillas de algodón para limpiar las cachimbas, etcétera. Tenía una gran colección, que usaba indistintamente, pero la preferida era una alazana de madera de sándalo en forma de «S» porque decía —queriendo engañarse como todos los fumadores— que el humo tardaba más en llegar a la garganta y perdía nicotina en el camino.

¿Qué le hubiera parecido a él, siempre tan sensible a las cosas literarias —he pensado después— esta greguería de Ramón Gómez de la Serna: «La pipa no se quema, luego si la humanidad hiciera las casas con madera de cachimba, ¿sobrarían los bomberos?». De haberla leído, estoy seguro que la hubiera estimado, no obstante la distancia abismal entre el naturalismo grandilocuente de su tiempo y el surrealismo de Ramón. Y el caso es que podría haberla leído, porque hacia el año 1920 —que es de cuando estoy hablando— Ramón ya había publicado varios libros y bullía en la vanguardia madrileña. Pero mi abuelo, otrora cazador de talentos, como veremos, para sus *Lunes de El Imparcial,* ya había perdido todo interés por lo nuevo, síntoma en un periodista de sentirse muy mal.


MUERTE Y DUELO

En efecto, poco antes de quebrar el año 1922, la mañana del 30 de diciembre, mi abuelo moría en esa casa de Claudio Coello que tantos recuerdos tiene para mí. Mis padres consiguieron que yo tardase en enterarme y se me contó algo de leyenda para justificar su ausencia.

Ya de mayor leí la reseña del *ABC* sobre el entierro que me permito resumir aquí para salir cuanto antes del momento más triste de una vida: cuando ésta se acaba. Tristeza sobre todo para los que se quedan a este lado de la orilla y sienten ¡qué solos les dejan los muertos! Aunque sospecho que mi abuelo deseaba cristianamente su muerte: Ortega Munilla había sufrido mucho, moral y físicamente, aunque se mantuvo siempre capaz de indignación y de entusiasmo, y podríamos aplicarle el mismo pensamiento que su hijo José dedicó a su gran amigo, Navarro Ledesma, al fallecer éste. «No reduzcamos los muertos a las obras que dejaron: eso es impío. Recojamos lo que aún queda de ellos y revivamos sus virtudes»[1].

«Desde hace varios días —dice el *ABC* del 31 de diciembre de 1922— el ilustre maestro se había agravado hasta el punto de no poder abandonar el lecho, donde le retenía un reciente ataque de parálisis que le había quitado la facultad de hablar. Al cuidado del paciente estaban los doctores Huertas, Azúa y Hernando, los cuales han recurrido a cuantos medios recomienda la ciencia para contrarrestar la enfermedad que ha llevado al sepulcro al maestro de la actual generación periodística [...] Ante la inminencia del fatal desenlace se le administró al señor Ortega Munilla la Santa Extremaunción. Rodeaban al enfermo su esposa, doña Dolores Gasset; sus hijos, doña Rafaela, don José y don Manuel; hijas políticas, doña Rosa Spottorno y doña Antonia Rosales; su hermana, doña Purificación, y hermano político, don Ramón Gasset. El ilustre escritor entró en la agonía sin perder el conocimiento, y a las once y cuarenta y cinco de la mañana de ayer exhalaba su postrero suspiro y rindió su alma a Dios».

A continuación daba cuenta de la repercusión que tuvo la noticia en Madrid y en toda España, y hacía una breve biografía muy entusiasta de su historia literaria y periodística, señalando que ni en su vejez dejó de laborar «a todas las horas del día y algunas de la noche, alternando sus trabajos periodísticos con otros relacionados con la Academia Española, con sus libros, con sus conferencias [...] Porque Ortega Munilla —concluía la semblanza—, como Balzac, trabajó siempre sin desmayo».

«El domingo 1 de enero de 1923 se verificó la conducción del cadáver desde su domicilio de Claudio Coello a la Sacramental de San Isidro. El fúnebre acto constituyó una imponente y sentidísima manifestación de duelo en la que tomaron parte desde las más elevadas clases de la sociedad, hasta elementos modestísimos que adquirieron su bienestar merced a las campañas que, en su ferviente anhelo de hacer el bien, mantuvo en la Prensa el insigne periodista...

»La presidencia del cortejo fúnebre la formaban don Antonio Maura, director de la Real Academia, que ostentaba la medalla del académico; don Emilio María de Torres, que llevaba la respresentación de S. M. el Rey; los ministros de Instrucción Pública y de la Gobernación, Sres. Salvatella y duque de Almodóvar; el director de *ABC*, y *Blanco y Negro*, don Torcuato Luca de Tena; el director general de Comunicacio-

---

[1] *Obras completas*, vol. I, pág. 62.

nes, Sr. Pérez Crespo; el deán de la catedral de Plasencia, don José Polo Benito; los hijos del finado, don José y don Manuel Ortega y Gasset, y el capellán Sr. Hernando.

»En el acompañamiento figuraban los Sres. Francos Rodríguez y D. Rufino Blasco, en representación de la Asociación de la Prensa; los ministros de Estado y de Trabajo, Sres. Alba y Chapaprieta [...] Victorio Macho, Ricardo León, Sandoval, Menéndez Pidal, Cotarelo [...] Millán Astray [...] Palacio Valdés, los hermanos Álvarez Quintero, el gobernador de Madrid, Sr. Navarro Reverter, y el Alcalde, Sr. Ruiz Jiménez, el capitán general, duque de Rubí [...] don Ricardo, don José y don Ramón Gasset [...] don Ricardo Spottorno [...] Fernando Díaz de Mendoza, Torres Quevedo, Azorín, Salaverría, Miguel Moya, Octavio Picón, Gómez de Baquero, Natalio Rivas, el conde de la Viñaza, Coullat-Valera [...] Afrodisio Aparicio, Benlliure [...] etcétera Figuraban también en el duelo comisiones de distintas corporaciones literarias y artísticas, jefes y oficiales de la Guardia Civil, Cuerpo de Correos, de viajantes y comisionistas, y un nutridísimo grupo de carteros [...] El personal en pleno de la redacción y talleres de *ABC* acudió a rendir el último tributo de cariño al que fue su ilustre colaborador.

»El duelo se despidió en la Plaza de Colón pero gran parte del acompañamiento siguió hasta el cementerio de San Isidro».

Faltan en esta lista, como se ve, su cuñado, don Rafael Gasset y su hijo Eduardo, este último enfermo. Y no parece que acudiera nadie de *El Imparcial* que, moribundo, aún se publicaba, aunque desvinculado ya, como veremos, de la familia Gasset.

Entre esa muchedumbre que acudió al entierro estarían —pienso yo— muchos de sus amigos verdaderos, y muchos de sus admiradores como escritor, y seguramente varios de sus enemigos, arrepentidos quizá de haber juzgado mal a un hombre que siempre había procurado ser veraz, leal e imparcial.

Enrique Díez-Canedo en *La Voz* de aquella noche del 30 de diciembre hizo una sentida necrología destacando sus valores como literato. «*La señorita de la Cisniega* y *Doro en el monte* son novelas enteramente de ahora [...] Ortega Munilla fue uno de los primeros en traer a la prosa periodística española el alma de *las cosas vistas*».

### Niñez y mocedad

José Ortega Munilla —como ya vimos al hablar de su padre— había nacido en Cuba, en la villa de Cárdenas, el 26 de octubre de 1856. Ningún recuerdo pudo conservar de aquella Cuba próspera y feliz porque a los pocos meses sus padres le trajeron a Madrid, donde había sido destinado Ortega Zapata y donde transcurriría la mayor parte de su infancia. De ahí que siempre se considerase madrileño. Y hasta puede añadirse que madrileño castizo, porque durante esos años vivió en los barrios bajos de la capital —entonces tan genuinos—, que luego describiría en muchas de sus novelas, con ese sabor de autenticidad que tienen los ambientes que se han vivido.

Sabemos por un prólogo que puso a su novela *Estracilla* —una de las más tardías, publicada en 1917—, que recibió «las primeras enseñanzas en un colegio humildísimo de la calle de los Estudios» (que iba y va aún de la calle de Toledo a la del Duque de Alba y la plaza de Cascorro, entonces Nicolás Salmerón), en pleno Rastro, «donde un viejo dómine, don Ruperto Gallardo, fraile exclaustrado, se ganaba míseramente la vida dictando letras —así decía él— a los pocos alumnos que el barrio le enviaba. Nunca olvidaré a este maestro, ni su rostro largo y juanetudo, sobre el que se derramaban los resplandores de sus anteojos, recios como cristales de faro, y la bondad generosa de su alma santa. Don Ruperto era gran latinista y desdeñaba el idioma de Castilla, miserable romance —decía— que no ha logrado elevarse más alto que sobre las bardas del Toboso. Y como si quisiera alejar de sí el oprobio de enseñar a leer a muchachos zafios, hijos, casi todos ellos, de vendedores del mercado, de porteros del Instituto de San Isidro y de logreros del Rastro, se ponía en pie enérgicamente, y agarrando el puntero señalaba el gran abecedario y empezaba la salmodia que nosotros habíamos de repetir: "A, B, C, D". "Así aprendí yo a leer —concluye mi abuelo—, por lo que no estoy seguro de haber aprendido"». Debió de empezar esos mínimos estudios en 1860, es decir, con cuatro años de edad, porque él mismo cuenta en un artículo del año 1921 [2], relatando su viaje al Fondak marroquí, que «en 1860 ese humilde profesor me comunicaba, como a los otros condiscípulos míos, la información de la guerra (de Marruecos) [...] y nos hablaba del Fondak como un lugar poderoso, un sitio donde los moros tienen una guarida formidable». El Fondak, en efecto, fue durante mucho tiempo residencia bélica del Raisuli, jefe de la hostilidad contra España. Quizá esas frases amedrentadoras del humilde dómine quedaran grabadas en la mente de aquel niño que, ya mayor y periodista, dedicó gran parte de sus crónicas a la guerra de Marruecos y a los sufrimientos de nuestras tropas.

Ignoramos el primer domicilio madrileño de la familia Ortega, sin duda próximo a la calle de los Estudios, pero sí sabemos que en 1866 vivían en una casa de la calle de Jesús y María (que termina en la de Lavapiés) desde cuyos balcones aquel mozo, ya de 10 años, vio cómo se

---

[2] José Ortega Munilla: "De Madrid al Fondak", *ABC*, 9 de enero de 1921.

levantaban las barricadas en junio de aquel año. Pero conviene que el propio abuelo nos lo cuente en el prólogo citado:

«Entre mis compañeros de estudio se hallaba un mozallón, hijo de un romanero [3] de la plaza de la Cebada que pertenecía al partido progresista, lector constante de *La Iberia*, y él nos traía cada mañana ecos de la agitación popular, noticias de la revolución que se preparaba, anuncios terroríficos de la degollina de moderados que se estaba organizando. Contrastaban estos informes con el ambiente familiar mío, porque mi padre, que había desempeñado cargos de algún relieve en la Administración de Justicia, como letrado que era, y que cultivaba el periodismo, vivía en la amistad del conde de San Luis, que le dispensaba un afecto inolvidable para mí, y que, por tanto, formaba en la legión de los llamados "polacos". En mi casa la idea revolucionaria era objeto de desprecio y de antipatía. Por eso yo sentía un horror indomable por lo que oía al hijo del romanero. Andando los años he cambiado de parecer y juzgo que aquel mocete bravío fue mi primer maestro en ideas progresistas [...] Una mañana llegó a la escuela de don Ruperto un niño de los que conmigo seguían las lecciones del dómine. Venía llorando. El maestro le interrogó sobre la causa de su duelo. Era que al padre, que era cajista en la imprenta de *El Pueblo,* órgano de García Ruiz, el único republicano unitario que había en España —los demás republicanos eran federalistas— le habían encerrado en la cárcel y al día siguiente se lo llevarían en una cuerda de presos, para embarcarlo en Cádiz y transportarle a Fernando Poo. Estaba acusado de haber compuesto un folleto en el que se insultaba a la reina Isabel II y se pedía al pueblo un acto generoso de defensa anunciando las barricadas.

»¡Las barricadas! Esto no tiene ahora valor alguno [...] Entonces era un sistema de vida, un propósito de reforma, un reto al Poder. El Gobierno tenía la *Gaceta,* una parte del Ejército, numerosa policía, la Guardia veterana, la confianza de la Reina. Y con esos medios poderosísimos desafiaba a los revolucionarios [...] Yo vi levantarse las barricadas en la calle de Jesús y María, en que moraba, el 22 de junio de 1866. Yo oí cómo, durante quince horas, sonaba el estampido de las armas de fuego. Yo supe entonces que el general Prim [4] había intentado llegar a la Corte para tomar el mando de los sublevados y no había podido [...] Yo escuché después la palpitación de espanto que se sentía en Madrid al ser fusilados los sargentos sublevados en el cuartel de San Gil [...]

---

[3] Romanero era el encargado de vigilar el peso de la carne en el matadero.

[4] Nadie mejor que Galdós, en su *Episodio Nacional* dedicado a *Prim,* ha relatado las actividades en esos momentos del famoso general que consiguió el acuerdo de Ostende que firmaron todos los partidarios de derrocar a la reina Isabel.

Cuando, apaciguados los ánimos pero no restablecida la calma de los espíritus, torné al colegio de don Ruperto, vi que el mocete bravío estaba triste, y que el maestro le abrazaba [...] El hijo del romanero seguía llorando y me fijé entonces que iba vestido de negro. Oí la voz de un colega que decía: *es huérfano. A su padre le ha matado la Benemérita*».

El personaje de *Estracilla* estuvo inspirado en ese muchacho al que, más adelante, siendo ya hombres, mi abuelo brindó su amistad. Y nos recuerda en las últimas líneas de su prólogo que el hijo del romanero fue después «oficial del Ejército y murió peleando por la causa constitucional, a las órdenes del Marqués del Duero, en los cerros ariscos de Bilbao».

Ya vimos cómo el triunfo de la revolución del 68 cogió en mala situación política a su padre y tuvieron que guarecerse en Zaragoza. Pero en 1869 viven de nuevo en Madrid, en la calle de las Huertas, en casa de un pariente; y siendo todavía infante, vivió la familia «en una casa de la calle del Olivar cuya fachada cuadrilonga avanza sobre la plaza de Lavapiés» [5].

Pasó después por el colegio de San Luis Gonzaga, en el que fue camarada de Celestino Aranguren, luego arquitecto, con el que mantuvo gran amistad y al que defendió de una injusta acusación de responsabilidad en el hundimiento en 1921 del café Lyon d'Or [6]. Terminó sus estudios primarios en el instituto de San Isidro, también en barrio castizo, «del que siempre recordaría sus amplias aulas en las que recibió las enseñanzas del matemático Vallespinosa, del físico Santisteban y del naturalista Pereda [...] cuya memoria surge con gratitud en mi espíritu [...] aunque cada estío los exámenes me causaban una enfermedad» [7].

Los destinos de su padre, a Cuenca y a Gerona, y una tenue ola mística que parecía albergar su alma, determinaron que comenzase estudios eclesiásticos en los seminarios de ambas capitales durante cinco años. «Por eso sé tanto latín», dijo a El Caballero Audaz en una entrevista [8]. Fue el humanista Antonio Cantillo, que lo contaba entre sus mejores discípulos, quien le hizo descubrir en la Ciudad Encantada su pasión por el latín [9]. Pero mi abuelo conservó sobre todo gran estimación por mosén Antonio Riera, «un laborioso humanista que era mi

---

[5] José Ortega Munilla: "Flores de caridad", *ABC*, 11 de junio de 1919.

[6] *Ídem:* "Victoria gloriosa", *ABC*, 6 abril de 1921.

[7] *Ídem:* "La queja del heredero", *La Esfera*, 26 julio de 1919.

[8] El Caballero Audaz: "El maestro Ortega Munilla", *La Esfera*, 3 de noviembre de 1917.

[9] Ganó a los diez años un premio, creado por el obispo de Cuenca, Payá y Rico, más tarde arzobispo de Santiago.

maestro cuando yo estudiaba latín en el seminario de Gerona por el año 1867. No se contentaba con que tradujésemos a Horacio y supiéramos de coro la Epístola a los Pisones», y les daba además lecciones de conducta a las que servía de base esta afirmación: «*Bien está que aprendáis el latín pero aprended antes el castellano*—él era un clérigo de la montaña gerundense, nacido cerca de Figueras— y en ese idioma debéis conocer principalmente una palabra, la más difícil de pronunciar aunque sólo se compone de dos letras: NO. Y no seréis hombres dignos si no sabéis decir NO». El buen padre —al que todavía no le había alcanzado el catalanismo— simbolizaba esa actitud en la derruida torre de Gironella, de las murallas de Gerona, donde se mantuvo la más feroz resistencia y sus defensores murieron todos numantinamente antes de rendirse a las tropas de Napoleón. «La memoria de aquellos días de mi infancia [10] en los que lloraba intentando traducir el *Auxium Darium de instatibus curis...* de Q. Curtis Rufus, y la del insigne pedagogo acuden ahora —está hablando de un artículo de los últimos años de su vida— y me llenan el alma; porque, en efecto, el humilde mosén había dejado por herencia a sus discípulos una verdad eterna: hay que saber decir NO».

Pero como ya dijimos, la revolución del 68, que cerró los estudios religiosos y anuló su validez académica, acabó con la vocación hacia el sacerdocio del joven Ortega.

Tras el discreto paso por Zaragoza, la familia Ortega Zapata volvió a Madrid, donde el abuelo terminó el bachillerato y comenzó sus estudios universitarios, matriculándose en las Facultades de Derecho y de Filosofía y Letras de la Universidad Central. Siempre guardó veneración por don Fernando de Castro, catedrático de Historia Universal «que le hizo ver lo que antes no hubiera visto, aprender lo que antes ignoraba y saber leer un libro y penetrar en sus reconditeces» [11]. Y es curioso señalar que fue compañero en los cursos de Derecho —estamos en torno a 1871— de Manuel Marañón y Gómez Acebo, padre del ilustre médico don Gregorio Marañón, que sería también gran amigo, coetáneo y compañero en acciones políticas del hijo de Ortega Munilla, mi padre.

Como mi bisabuelo vivía en Colmenar Viejo, desde donde ir y venir a Madrid suponía un pequeño viaje imposible de hacer diariamente, imagino que el abuelo vivía en casa de algún pariente madrileño o en alguna modestísima pensión. Pasaba sus vacaciones en el propio Colmenar, una ciudad puramente agrícola entonces, de la que guardaría

---

[10] José Ortega Munilla: "La puerta del Carmen", *ABC*, 3 de mayo de 1921.

[11] *Ídem:* "Los viejos maestros", *La Vanguardia*, 30 de noviembre de 1921.

grato recuerdo ya que, de mayor, pasó en ella varios veranos, animado porque tenía «muy buen agua», cualidad que entonces significaba un aliciente turístico. «Apenas me examinaba de Derecho Civil el injustamente olvidado don Augusto Comas, iba al pueblo donde mi familia residía y allí, impaciente, esperaba la velada de San Juan».

Justamente en 1869, cuando preparaba la familia su mudanza a Colmenar Viejo, murió la bisabuela Munilla. La muerte de su madre, joven aún, dejó en el alma de aquel muchacho de 13 años una huella profunda. Aquel año, como escribió en «Itinerario para andar por las páginas» de sus *Relaciones contemporáneas,* «fue el más triste de mi existencia porque en él perdí a mi madre». Ruth Schmidt, la filóloga norteamericana que dedicó a Ortega Munilla un libro que no tiene desperdicio [12] señala que «las referencias a la figura de la madre, a sus pesares, a su relación e influencia sobre los hijos que se encuentran en sus artículos y ensayos, son constantes; y el número de personajes de sus novelas que pierden a su madre, o a sus padres, es extraordinariamente amplio».

Resulta difícil hacer la semblanza de las mujeres de la familia que no llegué a conocer. Supe algo de esta bisabuela Munilla por su hija Purificación, que, viuda muy joven, vivió siempre en aquella generosa «pensión» que era la casa de los Ortega Munilla. La tía Pura, como la llamábamos los nietos, era un personaje curioso; flaca como un fideo, delgadez que se acentuaba por ir siempre vestida de negro. Aunque entregada naturalmente a mi abuela Dolores, era muy protestona y cascarrabias, fue la que nos habló de su madre, a la que veneraba y que, según ella, era la que había serenado al inquieto Ortega Zapata, dispuesto siempre a cambiar de destino y lugar.

LOS PRIMEROS ENTUSIASMOS LITERARIOS

Entusiasta del *Quijote* que empezó a leer de chico, cuando no había cumplido aún los diez años, debió a esta obra magna «las mayores alegrías de mi existencia y en momentos de titubeo, en mi infancia, hallé en él esperanza» [13] y «en una gran desventura que yo sufría, la de perder a mi madre, hallé consuelo posando en la casa del Caballero del Verde Gabán. Cuanto hay en esta parte del Libro Único de nobleza

---

[12] El libro de Ruth Schmidt, *Ortega Munilla y sus novelas,* Madrid, 1973, lo publiqué yo en las Ediciones de la Revista de Occidente y sigue siendo el mejor estudio sobre la obra literaria de mi abuelo. Acudiré a él, como verá el lector, numerosas veces.

[13] José Ortega Munilla: "Memorias de un lector: Chateaubriand", *ABC,* 25 de diciembre de 1921.

cristiana, de dignidad española, de generosidad sublime, fue parte a levantar de mi ánimo encogido, el de un niño que, al verse sin madre, dudó si debía acompañarla a la otra vida». Quizá fueran estas palabras de Cervantes las que darían ánimo al huérfano: «[...] pero de lo más que se contentó don Quijote fue del maravilloso silencio que en toda la casa había, que semejaba un monasterio de cartujos [...] Cuatro días estuvo don Quijote regaladísimo en la casa de don Diego, al cabo de los cuales le pidió para irse [...] a partir con su oficio, buscando las aventuras» [14]. Y fue su madre, que le leía poemas e historias y luego le aconsejaba la lectura de muchos libros, la que hizo de Ortega Munilla un lector infatigable desde su juventud.

«He de confesar —ha dicho en el prólogo citado antes— que, en aquella dolorosa y laboriosísima juventud mía, la zozobra llevaba el timón de mi navecilla y hoy me sucedía un estilo y mañana el contrario. Leía los versos y las prosas, que son versos también, de Víctor Hugo, y soñaba con *Esmeralda*. Me abismaba en las fábulas balzacianas, y pasaba meses cortejando a la protagonista de *Le lys dans la vallée*, aterrándome con las energías dominadoras de *Trompe-la-Mort* y doliéndome con las desdichas de *César Birotteau*. Otros días leía y releía las leyendas prodigiosas de Walter Scott, o las pesadillas alcohólicas de Edgardo Poe, cuando no sonreía sobre las fragancias de Teófilo Gautier, el máximo estilista» [15].

Pero también se sumía con fruición en autores más próximos: Fernán Caballero produjo en él las primeras emociones literarias y el joven lector reconocería años adelante el gran influjo que tuvo aquella mujer sobre su mundo emocional y sobre su estilo: «Sin vos, no hubiera escrito» [16]. «Diez y seis años tenía yo y hallándome en tristes vicisitudes de la existencia, ocupaba todo el tiempo posible en la Biblioteca Nacional, cuando era su director D. Juan Eugenio Hartzenbusch. Y allí leía colecciones de viejos periódicos, con los que aprendí más de lo que imaginaba [...] Y en la colección de *El Heraldo*, aquel gran periódico del que fue fundador el primer conde de San Luis, hecho a semejanza del gran órgano de la cultura francesa, *Le Journal des Débats*, hallé las novelas de Fernán Caballero, las primeras que ella escribió, en francés y alemán, y que luego fueron traducidas al castellano por la madre de la autora y por la autora misma. No olvidaré nunca la emoción que me

---

[14] Prólogo al tomo de *Relaciones contemporáneas* de la Col. Universal, Calpe, Madrid, 1919.

[15] Prólogo citado de sus *Relaciones contemporáneas*.

[16] José Ortega Munilla: "Memoria de un lector: Fernán Caballero", *ABC*, 8 de enero de 1922.

produjeron estas narraciones... *La familia de Albareda, Elia, Un verano en Bornos, La Gaviota*» [17].

Descubrió la poesía escrita en los cantares de Antón de Trueba, que su madre le enseñaba, y desde muy joven conoció la poesía del argentino Guido Spano, a quien visitaría con unción en su viaje a Buenos Aires de 1916.

«Yo nací al mundo del cuento —escribió en su vejez— bajo la inspiración de Dickens y de Galdós [...] Buscaba siempre una afirmación definitiva, una casa en que vivir, un país del que pudiera ser ciudadano. Bien que en ocasiones sintiera yo vibrar en mi cerebro un hálito personal, la timidez [...] me obligaba a seguir y copiar modelos autorizados».

Y no habría el abuelo escrito nunca literatura «si no hubiera aparecido un día en los escaparates de Durán, la vieja librería de la Carrera de San Jerónimo, una novela que se titulaba *Pepita Jiménez*». Y en esta obra encontraría el estímulo para tomar la pluma en su mano; «Valera es el culpable», sentenciaría [18].

## EL DESCUBRIMIENTO DEL PERIODISMO

Aunque su padre fuera periodista, Ortega Munilla confesaba que «cuando niño tenía un horror tremendo al periodismo. Es más, le tenía rencor porque en aquel periodo de la Revolución de Septiembre —apenas yo contaba nueve o diez años— se cultivaba un periodismo agudo, violento y audaz. Algo de lo que ocurre ahora. El periodista activo estaba en constante peligro. Los artículos había que sostenerlos con la punta de la espada o purgarlos en los calabozos de la cárcel». Le atraía la carrera judicial —la otra cara de la actividad paterna— pero «de improviso, sin saber realmente por qué, entré en la redacción de *El Tiempo*, periódico alfonsino fundado por los condes de Toreno y de San Luis. Era el órgano de los moderados [...]. y allí, entre aquella redacción formada por periodistas ilustres, comenzó a desarrollarse mi afición literaria y me di al estudio y a la lectura con fruición» [19].

En la entrevista que hemos citado con El Caballero Audaz, dio noticias de su primera colaboración periodística: «Mi padre —cuenta— era redactor jefe de *El Tiempo*, y un día, durante unas vacaciones, se me ocurrió escribir unas cuartillas. Se publicaron y el artículo gustó.

---

[17] José Ortega Munilla: "Rasgos de España: mi buena amiga", *ABC*, 27 de septiembre de 1919.

[18] Prólogo citado.

[19] Martínez de la Riva: "Los forzados de la pluma", *Blanco y Negro*, 10 de octubre de 1920.

Y aquella tentación [...] que debió ser cosa del diablo para apartarme de la carrera eclesiástica, varió por completo mis tendencias. Dejé la carrera de cura y me agarré a la de abogado promiscuando con el periodismo. Claro que, para mis adentros, pensaba yo que cultivaría la literatura hasta el punto y hora que acabase mi carrera, pues tenía decidido dedicarme a ella. ¡Pero, amigo mío, el periodismo posee la seducción de una mujer bella y peligrosa!».

Una seducción que sería una *liaison* para siempre y que le proporcionaría las mayores alegrías y los mayores disgustos de su vida, durante los 35 años largos que duró su actividad periodística.

De esas tentativas en *El Tiempo* pasó a la redacción de *La Iberia* y allí fue donde verdaderamente aprendió la profesión. «*La Iberia* —ha contado él mismo— era entonces un periódico original, único en España. Don Práxedes, que había sido redactor del antiguo órgano de los progresistas, consignó en una frase famosa lo que era aquella Redacción: *Es el desbravadero de los periodistas nuevos* [...] Y así es verdad. Un desbravadero de ingenios recién lanzados a la lucha, una escuela sin maestro, un doctrinario sin doctrina [...] Es posible que si yo no hubiera estado en la Redacción de *La Iberia*, me faltara una condición espiritual en mi carrera de escritor y de periodista [...] Allí aprendí los rudimentos de un arte que ya va perdiéndose, y que consiste, no en escribir bien o mal, sino en adivinar el momento de la opinión y escoger el tema entre tantos que surgen cada día» [20]. Este diario progresista había sido fundado en 1854 por Pedro Calvo Asensio, que murió joven, en 1863, sustituyéndole en la dirección Sagasta, que, a juicio de Antonio Espina, «era habilidoso y audaz y, además, de una auténtica madera de político, tenía un verbo fácil, persuasivo y algo zumbón, tanto en la tribuna como en la prensa» [21].

Allí conoció al que estaba llamado a ser también destacado periodista, el joven Miguel Moya. Juntos fundaron dos revistas, ambas de vida efímera: una literaria, *La Linterna*, y otra taurina, *El Chiclanero*, «en la que —a juicio de José María de Cossío en su famosa enciclopedia *Los toros*— la frívola narración de la fiesta popular era ensalzada con los encantos de un bello estilo literario». Quizá sea éste el momento para recordar que, siendo ya influyente director de *El Imparcial*, mi abuelo proporcionó al fundador de la dinastía de los Bienvenida la posibilidad de debutar como novillero en la plaza de Madrid y le sufragó los gastos de alquiler de su traje de luces. Fue no sólo aficionado sino experto revistero taurino, con esa sabia costumbre de los periodistas de

---

[20] José Ortega Munilla: "Tapices...", *Las Provincias*, 21 de marzo de 1922.

[21] Antonio Espina: *El cuarto poder*, Prodhufi, Madrid, 1973.

buena fe de aprender las distintas rúbricas del periodismo. Le acompañaría a su tendido muchas veces su hijo José, desde chico; de ahí que mi padre guardara recuerdos muy antiguos de la fiesta nacional. *El Chiclanero* comenzó a publicarse el 28 de marzo de 1875, y por ese tiempo Ortega Munilla escribió una novela, *Milagritos,* que no debía de estimar mucho porque no se publicaría hasta 1918. Ese título era el apodo de «un torero, prodigioso —está hablando Cossío— tan sólo una tarde y que renuncia voluntariamente a este arte como ha de renunciar al amor de dos mujeres: una violentamente sensual y otra finamente espiritual y sensible. El gran milagro que hace el torero es «renunciar para liberarse de las impurezas [...] y apartarse de aspiraciones difíciles de conseguir». Así acabó la extraordinaria aventura de *Milagritos,* de la que ya nadie se acuerda en Sevilla ni en nuestra historia literaria [22].

Rozó una temporada la redacción de *El Imparcial,* que sería después *su* periódico, como informador en el Ministerio de la Guerra, pero «aquello no me hacía feliz. Y lo dejé porque no me gustaba buscar noticias». También en los primeros años de su profesión colaboró en varias publicaciones periódicas, no todas ellas diarias [23]. Así fue crítico teatral en la *Revista de España.* En la primavera de 1878 entró en la redacción de *Los Debates,* que dirigía don José Albareda, al que Ortega consideró como su «maestro de los años mozos» y que abarcaba asimismo las direcciones de *El Contemporáneo, El Campo* y la citada *Revista de España.* Y es en *Los Debates* donde tuvo su primer éxito periodístico que fue, al mismo tiempo, su primer éxito literario. En esa redacción estaban nombres ilustres, como Aurelio Linares Rivas, Núñez de Arce y don Juan Valera. Su admiración por este último motivó su gran timidez cuando se lo presentaron una noche en la sala de aquella redacción. Pero desde entonces nacería una sólida amistad entre ambos y sería el propio Valera quien hiciese el discurso de contestación cuando Ortega Munilla ingresó en la Real Academia Española.

CONFLICTO DE VOCACIONES

La lucha entre las dos vocaciones que sentía mi abuelo con la misma fuerza, la literaria y la periodística, sería uno de los nudos de su vida. Podría haber sido un gran novelista y, como ya vimos, Valera era el culpable de su vocación de escritor: «Por eso llevo tantos años empeñado en una lucha en la que aún no he logrado la victoria; y el no ha-

---

[22] *Milagritos,* Prensa Popular, Madrid, 1919.

[23] Obra cit. de Ruth Schmidt, pág. 52.

berla logrado, y el que yo me sienta aún con el anhelo del triunfo —decía mirando su vida desde la altura de sus 63 años— es el único motivo de orgullo que palpita en mi vida [...] Claro es que contribuye a mantener en pie mi vocación el hecho de que he vivido siempre en funciones ajenas a las literarias. He sido, soy periodista, el narrador del suceso, su comentarista, el hombre andariego que hoy tiene que describir el incendio de la Real Armería y mañana el crimen de la calle de Fuencarral; ya un debate en que Salmerón y Cánovas contienden, ya la muerte de un rey, el olvidado Alfonso XII; y en esta labor frenética, que quita el sueño, que aparta de la familia, que aleja de los libros, que destierra de los ideales, ¿cómo ha de haber espacio, ni ha de haber serenidad para escribir lentamente, amorosamente, escuchando los latidos del corazón y convirtiéndolos en párrafos?» [24].

Pero probablemente esa doble sensibilidad, de literato y periodista, hizo que la aparición, en forma de folletín, de *La cigarra* en *Los Debates,* que iba a consistir en tres entregas, tuviera tal éxito que hubo de convertirla en treinta entregas —del 17 de diciembre de 1878 al 1 de febrero de 1879— que los lectores siguieron con apasionamiento. Tanto, que ese mismo año de 1879 se publicó en forma de libro prologado por don Ramón Rodríguez Correa, que había sido su valedor al entrar en ese periódico. El argumento era vulgar: una niña abandonada por su madre, y cuya muerte firma el castigo de ésta. Pero, aún hoy día, se deja leer, tiene su emoción y están descritos los detalles con el mismo acierto que el maestro, su admirado Dickens. Galdós le prestó un «paternal acogimiento».

Estamos por el otoño de 1878. El joven periodista tiene ya 22 años. Es alto, bien plantado, con una hermosa cabeza varonil a la que el pelo, barba y bigote castaños, casi negros, hacen recordar a la raza mora, vieja amiga del sol. Es hombre afable, amigo de la tertulia, donde destaca como gran conversador. Mira el mundo y las gentes con humano interés, tratando de buscar en ellas lo mejor y lo más original de sí mismas. Le gusta descubrir los pueblos y rincones de la España profunda, costumbre de «andar y ver» que heredaría su hijo José. Cuando fueron juntos padre e hijo a la Argentina, en 1916, en una conferencia que debía pronunciar el padre en Tucumán, le sustituyó por enfermedad su hijo —ya José Ortega y Gasset—, y habló así de esas excursiones:

«Mi padre y yo vamos por el mundo empujados por un común afán viajero [...] En la niñez me llevaba él por la mano de paisaje en paisaje y hacíamos a menudo jornadas humildes en dos mulas castizas, en las revueltas serranías por la España ignorada, por barrancos y cañadas,

---

[24] Prólogo citado de sus *Relaciones contemporáneas.*

donde no habitan sino verdinegras retamas y algún chopo heroico, es decir, solitario [...] Vamos buscando esos pueblos españoles milenarios, donde parece haberse labrado el tiempo un remanso imperturbable, pueblos como aplastados bajo el gravamen de su propia historia, que hacen desde lejos al caminante un ademán alucinado con la torre de su iglesia, trunca casi siempre, como una antigua rota esperanza» [25].

A algunos de esos lugares va Ortega Munilla por obligación profesional de periodista; a otros, por el placer de viajar a lugares vírgenes de forastero. A veces le acerca el ferrocarril —poco más que recién nacido en aquellos años—, pero con mayor frecuencia, para llegar a su posada ha de alquilar la tartana, el caballo, la mula o el borrico. Sin duda esta inquietud viajera le vendría de su padre, aquel Ortega Zapata que anduvo, como hemos visto, destinado en lugares tan distintos y distantes.

## LOS LUNES DE EL IMPARCIAL

Una noche —según me contó la abuela Dolores— Ortega Munilla asistió a la función del teatro Real, llevado por un colega, crítico musical. Aunque hijo de un músico, no era nada melómano, pero esa noche cantaba Julián Gayarre *Rigoletto,* y merecía la pena oírle. El crítico se empeñó en presentarle a don Eduardo Gasset y Artime, que presenciaba el espectáculo desde el palco habitual que tenía *El Imparcial* en compañía de varias personas, entre ellas su hija Dolores. El abuelo, hombre tímido en el fondo, y más ante el famoso Gasset, saludó algo azorado, pero fue el momento en que, por vez primera, se miraron con interés los que irían a ser, pocos años después, marido y mujer.

*El Imparcial* era ya líder en ventas de la prensa nacional. Animado por las amables palabras que le dirigió Gasset, se atrevió Ortega a mandarle, pocos días después, un cuentecillo, *Tremielga* —la historia de un pintorcillo y una cantante de ópera justamente—, que —¡lo que son las cosas!—, se publicó en el número del 19 de mayo de 1879, día de la defección que ya hemos relatado en páginas anteriores. Y como allí dijimos, el 26 era nombrado Ortega Munilla director de la hoja de *Los Lunes de El Imparcial.*

Hablemos, pues, de esta hoja literaria que mi abuelo llevó a su máximo esplendor, hasta el punto de que colaborar en ella, para los noveles, era la puerta indispensable para alcanzar renombre en el mundo de la cultura. Además esas colaboraciones estaban bien pagadas.

[25] José Ortega y Gasset: "Impresiones de la Argentina", *La Prensa,* Buenos Aires, 1916.

Alberto Insúa hace en sus *Memorias* un juicio muy exacto de esa dirección: «Sus 27 años de *Los Lunes* no hicieron de él un árbitro que pretendiese imponer sus gustos, favorecer a sus amigos e ignorar a los que no lo fueron, sino todo lo contrario: un espíritu abierto a todas las expresiones literarias siempre que obedecieran a este o aquel temperamento, a tal escuela o tendencia, y que en sus autores reconociera o adivinase esos dones que concurren en el verdadero escritor» [26].

Ortega Munilla mantuvo su dirección de *Los Lunes* incluso cuando ascendió a director de *El Imparcial* en 1900, y por sus páginas pasaron todos los literatos que ya eran importantes y conocidos, y los noveles que iban a serlo, con ese buen olfato editorial que tenía el abuelo. En primer lugar allí publicó semanalmente sus propias *Crónicas* que luego recogería en libro. Insertó también muchos de sus cuentos [27] (los eruditos han inventariado hasta 75 de estilo muy diverso), pero su atención estuvo concentrada en la pluma de los demás.

Yo le agradecería al lector que diese una ojeada a la lista de los nombres notables de las generaciones históricas que se fueron sucediendo: de la suya propia, centrada casualmente en el año de su nacimiento —1856— y que abarca los 15 años de 1849 a 1863. Están, por citar sólo a escritores españoles, el padre Coloma, Vital Aza, Clarín, Emilia Pardo Bazán, Palacio Valdés, Rodríguez Marín, Menéndez y Pelayo, Salvador Rueda, José López Silva, Joaquín Dicenta: todos ellos aparecieron en *Los Lunes*. Pero también los de la generación anterior, como sus admirados Galdós, Valera y Zorrilla. De éste fue publicando sus *Recuerdos del Tiempo Viejo*, luego recogidos en libro. Zorrilla tuvo respeto y agradecimiento a Ortega Munilla, y mi padre recordaba esta felicitación de Navidad que dejó el popular poeta en el despacho del abuelo. Decía así:

> Mi querido José Ortega Munilla:
> Le desea buen año y buen dinero,
> El poeta más viejo y marrullero
> De toda la Nación,
> José Zorrilla.

Pero su mayor mérito fue dar entrada a los que iban a destacarse en la generación siguiente a la suya —la que abarca de 1864 a 1878—, que luego se llamaría la generación del 98 por haber sido la que reaccionó al desastre de Cuba y Filipinas. Los poemas de Rubén Darío aparecie-

---

[26] Alberto Insúa: *Amor, viajes y literatura,* Tesoro, Madrid, 1959.

[27] Véase *Mis mejores cuentos*, selección del propio autor, Prensa Popular, Madrid, s. f.

ron por vez primera en España en las columnas de esos *Lunes de El Imparcial.* Y ya en 1895 se recogían bajo las firmas de los jóvenes Unamuno, Valle-Inclán, Azorín y Benavente. Así, parte de lo que luego se recogería bajo el título de *Sonata de Otoño* fue publicado primero en *Los Lunes* [28]. Valle-Inclán reconocería el estímulo que debía a Ortega Munilla dedicándole la obra cuando salió, en 1906, en forma de libro: «De alguien he recibido protección tan generosa y noble que, sin ella nunca se hubieran escrito las *Memorias del Marqués de Bradomín.* Esa protección, única en mi vida, fue de un gran literato y de un gran corazón: he nombrado a don José Ortega Munilla». Dedicatoria, por cierto, que desapareció —ignoro por qué— de las sucesivas ediciones. También el abuelo había sugerido a Azorín que hiciera una serie de artículos recorriendo *La ruta de don Quijote,* que el novel escritor de Monóvar publicó en *Los Lunes.* Azorín haría constar su agradecimiento a su director porque sabía que tenía opositores en la propia redacción de *El Imparcial.* La importancia de su apoyo y estímulo a los jóvenes escritores y su paternal orientación de los noveles desvelos ha sido subrayada reiteradamente [29], y él mismo, al mirar desde la senectud la trayectoria de su vida, se ufanaba de «no haber faltado con ninguno de los que me consultaron, y ese es el principal honor de mi vida».

## LAS PRIMERAS NOVELAS

Ortega Munilla está en un momento en que parece ir a lograr sus sueños: poder desarrollar la doble vocación de periodista y de novelista. Ha entrado con buen pie en un puesto importante del diario nacional más influyente, y ese quehacer periodístico todavía no le abruma y le deja algún tiempo libre para la ficción. El esfuerzo es notable porque publica en el espacio de seis años —1879 a 1884— siete novelas y tres novelas cortas. La inestimable Ruth Schmidt las ha escudriñado con amor e inteligencia, y, aunque no hayamos dejado de leerlas, vamos a ampararnos en su estudio para dar cuenta de ellas.

La primera, en 1879, fue —ya lo sabemos— *La Cigarra.* Lo mejor de ella no es el perfil de la protagonista —un ser inverosímil—, sino la descripción de los rincones madrileños por donde pasa y el despertar de

---

[28] Según Corpus Barga en un importante artículo que publicó sobre mi padre, a su muerte, en la revista argentina *Sur,* fue mi padre el que aconsejó al suyo para que las *Sonatas* se publicasen en *Los Lunes* en trozos breves para que durasen mucho.

[29] Véase, por ejemplo, en Julián Marías, *Circunstancia y vocación,* vol. I., Revista de Occidente, Madrid, 1960.

un estilo de metáforas ingeniosas y sabroso y rico lenguaje que había de valorar al novelista Ortega Munilla. El éxito que tuvo esta novela, iniciada como folletín, animó a su autor a continuarla un año más tarde —1880— en *Sor Lucila*. Lucila era la hija —y aquí entramos en el melodrama— de la pecadora doña Ana, madre adulterina de Soledad, *La Cigarra,* y fue tan desdichada que quiso entrar en un convento. También aquí, lo mejor es el exacto dibujo, costumbrista e irónico a la vez, de las monjas y del capellán de aquel lugar de oración, amenazado por el afán de negocio con los dulces y golosinas que confitan las hermanas.

Pero entre *La Cigarra* y su continuación aparece otra novela, *Lucio Tréllez,* fechada en mayo de 1879, parte de la cual se adelantó en *Los Lunes de la Época* [30]. Sería prolijo contar el argumento con un narrador que, de cuando en cuando, da sus opiniones como espectador. Pero, como señala la investigadora norteamericana, en esta novela «se concede bastante atención al paso del tiempo y suele señalarse la hora exacta de los acontecimientos [...] El desarrollo de la novela sigue una línea fundamentalmente cronológica, y cuando es necesario narrar dos acontecimientos simultáneos, se procura explicar su conexión». El naturalismo que intenta Ortega Munilla, influido sin duda por Zola —el abuelo presumía de haber sido el primer lector en España de *L'assomoir*—, se desvía, «pues aunque hay influencias de herencia y de ambiente —por lo que tuvieron interés los escritores naturalistas del siglo XIX—, hay expresa indicación de sólidas ideas de comportamiento moral y varios personajes son condenados por sus faltas». Una vez más el autor demuestra su conocimiento de los barrios bajos madrileños, que describe con precisa naturalidad. Un Madrid donde transcurre toda la acción, salvo un momento en que cambia de lugar y surge Cuenca, en la que parece renegar de sus recuerdos infantiles al decir que «era aquello vivir dentro de la gramática latina, acostarse conjugando y levantarse declinando los *Comentarios* de Julio César». Hay un personaje, Luciana, que para nuestra guía «parece estar emparentada con la Marianela de Galdós y anticipar la gallega sensible que aparecerá en la *Morriña* de Emilia Pardo Bazán».

Esa preocupación por el tiempo fue frecuente en los escritos del abuelo. Y no se me olvida un relato que escribió a primeros de siglo y que nuestro padre nos leía de chicos, en la sobremesa de la cena, que era el único momento seguro del día que sus hijos compartíamos con él. Cuenta la extraña historia de un pueblo, cuyo reloj ciudadano, el viejo reloj del Ayuntamiento, se paró de pronto. Fue pedido un buen re-

---

[30] *La Época* había iniciado también sus *Lunes* literarios, a semejanza de y en competencia con los nacidos antes en *El Imparcial.*

lojero a la capital y, al cabo de unos días, llegó un hombre taciturno y misterioso que se encaramó a la torre y estuvo manipulando la maquinaria. Al día siguiente, de repente, desapareció sin despedirse de nadie ni cobrar su trabajo. Mas he aquí que, desde aquel momento, toda la vida del pueblo empezó a retroceder y el reloj a dar sus horas al revés. Sin duda aquel hombre era pariente del diablo y había dado al sonoro reloj del pueblo un poder mágico y formidable que arrastraba el tiempo hacia atrás.

En 1880 aparece *El tren directo,* una novela que había escrito a finales del año anterior. Sus personajes son ya más complejos, más reales, con mayor contraste. La protagonista, una joven viuda, María Luisa, está acosada por tres preocupaciones: la delicada salud de su hija Justina; el pleito que siguen sus cuñadas contra ella para despojarla de los bienes de su marido; y el renacimiento de su primer amor, Genaro, al llegar éste a la ciudad —que ya no es Madrid sino alguna capital de provincia no nombrada— como ingeniero de un ferrocarril que se proyecta construir para enlazar directamente la montaña con el mar. Pero el ingeniero viene casado y el matrimonio va a vivir casualmente en el piso bajo de la casa de María Luisa. Clarín le dedicó uno de sus *Solos,* y por ser la primera crítica importante que se hace al joven novelista me atrevo a extractarla con cierta amplitud:

«Es preciso tener el alma a flor de piel, muy cerca de la epidermis en todos sentidos, para entender y apreciar en su justo valor las cualidades de este libro [...] estoy por decir que Ortega Munilla toca las cosas con los nervios [...] y siente cualidades ocultas de las piedras, de las plantas, de los seres animados [...] pues en la Naturaleza, dondequiera, millares de millares de objetos [...] nos hacen señas para que leamos en su mismo alfabeto, a guisa de arabesco, la ciencia oculta que presintieron las patrañas supersticiosas. Para poder deletrear con tan intrincada y recóndita clave se necesita un ánimo exaltado, un alma delicada y un temperamento nervioso capaz de sentir lo que hay y lo que, a veces, no hay. La pluma de Ortega Munilla es un nervio delicerado para que sirva el objeto.

»No teniendo todo esto en cuenta, el autor de *El tren directo* puede parecer difuso en las descripciones, puede creerse que pinta por pintar y que concede demasiada importancia a los muebles más insignificantes, a nonadas dignas de pasar en silencio [...] Lo que quiero decir en plata es que no hay que censurar en absoluto la exuberancia de figuras y la riqueza, a veces excesiva, de las descripciones con que casi llena su libro el autor [...] pero Ortega Munilla pintando, narra [...] Lo que más habla del autor de esta novela, lo más suyo, es el estilo, y éste sí que merece los elogios entusiásticos de la crítica».

Y termina Clarín con este consejo:

«El autor de *La Cigarra* y de *El tren directo* ya tiene señalada su vocación: su porvenir literario está en la novela. Tiene genio fecundo, estilo original, abundante esfera propia en que moverse. Estudie, pues, aun más que los modelos, la vida; saque de sus entrañas los argumentos, luche en el arte por alguna idea [...] y llegue fijo a ocupar en esta restauración bendita de la novela española el lugar a que le llaman voces proféticas de la opinión; hoy, animadora y benévola; mañana, severa, inflexible, si el señor Ortega se durmiera sobre estos primeros laureles».

Pero un domingo, probablemente del verano de 1880, cuando volvía de un paseo a caballo, afición que le agradaba practicar, por la calle de Alcalá, mojada por la lluvia, su montura resbaló y Ortega cayó dándose un golpe violento en la cabeza que le dejó sin sentido. Sus colegas estuvieron muy preocupados porque permaneció tres días inconsciente y una nota en *Los Lunes* del 21 de junio de ese verano daba cuenta de que su director «se había visto obligado a abandonar Madrid por breve tiempo para atender al restablecimiento de su salud». No le quedó ninguna secuela, salvo una cicatriz vitalicia, pero, según su hijo Manuel, desde entonces su salud fue precaria y le obligó a temporadas de descanso en El Escorial, en el balneario de Marmolejo, en Puente Viesgo —donde, por cierto, se veía con Menéndez Pelayo— y estancias en Marbella en casa de la familia Chinchilla. Yo creo que más bien fue su denodado trabajo el que contribuyó a esas crisis de salud. Naturalmente el periodo máximo de esa frenética actividad fue al ascender a la dirección de *El Imparcial*. El redactor de *Blanco y Negro,* José de Roure, hacía esta crónica el 12 de enero de 1901 sobre "Don José Ortega Munilla":

«¡Vaya una vida! ¡Levantarse a las tres de la tarde! Almorzar solo, porque los estómagos de la gente menuda que hay en la casa no se avienen a tanto retraso. Leer sin enterarse de lo que come, o comer sin enterarse de lo que lee: un rimero de cartas desde las primeras horas de la mañana, con un campanilleo continuo [...] Y apenas trasegado el café, [...] abrasándose las fauces, "¡el gabán, el sombrero, el bastón!", al Congreso. Al Congreso a pulsar la opinión sin pulso [...] a oír en los pasillos la voz de un conspicuo que le diga indignado "¡Hombre, bien me trataron ustedes ayer!" y que otro conspicuo le lleve a un rincón oscuro para contarle sus cuitas. Mirar el reloj y ver con disgusto que son ya las ocho y media de la noche. Acordarse de que los chiquitines estarán sentados a la mesa. Correr escapado al barrio de Salamanca en un coche de punto [...] Comer como por máquina, contemplando las caras de la gente menuda llenas de sueño y enseguida [...] otra vez a la Redacción, y en la Redacción hasta las tres o las cuatro de la madrugada. Pues esta vida —si eso es vida—, esta vida lleva el ilustre literato, director actualmente de *El Imparcial,* siendo lo mejor del caso que el autor de *El tren directo* (título que parece hoy el de su existencia) es un hombre amantísimo de su familia, aficionado como nadie a las dulces intimidades del hogar, algo indolente y soñador como buen artista, y refinadísimo en sus gustos».

Pero repuesto del susto, durante los meses de septiembre y octubre de 1880 Ortega Munilla escribe una novela, *Don Juan Solo,* que aparece en las librerías a finales del mismo año. El título tiene cierta trampa pues no se trata de la historia de un don Juan conquistador sino, como el propio autor la define, de la «monografía de un dolor», «el dolor central de la novela, que es la monomanía de don Juan Solo y de Esteban: su exagerado afecto paternal, que le induce a vivir sólo para su hija y arruinar su vida y la de ella, a pesar de las buenas intenciones». También esta novela transcurre en Madrid —salvo un salto a Aranjuez— e intervienen en ella los sucesos del cuartel de San Gil, de 1866, que vivió, como vimos, el autor de niño. Ruth Schmidt ve en esta novela reminiscencias de *Le Père Goriot* de Balzac, nada extraño dada la admiración de mi abuelo por el autor de la *Comédie Humaine.*

## LA ABUELA DOLORES

En aquel año pintan amores y Ortega Munilla corteja a Dolores, la segunda hija de Gasset, y sin demasiado noviazgo el matrimonio se realiza en la iglesia madrileña de San José el 9 de junio de 1881. Se quedan a vivir en la misma casa de Alfonso XII 4, ellos en el piso tercero y el suegro con el resto de sus hijos, en el principal. José llevaba a Dolores cuatro años y fue ella una mujer abnegada, muy católica. Quizá el perfil que hace de ella el tercero de sus hijos, mi tío Manolo, sea, no por cariñoso menos verdadero: «Me queda una vaga sensación de que aquel hogar nuestro era un recinto moral perfecto. Lo presidía inequívocamente una mujer en la que se conjugaban la fe religiosa acrisolada —que heredarían sólo los dos pequeños, Rafaela y Manuel, añado yo— y el amor humano, que se traducía en absoluta entrega de su ser a los suyos, junto con una generosa comprensión de las flaquezas de todos, que no hubo de desmentirse cuando, andando los años, tiró cada cual por su lado y pensó cada uno lo mejor que le pareció» [31]. Yo conviví con la abuela —Lala para sus nietos— muy intensamente. La muerte de Ortega Munilla, dejándola sin pensión ni dinero ni ayuda alguna, pudo mitigarla gracias al estanco que se había empeñado en conseguir en los años de bonanza en la calle Ancha de San Bernardo,

---

[31] Manuel Ortega y Gasset: *Niñez y mocedad de Ortega,* Clave, Madrid, 1964.

frente a Noviciado. Era una casa de dos pisos, de edad provecta, el bajo con el establecimiento, un pequeño almacén para las sacas de tabaco —que llegaban puntualmente de la Tabacalera todos los lunes— y una rebotica donde estaban la cocina de carbón de encina y el comedor, donde yo he pasado muchas tardes de mi adolescencia, caracterizada por los primeros *Knickerbokers*. El piso superior era una pequeña vivienda, modestísima, digna de un personaje de Galdós o de las novelas del propio abuelo. Ayudaba yo muchas tardes a mi abuela en el mostrador, junto a la tía Rafaela, y a ratos la tía Pura, en despachar tabaco —las cajetillas confeccionadas por las cigarreras de Logroño eran las preferidas—, cerillas, papel de fumar —el Bambú, el Abadie, el Jean—, sellos y pólizas, letras de cambio, material de escritorio y postales con el mínimo erotismo para reclutas enamorados. Y —aún me suena el chasquido— probar los duros saltándolos en el mármol del mostrador para ver si eran sevillanos (los cuales, como es sabido, eran falsos pero más ricos en plata que los auténticos).

La ubicación de aquel estanco era excelente, con la Universidad enfrente, un barrio nefando pero consumidor detrás, y un reputado mercado en la calle del Noviciado; pero mi abuela sólo sacó para vivir y no hizo ningún dinero porque su bondad y conmiseración hacia los menesterosos le llevaba a vender tabaco a viejas pero desalmadas plañideras que prometían pagárselo pero nunca cumplían.

La abuela tuvo cuatro hijos —muy seguidos—, Eduardo, José (nacidos en Alfonso XII), Rafaela y Manuel, además de varios abortos, y su salud era muy delicada, con frecuentes desfallecimientos del corazón. Cuando fue el matrimonio a París para visitar la exposición de 1889 y la impresionante Torre Eiffel, aprovechó Ortega para que el famoso doctor Charcot, el eminente neurólogo de la Salpetrière, la examinara. No era fácil porque su clientela era mundial, pero su vertiente de escritor le llevó a satisfacer los deseos de su colega novelista español. Su diagnóstico fue claro: *Vous êtes une femme épuisée par les accouchements* (es usted una mujer agotada por los partos). Como recuerda el tío Manolo, se pensó en la sierra de Córdoba para pasar temporadas, y en la capital andaluza construyó el abuelo un chalet, cerca del campo de la Victoria. Era un momento de bonanza económica de aquella familia pero con el tiempo hubo que venderlo a un bodeguero conocido.

La Guerra Civil cogió a mi abuela y a su hija, naturalmente, en Madrid, de donde nunca salían. En las primeras semanas se cobijaron allí varias monjas, falsamente vestidas de solteronas, entre ellas la santera que, antes del 19 de julio, dejaba en aquella casa de la calle de la Palma esquina a San Bernardo, en pensión por unos días, la imagen de santa Cecilia, por la que mi abuela tenía mucha devoción, en su fanal con el limosnero. Pero a finales de 1936, instalados provisionalmente ya mis padres en su exilio parisino, pudieron llevárselas allí. Cuando hubo ocasión más adelante, terminada la incivil contienda, se trasladaron a Puente Genil, donde tenían algún pariente —allí llevamos también al abuelo Spottorno que pasó antes asimismo por París—, y donde murió Lala que está enterrada en el cementerio municipal.

Pero en sus años brillantes la caridad y dadivosidad «rayaba en la inconsciencia» [32]. Junto a su esposo, igualmente generoso, adoptaron, aparte del huérfano de Consuegra, como veremos más adelante, dos hermanos, hijos de una amiga de la abuela, que había muerto joven, dejándoselos en custodia ya que doña Dolores los había sacado de pila. Eran María (Mariquilla) y Baldomero Calderón. María se hizo maestra y estuvo muy ligada a nosotros, los nietos. Yo la visité en la escuela de enseñanza primaria que regentaba en Villajoyosa, villa alicantina donde contrajo matrimonio.

Eran esas adopciones consecuencia de las campañas del periódico ante sucesivas catástrofes. Años más tarde, cuando el choque de trenes de Villaverde, del que hablaremos, el abuelo, que sufrió golpes serios, llenó la casa de heridos convirtiéndola en hospital.

Y no debemos olvidar a la hermana del abuelo, ya citada, la tía Pura, que era viuda de un señor Iandiola, cuya delgadez contrastaba con la obesidad de la «tía Emma» —Emma Chinchilla Ugarte—, nacida en Huelva, viuda del juez Rafael de la Haba y prima cercana de la abuela. Ambas viudas vivían prácticamente con los Ortega Munilla porque comían y cenaban todos los días en aquella arca de Noé.

## MÁS NOVELAS

La familia Ortega Munilla pronto se trasladaría a la calle de Santa Teresa número 8. La familia creció con el nacimiento de Rafaela y, durante un veraneo en Vigo, con el de Manuel, el más pequeño. Más adelante se mudarían a Goya 6, que era propiedad de Rafael Gasset, en el piso bajo que se enriquecía con el jardín interior común que existía en todas las casas de alguna vitola del barrio de Salamanca.

La vida de casado, más regular y tranquila, permitió a Ortega Munilla dedicarse aún más a su producción literaria personal. En 1881 aparece *El fondo del tonel* y en 1884, *Cleopatra Pérez*, dos de sus mejores no-

---

[32] Soledad Ortega: *José Ortega y Gasset: imágenes de una vida (1883-1955)*, Fundación José Ortega y Gasset, pág. 17, 1983.

velas, a mi juicio, y, en medio de ellas, *Panza al trote,* que fue la que más le gustaba a su autor. La primera es, en realidad, la yuxtaposición de dos novelas con algún personaje común y un mismo tema: la corrupción, la codicia, la hipocresía existentes en todas las clases sociales. Pero, como siempre en el abuelo, y a pesar de la velocidad a que le obligaba a escribir la falta de tiempo, es notable su descripción de los barrios bajos madrileños, en este caso, los que se asoman a las riberas del Manzanares. Y como el Ayuntamiento de Madrid puso el nombre de mi abuelo a esa plaza que forma el Paseo de las Acacias cuando se quiebra viniendo de Embajadores para lanzarse hacia el puente de Toledo, creo pertinente reproducir un pequeño extracto de la descripción que hace de esa zona en *El fondo del tonel:*

«Ábrese el Paseo de las Acacias con sus dos filas de troncos, que hunden sus plantas en largas y cenagosas acequias. A un lado, y en un plano de nivel más bajo, corre, o más bien se arrastra, el menguado arroyo de Embajadores, quien, a pesar de su penuria de agua, se porta como un buen pagador, cediendo el tributo de su riego a toda hoja verde que se lo demanda. No lejos de allí se desarrollan tranquilamente las tenerías, las cuales para el adobo y el curtido de las pieles piden también al arroyuelo su sorbito de agua. ¿Y dónde dejáis las fábricas de harinas inmediatas y las tres yeserías del Francés, cuyo consumo diario de agua basta para secar un torrente? Vamos, el pobre arroyo hace lo que puede al dar lo que tiene y no quedarse sin gota».

Muy característico de la calidad de escritor de Ortega Munilla era el empleo de palabras y expresiones que hoy casi no se utilizan, lo que me obliga a mí, y supongo que a muchos de sus improbables lectores actuales, a consultar el diccionario. Unos ejemplos: jáquima (broma pesada), resalvo (vástago que se deja en los pinos y arbustos tras la corta de un monte para que se pueble de nuevo), combro (bocadillo), espetado (erguido), lebrillo (palancana pequeña para el aseo), orzas (tinajas pequeñas), pálpebras (párpados), paragonzalos (objeto de regalo), lambente (que debe de venir de lamber "lamer"). Y expresiones acertadas como: "antes con antes", "para lo más pronto posible" e imágenes metafóricas como: «Pudiera decirse que representaba el frenesí cabalgando sobre la inercia» para describir a un caballero con prisa montado en un jamelgo; o «El reloj de la impaciencia era el que contaba entonces los minutos del muchacho»; «El *Pistolo* es muy poco barco para que una se eche a la mar», que dice una chulapona para rechazar al joven de ese apodo que le proponían. «Un viento huracanado que traía del Guadarrama malas noticias para los tísicos». «Es como todos estos alcarreñotes, holgazán y zafio [...] que le permiten que se eche grandes siestas en las lagunas». «Prefería lo difícil a lo fácil, lo dudoso a lo cierto, y soltaba el pájaro que tenía asido para ver si cogía el que pasaba volando sobre su cabeza». Y esta greguería prematura: «El vilano: esa estrella errante de pluma».

Pero no pretendemos hacer un análisis estilístico de la literatura del abuelo: ni tenemos capacidad ni tiempo. Quede aquí la cosa con estos ejemplos, que permiten vincular su obra con la gran literatura del momento.

Cleopatra Pérez es una prostituta de postín que ha tenido un hijo con un aristócrata al que abandona en la inclusa, como si fuera «el cuclillo que pone sus huevos en los nidos de otras aves». *Cleopatra Pérez* fue publicada tres años antes que la novela cimera de Galdós, *Fortunata y Jacinta*, cuyos dos primeros volúmenes aparecieron en 1887. Pedro Ortiz Armengol, el hombre que más sabe de los personajes de esa novela, buscando las fuentes que la inspiraron, dice lo siguiente:

«Abundaba en las letras el caso de la mujer de clase popular a la que hace un hijo un individuo de clase social más elevada. Pero ya es menos frecuente la coincidencia de que en ambas novelas —la de Ortega y la de Galdós— el niño fuera llevado a la Inclusa o institución similar y que, finalmente fuera reconocido por el padre verdadero. Y ya entra en lo sorprendente que en *Cleopatra Pérez* un débil personaje apellidado Rubín fuera un ser nocturno y misántropo [...] como lo sería el otro Rubín de la novela galdosiana. Aquel hijo natural sería adoptado por una familia rural, la cual tiene su asiento en *La Alcarria* y tiene el apellido de Rubín. Hijo que, reconocido por el aristócrata, al morir éste seguiría una lucha por la herencia que concluye con el suicidio del muchacho. Con un robo de los ahorros de la madre adoptiva para dárselos este Rubín de Cleopatra Pérez a la hetaira que le engaña y, además, con el colofón similar de que los dos Rubín acaban por perder el juicio: Demasiadas coincidencias —concluye el biógrafo de Galdós— para que no pensemos en una reciente lectura de aquella novela por parte de Galdós».

Pero Ortega Munilla, gran admirador de don Benito, «no se la guarda» y no hace ninguna alusión a ese evidente préstamo literario en su temprano comentario a la novela de Galdós, «a la que saludó —sigue admirándonos la erudición de Ortiz Armengol— en *Los Lunes* del 18 de abril de 1887 como «noticia literaria de la semana» y de la que promete escribir el lunes siguiente. Así lo hizo en la columna del 25 de abril, en términos muy elogiosos, como comentario de urgencia, señalando que «solamente de tarde en tarde aparece una obra maestra y ésta lo es» e inserta un íntimo lamento al decir que «en cualquier país sería un acontecimiento nacional la aparición de un libro como *Fortunata y Jacinta* [...] pero aquí hemos convenido en no admirarnos de cosa alguna y ya tenemos la costumbre de ver cómo los escritores españoles se mueren hartos de gloria y pobres de dinero, sin que nadie les haga caso [...] Toda la atención —concluía sarcásticamente— de la patria es poco para dedicarla a los prohombres políticos que nos van haciendo felices poco a poco»[33].

Vienen, como ya dijimos, los primeros hijos, dos varones —Eduardo en 1882 y José en 1883— y una novela corta, *Panza al trote,* que podría haberse convertido en novela larga porque el protagonista es muy real y responde a ese apodo «con que se nota —como dice el *Diccionario*— a aquel que anda siempre comiendo a costa ajena, o adonde halla ocasión de entrarse, y que ordinariamente padece hambre y necesidad». La obra comienza —lo cual es original— con el entierro del personaje en la fosa común y el relato que compone una mujer, única que le llora, con los apuntes que ha dejado aquel entre sus míseras pertenencias. La brutalidad de los enterradores en una noche de lluvia tiene gran fuerza y puede impresionar al lector actual.

Pero llega 1884, como hemos visto muere Gasset, y se incorpora a la dirección de *El Imparcial* su segundo hijo, Rafael, un joven de 18 años, y la actividad de su cuñado Ortega Munilla como director literario se hace más necesaria. Y aunque el director político es ahora Andrés Mellado, Ortega Munilla está atento también a otras secciones que las puramente literarias. Pero de éstas no puede olvidarse porque en ese año publica Clarín *La Regenta,* Pereda, *Sotileza* y Rosalía de Castro, sus poemas *A las orillas del Sar,* todos los cuales merecen elogios y atención en *Los Lunes de El Imparcial.*

Aún tenía tiempo Ortega Munilla para divertirse colaborando en publicaciones humorísticas, como el *Madrid Cómico* que dirigía Sinesio Delgado, autor además de varios sainetes de ambiente madrileño. A él se le ocurrió la idea de «escribir y publicar en el *Madrid Cómico* una novela sin género ni plan determinado y de la cual cada capítulo ha de ser original de un autor diferente, que lo firmará y se retirará de la palestra». Acudieron a la convocatoria doce escritores que entregaron sus trabajos, escritos en la década apacible, a principios de 1886. Eran nada menos que Jacinto Octavio Picón, Clarín, Ortega Munilla, Vital Aza, Pedro Bofill, José Estremera, Eduardo del Palacio, Ramos Carrión y Luis Taboada, por citar los más destacados entre los doce autores. El título lo impuso el propio Sinesio Delgado, *Las vírgenes locas,* pero sin dar ningún pie forzado a los colaboradores, los cuales recibían por su intermedio el capítulo escrito por el autor anterior en una sucesión que había fijado el propio director. El primero de ellos, Jacinto Octavio Picón, cuyo capítulo se titulaba *Donde el lector empieza a saber quiénes eran las vírgenes locas,* creaba los protagonistas sin que estuviera asegurada su permanencia en capítulos posteriores. Y cada uno de ellos pro-

---

[33] Pedro Ortiz Armengol: *Apuntaciones para «Fortunata y Jacinta»,* Editorial de la Universidad Complutense, Madrid, 1987.

curaba complicar los acontecimientos para dejar muy difícil al siguiente continuar la narración. Así Picón dejó troceado al que había condenado a muerte la secta de esas vírgenes locas y mi abuelo —que era el segundo autor— tuvo que vérselas para resucitarle. Ese segundo capítulo se titulaba "En que se sabe que algunas vírgenes locas eran locas pero no vírgenes". Mi abuelo supo salir más o menos airoso del trance pero dejó el relato muy difícil para el autor que le seguía, Ramos Carrión (famoso después por el libreto de *Agua, azucarillos y aguardiente)*, porque el mago que recompuso el cuerpo del protagonista devolviéndole a la vida, «por un error de ajuste le ha puesto a este caballero la cabeza al revés».

## *EL IMPARCIAL* SIN SU FUNDADOR

El periodismo seguía siendo entonces predominantemente político y literario y, no existiendo apenas revistas culturales, las letras vivían en los diarios. Por su lado político, *El Imparcial,* con su creciente tirada, se iba haciendo el periódico más representativo de la Restauración, aunque *La Época,* con muchos menos ejemplares cada día, fuera el órgano de Cánovas. Y como explica Espina en *El cuarto poder,* «así como hay personas que nacen con un maravilloso sentido común, que no les falla nunca a través de la vida, cualquiera que sean las circunstancias, *La Época* vino al mundo con ese don admirable: nació sensata, vivió sensata y falleció con sensatez el 13 de julio de 1936. Desde su fundación en 1849 hasta su ocaso siguió sin vacilaciones la línea borbónica erigiéndose en órgano del partido liberal-conservador, primero con Cánovas, después con Maura y Dato. Fue un periódico de reducida clientela que no se vendía en la calle sino sólo por suscripción», y el alma de ese periódico fueron siempre los Escobar, luego popularmente llamados *Los Valdeiglesias* desde que Alfonso XII les otorgó el marquesado de ese nombre. Pero el competidor efectivo de *El Imparcial* fue siempre *La Correspondencia de España,* un periódico de la tarde, fundado por Manuel María de Santa Ana, que partiendo de la nada llegó a tener magnífico edificio propio y grandes talleres. La prueba elocuente de la incorporación decidida del periódico de los Gasset al nuevo régimen fue cuando se volcó, en espacio y elogios, en el número del 3 de julio de 1885, al narrar el viaje, espontáneo y secreto, del rey Alfonso XII a Aranjuez para visitar la ciudad invadida por el cólera. *El Rey en Aranjuez* clamaban los titulares de la primera página, e imaginamos la fiebre con que sus lectores descubrieron el rasgo de aquel monarca:

«Desde las primeras horas de la mañana —decía la amplia crónica— empezó a circular por Madrid la noticia de que el Rey había salido con dirección a Aranjuez, en el tren que parte a las siete de la esta-

ción del Mediodía [...] Con uniforme de Capitán General, que oculta-
ba bajo el abrigo abrochado, salió a las seis y cuarto de palacio, acompañado de su ayudante, Sr. Angosto, al que había dado la noche anterior la orden de encontrarse a las seis en la Regia Cámara en traje de
campaña [...] Después de una larga espera en la cola de billetes [...]
penetró el Rey en el andén y ocupó su asiento en el único departamento de primera que llevaba el tren mixto [...] Momentos antes de
partir el tren fue reconocido por el Jefe de Estación, Sr. Cortés. Éste
avisó al inspector, Sr. Aurioles, quien, acercándose al Rey, se ofreció a
disponerle un coche-salón. El Rey rehusó el ofrecimiento [...] Momentos antes de abandonar el regio Alcázar, S. M. trazó a lápiz dos cartas: una a la Reina y otra al Sr. Cánovas. La primera parece que decía:
"Cuando leas este papel estaré en Aranjuez. No te inquietes. No te
apures... regresaré esta tarde".

»Enterado el Gobierno, envió rápidamente a Silvela, ministro de
Gracia y Justicia, que logró alcanzar al Rey en los hospitales y cuarteles
que estaba visitando.

»Como es sabido, la noticia corrió como la pólvora y los madrileños
desbordaron los andenes de la estación de Atocha para esperar enarde-
cidos la vuelta de Alfonso XII, aunque para eludir toda manifestación
el tren se detuvo antes de llegar a la Estación y don Alfonso marchó a
palacio desde el Pacífico».

El conflicto con Alemania por las islas Carolinas y su solución con
el laudo de León XIII, aceptado por Cánovas y Bismarck, contribuyó a
la popularidad de Alfonso XII y de *El Imparcial*. Ambos habían tomado
una postura enérgica en aquel conflicto que hizo recordar a los españoles que aún tenían posesiones en Oriente.

Aunque los partes oficiales sobre la salud del monarca no daban ninguna novedad, era un secreto a voces que había alcanzado un punto de
gravedad y el pañuelo rojo que usaba para recoger sus frecuentes espu-
tos delataba la tisis creciente. El equipo médico, presidido por el doctor
García Cabezón, ya había avisado a Cánovas de que al monarca sólo le
quedaban unas semanas de vida, pero el parte del día 24 de noviembre
sembró la alarma general. La Reina y las infantas visitaron al rey Alfonso,
postrado en su lecho del palacio de El Pardo, adonde se había trasladado para gozar de mejores aires. Allí moriría de su tuberculosis, cuyo
diagnóstico no se había difundido antes por razones de Estado, a las
ocho y cuarenta y cinco minutos del día 25 de noviembre de 1885.

La reina María Cristina asumía, según la Constitución, la Regencia.
Estaba embarazada de un vástago cuyo sexo no se sabía entonces anticipar, que sería rey o reina de España; Cánovas, en virtud de los acuerdos mal llamados de El Pardo, dimitió para que Sagasta constituyera el
primer gobierno de la Regencia.

«Fue nuestro tiempo —escribió Ortega Munilla, uniendo en este plural a su compañero de prensa Francos Rodríguez— el de la Regencia de María Cristina [...] Ahí están Cánovas y Sagasta, Sarasate y Gayarre, Zorrilla y Campoamor. Ahí está Vico, Rafael Calvo y Ricardo Zamacois. El papa León XIII celebra su jubileo. Muere don Manuel Fernández y González. Se inaugura la Exposición de Barcelona, asistiendo al homenaje a la Reina Cristina barcos de guerra de todas las naciones. La Exposición de Filipinas, celebrada en el Retiro, bajo los auspicios del vate, historiador y ministro don Víctor Balaguer, es la postrera efemérides brillante del imperio colonial español [...] Aún daba el sol en las bardas de Castilla [...] Se estrena *La Gran Vía*, el éxito teatral más grande de que hay memoria. Salmerón tronaba contra la monarquía, y Pi y Margall, contra la España unitaria»[34].

Y era creencia extensa que la Reina regente llamaba a consulta muchas veces a Ortega Munilla buscando su consejo y su conocimiento del ruedo nacional.

«Quiso la Reina madre —cuenta mi tío Manuel— en cierta ocasión, desautorizar un rumor en el que se barajaban los nombres de la Infanta María Teresa y del Príncipe Carlos, viudo de Mercedes. Y en vez de rectificar por los medios corrientes, llamó la reina a Ortega Munilla, que sentado en el escritorio del gabinete íntimo, escribía al dictado de Cristina, en tanto que ésta, de pie, junto al periodista, contemplaba a través de sus impertinentes, la escritura indescifrable de Ortega»[35].

La mañana del 17 de mayo de 1886, una enorme multitud congregada en la Plaza de Oriente, ante palacio, esperaba, emocionada y con gran expectación las noticias del parto real. «A las doce y media en punto —informó la princesa de Baviera muy periodísticamente— todos contuvieron su aliento, cuando comenzaron las salvas de artillería que anunciaban el nacimiento del hijo póstumo de Alfonso XII, último y muy popular rey de España. Al extinguirse el estampido de los primeros catorce cañonazos, el rostro innumerable de aquella anhelosa multitud hacía pensar en una gigantesca figura del Greco: semblantes desencajados, estremecidos, animados por un profundo y oculto ardor. Si los cañonazos cesaban en llegando a quince, es que la reina había dado a luz una niña; pero si las salvas continuaban hasta veintiún cañonazos, el hijo por tanto tiempo deseado, el rey de España con que todos soñaban, había nacido». Y así fue en efecto: había nacido Alfonso XIII, un rey de la generación del 14, que daría mucho que hablar.

---

[34] José Ortega Munilla: en la serie *Chispas del Yunque,* publicado en *ABC* el 16 de febrero de 1992.

[35] Obra cit., pág. 71.

## Con la familia

Digamos que, a pesar de estar desbordado de trabajo, el abuelo no dejó nunca de ocuparse de la familia. Y procuró compartir con todos sus hijos las cenas y las sobremesas en las que con sus dotes de conversador transmitía a aquellos imberbes todo el bagaje de su cultura y el comentario a los sucesos del día. «Todo ese caudal de sugestiones —ha contado su hijo Manuel— iba desgranándose a lo largo de las sobremesas de nuestra comida nocturna, sobremesas que eran larguísimas. Andando el tiempo, estas sobremesas se hicieron tertulias numerosas, a las que concurrían habitualmente personas de la intimidad familiar y de los medios político y periodístico [...] Su amor a la lectura, su respeto y admiración de la cultura, y un gusto literario que me atrevo a calificar de excepcional, explican que el contagio de tan hermosas prendas recayera en el temperamento de mis hermanos mayores. Nuestras tertulias de mesa no se vieron nunca frecuentadas por los temas vulgares, bien que no fueran jamás académicas, pedantes ni eruditas».

Su influencia sobre sus hijos fue muy grande y Eduardo, el primogénito, escribió que «el maestro a quien más debemos, a gran distancia de los demás, fue el alto espíritu, alerta, gracioso, de nuestro padre, a su juicio libre, escéptico, algo volteriano, de luminoso y vibrante ingenio» [36].

Inviernos en Córdoba —ya indicamos el motivo de la salud de la esposa—, algún veraneo apacible en San Juan de la Luz, y los demás en El Escorial, «y allí —cuenta el pequeño— por aquellos montes, El Milanillo de Ranero, La Granjilla de los Borrell, El Chaparral de Rafael Gasset y el coto Fuentevieja del popularísimo Pablera, iban mis hermanos con mi padre y nuestro inconmensurable tío Enrique, un hermano del fundador de *El Imparcial*».

Rafael Gasset, el joven empresario al frente del periódico y luego político de altura, merece que alguien escriba su biografía. El famoso notario y también político de la Segunda República, Diego Hidalgo, comenzó a hacerla pero sus muchas ocupaciones le impidieron rematarla. Hay una tesis excelente del licenciado en Ciencias de la Información Juan Carlos Sánchez Illán que nos ha servido para no perder el hilo de la vida de ese tío abuelo mío [37]. En este libro me limito a des-

---

[36] Eduardo Ortega y Gasset: "Mi hermano José. Recuerdos de infancia y mocedad", *Cuadernos Americanos*, núm. 195, pág. 185.

[37] *Prensa y política en la España de la Restauración: Rafael Gasset y "El Imparcial"*, Biblioteca Nueva, Madrid, 1999.

tacar aquellas actuaciones de Rafael Gasset que marcaron el ímpetu y el pensamiento de *El Imparcial* y que repercutieron en la vida de Ortega Munilla y, más adelante, en el enfrentamiento con José Ortega y Gasset, que no quiso dormirse en la cómoda cuna del periódico de la familia. Y debo añadir que cuando me acuerdo de que soy ingeniero agrónomo, lamento no tener tiempo para hablar de la política hidráulica de Rafael Gasset, una de las realidades regeneracionistas más estimables de su tiempo.

Como su vida había empezado deprisa, Rafael Gasset contrae matrimonio a los 21 años, en 1887, con María Concepción de Alzugaray y Lapeyra, de conocida familia navarra. De este enlace nacieron cinco hijos: Rafael, que fallecería a los 16 años, en 1907, Ricardo (1894-1966), que sería ministro del Gobierno republicano en la guerra civil, y tres hijas: Carmen, Úrsula y Lola, que murió muy niña. Probablemente no habrá otra ocasión de hablar de este Ricardo pero quiero decir que fue un hombre de extraordinaria simpatía, que casó con Carmen Dorado, descendiente del famoso Campomanes y que ha sido la mujer más enamorada de su marido que he conocido en mi vida, del que estuvo separada hasta que él pudo regresar del exilio.

No se le escapa a *Los Lunes* la publicación de *Los Pazos de Ulloa* de la Pardo Bazán, ni siquiera el nacimiento de Sherlock Holmes con el *Estudio en rojo* de Conan Doyle. *Rocambole,* de Poinson du Terrail, entró con gran éxito en los "folletines" del periódico pero, en cambio, *El hombre invisible* de Wells no pareció tener tanto, a pesar de, o quizá por, su mayor calidad. Pero tal vez se les escapa a los redactores políticos del periódico la importancia de la fundación de la Unión General de Trabajadores en Barcelona, en el verano de 1888. En cambio prestó gran atención periodística a los ensayos del submarino Peral.

## EL PRIMER SUBMARINO Y LA PRIMERA LINOTIPIA

El anhelo de todas las marinas de guerra fue navegar sin ser vistas, por debajo de la superficie de las aguas, desde que el buque Turtle, del norteamericano Bushell, intentó, aunque sin éxito, hundir un barco inglés en la bahía de Boston durante la guerra de la Independencia. Tampoco le faltaron a Isaac Peral precursores en su propio país, como don Narciso Monturiol, natural de Figueras, a quien ahora sus paisanos reivindican como inventor del submarino aunque los de su tiempo no le hicieron caso y murió pobre y olvidado. Pero Peral no podía ser otra cosa que marino desde el momento que había nacido en Cartagena y era huérfano de un capitán de Infantería de Marina, muerto en Cuba. Alumno del Colegio Naval primero, guardiamarina a los quince años, viajero en prácticas por el ancho mundo, se convirtió en un marino avezado. Aunque participó en la guerra de Cuba, las largas calmas de que gozan, como a veces la mar, los marinos, le permitieron ir pensando en una nueva concepción de la navegación submarina, a cuyo perfeccionamiento contribuyó el ser nombrado profesor de Física y Química de la Academia de Ampliación de Marina. El año 1884 tenía terminado su proyecto, los cálculos hechos, pero no se decidió a comunicárselo a sus superiores hasta que el conflicto de las Carolinas le hizo pensar en lo mucho que ganaría la Marina española disponiendo del submarino de su invención y, después de distintas opiniones de los almirantes —Pezuela, ministro de Marina entonces, a favor; Beranger, que le sustituyó, en contra—, consiguió Peral que le dieran fondos para construir en el arsenal de La Carraca el primer submarino de su nombre, que el 8 de septiembre de 1888 flotaba como un acento gris en el azul de la bahía de Cádiz.

*El Imparcial* decidió apoyar plenamente esos ensayos, que se comunicaban por el reportero enviado, telegráficamente, hora por hora, a Madrid, conforme se iban produciendo. Las primeras pruebas fueron brillantes: el submarino se sumergió varias veces y a distintas profundidades, navegó en superficie y, sumergido durante más de diez minutos, perdiéndosele de vista hasta verle emerger en el punto que se le había señalado. *El Imparcial* recogió el entusiasmo nacional, particularmente en Cartagena, y la lectura en las Cortes de un comunicado del capitán general del Departamento Marítimo de Cádiz dando cuenta de que la prueba había sido «perfecta y completa» provocó un aplauso cerrado de los senadores. Pero pronto la serpiente de la envidia comenzó a deslizarse, dejando aquí y allá el veneno de la calumnia, y hasta esos plumíferos desalmados que siempre existen llegaron a calificar a Peral de ignorante y plagiario, pidiendo incluso su encarcelamiento. Nada de esto arredró al periódico, que lo defendió con artículos autorizados como el de don José Echegaray, hasta poder echar las campanas al vuelo cuando las pruebas de 1889 corroboraron el éxito del submarino Peral. La Marina española no se aprovechó del invento aunque Bismarck le ofreció a Peral una fuerte suma por la patente, que él, patrióticamente, declinó.

En 1886 la linotipia que había diseñado Ottmar Mergenthaler en Baltimore fue puesta a punto por *The New York Times,* y Rafael Gasset sería el primero en traerla a España para *El Imparcial,* siguiendo la norma del fundador de estar a la última en la maquinaria de prensa. Y se notó en la nueva faz de la tipografía de las planas, y en que los regentes de la imprenta empezaron a preocuparse del diseño, hasta entonces inexistente.

El decenio apacible

Pienso que la década de 1885 a 1895, con todos los problemas y luchas de los políticos, fue un periodo en el fondo tranquilo, bajo la ponderada autoridad de María Cristina, la cual hizo, felizmente y contra lo que se esperaba, buena amistad con Sagasta, siempre vigilado por Cánovas. Un decenio apacible sólo alterado por la sublevación de Villacampa el 19 de septiembre de 1886 para proclamar la República. Fue un movimiento inspirado de lejos por Ruiz Zorrilla. La reacción inmediata de Manuel Pavía capitán general de Castilla la Nueva —que estaba esa noche en el teatro Alhambra—, acabó casi sin combates aquella misma madrugada con la sedición que no encontró ambiente alguno en las gentes. El brigadier Villacampa fue detenido en un molino del término de Aldehuela, donde se había refugiado. Y fue condenado a muerte por el consejo de guerra sumarísimo. Y aunque el Consejo de Ministros, presidido por Sagasta, votó por el cumplimiento de la sentencia, un ardid del propio Sagasta hizo que la Reina se anticipase y firmara el indulto, gesto que fue alabado por la prensa de opinión.

Ortega Munilla se desplazaba cuando había un acontecimiento importante. Y así asistió, como corresponsal de *El Imparcial,* al jubileo de León XIII en Roma. Iba en compañía de doña Emilia Pardo Bazán, que representaba a *La Época,* y no sólo coincidieron en Roma sino que continuaron viaje a Venecia para entrevistar, cada uno por su lado, al pretendiente Carlos III. El carlismo dormía y no volvería a aflorar hasta la Guerra Civil de 1936. La entrevista de Ortega Munilla se celebró el 13 de enero de 1888 en el palacio de Loredan donde vivía desterrado Su Majestad. Parece que sus adictos estimaron mucho esta entrevista entre don Carlos y el periodista liberal que apareció en *El Imparcial* del día 20. Recibió a los dos periodistas y «habló primero —dice Ortega— a la señora Pardo Bazán, felicitándose de ver en su casa a tan gran escritora y a tan fiel partidaria [...] Les ofreció una cena exquisita, con su menú escrito en castellano, que rompía, con gran complacencia de todos, los hábitos antiespañoles de la culinaria aristocrática». No deja el periodista de enumerar el menú: «Sopa a la reina—Truchas a la holandesa—Ternera a la jardinera—Bocados en Salmi—Espárragos en salsa blanca—Faisanes asados—Pouding a la diplomática, y como vinos: Barolo, Chianti y Asti». «Después de tomar el café en el museo que ha hecho Don Carlos con banderas y armas de las dos guerras —y allí mi pensamiento recorrió con tristeza la cruenta historia en que España ha perdido los mejores años del siglo que otros pueblos más felices han empleado en las labores de paz— [...] tuvo Don Carlos la bondad de llevarme a su despacho; allí, puestos en pie al lado de la chimenea, conversamos largo rato» Hablaron del servicio militar obligatorio, de la Marina española, de la actuación de España en América y en Marruecos. Estaba convencido don Carlos de que «lo existente hoy en España no es solución, sino una interinidad y un tránsito: la República ha de triunfar [...] si se acentúan las corrientes liberales en el poder [...] «Volveré a empuñar las armas —dijo— cuando España me lo exija, como me lo exigió con clamor universal a raíz de la revolución de Septiembre».

No hemos leído la entrevista paralela con doña Emilia. Supongo que sería más entusiasta respecto a esos propósitos del pretendiente. No sé tampoco si mi abuelo y doña Emilia volvieron juntos a Madrid. En la familia se decía, con cierta guasa, que la temperamental escritora gallega había intentado seducir a mi abuelo, que era guapo, católico y algo sentimental. Lo que sí es seguro es que hablarían de literatura pues ambos eran sensibles al naturalismo reinante y al poder de la imagen literaria.

La reina María Cristina, siempre que había ocasión, se presentaba con el Rey niño. Así lo hizo por vez primera en su viaje para inaugurar la Exposición de Barcelona el 20 de mayo de 1888. Fue un éxito y una consagración de la popularidad de la Reina regente. Pero fue un éxito también de su organización, como siempre que los catalanes se vuelcan entusiastas en un quehacer concreto. Y no dejó la naciente Lliga de Catalunya, que inspiraba y manejaba Prat de la Riba, de exponer a la Reina sus reivindicaciones catalanistas en los Juegos Florales que cerraron el certamen. Situó *El Imparcial* en Barcelona un equipo de redactores presididos por Ortega Munilla que, minuto a minuto, dieron cuenta del acontecimiento.

## El crimen de la calle Fuencarral

El crimen de la calle Fuencarral llenó las planas de los diarios madrileños y la pasión de sus habitantes durante todo el verano del año 1888, y si nos detenemos algo en él es porque *El Imparcial* no lo fue tanto y cometió un desliz informativo atribuyendo a uno de los implicados una declaración totalmente falsa. Un periódico puede en ocasiones no decir toda la verdad o diferir algo su publicación pero no debe nunca decir mentira. Y aquella le costó a *El Imparcial*, todavía dirigido por don Andrés Mellado, muchas bajas de suscripciones que asustaron a los Gasset y a Ortega Munilla, y que tardó en recuperar.

El uno de julio de aquel año, hacia las doce y media de la noche, los vecinos del 109 de la calle Fuencarral oyeron gritos angustiados de «¡Socorro! ¡Fuego!», y de «¡Socorro! *¡Que me matan!*», oídos tanto mejor cuanto que las ventanas estaban abiertas, la discreta persiana echada sobre el antepecho del balcón para torear sus inquilinos el calor de la noche madrileña. Casi al tiempo un humo espeso y maloliente se escapaba por la ventana de la cocina del piso segundo. Subieron en seguida las autoridades y, no contestando nadie, el juez de guardia autorizó forzar la cerradura. El espectáculo era horroroso: a los pies de la cama aparecía el cadáver de la dueña, las piernas desnudas, los pies descalzos y el traje, que era de seda, cubriendo la parte superior del cuerpo y de la cara. Cuando intentaron descubrir el rostro, vieron que tenía los brazos, el pecho y la cara carbonizados y el pelo se deshacía al tocarlo. Siguiendo la inspección del local, hallaron en la cocina, tendida en el suelo y en paños menores, a la criada de la casa. Un perro de presa, propiedad de la dueña, gruñía echado a sus pies. La criada parecía alelada y contestó con incoherencia a las preguntas del juez.

La asesinada —asesinada, porque presentaba tres puñaladas profundas en su cuerpo— era doña Luciana Barcino, de familia distinguida, incluso pariente de gente aristocrática, que gozaba de regular fortuna. Vivía sola con su criada, Higinia Balaguer, que había entrado a su servicio un mes antes del acontecimiento. «Era ésta —dice el cronista— una mujer alta, desgarbada, de color quebrado, de fisonomía poco simpática». Resultó ser de un pueblo de Zaragoza, tener 35 años y haber regentado, antes de colocarse, un puesto de agua y aguardiente cerca de la cárcel Modelo. El móvil era claramente el robo (se encontraron forzado el armario y joyas y monedas por el suelo), y se supuso que el criminal había organizado el incendio para borrar sus puñaladas. El primer sospechoso resultó ser el hijo de la víctima, José Vázquez Varela Barcino, un calamidad que fue siempre la pena negra de su madre. Aquel doncel de 22 años, alto, rubio, vestido a lo chulo, con sombrero ancho y pantalón ajustado, ya había pasado varias veces por la cárcel, condenado por robos, pendencias, y otros malos hábitos. En aquel momento estaba en la Modelo, donde se trasladó el juez para interrogarle.

¡Qué magnífica serpiente de verano era para los periódicos este crimen! La acusación de la criada al joven Vázquez Varela produjo gran revuelo, pero la conmoción fue aún mayor cuando un cochero y un cantaor de café dijeron en público que la noche del crimen habían tomado unas copas con el hijo de doña Luciana, porque eso demostraba que Vázquez Varela había salido de la cárcel Modelo, y esto significaba una acusación muy grave para su director, don José Millán Astray, que era el único que podía haber dado permiso de salida. Y Millán Astray era un militar, con lo cual el asunto se complicaba. Higinia manifestó que el señor Millán le había pedido que salvara a Vázquez Varela. Millán lo negó todo, incluso que Vázquez Varela hubiera salido de la cárcel, y por tanto no podía ser el asesino, pero al recibir nuevos testimonios, muy precisos, de haber visto a Vázquez Varela fuera de la cárcel, el juez ordenó el ingreso del director en prisión militar. Fue en esta fase del sumario cuando *El Imparcial* cometió su desliz informativo atribuyendo a uno de los implicados una declaración totalmente falsa.

Dieciocho meses duró la instrucción y dos llevaba el juicio oral cuando un buen día Higinia Balaguer confesó haber sido ella la homicida y haber calumniado a Vázquez Varela y al señor Millán, tratando de salvarse en la confusión. Higinia Balaguer fue condenada a garrote vil, y Vázquez Varela y el señor Millán Astray fueron absueltos. Este último volvió a su puesto de director de la Modelo con todos los honores, pero Vázquez Varela, fiel a su condición, fue condenado años después a cadena perpetua por haber arrojado a una prostituta por el balcón de la mancebía, con término de muerte sobre el pavimento.

## La redacción de *El Imparcial* bajo Rafael Gasset

La campaña de prensa que el director de *El Imparcial,* don Andrés Mellado, hizo contra los abusos e inmoralidades que se perpetuaban en el Ayuntamiento de Madrid, regido por don José Abascal, fue tan llamativa que el propio Sagasta destituyó a su correligionario Abascal y nombró nuevo alcalde al propio Andrés Mellado, que tuvo que dejar, como es natural, la dirección del periódico. Se hizo cargo de ella, nominalmente, Enrique Hernández, el más decano de los redactores, pero en realidad el que cargó con la dirección efectiva, máxime cuando Hernández estaba muy mal de salud, fue el propio Rafael Gasset, al que ampararía su cuñado Ortega Munilla.

La verdad es que por esas fechas —1889— se había ido formando una valiosa redacción. Muchos de sus miembros merecerían biografías individuales, dada su valía, pero aquí no estoy haciendo la historia del periódico de los Gasset sino la de mi abuelo Ortega Munilla. No obstante, cito lo que de esa brillante redacción dijo mi tío Manuel porque, además, conoció de niño a alguno de los que la formaban y percibió en el hogar familiar la opinión de su padre sobre ellos:

«Manuel Troyano, el redactor de los "fondos" (que hoy llamamos editoriales), circunspecto, insuperable, seguro y enterado como nadie de los temas de la alta política, de dentro y de fuera; Urrecha, el cronista discreto de temas varios; José de la Serna, que tomará más adelante la crítica teatral; Eduardo Muñoz, el ingenio grácil de los altos reportajes y crítico musical andando los años; Manuel Alhama Montes (Wanderer), precursor del reportaje científico con su prestigiosa sección "Alrededor del Mundo" (de la que luego nacería una revista famosa, añado yo); Nicanor Ruiz Díaz, poeta pero que sabía dar aire a los telegramas; Hernández Bermúdez, gran viajero en sus "Paseos por el mapa";

Francisco Alcántara, crítico de arte» [38]. Aquí interrumpo a mi tío Manuel para recordar el entusiasmo que tenía mi padre por este hombre, todo bondad y gran amor al campo, cosa inusitada entonces; así contaba que una noche en el teatro acudió Alcántara al palco del periódico viniendo precipitadamente de la sierra donde había recogido matas de tomillo que aún tenía en su bolsillo. El intenso aroma que desprendía iba llegando a los espectadores próximos, que fueron volviendo la cabeza hacia la platea donde estaba aquel precursor de los ecologistas, y hasta se levantaron, parando la función, para pedirle unas briznas del tomillo. «El inolvidable Eduardo del Palacio —devuelvo la palabra a mi tío—, que entre zambras y veras nos metió en el alma su mundo bohemio y menesteroso de las casas de huéspedes de diez reales *con principio*, y que nos disparó estas dos formidables interrogantes: "¿El huésped, es el prójimo?" y "¿Puede considerarse como principio la ensalada de escarola?"; Federico Marqués y Miguel Jordán, dos noticieros políticos de fuste; Fernández de Miguel, buen conocedor de lenguas que llevaba la prensa extranjera; y, entre ellos, el inolvidable Monte-Cristo, que con su lista de epítetos, que manejaba de maravilla, metía en el periódico a la gran sociedad y el periódico, en ésta». Pero quizá el más famoso redactor era Mariano de Cavia, cuyas *Chácharas*, escritas entre bromas y veras sobre tipos y sobre personalidades, eran muy leídas. Era también un entendido crítico taurino —*Sobaquillo*—, aunque, según Antonio Espina, «no era simpático a nadie [...] por ser misógino, solterón y bebedor incalculable hasta la cirrosis hepática». «Iba, durante muchos años hasta que murió, acompañado de un criado a quien llamaba su escudero» [39]. Pero fue un hombre leal a Ortega Munilla, según tengo oído en la familia.

A su muerte —1922— publicaron un librito reuniendo sus más famosas *Chácharas* [40], y mi abuelo escribió un prólogo para él, que no vería porque murió pocos meses después que el prologado. «Siempre que nos encontrábamos le recomendaba que escribiese su discurso de ingreso en la Academia Española, para la que había sido elegido en 1916 [...] pero se nos ha ido sin realizar el intento [...] Tenía cultura poliforme, ingenio inagotable, un estilo sin par, mezcla de lo castizo y lo novísimo [...] Conservo en mi desordenado archivo esta copla que me escribió para divertirme a mí y que nunca publicó, cuando la visita a Madrid de M. Loubet, presidente de la República Francesa:

---

[38] Ortega y Gasset: *El Imparcial*, pág. 39, Madrid, 1956.

[39] Antonio Espina: *El cuarto poder*, Libertarias, Madrid, 1993.

[40] Mariano de Cavia: *Chácharas*, Renacimiento, Madrid, 1923.

Como ya estarás cansado
de oír tanta Marsellesa,
déjame que te salude
con la jota aragonesa.
A la jota, jota
de los presidentes
patriotas, amables,
rectos y prudentes.
A la jota, jota
de Emilio Loubet,
que en lo campechano
¡paice aragonés!»

Y para tranquilidad del lector, he aquí la opinión de un colega de la competencia: una crónica de Emilio Bermejo en el *Blanco y Negro* del 23 de marzo de 1895 sobre *"La redacción de El Imparcial"*:

«Si queréis ver la redacción de *El Imparcial* en el apogeo de su trabajo, no acudáis a ella hasta pasada la media noche. Villegas, Urrecha o De la Serna, los tres a veces, llegan entonces de los estrenos y se disponen a trasladar al papel sus impresiones; Muñoz viene de la ópera con el mismo objeto; Marqués y Jordán traen las últimas noticias políticas, con las cuales se aparta Troyano a escribir sus *fondos* sugestivos y gallardos, modelos de crítica y buen sentido; fajos de telegramas urgentes llegan a Nicanor Ruiz [...] *El Imparcial* va surgiendo poco a poco, en cuartillas primero, en galeradas después; la tijera del confeccionador tiene que castigar a veces la sección de noticias, otras tiene que buscar en la prensa extranjera un *Mundo al día* interesante y curioso [...] Entre cinco o seis de la mañana empieza el desfile de los redactores; la impronta de cartón recibe el chorro de plomo derretido y empiezan a girar en las rotativas los cilindros de la estereotipia».

En octubre de 1889 *El Imparcial* estrenó nueva sede propia en un edificio de nueva planta construido para albergar todo el complejo empresarial —oficinas, redacción y talleres— en el número 31 de la calle Mesonero Romanos. En el sótano estaban instaladas las rotativas último modelo de Marinoni, capaces de imprimir 30.000 ejemplares por hora; lo cual permitía imprimir en unas tres horas los 70.000 y pico de ejemplares que era entonces la difusión del periódico. Como recuerda Diego Hidalgo en su inacabada biografía de Rafael Gasset, una efigie del fundador, en mármol de Carrara, coronaba la fachada del edificio.

El joven Gasset en los primeros meses del año siguiente, 1890, publicó un violentísimo artículo contra Mariano Araus, director entonces de *El Liberal*, recordándole el miserable «golpe de mano» que realizó, como hemos contado, aquella noche triste de 1879, y acusándole además de estar implicado directamente en la corrupción del Ayuntamiento de Madrid. Mariano Araus envió a sus padrinos y el duelo tuvo lugar a sable, resultando Araus con leves heridas en la cabeza. Aún tenía vigencia lo que se llamaba «lances entre caballeros», como rezaba el título del clásico manual del marqués de Cabriñana que circulaba por la España decimonónica. La prensa, por sus campañas y denuncias, a veces poco veraces, ha sido ámbito frecuente de luchas y de duelos. Precisamente la publicidad en los periódicos nació de un duelo mortal: Émile de Girardin, un joven periodista francés inventivo y audaz, quería abaratar el precio de los diarios dedicando la cuarta plana a anuncios pagados que compensasen el menor precio de venta. Los diarios existentes fueron todos hostiles al proyecto y Armand Carrel, uno de sus colegas con mayor garra y prestigio, quiso obligarle a publicar en su diario, *La Presse*, una nota de protesta. Al negarse Girardin, Carrel le dijo: «Nos tendremos que batir»; el duelo tuvo lugar cerca de Vincennes un día de 1836. Los dos adversarios dispararon simultáneamente y los dos cayeron heridos, pero Carrel con una herida en la ingle de la que moriría días después. Y no hay que añadir que los episodios de duelo han invadido desde siempre la novela, especialmente en el siglo XIX: recordemos el duelo de Alfredo en *La dama de las camelias,* y el duelo que cierra *La Regenta* de Clarín.

No sería éste el único duelo de Rafael Gasset en su vida de político y periodista, y el recuerdo de mi tío Manuel que lo vivió desde la familia era que «la espada de Rafael Gasset fue una espada imbatida que sostuvo el honor del periódico durante aquella moda caballeresca que parece hoy tan absurda».

No hay duda de que bajo la dirección de Rafael Gasset su periódico fue un duro crítico de los gobiernos de la Restauración. Él mismo firmaba los artículos más virulentos con el seudónimo de *Pedro Verdades*. Eran verdaderas campañas para formar estados de opinión. Así, fue muy sonora la campaña para la mejora de la primera enseñanza y el apoyo que prestó, dirigido por Ortega Munilla, a la Asamblea del Magisterio. «La prensa de gran circulación —decía el propio *Imparcial*—es la pesadilla de los conservadores». Cánovas, al verse combatido por el periódico, se atrevió a enviar a su entonces ministro de la Gobernación, Francisco Silvela, para que ofreciese a Ortega Munilla una subvención de 150.000 pesetas, que éste, naturalmente, rechazó.

La defensa de los agentes comerciales y del cuerpo de carteros fueron campañas especialmente llevadas por Ortega Munilla. *El hombre del baúl* es un famoso artículo suyo que los colegios de Agentes Comerciales guardan como el creador de su gremio y que ha motivado la instauración de un premio anual que lleva el nombre de mi abuelo, para premiar al mejor artículo sobre la labor de estos hombres que, en aquellos tiempos, llevaron una vida penosa.

Como ha escrito García Mercadal, erudito y también destacado periodista, nacido en 1883, «el periódico no regateó esfuerzo desde el primer momento para mantener al público con el máximo de información, de fuente directa, que fuese posible en aquella sazón» [41] y cita algunos ejemplos:

«A comienzos de julio de 1893 surge el conflicto que en Melilla costó la vida al general Margallo; el director de *El Imparcial* fue inmediatamente allí con el redactor Eduardo Muñoz, para ofrecer a sus lectores copiosa información de lo que ocurriera. De regreso a la Península, Rafael Gasset —hijo del fundador y director entonces—, que había visto en Málaga cómo se atendía a los heridos, montó un hospital de sangre inmediatamente puesto en servicio. Martínez Campos presidió a la sazón una embajada extraordinaria al sultán de Marruecos Muley Hassan, acompañándole un séquito de periodistas; en él figuraron Eduardo Muñoz, Rodrigo Soriano y Ramón Gasset, benjamín del fundador, provistos de tiendas de campaña y obligados, para trasladarse a Marraquech, a un sacrificio de una cabalgada de ciento ochenta kilómetros. En septiembre de 1895 Rafael Gasset marchó a Cuba para estudiar de cerca lo que allí pasaba tras del grito de Baire lanzado contra España por una alocución de Martí; entre tanto, Ramón Gasset se trasladaba a los Estados Unidos para hacer información de la retaguardia filibustera y, disfrazado de periodista italiano, se entrevistó con Estrada Palma, jefe de propaganda del Partido Libertador de Cuba».

«Año tras año, en la época de la Restauración, fue el periódico ganando predicamento en la opinión pública por sus campañas políticas y por esta contribución de sus propósitos generosos a que aludíamos, en los momentos en que España sufría conmociones dolorosas. Así ocurrió con ocasión de la epidemia de cólera de 1885, del terremoto que afectó especialmente a Alhama de Granada, de las inundaciones de Consuegra en el verano de 1891, etcétera El 15 de febrero de 1898 llegó a Madrid la noticia de la voladura del *Maine*, crucero norteamericano, con falsa explicación para que sirviera a la intervención norteamericana. Seis meses después todo se había perdido. *El Imparcial* organizó en los puertos de desembarque juntas de socorro para atender a los soldados heridos o enfermos, que se repatriaban medio desnudos con sus trajes de rayadillo. Los barcos de la Trasatlántica los descargaban por centenares. Al llamamiento caritativo del periódi-

---

[41] "Panorama de *El Imparcial* (1897-1933)", *Revista de Occidente*, 2ª época, núm. 58, enero de 1968.

co, el pueblo español, encabezado por la reina Regente, respondió de manera ejemplar. El éxito del diario fue clamoroso y su popularidad, arrolladora».

## EL IMPARCIAL EN CONSUEGRA

Uno de sus mayores éxitos fue con ocasión de las inundaciones del pueblo toledano de Consuegra, en 1891.

En aquel 11 de septiembre de 1891, los vecinos de Consuegra están, en general, alegres. Aún no ha concluido la recolección, pero la cosecha viene siendo buena, y el verano, como ellos dicen, ha sido «muy completo». Hasta 10 simientes de trigo y 30 de cebada han dado muchas tierras, y las viñas, con la uva bien madurada, prometen vino bueno y abundante. La mayor parte de los graneros rebosan de grano y paja y la gente empieza a hablar de las próximas fiestas que, como de costumbre, el señor alcalde, Luis Cantador y Rey, ha convocado para los días 21 al 23 de este mes de las mieses: fuegos artificiales, música, cucañas, bailes, y por la noche, una función de teatro por alguna farándula itinerante, ilusionan a casi todos.

El verano ha sido caluroso, pero desde hace tres días una racha de tormentas, que vienen de los Montes de Toledo, sacude toda la comarca. El vendaval las precede levantando en alocada danza el polvo de las eras, el rayo y el trueno alucinan el horizonte mientras cortinas de agua caen sobre la villa y su entorno, ocultando por momentos edificios y paisajes. Estas lluvias han ido embraveciendo al río Amarguillo, que habitualmente, como decía del Manzanares una obra del género chico, «tiene menos agua que una botella de vino». El río Amarguillo, nacido en el collado de Mirla, por la sierra de la Calderina, pero aún en la vertiente que manda sus aguas al Guadiana, divide por gala en dos Consuegra en su marcha hacia el Cigüela, al que entrega su parco caudal y descansa. Ese día, en torno a las ocho de la mañana, el río desborda los débiles muros de terraplén que le encauzan y sus aguas invaden la planta baja de las casas de la ribera. Aunque eso ha ocurrido en varias ocasiones anteriores, el alcalde, hombre alerta, hace vocear un pregón rogando a los vecinos de las inmediaciones del río que desalojen sus viviendas y se trasladen a la zona alta de la villa. La mayor parte de ellos no siente miedo y no se mueven de sus casas ni llevan sus ganados y sus pertenencias a lugar más seguro. Máxime cuando la tempestad parece amainar y el nivel del río comienza a descender. Pero, río arriba, las aguas de las fortísimas lluvias y las de los arroyos confluyentes se han acumulado en la zona de retención que produce una antigua presa romana, y, hacia las diez de la noche, ya dormida en sus casas la gente de la ribera, esa masa de agua, junto a árboles, aperos y pedruscos arrastrados por ella, rompe el estribo izquierdo de la presa y, en imparable y bramante torrentera, arrasa las casas de adobe y se lleva y golpea los cuerpos de los aterrados labradores y de sus familias, junto a restos de muros, enseres, ganado y cosechas almacenadas. Casi 400 muertos y un sinfín de heridos fue el balance trágico de esta «gota fría» que cayó sobre Consuegra. Para colmo, las novísimas instalaciones de la estación telegráfica, inauguradas dos meses antes, por estar en la proximidad del río, quedaron inservibles y el alcalde hubo de enviar a un zagal en una caballería para dar noticia de la catástrofe a su colega de Madridejos, el cual mandó el primer telegrama al ministro de la Gobernación, Silvela, del gabinete de Cánovas, y pudo así enterarse España entera de la tragedia.

Consuegra es ahora un pueblo en forma, como lo demuestra el buen estado de sus calles y edificios, lo limpio del lecho del río al que enjamban ocho puentes de hierro o de hormigón, y las ganas de hacer cosas que se percibe en sus autoridades. Y todo el pueblo está atento al presente, espera del futuro y recuerda el pasado, cumpliendo lo que decía san Agustín de que «futuro, pasado y presente aparecen como espera, memoria y atención». Los consaburenses tienen la rara virtud de tener larga memoria y de ser agradecidos. Así, justamente el 11 del mes en que estamos (septiembre), han conmemorado el centenario de aquella inundación. Los crespones negros que cubrían ese día los balcones del ayuntamiento y el monumento inaugurado no venían solamente a recordar a los vivos las víctimas desaparecidas hace un siglo, sino asimismo a agradecer a los representantes de individuos e instituciones la ayuda que dieron ejemplarmente en aquella noche triste, y en las que siguieron, para paliar tanta desgracia: las fuerzas del Ejército y de la Guardia Civil; el arzobispo de Toledo; los frailes franciscanos de San Gregorio, que se dedicaron especialmente a buscar y enterrar los cadáveres; las terciarias franciscanas, que improvisaron un hospital; el Servicio de Correos y Telégrafos; los organismos locales, provinciales y del Estado; etcétera. La Reina regente, dona María Cristina, a la sazón veraneando con la corte en San Sebastián, fue la primera en reaccionar, al recibir un telegrama del alcalde de Consuegra, nombrando un comisario regio y abriendo, con su propia aportación, una suscripción nacional, que controló eficazmente el Banco de España y alcanzó cifras equivalentes a 2,5 millones de euros.

También estuvo allí la prensa de toda España, que galvanizó, con el aldabonazo de los titulares de sus primeras páginas, la solidaridad nacional. Por eso los organizadores de la celebración del centenario invitaron también a representantes de la Asociación de la Prensa de Madrid y del Colegio de Periodistas de Cataluña. Y como entre tanto periódico destacó el diario *El Imparcial* de Madrid, cuyo director de hecho era entonces Ortega Munilla, también me invitaron a mí, como nieto suyo ligado al mundo de la prensa.

Todo buen periódico debe dedicar campañas e informaciones a cubrir los vacíos, las zonas baldías que dejen en cada momento el Estado, los organismos de todo orden y la misma sociedad. Cuando la política amenaza con derivar a la dictadura o al caciquismo, debe defender más que nunca la libertad; cuando la corrupción gangrena los agentes políticos o sociales, debe denunciar el delito y exigir la depuración, y cuando, como en la riada que comentamos, no existen servicios de socorro ni ayudas estatales de zonas catastróficas y todo es improvisación, debe levantar su voz más potente la solidaridad de los demás y ayudar a remontar los desastres. *El Imparcial* hizo esto, y para no pecar de orgullo familiar al contarlo, dejo la palabra al cronista oficial de la ciudad, Francisco Domínguez Tendero, que pertenece como yo al mundo del papel. Este ilustre cronista ha sido, junto con el alcalde, Gumersindo Quijorna del Álamo, el alma de esta celebración, y autor de una excelente *Memoria-centenario*, a un mismo tiempo erudita y periodística, de la que he sacado todo mi saber sobre los sucesos relatados. Y así, leemos en sus páginas:

«José Ortega Munilla se convirtió en capitán de una empresa excepcional: *El Imparcial en Consuegra*, trasladando a la villa siniestrada un verdadero cuerpo de redacción. Abrió por sí mismo una suscripción con una aportación inicial correspondiente al importe total de la venta del diario de cinco días [su tirada era entonces ya próxima a los 100.000 ejemplares] más el salario de un día de toda la plantilla [...] y construyó un barrio, que aún lleva el nombre de *El Imparcial*, de unas 100 viviendas, para los que habían perdido la suya en la riada y, por su pobreza, no constaban en el amillaramiento». Cuenta también el cronista que mi abuelo prohijó a un huérfano, el niño Dolores, al que albergó en su casa madrileña y al que dio carrera y porvenir como hemos comentado. Yo recuerdo haberlo visto de pequeño, él mayor —Lolo o Lolillo, como le llamaban—, visitando a mis abuelos.

«Un amplio paseo en la margen izquierda del Amarguillo —ya domesticado— lleva el nombre de Ortega Munilla para testimoniar el agradecimiento de los consaburenses por su labor, y hay un nuevo barrio que lleva el nombre del periódico, cuya parroquia está dedicada a San Rafael, en memoria de Rafael Gasset».

## Ortega Munilla, cronista

Necesidades del periódico y su afición a los viajes llevaron a mi abuelo en marzo de 1887 a Berlín, desde donde enviaría a *El Imparcial* unas crónicas sobre la capital del nuevo imperio, que iba a celebrar el noventa aniversario de Guillermo I, primer emperador de la nación alemana. Tuvo la suerte de poder asistir a la fiesta imperial en el castillo del emperador: «Mi puesto —relataba— estaba en una tribuna alta desde la que, en compañía de cuatro periodistas alemanes y un corresponsal inglés, iba a asistir a la fiesta más importante que en nuestra generación ha dado un monarca. Sentado en mi observatorio, la cartera abierta, el lápiz en la mano [...] mis ojos veían la Sala Blanca adornada con doce estatuas representando a los electores de Brandenburgo [...] En el fondo estaba el teatro, muy modesto por cierto [...] y el resto de la sala lo ocupaban 15 filas de butacas rojas que formaban un conjunto de 400 asientos. Las dos primeras filas se destinaban a la familia imperial y a los príncipes, sus huéspedes de hoy [...] Mi memoria recordaba, en tanto, la accidentada vida del anciano Emperador [...] su triste infancia en Koenigsberg, cuando los franceses eran dueños de Berlín [...] su huida de Berlín el 22 de marzo de 1848 cuando el pueblo le arrojó de la capital [...] su advenimiento al trono [...] sus campañas de Dinamarca y de Austria; y, en fin, su triunfo sobre Francia y su proclamación como Emperador [...] Vino a sacarme de estas reflexiones un ujier que me entregó el programa de la función. Excepción hecha de una escena de *Tannhausser*, todo lo demás era español: un cuadro vivo representando la célebre escena de Carlos V en casa del rico Fugger, una escena del *Don Carlos* de Verdi [...] una escena de *Don Juan* en la que figuraban el héroe de las aventuras amorosas, doña Elvira y doña Ana, y, por fin, un *Fandango* tocado por la orquesta mientras un cuerpo de baile ejecutaba la clásica danza española, y cuadros vivos de la antigua Sevilla».

Un colega alemán le fue diciendo los nombres de las personalidades que iban entrando en el local: estaba el conde Bismarck, hijo del canciller, sentado junto a monseñor Gallimberti, enviado del Papa. «Pero —se preguntaba el cronista—, ¿y el Canciller? ¿Dónde está? ¡Ah! Bismarck no viene nunca a las fiestas de la Corte. Odia la etiqueta, y después de haber hecho el Imperio —una cosa tan grande— le parece ridículo transigir con las frivolidades palatinas —una cosa tan pequeña».

En noviembre de 1888 hizo también una visita a Tánger, sede diplomática del Protectorado que habían impuesto las potencias europeas al emperador de Marruecos. Quizá sean las crónicas de este viaje uno de los textos más logrados de Ortega Munilla. Asistió a una cacería de jabalíes bajo una incesante lluvia, le permitieron visitar la cárcel y la sala de audiencias donde dictaba arbitraria justicia el bajá de Tánger. «En esta cárcel hay unos 100 hombres presos: unos por horribles asesinatos, los más por leves desacatos a los *majaaníes* o a las autoridades, no faltando los que están redimiendo allí con su cuerpo una deuda que no pudieron pagar. Y el carcelero, inmóvil en su asiento, fuma su pipa de *quif,* acaricia sus llaves y no separa sus ojos de los bolsillos de nuestros chalecos» «Uno de los presos lleva en los pies un pesado calabrote que le impide menearse; otro tiene las manos sujetas a la espalda por crueles esposas. Algunos son muy viejos y las barbas blancas les crecen con salvaje abundancia: acaso han pasado la mitad de su vida en aquella mazmorra y morirán sin ver la luz». Y da una visión de la situación social y anímica de los marroquíes que explica muy bien por qué, dos años más tarde, empezaría la guerra de Melilla, y más adelante, la guerra de Marruecos que tanta sangre costó a los españoles.

Estos *Viajes de un cronista* se reunieron en libro el año 1892, uniendo a los de Berlín y Tánger los viajes a Roma por el jubileo papal, las "Páginas de la Exposición de París de 1889" y unas deliciosas "Viñetas gaditanas de febrero de 1889". La edición la justificó el autor por los dibujos, en efecto excelentes, del caricaturista Ángel Pons poniendo en imagen las observaciones del viajero.

Ruth Schmidt, en su libro citado, descubre los itinerarios de sus viajes repasando sus artículos en *Los Lunes* y en el propio *Imparcial.* Así, por esas "Viñetas del Sardinero" sabemos que en julio de 1880 estaba por la costa cantábrica. «Durante el verano siguiente estuvo en San Juan de Luz, Biarritz y Vitoria. Entre agosto y diciembre de 1885 pasó en Vigo la mayor parte del tiempo, y en 1886 sus artículos demuestran que los meses de julio y agosto los consumió en los Pirineos y en las ciudades vascas de San Sebastián y Bilbao. Artículos y ensayos referentes a estos dos últimos años se encuentran en *Los Lunes* o en *El Imparcial,* luego recogidos en el libro *Mares y Montañas.* En otoño de 1887, Ortega Munilla se dirigió a Andalucía visitando Granada, Córdoba, Málaga y Marbella... En octubre y noviembre de 1888 informó —ya lo vimos— de la exposición de Barcelona, y durante los dos primeros meses del año siguiente lo encontramos en el extremo opuesto de la Península, en Cádiz (como sabemos por sus *Siluetas gaditanas),* y en julio de ese mismo año está de nuevo en la costa cantábrica. Ortega Munilla estuvo en Málaga, Córdoba y Sevilla durante algún tiempo entre noviembre y marzo, y participó en las Ferias de Abril y Mayo».

Estas andanzas fueron recogidas en el libro colectivo que iba a iniciar una *Biblioteca de Viajes* con su "Una día en Ronda" y "Por las ruinas"[42].

---

[42] Le acompañaban en ese volumen: Galdós, con su "Cuarenta leguas por Cantabria", Manuel Troyano, con "Las ermitas de Córdoba" y "Una excursión a Plasencia y Yuste", Pérez Nieto, con "Playas y Cíclopes", y Luis Taboada con "Viajes de placer". Ignoramos si siguió publicándose esa colección.

Probablemente mi abuelo fue uno de los españoles de su tiempo que mejor conocían, palmo a palmo, la geografía peninsular, tanto las capitales —que luego pudieron salir en sus novelas— como las aldeas perdidas lejos de las rutas conocidas. Y también visitó varias veces las otras capitales europeas, como hemos visto en algunas de sus crónicas viajeras. Probablemente su último viaje importante fue el de 1916 a la Argentina, que ya referimos pero del que volveremos a hablar más adelante.

## ¡ESA MARINA!

El asunto de la reconstrucción de nuestra Marina fue una de las cuestiones políticas a las que atendió con mayor constancia *El Imparcial* bajo la dirección de Rafael Gasset. Don Antonio Maura, que empezaba a destacar como político de talla, entonces desde las filas del partido liberal, hizo un sonado discurso en mayo de 1890 combatiendo los presupuestos y la desorganización de la Armada española, discurso que apoyaron con toda energía los editoriales del periódico. Se preguntaba éste, por ejemplo, qué sentido tenía tener un cuerpo de 2.497 oficiales de Marina de los que solamente 597 estaban embarcados porque no había barcos suficientes. Pero Gasset —en fondos o firmando con su seudónimo de *Pedro Verdades*— denunciaba además la falta de claridad en la adjudicación de la construcción de tres cruceros a la naviera bilbaína de los hermanos Martínez Rivas que, no obstante ser por ellos contratistas del Estado, salían diputados por el partido de Cánovas, cosa prohibida por la ley electoral vigente.

Y al acusar al ministro de Marina, el almirante Beranger, de haber amparado ese contrato de forma irregular, la cosa acabó en un nuevo duelo de Gasset y en la necesidad de que Beranger dejara el ministerio, lo que indica la fuerza de entonces de *El Imparcial*.

Y es muy significativo el artículo que apareció en *El Imparcial* el 24 de mayo de 1892 titulado "Por la Marina y por la Patria", señalando el peligro —luego tan confirmado— de no contar con Armada suficiente para defender nuestras posesiones de ultramar. Todo ello nacía del afán de Rafael Gasset de lanzarse a fondo a la política, para la que demostraría tener grandes condiciones, pero que llevaría a su periódico a ir perdiendo, poco a poco, la imparcialidad que proclamaba en su título. Su pasión por la política era tanta que, piafando como un caballo de carreras en el box de salida, intentó en las elecciones de febrero de 1891 obtener el acta de diputado, para lo que no tenía ni la edad reglamentaria ni disfrutaba de apoyo oficial, «mientras el naviero citado sí alcanzaría el triunfo electoral por el distrito de Balmaseda» [43].

Pero por lo pronto ese año de 1892 fue para el periódico un año de plenitud, con la mayor autoridad e influencia, y con una tirada de 90.000 ejemplares, que ningún periódico español había conseguido hasta entonces. Quizá como símbolo de esta plenitud está el número extraordinario que publicó dedicado al IV Centenario del Descubrimiento de América, impreso en Barcelona, en alarde tipográfico de grabados y papel cuché, del que llegaron a venderse, en varias tiradas, más de 230.000 ejemplares. Llevaba además dos artículos brillantes: uno de Castelar titulado "En víspera del descubrimiento" y otro del propio Ortega Munilla titulado "Historia".

A finales de ese año volvía Sagasta al poder con un Gobierno de «notables», con la novedad de que entraba en el Ministerio de Ultramar el joven Antonio Maura, desde donde intentó reformas para Cuba, entre ellas la ampliación del censo electoral de la isla, que incorporó al ejercicio del sufragio una estimable parte de la población isleña. Pretendía Maura poner fin al retraimiento electoral del partido autonomista que, de haber prosperado, hubiera sido un paso importante en la autonomía de Cuba sin separarse de la metrópoli. El contralmirante Cervera ocuparía la cartera de Marina, donde permaneció sólo unos meses porque no le dieron medios económicos para hacer tanto como allí había por hacer: todo.

## 1893, UN AÑO NEFASTO

El año 1893 trae, en cambio, no pocas desgracias públicas y privadas. Empezó la guerra de Melilla sitiando las cabilas rifeñas en rebelión a nuestras tropas, mandadas por el general Margallo, en el fuerte, no muy sabiamente construido, de Cabrerizas Altas. Las fuerzas sitiadas, unos 1.000 hombres, disponían de pocas municiones y de escasos víveres. Allí se refugiaron también, en un gesto de responsabilidad profesional, casi todos los corresponsales de los grandes periódicos nacionales, entre ellos el de *El Heraldo,* Luis Morote, que luego publicaría un libro detallando los sucesos, heroicos unos y consecuencia de la ligereza e imprevisión del Gobierno otros, de aquella lucha en que el pri-

---

[43] Según hace constar Sánchez Illán en la obra citada. «Habría de esperar —añade— para obtener su primer acta de diputado a la elección parcial, en junio de 1892, celebrada para asignar uno de los distritos vacantes de la isla de Cuba: le correspondería el de Santiago de Cuba.»

mero en morir fue el propio Margallo; lucha que no se enderezó hasta que el Gobierno de Sagasta mandó dos cuerpos de ejército, con Martínez Campos como general en jefe y los tenientes Primo de Rivera y mi lejano pariente Chinchilla al mando de cada uno. Por las gestiones diplomáticas de Martínez Campos, se firmaría el tratado de Marraquech el 29 de enero de 1895, consecuencia de la embajada extraordinaria enviada a Madrid por el sultán de Marruecos, Muley Hassan. Por hacer honor a estos moros ilustres, España los trasladó, al finalizar las conversaciones, de Cádiz a Tánger en el *Reina Regente,* el acorazado más moderno de que disponía la Armada española: pero al regresar a su base gaditana una terrible tormenta de verano lo hundió en algún punto del Estrecho sin que quedara rastro de él ni de sus 400 tripulantes mandados por el almirante Díez Moreu.

Sin embargo, las catástrofes de ese año aciago —que, por otra parte, eran noticia para la primera plana del *El Imparcial* y de toda la prensa— no acaban ahí: el vapor *Cabo Machichaco* explota en el muelle de Maliaño, en Santander, arrasando el puerto y gran parte de la ciudad, con más de 300 víctimas mortales, porque el cargamento del barco de la Compañía Ibarra era de dinamita, petróleo y clavos. (Todavía hubo 18 muertos más, en marzo del año siguiente, al explotar el resto de la carga sumergida.) Y cuatro días después, el 7 de noviembre, se producía el atentado anarquista de la bomba del Liceo de Barcelona que tan bien ha descrito Ignacio Agustí en su novela *Mariona Rebull.* Tampoco la «jornada» del Gobierno y la familia real en la capital donostiarra fue tranquila: unos grupos radicales vascos, que veían perjudicados sus conciertos forales por la nueva Ley de Presupuestos, provocaron graves disturbios en la céntrica avenida de la Libertad, con dos muertos por la Guardia Civil, teniendo que intervenir el ejército para restablecer el orden.

Y en el ámbito familiar, un día de ese año, moría en accidente de caza, en Galicia, don José Neyra, persona bien conocida en Vigo y esposo de María Gasset, la menor de los hermanos. La tía María, como yo la llamaba de pequeño aunque era hermana de mi abuela Dolores, fue una mujer enérgica y valiente, muy religiosa sin llegar a beata, y la pequeña fortuna que le dejó el difunto no le creó grandes problemas económicos. En las afueras de Vigo tenían una agradable quinta —hoy desaparecida por la expansión urbana— donde fueron despertándose sus hijas Maruja y Josefa, que se harían dos mujeres de gran belleza de las que hablaré cuando aparezca mi padre por estas páginas. Porque tengo por seguro que estuvo enamorado de alguna de ellas, en su adolescencia, con sus frecuentes estancias veraniegas en aquella casa; y siempre tuvo en mente escribir un relato que iba a titular *Mis primas.* Yo recuerdo a la tía María, de ir con mi madre de visita cuando, ya de edad, vivía en un hotelito de la Ciudad Lineal.

## El ingreso en la Academia

Ortega Munilla comenzó sus colaboraciones en *La Vanguardia* de Barcelona el 30 de abril de 1920, y desde entonces en casi todas las páginas literarias de los viernes aparecía un artículo suyo. Publicó así una serie sobre *Los viejos maestros* donde recordaba a los grandes escritores de su tiempo que él había tratado. En uno dedicado a Campoamor contaba que «una mañana, en el año 1895, paseando yo por el Retiro de Madrid, vi que, por la misma senda frente a mí, venía don Ramón de Campoamor a quien acompañaba uno de sus sobrinos. Ya estaba enfermo, gravemente enfermo, el maestro. Le saludé con la veneración de siempre. Él me dijo, tuteándome por vez primera:

»—Si no tienes objeto determinado, acompáñame, Pepito.

»Hícelo del mejor grado. Don Ramón me refirió sus dolencias. Él, que sabía de todo y mucho de medicina, había estudiado los achaques que le estaban afligiendo.

»—Tengo descontado mi próximo fin. Una mujer muy guapa me pidió hace un mes unos versos para su álbum... Pues bien, no he podido escribir esa poesía, la rima tiembla en mis manos, los vocablos que antes acudían solícitos y obedientes se resisten ya... Me iré hundiendo en la sombra. Iré borrándome en las letras... Ahí te dejo mi herencia: el sillón de la Academia Española.

»Yo, que no imaginaba el honor de ser académico, ni aspiré a él hasta que me empujaron amigos bondadosos como don Juan Valera y don Francisco Silvela, oí aquellas palabras como una prueba de que don Ramón enloquecía...

»Y luego vinieron los sucesos, de modo que la profecía se cumplió» [44].

En efecto, Ortega Munilla ingresó como miembro de la Real Academia Española el 30 de marzo de 1920, ocupando el sillón que había dejado vacante Campoamor. Y su discurso versó sobre el poeta asturiano, matando con ello dos pájaros de un tiro pues hacía al tiempo su discurso y el elogio de su predecesor. Aunque elogiara todos los lados de su actividad intelectual —como dramaturgo, como teorizador, como político conservador, como poeta—, no dejó de señalar su crítica del clero. «Cuando yo nací —escribió Campoamor en *El Personalismo* como recordaba su sucesor— todavía el clero ejercía una influencia omnímoda en la educación. Yo no diré que esto fuera una desgracia, pero a lo menos para mí, no ha sido una dicha. A mí me enseñaron las cien-

---

[44] *La Vanguardia*, 27 de julio de 1920.

cias físicas mal y las morales, peor. Sin que esto sea criticar la instrucción del clero católico, diré que los *príncipes* de la Iglesia debían ser antes príncipes de las letras... Para el bien de nuestra santa religión, yo quisiera que todas las frentes tocadas por el aceite de las olivas estuviesen un poco, ya que no mucho, unidas por el santo óleo de la inteligencia». Pero claro está que Ortega Munilla destacó *Los pequeños poemas, El Licenciado Torralba,* las *Doloras* y en general su poesía como lo importante de Campoamor, como aún así se estima. Por cierto que el nuevo académico en su discurso pidió la inclusión en el *Diccionario* de la palabra dolora y así lo aprobaría más adelante la docta Corporación, definiéndola como «breve composición poética de espíritu dramático, que envuelve un pensamiento filosófico».

Aunque para nuestro objeto, quizá lo más interesante fue el discurso de contestación, que había redactado don Juan Valera sobre *La labor literaria de don José Ortega Munilla* y que, dada su debilidad visual, leyó Jacinto Octavio Picón. «Resulta —decía Valera— que (con la edad) la única afición que queda al que fue escritor es seguir escribiendo». Protesta Valera de «la animadversión que sienten y el melindroso desdén con que ciertos aristócratas de la inteligencia o de la fortuna [...] miran el periodismo y a las personas que en los periódicos escriben. En España, más que en ningún otro país, tal desdén carece de fundamento [...] y cuando en España, donde todavía se leen pocos libros, un periódico llega a expender más de cien mil ejemplares, lo cual supone más de trescientos mil lectores, bien puede asegurarse que dicho periódico de esta condición ejerce no pequeño influjo en su patria». Esto lo aplicó a Ortega Munilla, «que gozando de ese poder, no abusa de él en su provecho, no vitupera por odio, no ensalza sobradamente sin motivo».

El nuevo académico tomaría parte activa en los trabajos de la institución: actuó como representante de ella en la dedicación del Panteón de Hombres Ilustres del siglo XIX; hizo el discurso de recepción a Linares Rivas cuando fue elegido el 15 de mayo de 1921, y habló, casi al final de su vida, en nombre de la Academia en el homenaje nacional que se hizo a María Guerrero y Fernando Díaz de Mendoza el 11 de abril de 1922.

## 1895 Y EL GRITO DE BAIRE

Si 1894 fue el último año tranquilo de la Regencia y tuvo en su haber el estreno de *La Verbena de la Paloma,* la obra magna del género chico, en 1895 comienza el principio del fin del imperio español de ultramar. Fue, en efecto, el grito de Baire que dieron el 25 de febrero los rebeldes cubanos el que encendió la guerra de Cuba. Tres años antes, y catorce tras la paz del Zanjón que había conseguido Martínez Campos en 1878, José Martí, cuyas conferencias y artículos le habían dado gran renombre y que debía haber sido el hombre de la transición pacífica si le hubieran entendido en Madrid, levantó en Tampa la bandera separatista fundando el Partido Revolucionario Cubano. Pero en el año 95, Martí era optimista tras el grito de Baire con el que comenzaba la segunda guerra de independencia cubana que había de acabar en la dependencia de Cuba de los Estados Unidos. En esos días escribía: «La guerra cubana ha estallado en América a tiempo de prevenir la anexión de Cuba a los Estados Unidos». Porque la anexión de la isla era popular entre los cubanos ricos. «Siempre ha habido —decía Martí— cubanos cautos, lo bastante orgullosos para abominar de la dominación española pero lo bastante tímidos para no exponer su bienestar en combatirla. Esta clase de hombres [...] favorecen con vehemencia la anexión de Cuba con los Estados Unidos [...] de esta manera aquietan su conciencia de patriotas y su miedo a ser verdaderos patriotas».

La figura de Martí, al que Unamuno llamó «nada menos que todo un hombre», es digna del mayor respeto, y aunque en el centenario se han reeditado sus *Diarios* y libros de poemas, su gran biografía está todavía por hacer, porque además fue un excelente escritor.

El general Antonio Maceo, negro liberto, magnífica figura para la leyenda, disfrutaba de un extraordinario prestigio entre los suyos, fueran blancos, negros o mulatos, y era muy temido por las tropas españolas. Con 20 rebeldes y partiendo de Costa Rica «consiguió naufragar» en la playa de la ciudad de Baracoa. Los granjeros de la zona recibieron a los rebeldes al grito de «¡Maceo está aquí!», que se extendió inmediatamente por toda la isla. Perseguido por las tropas españolas, pudo Maceo llegar, exhausto, sólo con tres de los suyos, al campamento del brigadier Jesús Rubí en el distrito de Guantánamo. Aún tuvo fuerzas para dar inmediatamente esta orden a los oficiales rebeldes, que indica el punto de no retorno adonde había llegado la rebelión: «Colgarán a todo emisario del Gobierno español, peninsular o cubano, cualquiera que sea su graduación, que se presente en nuestros campamentos con proposiciones de paz. Esta orden deberá ser llevada adelante sin dudas de ningún tipo y sin prestar atención a cualquier indicación contraria. Nuestro lema es triunfar o morir». A finales de ese año había en Cuba 98.412 tropas regulares enviadas desde la Península y 63.000 voluntarios. Los rebeldes fueron siempre muchos menos, pero sabían utilizar la sorpresa y el machete de un modo que aterrorizaba a las tropas españolas, mejor equipadas relativamente.

El 4 de mayo se reunían Martí, Máximo Gómez y Maceo en la finca La Mejorada, cerca de Santiago de Cuba, para decidir la estrategia que iban a seguir. Gómez tenía prisa, pues se aproximaban sus mejores generales, que eran, como él solía decir, «junio, julio y agosto», porque en esos meses arreciaba la fiebre amarilla y atacaba más a los inadaptados que venían de España.

El Gobierno de Madrid había mandado de nuevo a Martínez Campos para hacer frente a la rebelión. El 19 de mayo los españoles atacaron. Martí, contraviniendo las órdenes de Gómez de permanecer en retaguardia, cabalgó hacia su destino y en la primera escaramuza recibió una descarga cerrada que le tiró por tierra con la mandíbula deshecha y una bala mortal en el corazón. Los soldados españoles, al levantar los cadáveres que el enemigo había dejado en la refriega, recogieron el de Martí sin caer en la cuenta de quién era. Pero uno de los oficiales, que lo había conocido en Santo Domingo, lo identificó, comunicando la noticia al coronel Ximénez de Sandoval —al mando del sector—, que le dio toda la importancia que tenía. Depositado primero en el cementerio del pueblín de Remanganaguas, el cadáver fue embalsamado y trasladado a Santiago de Cuba, donde recibió sepultura. El coronel tuvo un bello gesto: pronunciar ante el ataúd unas nobles palabras de elogio al glorioso vencido. En su última carta, que quedó sin acabar en el tablero portátil de pino en el campamento de Dos Ríos, este hombre, que moría a los 42 años, dejó dicho esto: «Es mi deber [...] evitar que, a través de la independencia de Cuba, los Estados Unidos se extiendan sobre las Indias Occidentales y caigan, con ese peso sumado, sobre las tierras de nuestra América. Todo lo que he hecho hasta ahora y lo que haré de aquí en adelante, se encamina a tal fin [...] He vivido dentro del monstruo y conozco su interior, y mi arma es sólo la honda de David».

A primeros de septiembre *El Imparcial* incrementaba su presencia en Cuba: el propio director, Rafael Gasset, viaja a La Habana «para estudiar —dice la nota del periódico— la situación de la guerra y organizar un servicio telegráfico y postal en toda la parte de la isla donde luchan los soldados de España con la rebeldía separatista». Vería además al presidente Cleveland. Pero también su hermano Ramón Gasset se desplazó a Nueva York y consiguió entrevistar, fingiéndose periodista italiano, a Estrada Palma, portavoz en los Estados Unidos de los rebeldes.

Rafael Gasset sería el primero en darse cuenta antes que el propio general de que aquella guerra era más difícil y dura que la que terminó en la paz del Zanjón, y por sus directivas *El Imparcial* concluyó que Martínez Campos no era el hombre para la situación. Cánovas, hombre pragmático, comprendió que hacía falta alguien más enérgico, y nombró a don Valeriano Weyler capitán general. Famosa y discutida es su actuación, que restablece la disciplina, reorganiza el ejército y centra su estrategia en acabar con Maceo. La verdad es que la guerra se enderezaba a favor de la metrópoli y el propio Cánovas pensó que era posible ganarla, pero Weyler comunicaba al presidente del Gobierno su convicción de que «cuanto más próxima esté la terminación de la guerra por las armas, más dificultades han de poner los EE.UU. para evitarlo». Y así sería, en efecto.

1895 terminaba además con una triste noticia en el mundo familiar de los Gasset: el 26 de diciembre fallecía la esposa de Rafael Gasset, doña María de la Concepción Alzugaray y Lapeyra. Tenía 26 años, su viudo 29 y habían tenido cinco hijos, como ya mencionamos.


1898

Estamos ya en vísperas del año 1898. Mac Kinley es el nuevo presidente de los Estados Unidos y Teodoro Roosevelt es el subsecretario del Departamento de Marina, pero en realidad es el que manda al dejarle carta blanca el titular de la cartera. En agosto el anarquista Angiolillo asesina a Cánovas en el balneario de Santa Águeda, y el Gobierno de Sagasta que le sucede, con Moret en Ultramar y el almirante Bermejo en Marina, acuerda relevar a Weyler y nombrar en su lugar al general Blanco, que venía fracasado por blando de Filipinas y, precisamente por blando y contemporizador, se le quería ahora en Cuba para aplicar las medidas de autonomía, ya inútiles y tardías, que en la misma sesión aprobó el Consejo de Ministros.

La chispa que provocó la declaración de guerra con los Estados Unidos, cuyo Congreso reconocía el 19 de abril —ya estamos en 1898— la independencia de Cuba y autorizaba al presidente Mac Kinley a forzar a España a abandonar la isla, fue, como es sabido, la voladura en el muelle de La Habana del crucero *Maine* que había enviado el gobierno norteamericano en visita de cortesía.

De una dotación de 325 hombres perdieron la vida 266, casi todos de la marinería porque sus camarotes estaban a proa —donde se produjo la explosión— mientras los de los oficiales estaban a popa. Manuel Ortega y Gasset ha recordado en su libro la tarde del *Maine* en la redacción del periódico porque él era un niño y su padre le había llevado allí aquella tarde: «En la tarde del 15 de febrero vemos a dos hombres sentados frente a frente en una de las mesas de redacción de *El Imparcial*. Uno escribe y el otro dicta aunque ambos colaboran en paridad. Escribe Luis Taboada y dicta Ortega Munilla. Medio tumbado en un diván había un niño al que no pudimos ver porque era el autor de estas líneas. Están redactando aquellos señores a matacaballo la hoja extraordinaria que va a sacar a la calle el periódico. Detiénense a veces los que escriben tratando de evitar la repetición de unas palabras que la índole del relato impone: "lugar del siniestro", "lugar de la catástrofe" [...] Taboada no pudo contener su propensión festiva y propuso "Lugar de la hecatombe", que rechazó Ortega con un: "¡Hombre, por Dios!". Y era que a las nueve y treinta minutos de la noche cubana habían volado en la bahía de La Habana el crucero norteamericano *Maine,* acontecimiento que fue el principio del fin» [45].

Aunque las inspecciones norteamericana y española demostraron que no podía haber sido debido a un torpedo ni a un ataque exterior, vio Roosevelt que era la gran ocasión para movilizar la opinión norteamericana a la guerra con España, que él deseaba y veía relativamente fácil. El hecho es que el 21 de abril Estados Unidos y España rompían sus relaciones diplomáticas.

En mi libro sobre los Spottorno he contado la postura de don Pascual Cervera y Topete en vísperas del desastre y su protagonismo en el mismo. Todo lo que pasó lo había previsto él en unas cartas que fue dejando a mi abuelo materno, su primo político don Juan Spottorno y Bienert, que no voy a repetir aquí. Sobre su actuación ha corrido mucha tinta y en el consejo de guerra que se le formó a su regreso a España desde la prisión militar de Minneápolis donde le retuvieron —parece que con mal trato— los norteamericanos, se salvó por un voto. Yo creo que el almirante Cervera tuvo la mala suerte de no morir en el combate. De haber muerto se hubiera convertido en un mártir, en un mito nacional, y su hazaña hubiera adquirido el prestigio de la tragedia, es decir, de aquella situación humana en que la aniquilación es la única solución del conflicto.

Pero antes de la salida de nuestros barcos de su guarida de Santiago de Cuba, ocurría la derrota naval de Cavite, en Filipinas, y la destrucción de la escuadra del almirante Montojo el primero de mayo de aquel año fatídico. La primera noticia de la aniquilación de nuestra escuadra de Oriente por la del almirante Dewey la tuvo el mundo gracias a los servicios informativos de *El Imparcial* que, a juicio del periodista Pedro Gómez Aparicio, «a lo largo de toda la guerra hizo un despliegue de recursos técnicos realmente extraordinario para aquellos tiempos» [46].

Las reacciones de políticos, intelectuales y de la gente del pueblo al desastre, y la sensación de todos de que España se convertía así en una potencia de segundo orden en la que quedaba todo por hacer, han sido exhaustivamente descritas en el centenario del 98. En el orden inmediato, a Sagasta le quedaban pocos días de gobierno, y Gas-

---

[45] Obra cit., pág. 156.

[46] Pedro Gómez Aparicio: *Historia del periodismo español,* Editora Nacional, Madrid, 1974.

set, desde su escaño y desde el periódico, promovería las candidaturas de Silvela y del general Polavieja. Pero ahí empezaba la pérdida de imparcialidad de *El Imparcial* junto al ascenso político de Rafael Gasset.

## RAFAEL GASSET, MINISTRO Y ORTEGA, DIRECTOR

No más tarde de marzo de 1899, Silvela formaba gobierno y Rafael Gasset entraba como ministro de Agricultura, el primero con ese nombre, que abarcaba además las obras públicas —más adelante, en 1905, Gasset lo denominaría «Ministerio de Fomento»— para desarrollar su política hidráulica regeneracionista. Ese mismo año había celebrado segundas nupcias con Rita Díez de Ulzurrun, hija del marqués de San Miguel de Aguayo. De este enlace nacerían cinco hijos: Luis, Caridad, Rita, José y Eduardo.

Como era elemental, la ascensión de Rafael Gasset al Gobierno de la nación llevó consigo su dimisión como director del periódico. Su cuñado y permanente artífice del mismo, José Ortega Munilla, asumía esa dirección desde el 19 de abril de 1900. En el número de ese día, Rafael Gasset se despedía de los redactores y estos le deseaban buena suerte y energía en su nueva singladura política, y afirmaban que «desde hoy *El Imparcial* y el Sr. Gasset vivirán en esferas distintas». Pero uno de los miembros más importantes de esa redacción, don Manuel Troyano, se desentendió pronto de «la guía del periódico, con los editoriales en lo político, con sus *fondos,* emprendiendo una campaña de reportajes sobre temas económicos e industriales»[47]. Y el propio Clarín escribía al nuevo director pocos días antes de su nombramiento que *«El Imparcial* va cayendo en cierta aridez *noticieril* que le hace parecerse demasiado a los demás periódicos, lo cual es un peligro que acaso se deja notar mejor desde lejos. Apenas queda ahí un soplo literario y eso no es bueno, créanlo Uds»[48].

Y ese peligro de que el periódico fuera a perder su santa independencia política se vio forzado por la indignación que produjo a la hermana mayor, Manuela, casada con el señor López Mora, el que aceptara su hermano Rafael la cartera de Agricultura. «Recordó —según Gonzalo Redondo por conversaciones que tuvo con los sobrinos de doña Manuela, Gerardo y Ramón Gasset Neyra— que cuando su padre fue ministro de Ultramar con don Amadeo se notó en el periódico.

---

[47] Manuel Ortega y Gasset: obra cit., pág. 177.

[48] Carta del 8 de diciembre de 1899.

Doña Manuela acabaría por vender su parte en *El Imparcial* y se retiraría por completo de la empresa familiar» [49].

Por otro lado, tras el «desastre», los diarios nacionales, en general, comenzaron a disminuir sus ventas, quizá porque sus lectores habían perdido fe en unas publicaciones que no les habían informado a tiempo de lo que se ventilaba en Cuba y Filipinas, o quizá por esa falta de pulso general del país. Ortega Munilla llegaba así a la dirección del periódico más prestigioso de España en un momento difícil. Pero su coraje y capacidad de trabajo le llevarían a superar en gran medida todos los obstáculos y recuperar en parte su liderazgo.

Si Ortega Munilla estuvo siempre abrumado de trabajo, al tomar la dirección de *El Imparcial* se quedó sin el menor resquicio de tiempo libre. Un periodista que estuvo durante años en la redacción de ese periódico ha descrito de forma vívida lo que era entonces la penosa y apasionante jornada de mi abuelo. Se trata de Julio Romero, en un artículo que tituló «El periodista español más completo: Ortega Munilla» porque consideraba «que fue eminente en todas las secciones: como escritor, como Director, como profesional que pudiéramos llamar integral, como cultivador de cuantas apetencias afloraban el interés de los lectores» [50].

«Llegaba Ortega Munilla —recuerda Romero— al periódico, instalado a la sazón en la calle de Mesonero Romanos, entre 9 y 9.15 de la noche, en un *Simón*, por el invierno: en una *Manuela* desde la primavera hasta bien entrado el otoño. Como la tercera y última edición de provincias se tiraba a las 7 de la tarde, de la Redacción del día ya no quedaba nadie en el edificio, y de los redactores que componíamos la plantilla de la noche casi siempre no estábamos todavía más que dos o tres. Entraba inmediatamente en su despacho y el conserje —que se llamaba Iglesias, y no sabía leer ni escribir aunque distinguía los distintos periódicos de entonces por su formato y tipo de letra— le llevaba "las vituallas de la jornada". Esas "vituallas" eran las 10 botellas grandes de cerveza que consumía a través de la noche —pues no abandonaba el periódico hasta las 7 de la mañana, hora en que ya echaba un vistazo a la prensa matutina de aquel mismo día—, un mazo de puros de a 15 céntimos *(tagarninas)*, que se fumaba durante esas diez horas; y más de media docena de cajas de cerillas que empleaba, casi automáticamente, para encender y reencender toda esa cantidad de tabaco. Por cierto, dato curioso: ese conserje era también el encargado de dar

---

[49] Gonzalo Redondo: *Las empresas políticas de Ortega y Gasset,* tomo I, Rialp, Madrid, 1970, pág. 13.

[50] *Gaceta de la Prensa Española,* núm. 179, Madrid, 15 de mayo de 1966.

un duro diariamente, en cuanto aparecía Ortega, a un desaprensivo individuo que le aguardaba en la portería fumándose su buena cachimba. El pródigo Ortega Munilla le había resuelto la vida.

»La lectura de la prensa vespertina le llevaba a Ortega más de una hora. *La correspondencia de España, Heraldo de Madrid, La Época, Diario Universal, El Correo, El Siglo Futuro* y otros. A las diez y media, pues, aproximadamente, el maestro Ortega formaba su composición de lugar. Su amanuense, el infatigable Montañés, se situaba ya en su silla —su verdadero potro— y puede decirse que, cuartilla a cuartilla —por entonces empezaron a aparecer las primeras máquinas de escribir— [51] no daba fin a su tarea hasta las 4.30 ó 5 de la madrugada. Porque es de advertir que, aunque los diarios de aquel tiempo sólo constaban de 4 páginas (excepto los lunes en *El Imparcial* para su página literaria), Ortega, prácticamente, *se hacía* todo el periódico, salvo naturalmente, las secciones que tenían su titular, como la *Cháchara* diaria de Mariano de Cavia, o sus *Despachos del otro mundo* con los que alternaba; los *Ecos de Sociedad* de Monte-Cristo; los estrenos y demás actividades teatrales, que redactaba don José de la Serna; los artículos humorísticos de Luis Taboada; las revistas de toros, a cargo de Eduardo Muñoz, que también tenía a su cargo la información municipal; los *Tribunales,* por Nicolás de Leyva, los comentarios militares, firmados por Julio Amado *(Rectitudes);* la crónica médica que ostentaba el doctor Verdes Montenegro, y la crónica de arte de don Francisco Alcántara.

»El primer fruto de la jornada era el *artículo de fondo,* de inexcusable inserción en aquellos tiempos, que Ortega dictaba sin titubear. [Todavía estaba Troyano para ayudarle, y luego se incorporaría, durante unos meses, Cuartero, cuya mayor gloria periodística fue después en el *ABC.*]

»Cuando entregaba ese editorial a las linotipias es cuando —añade el cronista— iban llegando a la Redacción las informaciones de los redactores de calle (muchas procedentes del Gobierno Civil de Madrid y del Juzgado de Guardia). Ortega solía elegir los acontecimientos más propicios a su fantasía y a su instinto periodístico [...] y plasmaba en prosa amenísima y atractiva lo que el lector saboreaba horas después.

»En cuanto a sus resortes directoriales —termina diciendo Julio Romero—, colocaba de tal manera sus peones al terminar sus dictados y salir el número del día, que de antemano tenía asegurado el éxito para el número siguiente. Y todo con una profusión de estilos y una ponde-

---

[51] Años después sólo escribía en una Underwood americana que yo he manejado de niño en su casa de Claudio Coello. También ensayó un cilindro de cera para grabar dictados pero nunca funcionó bien.

ración tan singular que nadie diría que asuntos tan diversos como él afrontaba cotidianamente habían salido de la misma pluma. Por otra parte, su eminente posición periodística y el ser diputado a Cortes le procuraban tan especiales informes que muchos compañeros de la redacción pasaron con frecuencia ratos angustiosos al exponerle verbalmente las noticias que aportaban y advertir que el maestro Ortega disponía de elementos informativos mucho más precisos y preciosos —y a veces contrarios— que los que ellos llevaban».

## El caciquismo de los Gasset

Los Gasset —no sólo Rafael sino más aún su hermano Eduardo, que vivía en Galicia— se preocuparon mucho de mantener engrasados sus feudos electorales gallegos, habitualmente en Betanzos, Santiago y Padrón. Ortega Munilla, sin ocuparse personalmente demasiado, salía siempre, apoyado por sus cuñados, por ese distrito de Padrón, en la ribera del Ulla, en la provincia de La Coruña. Yo he pintarrajeado de niño muchas hojas de los blocs con el membrete "El diputado de Padrón" que conservaba mi abuelo en su vejez. Iba casi diariamente por la Cámara, aunque en el Diario de Sesiones sólo consta una única intervención suya en el pleno del parlamento el 16 de enero de 1904, en un discurso contra Maura [52] que hizo de mala gana por defender los intereses políticos de su cuñado: pero cumplió sus obligaciones de diputado en diversas Comisiones a las que pertenecía. Rafael, Eduardo y Ortega Munilla eran los candidatos permanentes, pero también, en algunas convocatorias, salieron diputados los otros hermanos Gasset, José y Ramón. Y a veces el clan apoyaba a un pariente lejano..., Sanjurjo Neyra, cuando se presentaba con la etiqueta de «gassetista» o, cuando se llevaron bien Fernández Villaverde y Rafael Gasset, como «villaverdista».

Pero no le gustarían a mi abuelo las presiones que, de cuando en cuando, recibía de su cuñado Eduardo para alimentar su caciquismo local. En una carta del 11 de abril de 1903, por ejemplo, le pedía «que no deje de la mano la carretera de Padrón a Noya y que se haga cuanto antes el afirmado del trozo de Iria a Cesures. Este trozo está tan intransitable que mañana, que se celebra allí la gran feria anual, la mayoría

---

[52] Maura calificaba la campaña que hacían contra él *El Imparcial* y los gassetistas de no ser más que *un sonajero* y *un vaso de cerveza con mucha más espuma que cerveza*, aludiendo a unas coplas satíricas que publicó el periódico con aquel título, y a la afición a la cerveza de Ortega Munilla que ha contado, como hemos visto, Julio Romero.

de tus electores te pondrán como un trapo». J. A. Durán en su curiosa *Historia de caciques, bandos e ideologías en la Galicia urbana* [53] señala que «entre lo local y lo nacional se establece el puente formal del sistema, don José Ortega Munilla. ¿Pero dejará de ser este señor uno más entre los Gasset...?». Rafael Gasset, por su lado, no dudaba en escribir directamente a Dato [54], a la sazón ministro de Gracia y Justicia, pidiéndole, sin el menor escrúpulo, «que sea nombrado notario de La Coruña el que ahora lo es de Noya, don Gerardo Varela». Estos «favores» eran moneda corriente entre los políticos de la Restauración, sin que ello significase inmoralidad personal alguna: era costumbre admitida.

Pienso que el abuelo iba por las Cortes más bien como periodista, para enterarse de las intentonas y urdimbres de los políticos y hacer luego sus «fondos» con conocimiento de causa. Pues, como ya dijimos, al haberse ido don Manuel Troyano, los editoriales cayeron sobre Ortega Munilla hasta que convenció a don José Cuartero de incorporarse a *El Imparcial,* donde duraría poco. El *ABC,* que nacía en 1905, se lo llevó pronto.

Este trabajo agotador, tan bien descrito por Julio Romero, iría horadando la serenidad y la salud de mi abuelo, tanto que le obligó a varias temporadas de descanso. Dejaba entonces los bártulos a Luis López Ballesteros, el cual tomaría oficialmente la dirección del periódico en mayo de 1906.

## LAS CARTAS DE SU HIJO JOSÉ DESDE ALEMANIA

Las cartas de su hijo José desde Alemania, donde había ido a estudiar y descubrirse a sí mismo, en Leipzig y luego en Berlín, que felizmente guardó mi madre y se conservan en el archivo de la Fundación Ortega y Gasset, reflejan la tristeza y neurastenia crecientes en Ortega Munilla en ese año de 1905. Aunque esas cartas son más interesantes todavía para conocer los años de aprendizaje de mi padre, vamos a destacar ahora con cierto detenimiento sólo las que se refieren a la situación anímica de Ortega Munilla; el cual, por otra parte, estaba como director que era de *El Imparcial,* en la época de su máxima influencia política y social. Se preocupa mucho José de tener noticias frecuentes de la familia y «de cuanto ocurra por ahí». Dirige sus cartas —dos veces por semana habitualmente— bien a su padre, bien a su madre, y es una pena que se haya perdido lo que éstos le escribían a él. No se olvida nun-

---

[53] Siglo XXI, 2ª ed., Madrid, 1976.

[54] Carta de 21 de marzo de 1903, Archivo Dato, Real Academia de la Historia (R. A. H.).

ca en la despedida de enviar abrazos a su hermanos, Eduardo, Manolo
y la «niña» Rafaela, y a María Chinchilla, que, aunque prima de Dolores Gasset, era casi tan joven como sus hijos, y vivía en el mismo inmue-
ble de Goya 6. De ella hablaré más adelante porque fue, además, madrina mía. Pero también mi padre enviaba siempre recuerdos para el
tío Julián, Julián Munilla, tío de Ortega Munilla, en cuya casa vivió hasta
su muerte y del que quiero hablar ahora porque no tendré otro momento. Su sobrino José le quería mucho, y al informarle Ortega Munilla de que el tío estaba mal, escribe estas conmovedoras palabras en su
carta del 19 de octubre de 1905: «El pobre tío Julián por lo visto marcha a su fin. Su figura es algo de primera importancia en casa: cuando
se muera se le encontrará en el pecho un pedacito de cristal que era su
alma. Su vida ha sido eso: algo cristalino a cuyo través todo ha pasado
sin romperlo ni mancharlo. Bien es que haya al lado de los hombres
creadores estos otros, dulces remansos de aguas de otoño: todo es bueno, todo lo que existe es bueno y bello. La vida es grande y hermosísima por mil razones, mas sobre todo porque es lo único que hay». Pero
el tío Julián no moriría en 1905 sino poco después de la boda de mis
padres, que tuvo lugar el 7 de abril de 1910. No llegué a conocerle por
tanto pero mi abuela Dolores me contaba que se enamoró de su mujer —que debió de morir joven y hasta cuyo nombre ignoro— al ver su
tobillo cuando puso el pie en el estribo de una diligencia.

Ortega hijo sigue en Alemania con mucha atención los periódicos
madrileños; no sólo *El Imparcial* sino también *El Liberal* y el *Blanco y Negro* cuyo envío reclama muchas veces. Y da a su padre, el director, su opinión sincera además de algunas vagas proposiciones de sus posibles colaboraciones. Así, en carta del 21 de marzo de 1905 dice que «aún no sé
nada serio y hondo de esto [...] sólo podría hacer *notas de andar y ver*
muy personales y azorinescas que supongo no querrás [...] Azorín sigue muy bien y se ha cohortado lo bastante [...] El periódico lleva una
temporada de primer orden: lo mamo —perdonad la frase pero es la más
exacta». Y en carta de siete días después confirma: «¿Cuánto ha subido el
periódico? Viene realmente bien, todos habéis apretado», al tiempo que
reclama que le envíen la edición de Madrid y no la de provincias.

A fines de abril le dice a su padre: «He visto que vas a dar una conferencia en el Ateneo sobre Alonso Quijano, el Bueno. Me alegro mucho. Salvo mejor opinión creo que debes huir cuanto puedas, que po-
drás todo, del tono académico y hacer una cosa muy sobre la vida real,
y de amarga, aunque dulce y bonachona, ironía [...] Debes dar —creo—
un barniz melancólico a toda la *causerie,* para lo cual se presta tanto la
figura de D. Quijote, el cual pienso que ante todo y sobre todo es el Caballero de la Melancolía y, por eso, como todos los melancólicos, abre
al dar con la realidad ojos tan asombrados».

José Gasset Chinchilla.

Dolores Gasset Chinchilla, hacia 1880.

Eduardo Gasset y Artime, fundador de *El Imparcial.*

José Ortega Munilla, director de *Los Lunes de El Imparcial.*

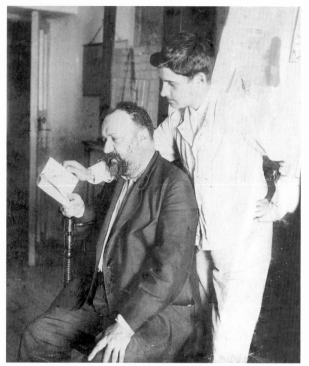

José Ortega y Gasset, con su padre Ortega Munilla, en la finca El monte de su tío
José Gasset, en Fuentelahiguera de Albatajes (Guadalajara), hacia 1897.

José Ortega Munilla en su despacho de Goya 6, 1901.

José Ortega Zapata, 1902.

José Ortega Zapata en Miraflores de El Palo, Málaga, 1902.

Rosa Spottorno vestida de novia, 1910.

José Ortega y Gasset y su mujer, en Marburgo, 1911.

La escritora argentina Victoria Ocampo, 1913.

José Ortega y Gasset fotografiado por su hermano Eduardo en Madrid, en la esquina de la plaza del Marqués de Salamanca con la calle que hoy lleva su nombre, leyendo la noticia de la declaración de guerra en agosto de 1914.

El matrimonio Ortega-Gasset con su hija Rafaela en Vitoria, 1914.

José Ortega y Gasset en el Jardín de los Frailes del Monasterio de El Escorial, 1915.

Redacción de la revista *España*, 1915.

José Ortega y Gasset con Serapio Huici y Nicolás María Urgoiti en una excursión
a los Picos de Europa, 1918.

José Ortega y Gasset con su mujer y sus hijos Soledad, Miguel y José, en su casa de Serrano 47, Madrid, 1920.

José Ortega y Gasset y Rosa Spottorno con sus hijos en Zumaya, 1923.

José Ortega Munilla, 1920.

María de Maeztu, 1920.

Retrato de José Ortega y Gasset realizado por Oroz, 1925.

Caricatura por Luis Bagaría.

José Ortega y Gasset en Aravaca, Madrid, 1929.

Presentación en el Teatro Juan Bravo de Segovia de la Agrupación
al Servicio de la República, febrero de 1931.

Tertulia de la Revista de Occidente, 1931.

José Ortega y Gasset paseando con Luis de Tapia y Juan Belmonte, 1932.

José Ortega y Gasset con Xavier Zubiri y Manuel García Morente, 1934.

Quizá sospechaba ya la tristeza progresiva en que iba cayendo su padre y que, como después el psicoanálisis, le curaría darse cuenta de su mal. Porque añade: «La melancolía —a ver si explico lo que quiero decir— es lo que queda en el hombre cuando ninguna de esas cosas de placer o de agrado [...] que le atan a la vida, existen ya para él, cuando han perdido todo su verdor, su sugestión (lo cual muchas veces viene antes, harto antes, que la vejez) [...] pero aún queda el imperativo: *a pesar de todo hay que vivir* la vida a palo seco, por lo tanto una vida que predispone a la metafísica, a ver que las cosas más contrarias se unen en realidad (puesto que el melancólico ha suprimido los accidentes de la vida que son los que hacen parecer las cosas contrarias)». Vemos, dicho sea de paso, que el joven estudiante comienza a pensar en serio sobre la índole de la vida y de las cosas en ella.

Ortega Munilla, cuando escribe a su hijo en horas más tranquilas que las de la madrugada, cuando está derrengado del trabajo que ha tenido, como vimos, toda la noche en el periódico, le escribe cartas animadoras. Lo sabemos porque en su carta del 21 de mayo de 1905 el joven Ortega dice a su padre: «Tu carta me llega con una gran oportunidad. Estaba en un instante de solitarismo terrible, de falta de ánimos, de desconfianza en mí. Ella me dio fuerza y me sacó de aquel bache espiritual». Y le agradece que hayan apartado de él «como habéis hecho, todo cuidado material, toda preocupación de la vida moliente y rodante», ya que ese viaje era a costa de los ingresos paternos, lucidos entonces pero menguados por la excesiva prodigalidad de aquella familia.

Ortega Munilla suele escribirle dictando sus cartas, como sus párrafos para el periódico, a su fiel amanuense Montañés. Por eso su hijo se sorprende al recibir una cuartilla escrita de puño y letra de su padre. «Cuanto te diga para declararte la impresión que me ha producido la cuartilla escrita de tu puño y letra será vano e insuficiente. La amargura toda, el horrible pesimismo que había en ti al escribirla, ha pasado a mí y he dado unas vueltas por estas calles tan alegres, tan llenas de mujeres hermosas y de hombres contentos con la vida en general y con ser prusianos en particular, sintiendo dentro de mí un ensordecimiento dolorosísimo». Y líneas más adelante es aún más sincero: «Padre de mi alma: yo no quiero dármela de adivino pero ya sabía yo que te iba ganando esa horrible desolación, esa convicción *práctica* del vacío y necedad de todo y de la ingratitud de la vida. Yo veía cómo poco a poco se te iba metiendo en el ánimo y poniéndolo oscuro, a ti que habías sido siempre tan formidable torrente de fuerzas de vida que te has pasado derrochándolas sin detenerte a economizar, sin tener miedo al camino: Yo no sé por qué en este mes pasado solía oprimirme esta idea de tu amargura y cogía la pluma para escribirte, seguro de que lo que te dijera no por ser agudo sino por ser mío había de sahumarte un poco esa almaza que tienes tan cansada. Pero luego se me quebraba la pluma en el aire por ese temor, un tanto y un mucho religioso, que siente todo hijo al pisar los umbrales de lo que en su padre hay de hombre, no de padre. Hoy siento no haberlo hecho».

«Tu vida, papaíto querido, tiene dos enfermedades: una puramente exterior, que es el género y cantidad de tu trabajo; no insisto en ella. La otra es vivir desde hace diez años sin ninguna aspiración personal. Esto es tolerable en una vida ociosa o en una vida sin imaginación. ¡Y tú precisamente eres de una actividad enorme y de una imaginación incansable! Creo que hay pocos hombres a tu edad que tengan menos ilusiones. De los que yo conozco más o menos cerca sólo veo a N. Ledesma [55] que es también un hombre bueno y lleva análogo camino de prematura secación. Esto es una falta de previsión; antes de que ese caso llegue hay que torcer camino, virar, sea como sea, pase lo que pase, hacia otra cosa más o menos imaginaria para que pueda ser una meta... Luego de años, un día, entre si sale o no sale el sol, se nos hace de noche por completo y todo se ha consumado. Nuestra muerte carece de importancia, como había carecido nuestra vida. No hemos gozado nada que merezca la pena y hemos tenido dolores físicos y congojas morales que son lo único positivo. ¿Es esto una razón para entristecerse? No señor... porque tampoco es de atender la amargura. Pero tú, papá, no estás en el caso de hablar aún de achaques ni de decir que no *sirves para nada*. Esas son malas ideas que te ha soplado la neurastenia en un momento que habías dejado la voluntad en un rincón del ánimo como se deja un bastón. Los años más bellos —para el que sabe mirar— y los más fecundos, en los que se goza con más paladeo lo poco de atractivo que tiene la vida, que son los sentimientos templados (no las pasiones) y las ideas, y en los que se pueden dar las frutas más glucosas como uvas de moscatel, son los que tienes por delante... El exceso de trabajo aún no te ha vencido ni mucho menos: eres un roble y aún el roble, si lo podan y lo orean y lo desespadañan, puede dar los más recios días en medio del bosque. Pero es preciso apartarlo del camino real y llevarlo a una buena *clariere* tranquila y húmeda... El periódico según mis noticias sigue mejor que nunca. Sólo una cosa es necesaria: que pienses en ti y cortes por lo sano. Ninguna razón se opone a ello... y el hecho de que hayas dado veinte años de tu vida al periódico no es una razón para que sigas amarrado a él con la misma exacerbación.

»Así pues —concluye su hijo— hora es ya de que pienses seriamente en hacer otra vida... Te espera la época más fecunda y segura de la

---

[55] Se refiere a Francisco Navarro Ledesma, del que hablarémos en las páginas dedicadas a José Ortega y Gasset.

labor literaria, de enjugamiento de tus aficiones en nuestro hogar, que si hoy es feliz, el día que tú pudieras gozarlo sería mucho más: tienes pocas necesidades, como todos nosotros, todos somos inteligentes en tu casa... Ahora, si no tienes decisión para saltar por algunas cosas y cambiar tu forma de vida, no te quejes. A la vuelta de un año de vida descansada, con ocios, entre lecturas sosegadas, te verías tan fuerte interiormente como a los 30 años».

No es fácil saber las tiradas reales de los periódicos de entonces (mucho menos, su difusión). *El Imparcial,* para poder proclamar en su portada que era el diario de mayor circulación, publicaba en cada número la tirada del día anterior, pero el 16 de mayo de 1906 dio ese dato por última vez cifrando su tirada en 120.000 ejemplares [...] lo cual hubiera constituido un récord histórico de la prensa nacional de entonces. Pero la realidad era mucho más precaria; según Manuel Tuñón de Lara [56] por esas fechas la tirada real sería la mitad de la que se venía declarando y esto significaba 70.000 ejemplares de tirada; y con tendencia decreciente. Los Gasset como empresarios intentaron nuevas aventuras editoriales: así, bajó el empeño principal de José Gasset y Chinchilla, que llevaba entonces la administración de la sociedad, se preparó el lanzamiento del primer diario gráfico que se iba a publicar en España. Julio Burrell, gran amigo de Rafael Gasset, participaba económicamente en la aventura, en la que se invirtieron, al parecer, sumas importantes. El primer número —la publicación era vespertina— salió en la noche del 13 de junio de 1904 al precio de 10 céntimos, lo que representaba el doble del precio de los diarios consagrados. Su redacción era prestigiosa, algunos de sus nombres compatibilizaban su trabajo con el de *El Imparcial:* Gumersindo Azcárate, Cristóbal de Castro, Pérez de Ayala, Salaverría, Francisco Camba, Alcántara y Taboada. Intelectual y tipográficamente estaba muy logrado, y su información sobre la guerra ruso-japonesa era excelente, así como el interés de su folletón inicial, nada menos que la novela *Los primeros hombres en la Luna* de H. G. Wells con ilustraciones de Simonet, un pintor muy cotizado entonces. Pero en cambio la información de sucesos era demasiado sensacionalista, y la política, demasiado escorada hacia las conveniencias de Rafael Gasset. Pienso que de todos esos factores, unos positivos, otros negativos, fue el precio doble del habitual lo que obligó a *El Gráfico* a morir en la Nochebuena de ese mismo año de 1904, seis meses y pico después de nacer. Torcuato Luca de Tena, habituado al periodismo gráfico con su *Blanco y Negro,* ya muy consolidado, y que había seguido

---

[56] Manuel Tuñón de Lara: *Poder y Sociedad en España (1900-1931),* Espasa Calpe, Madrid, 1992.

con atención la experiencia de su amigo José Gasset, se decidió pocos meses después a convertir su *ABC*, que se publicaba como semanario desde 1903, en diario ilustrado.

El primer número salió el 1 de junio de 1905. Su éxito significaría una seria competencia para los demás periódicos.

La empresa de los Gasset intentó combatirle con el lanzamiento de un nuevo diario ilustrado —*El Mundo al Día*, título de una sección tradicional de *El Imparcial*— que nacería el 1 de enero de 1906, con veinte páginas más con largos folletines de noticias, y pasó a mejor vida tres meses después, el 31 de marzo de 1906.

La redacción, imprenta y oficinas de ambos diarios ilustrados estaban, independientes de las de *El Imparcial*, en la calle del Marqués de la Ensenada 8; lo cual satisfaría al abuelo, que consideraba un error ambas publicaciones cuando se podía haber transformado en ilustrado el propio *Imparcial*.

Su hijo José le insiste desde Leipzig en carta del 24 de septiembre de 1905: «Es preciso que pienses seriamente en cuidarte y en arreglarte una retirada, en la inteligencia de que si no lo haces me meto yo a trabajar en *El Imparcial* como un negro, dejándome de latines y de todo». Afirmación sincera que hubiera supuesto un gran sacrificio a mi padre y el quiebro de lo que sería su trayectoria intelectual. Lo cual demuestra lo convencido que estaba de que Ortega Munilla debía dejar el periódico. Cinco días después, le escribe: «Ya están mamá y los chicos a tu lado; espero que eso te reanime y te saque de la agonía espiritual y la desesperanza en que ibas cayendo. Sinceramente creo que se debe hacer por vivir sin esperanzas y sin embargo hallar la vida agradable; tenemos ilusiones. ¿Quién, diantre, nos dio permiso para hacernos ilusiones? Lo malo son las ilusiones, y no la vida: porque ésta es lo real y lo real no puede de ninguna manera ser imperfecto [...] Lo que tienes que hacer —concluye— es procurar descansar y, sobre todo, entregarte a otras faenas más de tu gusto. Esto es lo ineludible».

En esa carta, por cierto, envía a su madre su enhorabuena por haber conseguido «lo del estanco». La abuela Dolores, en efecto, venía tratando de obtener la concesión de un estanco, temerosa —y como hemos visto, con mucha razón— de no tener nada a qué agarrarse en su posible viudedad. «Las mujeres no tenéis osadía para grandes negocios pero sois seguras como el diablo en lo que intentáis», le había dicho su hijo José en otra carta. Y le añadía una serie de sugerencias para que ese estanco fuera tan moderno y rutilante como los de Alemania. José y Cecilia, un matrimonio modesto pero de confianza, oriundos de Tierra de Cameros, cercana al pueblo de Munilla, serían los encargados de llevarlo en vida de los abuelos.

En otra carta a su madre le insiste en que «es preciso hacer descansar a papá por cualquier medio enérgico: no hay que dormirse ni dar largas. Es un deber de todos nosotros que no se prolongue más el sacrificio de su vida, que raya ya en inconsecuencia. Es duro llamar inconsecuencia a una cosa tan santa como un sacrificio: sea, pues, inconsecuencia santa; pero hay que cortar por lo sano a buen tiempo, que aún lo es inmejorable. No repitamos veces y veces estas cosas de que tan convencidos estamos. A ver qué pensamos definitivo para hacerlo hoy mejor que mañana».

Estas advertencias y consuelos que intenta dar a su padre, cuya alma está crecientemente abrumada, como ese fragor que precede al terremoto, no le impiden criticar algunas cosas del periódico que lee con avidez. «Tengo el suficiente criterio —dice a su padre el 19 de octubre— para pensar y afirmar que es preciso cambiar de manera. No hay en todo el periódico una cosa alegre, ligera, atractiva: las columnas son hoscas y cejijuntas; la mayor parte de los artículos, palabras viejas y hartas de ser conocidas [...] Todo esto que tanto me molesta decirte viene a parar a decirte lo siguiente: es preciso dar nueva fisonomía —cosa que siempre ha sido tu teoría y tu secreto— y ésta sólo puede hacerse mediante especialización de los que han de hacerlo, [teniendo] cada rincón de asunto su especialista con cierta libertad y personalidad». Y aprovecha para decirle que «esa especialización supone más complicada organización y vigilancia: esto es lo que tiene que ser el director [...] caminar hacia un periódico todo él vivo y chispeante y sin palabras generales [...] Mira cómo la misma marcha y necesidad del periódico pide que mudes el género de tus faenas, [las cuales] en mi opinión, deben ser dar el tono general, podar los caracteres excesivos y los excesivos deseos de resaltar, velar por la honorabilidad de los impulsos, encargarse especialmente del credo político: en fin, de descubrir y atraer a los hombres que por disposición divina llegan al mundo para hacer tal cosa y no otras [...] Todo lo que no sea eso me parece vano. Tu desilusión actual es en buena parte ver que, no obstante tu trabajo, no logras hacer un imposible». «Se me olvida decirte —añade— que un signo terrible de lo que pasa al periódico es la supresión, por haches o por erres, de *Los Lunes*».

No se hace muchas ilusiones el joven Ortega de que su padre tome en serio sus observaciones. Es más, en muchas cartas se tiene que defender de que le censure estar demasiado tiempo fuera de España sin comprender bien las profundas razones que le llevaron a Alemania. Y no es por falta de cariño, porque en otra carta del 19 de octubre le dice: «Ahora me echas de menos; llegaré ahí, me chillarás en la estación y si hoy, por no tenerme delante, tienes ilusiones de que mi presencia te produzca mejora durable en el ánimo, las perderás poco a poco». Y le insiste: «Tú hablas de ti como si se tratara de un ser al cabo de la vida. Sobre la razón suprema de tu trabajo inhumano cae ese inviernillo del salto a los cincuenta [...] a tu edad no hay derecho todavía a pensar en una vejez dulce y reposada. Dame a mí que hagas otro género de vida y del resto me encargo yo. Si no todo será vano: el carácter se te hará más lóbrego y húmedo, como esos cuartos oscuros de los sótanos donde nacen las acres flores del salitre. Con esa actitud enturbiarás la felicidad de tu vida, acongojarás a mamá, harás el ánimo de Rafaela y el de nosotros todos, más tímido y hosco ante la vida (¡ojo! que no son palabras) y todo ello sin razón, motivo, causa, explicación».

## LA SOCIEDAD EDITORIAL DE ESPAÑA

Sin embargo esos consejos de su hijo José —que reflejaban además la opinión unánime del resto de la familia— alguna mella hicieron en Ortega Munilla, que acogió con gran entusiasmo la idea de unirse los grandes periódicos nacionales en una sociedad común que, manteniendo la independencia y el pensamiento político de cada uno, sacara partido económico a los servicios comunes y a una publicidad concertada más rentable para el anunciante. La teoría era sana porque, además, aunque todos los diarios que iban a unirse habían visto descender sus tiradas (salvo el *ABC*, que, convertido en diario en 1905, iba teniendo un éxito creciente —aunque sus tiradas tardaron en alcanzar las de *El Imparcial*— por su inicial independencia política, la calidad de sus colaboradores, bien remunerados para los niveles de entonces, la novedad de ser ilustrado y el acierto de Luca de Tena en su formato) reunirían asociados más de 400.000 ejemplares.

Pienso que Miguel Moya, director de *El Liberal*, y amigo del abuelo, como sabemos, desde sus años de aprendizaje del oficio, fue el gran impulsor del proyecto. La presencia de *El Imparcial* que, a pesar de todo, «gozaba aún de la parte más sana de la opinión española» [57] era esencial, y la propuesta de Moya encontró al abuelo en una coyuntura espiritual propensa a embarcarse en algo que le permitiera dejar dignamente la dirección del periódico que tantas acedías melancólicas le producía. Gestor importante de la operación fue el financiero Antonio Sacristán Zavala, principal accionista y administrador del periódico de Moya, que intentó en seguida incorporar a don Torcuato Luca de Tena y su *ABC* en la aventura. Intento pronto fallido. Gestionó en cambio con éxito la compra de *El Heraldo de Madrid*, propiedad de Ca-

---

[57] Véase el artículo cit. de Julio Romero.

nalejas y órgano oficial de su partido liberal. Después de muchas dubitaciones consintió en venderlo en la cifra de 1.500.000 pesetas [58].

No les fue fácil a Moya y Sacristán encontrar el dinero para esa operación que se resolvió, según cuenta Juan de la Cierva [59], con un cheque que éste les dio —animado por su jefe Maura, quien también veía en la sociedad una posible poderosa arma política— y con el aval de su acólito Maestre.

La nueva sociedad, con el nombre de Sociedad Editorial de España, se constituyó el 31 de mayo de 1906 y su primer Comité Ejecutivo estaba compuesto por don Miguel Moya, director de *El Liberal* como presidente y principal accionista; don José Ortega Munilla, que acababa de dejar la dirección de *El Imparcial* en manos de López Ballesteros, como vicepresidente; don Antonio Sacristán y Zavala como secretario del Consejo, y don José Gasset y Chinchilla como administrador (que ya lo era entonces de *El Imparcial*). Ignoro si el abuelo aportaría algún capital, que sí aportó en cambio Rafael Gasset, el cual aunque enemigo de los entusiasmos de su cuñado Ortega por la operación, vio también en ella un posible grupo potente para defender su política [60]. Aunque el acuerdo establecía que cada periódico seguiría su propia política, que en aquellos momentos era moretista la de *El Imparcial*, más o menos republicana la de *El Liberal* y liberal-monárquica la de *El Heraldo*, que siguió con su mismo director, don José Francos Rodríguez. Pero juntos harían campañas unánimes como la que empezaron en seguida contra el supuesto monopolio de las industrias papeleras lideradas por don Nicolás María Urgoiti, cuyas hazañas y vicisitudes trataremos al hablar de mi padre.

---

[58] Equivalente a 1.000 millones de 1999.

[59] Juan de la Cierva: *Notas de mi vida,* págs. 75-76, Reus, Madrid, 1955.

[60] Según Francisco Iglesias en el libro colectivo *Historia de los medios de comunicación en España* (Ariel, Barcelona, 1986), formarían la nueva empresa nueve periódicos y dos revistas pues a los tres madrileños se sumaron *El Liberal* de cuatro provincias (que eran jurídicamente independientes del de Moya) y, por compra, *El Defensor de Granada* y *El Noroeste de Gijón*. Además se sumarían, en 1908, poco después de fundadas, las revistas *La moda práctica* y *La Semana Ilustrada*. El mismo autor informa de que el capital de la Sociedad Editorial de España fue de 10 millones de pesetas: en el que participaban, entre otros, *El Liberal* con 2,5, *El Imparcial* con 2,1 y *El Heraldo* con 1,5. Según precisan María Cruz Seoane y María Dolores Sáiz en su muy completa *Historia del periodismo en España,* t. III: *El siglo XX* (Alianza, Madrid, 1998), esas 4.600 acciones constituían las acciones de fundador y el resto de 5.400 eran acciones ordinarias, de las que se colocaron inicialmente 3.650, quedando el resto en cartera. Según la reseña que daba *El Liberal* (20.3.1909) de la primera Junta General en marzo de 1909, la Sociedad tenía 327 accionistas, de los que 232 no poseían el mínimo de 20 acciones que daban derecho a voto.

Ningún otro diario matutino importante ingresó en la nueva sociedad; incluso *La Correspondencia de España,* que dirigía Leopoldo Romero, un periodista notable, la calificó de *trust,* y en su *manchette* ponía siempre: «*Este periódico no pertenece al trust*». El trust era entonces un concepto empresarial nuevo, que quedaría, pero que entonces se tomó como monopolio político. Incluso surgieron cuplés alusivos, como aquél que decía: «Irán los redactores uniformados / con gorra de galones y numerados».

Los demás periódicos y, sobre todo, los círculos conservadores, vieron en esta operación, sin dar razones como suele ocurrir, «uno de los más turbios episodios de la historia del periodismo español».

La noticia de que se iba a constituir esa sociedad de prensa fue muy bien recibida por el joven Ortega, que en carta del 18 de febrero de 1906 escribe a su padre: «Mucho me alegra lo que me decís del sindicato de la prensa si eso ha de suponer tu descanso o por lo menos faena llevadera». Una carta en que, por cierto, le pide que «no me escribas con lápiz porque me hace sospechar de que estás peor de lo que estás». Y se ve que la idea de esa nueva sociedad le hace ilusión porque en carta del 18 de diciembre le sugiere quehaceres para ella: «Podía la Sociedad Editorial intentar lo siguiente, que, aunque no fuera negocio, gasto importante tampoco, y en cambio significa una gran acción de cultura. Ello es tener un buen local donde dicten conferencias sobre grandes y generales problemas científicos y sólo habían de darlas los especialistas. Por ejemplo: Ramón y Cajal, Menéndez Pelayo, Galdós, Giner, Azcárate, Unamuno, Hinojosa, Menéndez Pidal». Luego explica cómo se organizaría repitiendo las conferencias en Valencia y Barcelona. «La Sociedad —añade— está obligada a intentar cosas nuevas y europeas».

Piensa, en carta de cinco días después (23 de diciembre), mal informado, que al ir a tener Francos Rodríguez un cargo político podría ser Troyano director de *El Heraldo:* «Creo que la idea fundamental de los periódicos de la *Sociedad* debe ser la de que los dirijan hombres muy personales, casi chalados. Los mismos defectos de don Manuel lo harán único para el caso. La sociedad debe cuidar de la amenidad y el buen servicio de noticias en sus periódicos pero, por lo demás, procuren que se diferencien cuanto más mejor».

Y luego se lanza a animar a su padre en el empeño: «Tú tienes un papel muy hermoso, casi el papel de Presidente de Consejo. El bien que puede hacer a España la *Sociedad* es incalculable, la potencia política que pueden volver a tener los periódicos es muy superior a la que han tenido antes, si bien dando a la palabra *política* otro valor del que antes tenía. Mas para ello es preciso que —puesto que tienes tiempo ahora— te metas de lleno en serios estudios políticos [... porque] hoy en España no hay derecho a ser sólo periodista o sólo filósofo... Tú tienes que tomar la responsabilidad de lo que signifique para España la *Sociedad.* Que esta responsabilidad no es pura frase y que la moral política comienza a ser algo real en nuestra tierra, es indudable». Y como el joven Ortega no emplea los adjetivos arbitrariamente, explica por qué, para él es indudable: «Porque yo siento en mí una parte de esa responsabilidad y estoy decidido a no cargar mi conciencia y algún día —dentro de dos, o tres años— necesitaré o que la *Sociedad Editorial* esté de acuerdo conmigo en este punto frente al país, o que yo esté decididamente enfrente de la *Sociedad Editorial*». Palabras que tendremos muy en cuenta cuando hablemos de las misiones que se propuso José Ortega y Gasset.

En la nota que simultáneamente publicaron *El Imparcial, El Liberal* y el *Heraldo de Madrid* el 15 de mayo de 1906, anunciando la constitución de la nueva Sociedad, según Vicente Cacho Viu, se ve la pluma del joven Ortega, y si es así, «resulta notable, en el futuro inspirador de *El Sol,* su temprana conciencia del papel modernizador que la prensa podía llevar a cabo» [61]. «La Sociedad Editorial de España —proclama dicho comunicado— no se funda para monopolizar la influencia de la prensa política ni para reducir a un centro común de acción las campañas de un periódico. No se funda tampoco para favorecer negocios o intereses de ninguna empresa o sociedad mercantil.

»*El Imparcial, El Liberal* y el *Heraldo de Madrid* [...] conservarán su actual fisonomía, su tradicional carácter, la representación que le es propia en los distintos matices de la opinión liberal [...] La Sociedad Editorial de España no es un sindicato de publicidad ni una dictadura de la crítica [...] Esos tres periódicos serán autónomos e independientes [...] y sus directores responsables [...] no ante la *Sociedad* sino ante la nación española de la absoluta independencia de los órganos que rigen». Añadía la nota una promesa de que los «organizadores, los fundadores, los gerentes de la *Sociedad,* como garantía de esa independencia, su absoluto y total apartamiento de las luchas políticas, su renunciación voluntaria a toda aspiración de intervenir en los cargos públicos y en la gobernación del Estado» [62]. Propósitos que no se cumplieron tan nítidamente.

## EL DISTANCIAMIENTO DE GASSET Y ORTEGA MUNILLA

Ortega Munilla no dejaría, sin embargo, la nave de *El Imparcial,* controlando su línea política y siendo autor de sus editoriales y de nu-

---

[61] Prólogo al libro *José Ortega y Gasset: Cartas de un joven español,* edición de Soledad Ortega, Fundación Ortega y Gasset, Madrid, 1991.

[62] *El Imparcial,* 16 de mayo de 1906.

merosos artículos con firma o sin ella. Es más, puede decirse que su influencia en los altos niveles de la política española de aquellos años fue más poderosa que nunca y que todos los líderes —liberales como Moret y Canalejas, conservadores como Maura y Dato— contaban con él o con sus reacciones de editorialista. Pero, a mi juicio, fue demasiado leal, sin estar muy convencido de su acierto, a los intereses políticos de su cuñado Rafael Gasset y el periódico fue, incluso más que antes de ingresar en el trust, el órgano de la política gassetista. Por eso fue primero órgano del partido de Moret, en cuyos gobiernos figuró siempre Gasset como ministro de Fomento, y luego órgano del Partido Liberal-Agrario cuando Gasset quiso apoyarse en un conglomerado de intereses rurales. Pero aquí no podemos detenernos en las luchas e intrigas de Gasset con los otros líderes políticos. Su gran contrincante fue don Antonio Maura y podíamos decir que si Maura buscaba el regeneracionismo político con la desaparición del caciquismo, Gasset intentaba el regeneracionismo rural con su política hidráulica y la construcción de 5.000 pueblos españoles, a los que sólo se podía llegar por caminos de herradura. Pantanos y carreteras para los cuales, hay que decirlo, nunca logró Gasset suficientes asignaciones en los presupuestos.

Gasset fue ministro de Fomento —no quiso nunca serlo de otro departamento— con Moret y con Canillejas, siempre muy impulsado por el Rey. Pero como botón de muestra de su modo de hacer política y como contaba con su cuñado Ortega para desarrollarla en la prensa, reproduzco el texto de algunas de sus frecuentes cartas a Ortega Munilla:

París 9 de septiembre de 1906, desde el hotel Quai d'Orsay.

Querido Pepe: el periódico sale bien, muy bien, es el que trae más novedades y el que da más notas de interés. Conste así. Lo de las Vaquerías, Ballesteros, Urquijo. La interviú con Romanones, la Carta última de Roma diciendo que los liberales no harán nada. Dada la pequeñez de nuestra política, todo ello es de interés periodístico.

He hablado con Moret, muéstrase éste muy pesimista suponiendo que el Rey repugna toda política liberal. Yo creo por cosas que ha dicho en el calor de la improvisación que Moret tiene esperanzas de próximo gobierno. «Acaso podamos —ha dicho, y claro que te lo comunico en reserva absoluta— gobernar *con disolución* y *con estas Cortes* presentando toda la labor en orden a lo político como en lo referente a los asuntos de Ud. que tan simpáticos son al país. ¿Nos aprueban todo?, bien. No, entonces la disolución». Todo esto, dicho con una serie de hipótesis previas, me induce a creer que Moret camina derecho a impedir el paso a Canalejas y que a ese fin hará saber en Palacio que intentará el vado de las Cortes.

Es cuanto he podido deducir en largo rato de conversación con Moret.

El artículo adjunto es el primero de tres o cuatro que pienso publicar como base de una campaña de propaganda que ya conoces. El artículo le parece bien a Moret y dice que debo insistir incesantemente en esos temas.

Te ruego lo publiques enseguida. A Morote [63], a quien encontré aquí, le di como interviú una síntesis de este artículo. Yo creo que, hecho el reclamo por Morote, puede mi trabajo tener algunos más lectores. Como verás resulta curiosa la enumeración de lo que se está trabajando en el mundo todo en materia de obras hidráulicas, y la síntesis que hago de tales trabajos acredita que sigo con algún cuidado movimiento tan importante.

Estoy detenido en París porque M. Rochette [64], a quien voy a hablar para colocar acciones de la Editorial, tiene un hijo enfermo y no podré ver a dicho señor en un par de días. Por Pepe [65], a quien telegrafiaré el resultado de mis gestiones, sabrás si he logrado algo.

Hasta muy pronto. Lee con grandísimo cuidado las pruebas del artículo, que te envío sin releer en esa confianza. Añade y quita lo que te parezca de modo que resulte decoroso.

Tu hermano que te quiere, *Rafael*.

Y en otra carta escrita el 30 de septiembre desde su finca de Galapagar dice:

Querido Pepe: ayer hablé unos minutos con Canalejas y pude cerciorarme de que se encuentra en la situación de espíritu que suponíamos.

Mañana almorzaremos Canalejas y yo en Fornos. Dile a Moret esta tarde que mañana, de tres y media a cuatro, iré por su casa y le daré cuenta de mi conferencia. No puedes imaginarte lo blando que está el bueno de don José.

También te ruego digas a don Segis que he recibido su carta referente a los ingenieros ingleses. Que ya le enteraré del asunto, que estoy pronto de facilitarle cuantos datos y documentos obran en mi poder, y que sin formación de proceso hay que declarar *vaina de solemnidad* al Director de Obras Públicas, Sr. Fernández Latorre.

Envíame esta noche la carta que convinimos, pero después de hablar con Moret.

Un abrazo de tu hermano que te quiere, *Rafael*.

---

[63] El corresponsal de *El Heraldo de Madrid* en París.

[64] M. Rochette fundó el Banco Franco-Español en Madrid y tuvo relación con el bufete de Rafael Gasset, lo que produciría alguna interpelación parlamentaria cuando el financiero francés quebró, a fines de 1908, y fue imputado por la justicia francesa. (En sus gestiones en París, Gasset había conseguido que suscribiera 500.000 pesetas.)

[65] Se refiere a su hermano José, que era el administrador entonces de *El Imparcial* y de la Sociedad Editorial de España.

Y en carta anterior, escrita desde Vichy el 22 de agosto, le escribe que «López Ballesteros me dijo que se proponía lanzar notas muy agudas contra Canalejas. Ya sabes lo que hablamos; creo que conviene esperar y que las cosas se hagan cuando las pensemos nosotros y con las suficientes garantías de eficacia. Te digo todo esto para evitar cualquier sorpresa. La política está muy rara, veremos si aclara la niebla el próximo septiembre».

Si esta presión de Gasset sobre Ortega Munilla era por carta cuando estaba fuera de Madrid, mucho más insistente sería de palabra viéndose en el periódico o, en sus temporadas de ministro, en los pasillos de las Cortes, de las que mi abuelo fue diputado hasta la legislatura de 1910 convocada por Canalejas. Pero, a pesar de no estar de acuerdo con muchas de las iniciativas del «político» Gasset, la fidelidad y obediencia que le guardaba fue ejemplar. Yo pienso que el abuelo se dedicó mucho más al periódico que a la Sociedad Editorial, la cual, a pesar de su programa constituyente, fue en la práctica un grupo de presión periodística y un defensor de las tácticas políticas de Rafael Gasset y de Miguel Moya, el cual —es importante— fue presidente de la Asociación de la Prensa durante muchos años. Especialmente el trust actúa contra Maura.

Hay un personaje en el sol y sombra de la política de entonces que merecería una biografía y que a mí me interesa por las confidencias, políticas y personales, que le hizo mi abuelo. Me refiero a don Natalio Rivas. En su tendido de sol fue abogado, diputado provincial por su ciudad natal de Granada y presidente de su Diputación, afiliado al partido liberal, primero con Moret y luego con don Santiago Alba, en cuyos gobiernos ocupó varios cargos. Incluso en 1919 fue ministro en el gabinete Allendesalazar. Fue autor de numerosos libros de historia grande y de historia menuda. En su tendido de sombra fue escribiendo un *Diario* cuyo manuscrito se conserva en la Real Academia de la Historia, anotando todas sus conversaciones con los políticos de la época, especialmente don Segismundo Moret, del que era acérrimo partidario y, al parecer, hombre de su confianza. Pero era amigo de todos, civiles y militares, por ejemplo del general Weyler, y en sus últimos años acudía a su tertulia del Casino de Madrid el general Franco cuando estaba en la capital. Aunque la opinión de un historiador a quien tengo por muy responsable afirme que las anotaciones en esos *Diarios* son a veces inexactas y hasta tendenciosas (me pregunto con qué objeto en un memorándum secreto) creo que debían publicarse, quitándoles el polvo de los archivos y con las notas críticas correspondientes. Para nuestra historia, las más importantes son del año 1911, que comentaremos en seguida.

Antes pasaron muchas cosas de interés periodístico y otras de interés familiar para Ortega Munilla. La boda del Rey en 1906 y la bomba del anarquista Mateo Morral; la Conferencia y el Acta de Algeciras en ese mismo año; la nueva guerra de Melilla; la Semana Trágica de Barcelona y el fusilamiento de Ferrer en 1909, etcétera. Y en el orden personal, las bodas de sus dos hijos mayores: Eduardo, con su joven tía María Chinchilla en 1907 y José con Rosa Spottorno en 1910. De ambas hablaremos al estudiar a ambos hermanos. También debemos hacer constar el fallecimiento del hijo primogénito de Gasset, el joven de 16 años Rafael Gasset y Alzugaray, que cursaba la carrera de ingeniero de minas, el 16 de septiembre de 1907. Esta muerte le afectó mucho a Rafael Gasset. Pero, hombre entero, en la carta que escribe a Ortega Munilla el 14 de octubre de aquel año le dice que aunque «el entusiasmo, lo que decide el éxito de ciertos trabajos, lo único acaso que tuvieron los míos periodísticos y políticos, parece enterrado en la misma caja negra que se llevó a mi Rafaelón, no obstante trabajaré mientras viva, así lo exigen mis ocho hijos y mi deber», y le ruega que «digas a tu hijo Pepe [es decir, mi padre] si redactó aquellas cuartillas, y que, cuando las tenga, me dedique un rato para charlar del enlace de los asuntos de enseñanza con los referentes a la riqueza pública. Tal es el trabajo que quedó en hacerme» [66].

## EL *DIARIO* DE NATALIO RIVAS

La tristeza del abuelo no remitía; es más, del abatimiento pasaba a la indignación y hasta la ira cuando las cosas de la política navegaban por aguas poco profundas. Eso refleja el *Diario* de Natalio Rivas:

«Lunes 1 de mayo de 1911.

»A la tarde me encontré en Fomento con Ortega Munilla y convinimos en ir reunidos a casa de Moret, cuyo santo se celebra hoy. Ortega ha llegado hoy de Ceuta y Algeciras, y viene con noticias auténticas de allá. En el trayecto del Ministerio a casa de Moret me fue hablando de todo. Dice el general Alfán, con quien ha hablado en Ceuta, que tiene que ser facilísimo entrar por Tetuán [...] Me dice que le domina un tremendo pesimismo; que todo lo ve negro; que ha perdido la fe monárquica, pero no en la referida forma de gobierno, que sigue considerando como la única fórmula de paz para España, sino en el Rey a quien cada vez cree más incapaz y superficial. De Canalejas dice ho-

---

[66] Parece probable que muchos párrafos del discurso de las Cortes del 10 de diciembre de 1907 fueran literalmente de su sobrino.

rrores en el sentido de que son desaciertos y verdaderos disparates al frente del gobierno; dice que nadie los ha cometido iguales [...] Me dice que Rafael está muy optimista pero que él no ve las cosas desde el gobierno y no puede pensar así. Se lamenta de la situación de *El Imparcial*, que sólo por respeto a Rafael, y no por otra cosa, aplaude y apoya a Canalejas.

»Y se lamenta Ortega con razón porque dice que, cuando después de haberle estado aplaudiendo una quincena, hay que censurarlo un día, no sólo porque lo merezca sino también para que el aplauso pueda tener autoridad, se pone enfurecido y se disgusta extraordinariamente. Dice Ortega que sufre mucho con no poder hacer la campaña a su gusto, pero le detiene el cariño a Rafael [...] Llegamos a casa de Moret y allí repitió Ortega las impresiones últimas de Alfán [...] Se habló en general de la situación política, no pudiendo hablar con absoluta intimidad por estar Albarado presente; sin embargo, no ocultó su pensamiento Ortega [...] Nos marchamos, o mejor dicho, se marcharon Albarado y Ortega. Yo me quedé y al poco rato llegó Gasset. Le dijimos la actitud de Ortega que lamentó mucho, pero sobre todo lo referente al Rey pues le dolería llegase algo de ello a Palacio. Manifestó que él no era tan pesimista y que creía que todo se arreglaría [...] Al referirle yo las opiniones de Ortega sobre *El Imparcial*, me dijo que era preciso que Ortega en persona se ocupe del periódico».

En la hoja de su *Diario* del domingo 7, Natalio Rivas escribe: «Todo hace presumir que se prepara un avance sobre Tetuán y que en esto anda la mano del Rey. Y debe llevarse esto casi a espaldas de Canalejas porque hoy al buscar yo a Ortega Munilla para que fuésemos a casa de Moret, me contestaron de su casa que estaba citado a las tres en casa del general Luque. Y estas citas, al no ser acostumbradas entre ellos, y al ver la campaña de *El Imparcial*, me hacen sospechar que aquí se lleva la cuestión de nuestra intervención en Marruecos entre el Rey, el Ministro de la Guerra, Ortega Munilla y Alfán. Con eso está sin duda relacionado el último viaje a Ceuta de Ortega [...] Después de almorzar me dediqué a buscar a Ortega para llevarlo a casa de Moret, y fue cuando me dijeron lo de la cita con Luque. Por fin le dieron mis recados y vino en mi busca. Nada me dijo de la entrevista con Luque, ni yo quise preguntarle. Le referí todo lo que consignó en el día de ayer [los discursos en la sesión de clausura del Congreso de Agricultura en el Retiro, donde notó el pendolista la cara de interés que pusieron los palatinos, Conde de Grove y Marqués de Viana, cuando los oradores hablaban de la posible intervención militar] y me dijo que ignoraba todo, porque con lo de ser Ministro Rafael [presidía el gobierno Canalejas] apenas se veían pero estimaba de suma importancia todo ello, sobre todo lo de Viana. Y me dijo con una extraordinaria reserva, asegurándome que a nadie se lo comunicaba más que a mí, que Maura y La Cierva echaban cables y hacían gestiones para suavizar actitudes y limar asperezas con la prensa y elementos liberales y de la extrema izquierda, para allanarse el camino para llegar pronto al poder [...] Me habló de su horrible pesimismo, de lo intolerable de la situación política».

El jueves 11 don Natalio consigna: «A última hora voy al *Imparcial* y Ortega está frenético contra el gobierno y protestando por no poder decir en el periódico lo que piensa: habla de Canalejas hasta con desprecio y dice que por decoro nacional debe irse».

Y el *Diario* del 30 de mayo reitera que «Ortega sostuvo [están en casa de Moret] que Canalejas es un histérico incapacitado para gobernar y que si Rafael no estuviera en el gobierno, él haría una tremenda campaña de oposición».

Esas frases de Ortega Munilla, tan duras con Canalejas y con el Rey, que llegaron a los oídos de su cuñado por el comadreo de Natalio Rivas, harían mella en Gasset, y desde ese momento perdió la confianza que tenía en el abuelo. Es un misterio qué pasó con él en ese verano de 1911. Moret, que pensaba escribirle para comentar la especie que corría por las altas esferas de que *El Imparcial* «hace tiempo que venía decayendo pero este verano ha tocado fondo, abandona la idea *por no saber dónde anda*» [67]. Sin duda estaba algo alejado de las tareas del periódico porque ningún artículo suyo, firmado o no, que se reconociera por su estilo, aparecería en el mismo. Hasta que el 30 de octubre el periódico informaba que Ortega «padecía una grave dolencia que le impedía continuar sus labores periodísticas. Estériles para vencerla los solícitos cuidados familiares, ha tenido que rendirse a las prescripciones médicas que venían hace tiempo aconsejando al ilustre obrero de la inteligencia un reposo absoluto y prolongado, un apartamiento de toda labor» [68]. Ese mismo día don Natalio consigna en su *Diario* lo siguiente: «En la noche veo a Moret y nada hay de particular. Después hablo con Vicentí que me refiere lo ocurrido con el pobre Ortega Munilla, que como es asunto privado no hay por qué traerlo aquí».

ORTEGA MUNILLA DEJA *EL IMPARCIAL*

Las «desavenencias internas» que Vicente Cacho Viu [69] detectó en la relación entre ambos cuñados probablemente convirtieron en pro-

---

[67] Carta de Moret a Natalio Rivas del 21 de agosto de 1911.

[68] *El Imparcial*, 30 de octubre de 1911.

[69] Prólogo al libro ya citado, *José Ortega y Gasset: Cartas de un joven español*.

blema alguna negligencia general de Ortega Munilla que ha quedado para siempre incógnita [70] y provocó la salida del abuelo, para no volver, a aquel *Imparcial* al que tantos triunfos había proporcionado.

Quizá tenía razón el citado Julio Romero en su elogioso artículo, "El periodista español más completo: Ortega Munilla", al decir que «sabido es que los grandes hombres, cuando yerran, se equivocan estrepitosamente. En muchos casos diríase que discurren con mente infantil. Esto le sucedió a Ortega Munilla al patrocinar la constitución de la Sociedad Editorial de España [...] Lo único claro y notorio es que la familia Gasset, propietaria exclusiva de las acciones de *El Imparcial*, fue constantemente contraria a la actuación [a favor de esa sociedad] de uno de sus miembros: Ortega Munilla». Los Gasset —sobre todo los que tenían puestos gerenciales en la Sociedad o en *El Imparcial*— formaron una piña y mantuvieron un distanciamiento de Ortega Munilla y su familia, la cual en bloque, sin entrar en los motivos del posible error del padre, le apoyaron sin fisuras. Ortega Munilla, limpio siempre de alma, cedió todo lo que pudo pero, llevado de su pasión, se trasladó a Francia con su mujer y su hija Rafaela, y después a Vitoria, a un hotelito con jardín sobre la vía del tren en la calle Sur número 5. Triste y dolido, pronto se hizo buenos amigos, entre ellos Heraclio Fournier, el famoso impresor de naipes, y allí en algún verano fueron mis padres con mi hermano Miguel, pequeño aún, a acompañarles. El abuelo dejó descansar su pluma y muy pocas colaboraciones suyas se encuentran en la prensa nacional de entonces, aunque debió de seguir colaborando en el *Diario de la Marina* de La Habana y en *La Nación* de Buenos Aires. En 1914 regresó con toda la familia a Madrid al que iba a ser su último domicilio, el de la calle Claudio Coello 81.

Esos años de relativo silencio debieron de reavivar el rescoldo que guardaba su alma de su vena religiosa juvenil porque en los artículos que aparecieron desde entonces se preocupaba de la muerte y de la otra vida. Pero necesitaba escribir para, sin tener fortuna alguna, mantener a su familia. Fueron el *ABC* de don Torcuato Luca de Tena y *La Vanguardia* del conde de Godó las principales nuevas tribunas donde apareció su firma. La serie que publicó en esta última, desde abril de 1920 a septiembre de 1922, que tituló "Los viejos maestros", hablando de Narciso Serra, Campoamor, Castro y Serrano, Pérez Galdós y otros, es especialmente interesante pues a su sutil definición literaria une recuerdos de su relación

---

[70] Muñoz Seca hizo una versión teatral de la ruptura de los dos cuñados, atribuyendo a mi abuelo el cobro de una comisión ilegal en unas obras públicas. Utilizó nombres ficticios, naturalmente, y cuando ambos personajes aludidos habían fallecido ya, porque se estrenó en el teatro Lara de Madrid el 3 de diciembre de 1925. Un rasgo de mal gusto del ingenioso autor cómico, que no duró mucho en cartel.

personal con muchos de ellos. Sus artículos de *ABC* fueron de tema más diverso: la serie última la tituló "Chispas del yunque" y fue recogida en libro a su muerte por don Torcuato en edición generosa cuyos beneficios íntegros iban destinados a su viuda, doña Dolores Gasset.

Procuró en esos años dar el último toque a muchas novelas y novelillas que tenía pergeñadas o a medio escribir y que se animó a publicar, en parte por necesidades económicas. Así apareció *Frateretto, Cuento de oro y amores* en 1914 —aunque debió de escribirla en Vitoria porque está fechada en 1912—. Frateretto es la encarnación del mal, un pariente del diablo que trastorna a Gil Berdún, un pobre estudiante de medicina. Ese mismo año aparece *El paño pardo,* la novela más larga del autor, que es la historia de un fallo de la justicia. En 1917 lanza *Estracilla,* de la que ya hemos hablado antes y de la que luego haría una versión teatral. Fue escrita también en su retiro de Vitoria y se apoya en sus recuerdos de infancia en el Madrid revolucionario, contra Isabel II, de 1866. La adaptación teatral, en tres actos y un prólogo, se estrenó en el teatro Princesa (hoy María Guerrero) el 1 de febrero de 1918 por la compañía de María Guerrero y Fernando Díaz de Mendoza. Los aplausos sonaron repetidamente aquella noche, e imagino que eso le compensaría al abuelo de tantos injustos olvidos, aunque sólo duró 15 días en cartel.

Ortega Munilla se dedicó asimismo en esa época a la novela corta en las diferentes colecciones de pliegos de cordel que estaban de moda entonces. Podemos citar *Calandria, La princesa de Éboli, La niña de México, Giordano o el cuento de los cinco perros.* Pero su mejor labor en esos años finales está en sus libros infantiles, como *Los tres sorianitos* (1921), *La voz de los niños* y *La pájara pinta* (1922). El primero de ellos está dedicado a su nieto mayor, mi hermano Miguel Germán.

## VIAJE A LA ARGENTINA

Su viaje a la Argentina en 1916 fue el último trago agradable de su vida. Ya lo hemos mencionado hablando de lo viajero que fue siempre Ortega Munilla, pero ahora vamos a verlo con más detalle y comentado por él mismo citando las crónicas que enviaba al *Diario de la Marina* de La Habana, uno de los mejores periódicos de entonces en lengua castellana. Esas crónicas fueron recogidas en un tomo de viajes que tituló *De Madrid al Chaco.*

«Hace algún tiempo —nos dice— que algunos ilustres españoles residentes en la República Argentina me invitaron con vivas instancias a que fuera a visitarlos. Sabían ellos que para mí este viaje era el cumplimiento de un anhelo añejo [...] que yo temía que quedase entre los proyectos amados que el hombre lleva a la tumba [...]. Conmigo ha venido mi hijo segundo, José Ortega y Gasset, el catedrático de Metafísica de la Universidad Central, que es quien ha dado ocasión al viaje. Porque él ha sido invitado por el Centro de Cultura Española de Buenos Aires, que preside el insigne compatriota señor Avelino Gutiérrez, para dar en la Universidad del Plata un curso de Filosofía, honor que colma mis ansias paternales y me llena de orgullo noble. Al ir el joven maestro ha querido que su viejo padre le acompañara, y he aquí el origen de esta excursión en la que me propongo principalmente estudiar las colonias hispanas de la Argentina [...]

»Salimos de Cádiz con un tiempo admirable [...] el rápido andar del *Reina Victoria Eugenia* convirtió pronto en pálida neblina la gallardísima perspectiva de la urbe gaditana [...] Alguien nos llamó con un amistoso golpe en el hombro: era Fernando Díaz de Mendoza, el notable actor, que con su ilustre esposa, María Guerrero, y brillante compañía, iba a la Argentina donde ha sido contratado en pingües condiciones [...] Con ellos va a Buenos Aires el celebrado poeta y dramaturgo Eduardo Marquina, cuyas obras van a estrenarse en el Plata y que empleará los días de prisión en el barco escribiendo otro drama, éste en prosa».

El viejo periodista no se contenta con esos ilustres compañeros de viaje, sino que recorriendo los puentes de clases más modestas que la suya, se interesó por tres muchachos pobremente vestidos, que eran emigrantes que iban a Buenos Aires para ganarse la vida:

«Tan niños como sois (el mayor tendría 12 años) —les preguntó el abuelo— ¿no os da miedo meteros en un barco y afrontar los riesgos de un viaje por mar? [...] Miedo no tenemos —le contestaron—; pena sí, porque vamos a irnos muy lejos de nuestras madres [...] Los tres somos de la provincia de Soria. Yo soy de Cobaleda, éste de Vinuesa y éste otro de Valdeavellano de Tera. Vamos a Buenos Aires, donde hay gentes de nuestra tierra que nos ayudarán a buscar trabajo».

Su larga conversación con los tres sorianitos le inspiró un libro de ese título que publicaría dos años después. Porque «desde aquel momento iba todos los días a buscar a los sorianitos entre el enjambre de emigrantes de tercera clase para conversar con ellos y conocer sus planes. Era como un baño de energía que me daba para vigorizar mis caducas ilusiones de anciano. No saben los mancebitos del valle de Vinuesa y Valdeavellano el bien que me estaban haciendo».

El trasatlántico se detiene en Santa Cruz de Tenerife y sigue viaje en la soledad del mar. Al cabo de seis días se cruzan con el Infanta Isabel, el vapor gemelo de la Compañía Trasatlántica que viene de Buenos Aires hacia Cádiz. «Estamos camino del Ecuador pero aún nos quedan doce o trece días hasta el Plata [...] En un rincón de la cubierta, a la sombra que proyecta un bote, están dos muchachitas de la compañía dramática de María Guerrero; son dos lindas figuritas finas y esbeltas, rubia la una y morena la otra, hallándose absorbidas en la lectura de unos cuadernos. De cuando en cuando levantan de ellos los ojos, miran al cielo y repiten lo que han leído. Es que estudian los papeles de una obra que va a estrenarse en la capital argentina».

«Otra novedad —cuenta el abuelo—: ha aparecido el primer número del periódico de a bordo. Se trata de la *Revista del Atlántico* y tiene bellos grabados impresos en Barcelona y los últimos despachos de la guerra transmitidos por la Agencia Marconi-Veryli [...] Si hubiera modo de que los pasajeros redactaran un diario o una revista semanal, pronto sería necesario suprimir a bordo la libertad de imprenta. Estallarían, en artículos sueltos, las antipatías que ya se han declarado entre unos y otros [...] Y eso que por mutua convención se ha suprimido en los coloquios el tema de la guerra [...] Cruzamos el Ecuador y esta vez sólo se ha conocido el acontecimiento porque la comida de las siete ha sido un suculento banquete que haría honor a un gran *restaurant* parisiense [...] La orquesta ha ejecutado aires nacionales americanos. Han sonado aplausos y el baile ha concluido por animar el salón de proa. Las gentiles muchachitas de la compañía Guerrero-Mendoza han lucido la gracia de sus personas al compás de tangos y valses [...] Por la noche los rayos de la luna reflejándose en las gotas del agua de la lluvia que caía han dibujado sobre el confín del horizonte un medio punto plateado de infinitas proporciones. Todos los pasajeros han abandonado sus tertulias para salir a cubierta y contemplar el asombroso fenómeno».

«Sí, hemos suprimido una estación. Estamos a 21 de julio y poco a poco hemos cambiado de indumentaria porque esta mañana al levantarnos nos dio en el rostro el soplo glacial del Sur [...] el vapor navega entre sombras por la bruma que nos rodea tocando la campana de precaución [...] y surge la idea de vencer el miedo celebrando una fiesta en el salón de nuestro hermoso trasatlántico [...] Fernando Díaz de Mendoza dijo un fragmento de una comedia clásica [...] Fernandito, el hijo de los grandes artistas, que hoy surge como esperanza brillante, recitó poesías de Campoamor, Bécquer y Rivas [...] y por si algo faltaba Eduardo Marquina declamó varias de sus composiciones poéticas».

El 23 de julio están ya en Buenos Aires. Antes han tocado en Montevideo, donde han descubierto el Mar del Plata, un río sin orillas cuando do se está en su eje fluvial. Allí han recibido a mi abuelo con gran entusiasmo sus colegas de la prensa uruguaya, porque todavía su hijo José es poco conocido y cuando hablan de Ortega se refieren a Ortega Munilla. Se ha incorporado a bordo don Avelino Gutiérrez, el santanderino ilustre, gran cirujano, a quien se debe toda esta expedición. Acompaña a los viajeros hasta su sede de Buenos Aires. Allí pronunciaría mi abuelo discursos y conferencias y de allí saldría a recorrer la tierra argentina, visitando las diversas asociaciones españolas hasta llegar al Gran Chaco.

Este primer viaje a la Argentina de 1916 —ya lo comentaremos— sería para mi padre un triple descubrimiento de la Argentina, de un pueblo joven y, descubrimiento por su padre, Ortega Munilla —que es el que ahora me importa— del gran pensador y orador que iba a ser su hijo José. Su hermano Manolo lo ha contado en su libro *Niñez y mocedad en Ortega:* «Nuestro padre veía en la escritura de Pepe un estilo alambicado sirviendo motivos remotos y abstrusos [...] pero Ortega Munilla no había oído hablar a su hijo ni una sola vez. Y en cuanto le oyó hablar en un recinto ilustre de la capital argentina, en 1916, quedó de tal suerte fascinado por aquel habla mágica que le ocasionó una efectiva conmoción moral».

## LA MUERTE LE RONDABA

La muerte le rondaba. En 1921, regresando a Madrid desde Toledo, adonde había ido buscando datos para una labor periodística, el tren en que iba chocó a la altura de Villaverde con el expreso de Andalucía. «Una hora antes de que el viaje concluyese me trasladé a un vagón de segunda clase, inmediato al de primera donde yo venía [...]; si yo hubiera seguido en mi asiento de primera clase me hallaría ahora en la tumba o en la enfermería, postrado largamente en la zozobra de la salud. Y aún disminuyó la probabilidad de la desgracia para mí el que momentos antes de llegar a Villaverde salí a la plataforma posterior del vagón y allí me encontraba cuando sobrevino el horrendo topetazo», escribió el abuelo en un artículo que titulaba "Un segundo ante la muerte". Pero era también consciente de que le iban precediendo en la muerte sus más íntimos amigos. «Porque ya es el miedo lo que me agita», escribía en otro artículo aparecido en *ABC* el 21 de diciembre de 1921. «No es el miedo a morir... sino el miedo a durar demasiado».

La última "chispa del yunque" sobre *El triunfo de Turquía* lleva fecha 16 de septiembre de 1922: cuatro días después tuvo un ataque que le impidió ya escribir y tres meses después moría en Madrid, como ya sabemos.

¡Infatigable trabajador, hasta el último momento!

## ALUCINACIÓN

Esto es un apéndice extraño pero que me resulta necesario contar al lector.

En marzo de 1936 estaba yo en Bayona esperando tomar el tren para regresar a mi país. Había ido con parte de mi familia a pasar unos días en la casa que tenía la inolvidable María de Maeztu en Anglet, cerca de Biarritz. Estaba sentado en la terraza del hotel Bordeaux, en la plaza que hay delante de la estación, algo elevada. Miraba hacia el río Adour cuando vi avanzar en mi dirección, viniendo del muelle Lesseps, a un viejo que caminaba lentamente con las manos cruzadas a la espalda. Se detuvo en la acera enfrente de la que yo estaba, porque el tránsito de vehículos era tupido en ese momento, y me miró. Yo le miré también: ¡era mi abuelo! Su misma barba, su misma pipa y su mismo gesto al cogerla y echar el humo. Me levanté de un salto y nos reconocimos. Me sonrió dulcemente un largo rato —¿sería medio minuto?— y al despejarse la calzada cruzó tranquilamente a cinco pasos de donde yo estaba, inmóvil de asombro, y fue hacia la contigua plaza de la República. Reaccioné, fui en pos suya, pero un camión se cruzó en mi camino y cuando quise seguir, había desaparecido.

Mi queridísimo abuelo José había muerto en Madrid una noche de diciembre hacía 14 años. Aquel anciano transeúnte me pareció mi abuelo que había regresado. Y como le había querido tanto me sentí acongojado por el tremendo misterio de la vida y la muerte, y por no haber podido apretarme contra sus pantorrillas como hacía de pequeño. Y recordé aquel poema de Tagore que él me recitaba... *¡Qué ganas tengo de ir a la otra orilla del río!*

# CAPÍTULO IV

# JOSÉ ORTEGA Y GASSET
# (1883-1955)

## INFANCIA Y MOCEDAD

El lector que haya recorrido las páginas anteriores sobre José Ortega Munilla tiene ya alguna noticia de la niñez y mocedad de su hijo, José Ortega y Gasset. Pero para el buen orden del discurso, y para los lectores que se hayan saltado la vida de mi abuelo, creo conveniente partir de nuevo desde la venida de mi padre al mundo.

La biografía —pienso— no es un boceto ni una disección sino un afán de interpretación y de comprensión de la vida de un hombre o de una mujer que hayan dejado alguna huella en la historia —en la historia grande o en la pequeña historia— o que hayan sido originales en la invención de sí mismos para despertar nuestro interés. Se trata en definitiva de saber quién fue el personaje, cuál fue su auténtica vocación, aunque en individuos concretos no pudiera aflorar a la superficie visible. «Toda vida —decía mi padre hablando de Goethe— es más o menos una ruina entre cuyos escombros tenemos que descubrir lo que aquella persona tenía que haber sido» [1]. Cuando ese deber coincide con lo que se ha sido, tenemos una plenitud humana cualquiera que fueran sus resultados externos. Ése fue, a mi entender, el caso de mi padre.

Es indudable que las experiencias de la infancia marcan el tono de la vida entera de cada persona y son el germen de lo que, de verdad, le va a importar en su vida, como el árbol frondoso duerme en la semilla. Mi padre fue poco amigo de los recuerdos. «No sé bien por qué —ha escrito— pero siempre que alguien de mi tiempo se complacía en recordar las cosas de la juventud o de la niñez, yo no experimentaba goce alguno en esa inmersión y descenso a aguas pretéri-

---

[1] "Pidiendo un Goethe desde dentro": *Obras completas,* tomo IV, pág. 401.

tas [...] Me importa sólo el futuro [...] y el recuerdo es la carrerilla que el hombre toma para dar un brinco sobre el futuro [...] Ya llegará —añadía— la hora de las Memorias, la torsión de la cabeza hacia atrás» [2]. Pero esa hora no le llegó nunca, quizá porque la muerte le alcanzó lleno aún de proyectos intelectuales. Coincidió así con la observación de Albert Camus de que «las obras de un hombre retoman a menudo la historia de sus nostalgias y tentaciones, pero nunca su propia historia».

Debemos, por tanto, reconstruir su infancia y juventud con los mínimos recuerdos que se le escapan en algún escrito suyo o en su escasa correspondencia, con mis recuerdos de algunas cosas que le oí y, sobre todo, con lo que nos cuentan sus familiares, en particular sus hermanos, Eduardo, el mayor, y Manolo, el pequeño.

José Ortega y Gasset, a quien de aquí en adelante, aparte de padre, llamaré Ortega, nombre por el que se le ha conocido habitualmente en el mundo intelectual y social, fue el hijo segundo del matrimonio de José Ortega Munilla con Dolores Gasset y Chinchilla. Vino al mundo el 9 de mayo de 1883 en el piso tercero de Alfonso XII número 4, edificio propiedad del suegro, mi bisabuelo Eduardo Gasset y Artime. Dos grandes leones de mármol que recordaba con ilusión el primogénito, Eduardo [3], daban guardia dentro del portal añadiendo cierta prestancia al lugar. El alcalde Tierno Galván tuvo la gentileza de poner en la fachada una placa conmemorativa el día del centenario, en 1983, con el perfil en relieve de mi padre.

La bisabuela Munilla había nacido en Plasencia, y aunque procedía de la comarca de Cameros, donde se sitúa el pueblo de su apellido, llevaban los Munilla en tierra extremeña muchas generaciones. Nuestros parientes, los Rosado Munilla, tenían una botica en Plasencia que les venía perteneciendo desde el siglo XVI, embellecida por una hermosa colección de frascos de loza de vivos colores de tiempos de Carlos V. El farmacéutico era Joaquín Rosado, primo de mi abuelo, al que venía a ver a Madrid frecuentemente. Siempre recordaré su simpatía y su voz fragorosa cuando nos veía en casa de los abuelos.

La otra bisabuela, Rafaela Chinchilla y Díaz de Oñate procedía, por sus respectivos apellidos, de Marbella y de Algeciras. Y como el bisabuelo Gasset había nacido en Pontevedra, viniendo su padre, como hemos visto, de regiones levantinas, podemos decir que en Ortega había

---

[2] "Prólogo a una edición de sus obras", *Obras completas,* tomo VI, pág. 342.

[3] Eduardo Ortega y Gasset: "Mi hermano José", ya citado.

una mezcla de sangres de casi todas las regiones españolas y no sólo de Andalucía y Galicia.

«Nuestra madre — escribió su hijo Eduardo—, Dolores Gasset, tenía un rostro de suave hermosura con ojos grandes muy serenos, que se parecían extraordinariamente a los de mi hermano José. Siempre he vivido suspenso de esos ojos maternos».

Pero no pararían mucho en Alfonso XII, porque doña Dolores buscaba una casa más amplia y más independiente del resto de la familia. Por fin la encontró en 1885 en Santa Teresa 8. «Era un apartamento —cuenta Eduardo— bastante más amplio que el del Retiro. A la entrada tenía un pasillo y enfrente la primera puerta comunicaba con el que fue despacho de mi padre; al lado, una sala con balcones a la calle». La casa se conserva aún sin grandes modificaciones, aunque ha cambiado de número y ahora es el 6. «Y allí —sigue recordando Eduardo— tuvo mi hermano la sensación por vez primera de la muerte al ver morir a un carpintero vecino», al que los dos hermanos apreciaban mucho. «¿Qué es eso de morir?, le preguntó a nuestra madre. Tenía 6 años y trataba de inquirir el fatal misterio».

Veraneaban en pueblos cercanos a Madrid, siempre que tuviesen buena agua, por su baratura y por estar el padre a mano ante cualquier contingencia del periódico. Eduardo recuerda el veraneo en Pinto, villa agrícola en el camino de Aranjuez, por donde pasaba el ferrocarril. Era en 1886, porque «Pepe tendría tres años. Su fisonomía era muy aguda, gran cabeza aunque no desproporcionada, nariz respingona y el rostro animado de una gran luz que procedía de sus ojos negros. Marchábamos juntos con nuestros delantalitos de hilo crudo. A hurto de nuestra madre hacíamos excursiones peligrosas hacia la próxima vía férrea por la cual, de tiempo en tiempo, pasaba, con estrepitoso traqueteo férreo, el tren. Parecía que la locomotora atropellaba la llanura sin límites y, para nuestra imaginación, era un hórrido monstruo. Nos acercábamos a la vía con temor, mirando a un lado y otro. Llamaba nuestra atención el pulimento que el paso de las ruedas producía en los rieles y colocábamos sobre ellos alfileres, bolitas de plomo y cuanto creíamos a propósito para que, al paso de los vagones, se laminase creando inesperados objetos. De un alfiler obteníamos una lanceta perfecta».

## APARECE EL ESCORIAL

El lugar de veraneo que se convertiría en habitual fue desde el año 1887 —mi padre tenía cuatro años— San Lorenzo de El Escorial. Primero arrendó el abuelo una casa al final del parque de los Terreros, un gran rectángulo lleno de árboles que fue paseo real, donde los chicos

podían correr a su antojo llegando por el otro extremo a la finca To-
rrealta, propiedad de una tía Gasset. «Nos gustaba —cuenta Eduardo—
perdernos por sus calles de hermosos árboles, con soledad y recogimiento de Paraíso, oyendo el canto de ruiseñores, mirlos y el vuelo áu-
reo de las oropéndolas».

También verían estas bellas y tímidas aves de panza dorada y alas
negras en la Herrería, la dehesa de los monjes contigua al monasterio.
Ortega las recordó en un capítulo de sus *Meditaciones del Quijote* al oír-
las dar «un denso grito en su garganta, tan musical que parece una es-
quirla arrancada al canto del ruiseñor, un son breve y súbito que llena
un instante el volumen perceptible del bosque» [4].

Pero pronto se instalarían en una de las casas de oficios que, con la
misma arquitectura del monasterio, bordean la lonja de piedra que
le rodea, por la que pagaban al Real Patrimonio de la Corona la módi-
ca cantidad de 40 pesetas mensuales. En el piso superior, que daba a la
calle de Floridablanca, tuvieron lugar muchas vicisitudes, no sólo veraniegas, de la vida de las sucesivas familias Ortega hasta que en el periodo franquista se destinaron a residencias militares.

«En aquel verano escurialense aprendimos a leer y escribir los dos
hermanos. Por las mañanas —sigue contando Eduardo— venía el maestro, don Manuel Martínez, hombre de poca talla, ojos y cabellos negros,
éstos entreverados de canas, con un gran bigote castelarino y nariz res-
pingada. Era el modelo de maestro antiguo [...] y poseía bien asentados
los elementales conocimientos y sabía enseñarlos. Oprimía la pluma
con la precisión que un maestro de esgrima la espada. Nos suministra-
ba unos palilleros provistos de huellas metálicas para colocar correcta-
mente los tres dedos. Su caligrafía española era muy bella. Nos dirigía
afectuosamente, no sin cierta autoridad». A este santo varón se debe el
primer descubrimiento de la inteligencia de aquel niño. Su hermano
Eduardo recuerda que «a mediodía, cuando terminada la clase iba hacia la escalera, oí que una voz le decía a mi padre: "Pepito es el niño
más inteligente que he tenido, y con enorme diferencia, en toda mi
vida de maestro. A veces me da la impresión de que por sí solo sabe ya
las cosas que voy a enseñarle. Le felicito, don José, aunque de tal palo
tal astilla"».

Aquel verano la pequeña Rafaela se cayó en un barreño de agua
hirviendo con potasa y sufrió muy graves quemaduras que la tuvieron
entre la vida y la muerte. «A Pepe y a mí nos estremecía oír sus lamen-
taciones pero mi hermano se reconcentraba con un penetrante gesto
de dolor y no lloraba. El médico, el doctor Leyrado, era un personaje

---

[4] *Obras completas,* tomo I, pág. 334.

134

galdosiano, enormemente grueso, que sólo sabía lamentarse diciendo, viniera a cuento o no: "Señor, Señor, aplaca tu furor"; y hasta se equivocó de dosis de láudano en una receta que agravó aún más a la pequeña». Pero el tío Joaquín Rosado, el boticario de Plasencia, suministró un bálsamo alemán que la curó en pocos días.

«Nuestro padre —sigue hablando su hijo mayor— por su espíritu, sus tendencias ampliamente liberales y su talento fue esencial en la formación de mi hermano». Como ya señalamos en su semblanza, la cultura y la biblioteca de Ortega Munilla fueron fuente de estímulo y entusiasmos intelectuales para su hijo Pepe. Y aunque cuando fue acercándose a la adolescencia y, aún más, cuando publicó sus primeros escritos hubo cierta incomprensión del hijo por el padre, la estimación de aquél por éste fue permanente y sentida. Ortega Munilla le incitó a leer a los grandes autores franceses, entre ellos Balzac, no sin consecuencias negativas alguna vez.

Eduardo recuerda que en El Escorial, Pepe —tendría 11 o 12 años— padeció una crisis tan profunda que le enfermó. «Se sintió arrastrado por las pasiones y experiencia vital de los personajes de *La Comédie Humaine*». Las leyó con tal concentración que un mundo de realidades le nació en torno. El médico de El Escorial diagnosticó que padecía fiebres nerviosas. El enfermo le dijo a su hermano: «He adquirido una experiencia como si hubiera vivido no una sino varias vidas. Soy un viejo cargado de experiencia. Y no sólo por lo leído. Se han levantado en mí ideas a bandadas y no sé qué hacer para retenerlas. Temo que se me escapen, que se me olviden, aunque estoy seguro de que volverán». Guardaba cama varios días y la madre, inquieta, avisó al doctor Tolosa Latour —el médico de moda entonces, asiduo comensal de la casa madrileña de los Ortega—, que vino desde Madrid. Le recetó un calmante ligero que, al provocarle un profundo sueño, le curó. «Pero —recuerda Eduardo— el doctor no le prohibió leer sino, al contrario, le aconsejó: "En cuanto te despiertes, continúa leyendo a Balzac. Cuando veas el fin de Rastignac acabarás de curarte. Tu enfermedad es de tener espíritu"».

Esos años infantiles en El Escorial, y el grato ambiente que, sobre todo entonces, tenía el domicilio familiar, fueron para los hijos, y entre ellos para mi padre, momentos de felicidad y expansión. Mi padre se asombraba de lo tranquilos que éramos sus hijos y en general la juventud de nuestro tiempo porque él recordaba que las relaciones entre los dos hermanos mayores o con los chicos de la calle eran más violentas: mi padre un día le tiró una butaca a Eduardo que pudo descalabrarle. Supongo que el tío Eduardo, mayor y más fuerte, no se quedaría impávido.

La salud de la madre se resentía; padecía frecuentemente desfallecimientos y taquicardias temibles. Como ya hemos contado, fue el doctor Charcot al ir el matrimonio a París para ver la Exposición Universal y la famosa Torre Eiffel quien le diagnosticó agotamiento por sobreparto. «Tenía más razón que un santo —comentó en su libro el hijo menor— el famoso psiquiatra, porque los cuatro hermanos Ortega vinimos al mundo entre el 11 de abril de 1882 (Eduardo) y el 9 de septiembre de 1885 (Manolo)». Eso les decidió a pasar los inviernos en Córdoba, de clima sano y repleto de historia, que tanto gustaba al jefe de la familia. «Asistíamos al colegio que dirigía un gran amigo de nuestro padre —cuenta Eduardo—: don José del Río y Labandera. El maestro que nos daba la clase se llamaba Córdova, como la ciudad pero con otra ortografía, y nos daba la clase salpimentada de palmetazos [todavía la palmeta era un instrumento pedagógico]». A ese colegio asistía también el joven Fernando de los Ríos, aunque les llevaba dos o tres años de edad, de cuya relación nacería una amistad entre él y mi padre que, con sus «guadianas», duró hasta la guerra civil.

Allí hicieron sus padres construir un chalet —calle de Moriles 5, luego avenida de Cervantes—, cerca del campo de la Victoria que, cuando vinieron peores tiempos económicos, pasó a propiedad de Cruz Conde, un famoso bodeguero, y de éste, años más tarde, a Manolete. No sé quién es su actual propietario, aunque conserva los costosos añadidos que le puso Cruz Conde, pero la presión urbanística lo transformará sin remedio en un edificio de oficinas o apartamentos, aunque bien pudiera convertirse en museo taurino en recuerdo de Manolete.

### HE SIDO EMPERADOR EN UNA GOTA DE LUZ

Desde hacía tiempo andaban los abuelos buscando un colegio para sus hijos varones. Doña Dolores había visitado en Chamartín de la Rosa el colegio de los jesuitas y no le gustaron nada las camarillas, en las que detectó una falta de higiene. Pero en Córdoba, y siendo ya urgente decidir el destino escolar de los jóvenes Ortega y Gasset, por consejo de un amigo, ingeniero militar, descubrieron el colegio que tenían los jesuitas en Miraflores de El Palo, en los alrededores de Málaga, bajo la advocación de san Estanislao de Kostka. La visita que hicieron los abuelos a aquellos holgadísimos y luminosos edificios les convenció, y los dos mayores ingresaron allí en el mes de septiembre de 1891. Tenían, pues, respectivamente nueve y ocho años de edad.

«Hay un lugar que el Mediterráneo halaga —escribió mi padre en uno de sus primeros artículos, comentando el libro de Ramón Pérez de Ayala, *A.M.D.G.*—, donde la tierra pierde su valor elemental, donde el agua marina desciende al mester de esclava, y convierte su líquida amplitud en un espejo reverberante, que refleja lo único que allí es real:

la luz. Saliendo de Málaga, siguiendo la línea ondulante de la costa se entra en el imperio de la luz. Lector: yo he sido durante seis años, emperador dentro de una gota de luz, en un imperio más azul y esplendoroso que la tierra de los mandarines. Desde aquel tiempo, claro está, mi vida significa una fatal decadencia y mis afanes democráticos acaso no sean otra cosa que una manera de despecho.

»Al leer el libro de Ayala, esa niñez perdida ha venido correteando hasta mí con peligrosa celeridad, y ahora no sé distinguir entre lo que las páginas de esta novela dicen y lo que me recuerdan. Sólo hallo una divergencia: Ayala envuelve las escenas de su muchachez en un paisaje del Norte, que conviene muy bien a la melancolía y al dolor de la vida que describe, al paso que la armadura de una infancia sometida a la pedagogía jesuítica me llega a mí bajo los recamos de un mediodía magnífico.

»Mas yo pongo la mano a modo de visera para resguardarme las pupilas de esa refulgencia excesiva en que flotó mi infancia, y entonces descubro la misma niñez triste y sedienta que formó el corazón tembloroso de *Bertuco,* el pequeño héroe de Ayala» [5].

Se conserva, naturalmente, el expediente escolar del joven Ortega repleto de matrículas y, a juicio de su hermano pequeño, que también ingresaría más tarde en el colegio de El Palo, «estuvieron mis hermanos sometidos a una disciplina saludable. Ambos descollaron entre aquellos chicarrones andaluces de habla cerrada. Y ocuparon los puestos imperiales, es decir, que se sentaban en un pupitre aislado, a la izquierda del catedrático dominando de frente al resto del alumnado». En los jesuitas las clases eran dadas por unos novicios que —sigue hablando el pequeño— «no tenían otro bagaje que el libro de texto vigente. Y no había que pensar que de aquellos santos jóvenes viniera a nuestra mente alguna idea original o comprensiva de los temas que íbamos cursando». Algún curso lo daban los mismos padres jesuitas, y uno de ellos, el padre Gonzalo Coloma, hermano del autor de *Pequeñeces* (una novela sobre la niñez de don Juan de Austria que tuvo un gran éxito), descubrió la calidad excepcional de aquel muchacho madrileño. Y seguramente tuvo sobre él una gran influencia haciéndole descubrir muchos valores de las humanidades y siendo su primer profesor de griego. Sus sermones eran especialmente vivaces y de buena oratoria, cosa que le haría descubrir a mi padre el lado vivo de la palabra. Ortega Munilla se sorprendió un día al recibir una carta de su hijo José escrita en latín.

Pero la conclusión que sacó Ortega la expresó después crudamente en el citado artículo sobre *A.M.D.G.,* que termina con estos párrafos:

---

[5] *El Imparcial,* diciembre de 1910 *(Obras completas,* tomo I, pág. 532).

«Al final de la novela pregunta el médico Trelles al padre Atienza que, aprovechando la salida de *Bertuco,* abandona la Orden:

»—¿Cree usted que se debiera suprimir la Compañía de Jesús? —y el padre Atienza responde:

»—¡De raíz!

»Bueno, yo no soy partidario de que se suprima a nadie ni que se expulse a nadie de la gran familia española, tan menesterosa de todos los brazos para subvenir a su economía. No obstante, la supresión de los colegios jesuíticos sería deseable, por una razón meramente administrativa: la incapacidad intelectual de los RR. PP.» [6].

Pero hubiera debido recordar la excepción del padre Coloma. Eduardo confirma sus virtudes: «Tuvimos allí un maestro excelente por su talento y su cultura, el Padre Coloma [...] Nos distinguió a ambos y nos daba clases especiales suministrándonos otros libros, no permitidos a los demás alumnos. Estaba encargado también de la clase de Historia Universal y acudíamos a ella como a una fiesta. Era tan elegante la amenidad, tan vasta la cultura del Padre Coloma que se le escuchaba en completo silencio [...] Hablaba Coloma sencillamente, con su voz de doble inflexión, y como si contase un cuento, hacía que se paseasen por el aula Alejandro, o César. Un día experimentamos el disgusto de que compareciese en su lugar otro profesor, el Padre Barba. En cambio, al Padre Coloma le encargaron de la clase de Álgebra, disciplina que tuvo que estudiar. No era bueno para los rectores de aquella sociedad jesuítica que los alumnos aprendieran con placer ni tampoco que el profesor experimentara el halago del orador [...]

»Al oír las primeras palabras del Padre Barba, que era un clérigo pequeñito y agrio, la clase comprendió que ni su ciencia histórica ni su arte magistral podían compararse con los del Padre Coloma [...] Mi hermano y yo concertamos someter a prueba la sabiduría histórica del nuevo maestro. Como disponíamos de libros que no tenían los demás, entre ellos un Diccionario griego, elegimos una pregunta, cándida por lo elemental pero que entonces nos pareció difícil. ¿Quién ignora lo que es el Partenón? En el momento de las consultas, levanté la mano y formulé la pregunta:

»—Padre, ¿qué es el Partenón?

»El Padre Barba quedó un poco perplejo como buscando en el vacío desván de su memoria. Mas no podía confesar que lo ignoraba. Triunfaría con audacia sobre la que él suponía ignorancia de sus discípulos, y contestó:

»—Es un navío que tenían los griegos...

---

[6] *Obras completas,* tomo I, pág. 535.

»Unos meses después —concluye Eduardo— el Padre Barba fue expulsado de la Compañía, mas no fue por su ignorancia, que solía estimarse como beata virtud, sino por otras razones».

«Esa enseñanza que no enseña y esa educación que no educa» —como, según Eduardo, le comentó José al terminar ambos el bachillerato en 1897— podía haber aniquilado la libertad de pensamiento de aquellos dos jóvenes. «Mas —añade Eduardo— era demasiado lúcido y eficiente el espíritu de nuestro padre, para que con nosotros ocurriera lo mismo. Los tres meses de verano nos abrían las ventanas del espíritu. Por eso, en el colegio, nos trataban de liberales y revolucionarios. Yo, que era el lector desde el púlpito del Refectorio, tenía que leer a mis compañeros las puyas y diatribas periodísticas que un periodiquito de sacristía, *La lectura dominical,* dirigía, en una sección titulada "Fuego graneado" contra *El Imparcial* y contra mi familia» [7].

## LA ESCUELA DE LA TERTULIA

Pero la gran escuela donde se formó mi padre fue el comedor de la calle de Goya 6, adonde se había trasladado la familia en 1893 desde la calle de Santa Teresa y donde vivió de soltero durante veinte años para dejarla al casarse. El abuelo, ya lo hemos referido con detalle, trabajaba en el periódico hasta la madrugada y, por tanto, dormía toda la mañana. Sus hijos no le veían en el almuerzo pero por la noche presidía la cena, después de las nueve de la noche y con unos platos muy fuertes, sin faltar el cocido madrileño.

«Entre la familia e invitados —recuerda Eduardo—, que a veces eran espontáneos, se reunían una docena o más de comensales. Acudían también amigos o parientes que se sentaban detrás. Era una cena parlante en la que se hacía crítica de políticos, escritores y artistas bastante severa y humorística. En ella interveníamos todos y a los niños se nos daba beligerancia. El espíritu liberal y escéptico de mi padre se desenvolvía con gran ingenio mostrando vastos conocimientos y lecturas. Seguíamos su vibrante caminar por los campos de la literatura o del arte. La política ocupaba mucha parte también de las controversias [...] Allí mi hermano José practicó la ingeniosa y difícil esgrima de la palabra [...] y logró el dominio de sí mismo casi en la pubertad».

---

[7] Obra cit., pág. 199.

## LA CAZA Y LOS TOROS

Pero también las vacaciones, en Madrid o en El Escorial, le permitían recorrer los montes serranos, en la finca El Chaparral del tío Rafael Gasset, o en La Granjilla de los Borrell y el coto de Fuentevieja de un popular personaje llamado Pablera, o en El Milanillo de Ranero. Mi padre acompañaba al tío Enrique Gasset, un hermano del fundador de *El Imparcial,* en sus cacerías a pelo y pluma y de esas excursiones guardó mi padre los recuerdos cinegéticos que exhibiría después en su *Prólogo a un libro de caza,* el del conde de Yebes.

En esas páginas distinguiría los quehaceres del hombre, el trabajo, de sus ocupaciones felicitarias: «Felicidad es la vida dedicada a ocupaciones para las cuales cada hombre tiene singular vocación. Metido en ellas, no echa de menos nada, íntegro le llena el presente, libre de afán y nostalgia [...] por eso deseamos que no concluyan nunca. Quisiéramos perennizarlas, eternizarlas. Y en verdad que absortos en una ocupación feliz, sentimos un regusto, como estelar, de eternidad» [8].

Pero si se dejan aparte las vocaciones excepcionales, el programa de la vida feliz no ha variado mucho a lo largo de la historia y ha andado siempre en torno a estas cuatro categorías: caza, danza, carrera y tertulia.

Muy probablemente sus paseos por aquellas fincas serranas le llevarían después a afirmar en ese famoso prólogo, escrito diez años antes de su muerte, «que sólo cazando logra el hombre *estar* en el campo, quiero decir *dentro* de un campo que, además, lo sea auténticamente. Y sólo es de verdad campo el campo de caza. Las otras formas de él no son ya puro campo; ni el campo de labranza, ni el campo de batalla, ni el campo del turista».

Mi amigo Alfonso de Urquijo, que fue también un notable cazador, como el conde de Yebes, y autor de excelentes libros sobre la vida en Sierra Morena —inmenso roquedo con la mancha morena de las jaras, hibiestas y tomillos—, me precisaba un día en que me hizo visitar su finca de Nava el Sach, uno de los cotos de caza mayor más famosos de la región, cómo el cazador ve sólo lo que mira, y de los elementos del paisaje sólo le importan «el ruido y el estremecimiento del campo como si el horizonte me hiciera guiños, que me importaban mucho pues son signo de muchas noticias sobre los movimientos de las reses».

También Ortega, ya algo más mozo, pasó temporadas en la finca de caza que tenía su tío José Gasset, a quien hemos conocido en páginas anteriores como administrador de *El Imparcial* y al que guardó siempre

---

[8] *Obras completas,* tomo VI, pág. 423.

sincero afecto. La finca está en Fuentelahiguera, un pueblecito de la alta Alcarria, en Guadalajara. Allí descubrió el papel esencial del perro en la caza, de los que el tío José había educado algunos con maestría. Quizá la parte del prólogo citado dedicado a la jauría en pos de la pieza sea una de las más logradas literariamente de la pluma paterna: «los perros, fautores de todo este vértigo, que han transmitido al monte su genial frenesí y ahora, en pos de la pieza, con la lengua péndula, tendido todo a su largo los cuerpos, galopan obsesos: podenco, alano, sabueso, lebrel».

En esa finca del tío Pepe también se despertarían sus aficiones taurinas. Éstas le venían de más chico porque acompañaba a la plaza madrileña a su padre, cuyo periodismo empezó por ser revistero taurino. Por eso mi padre presumía de ser uno de los espectadores más antiguos, y así pudo alcanzar a Lagartijo, cuya larga famosa al salir el toro del toril se la explicó mi padre, con esa prodigiosa memoria visual que tenía, a Luis Miguel Dominguín cuando éste ascendía a las alturas de la fiesta.

Está el muchacho en la finca de su tío Pepe, en la cuenca del Henares, una finca de caza donde hay mucha perdiz y algún jabalí que en las noches sin luna suele hozar en el huerto y desbaratarlo. En la corraliza se encierra un pequeño hato de morunos, y entre ellos, un becerrete apodado Vinagre con el que conviene andar con cuidado. El muchacho, que tiene 14 años, una tarde se decide, salta la valla y se coloca delante de Vinagre, con la chaquetilla veraniega a modo de capote. El bicho se arranca y Ortega le da unos cuantos lances, pero va perdiendo terreno y, al cuarto, el añojo le derriba y le pasa por encima. El vaquero acude presuroso y quita al chico de en medio, dejando tranquilo al tío José que lógicamente se había asustado. Nada grave ha pasado y aquel muchacho quedó sólo con unas magulladuras pero ufano de su hazaña.

Más adelante hablaremos de la larga amistad de mi padre, primero con Juan Belmonte, luego con Domingo Ortega, y de su respeto por la fiesta de toros y del sentido profundo que veía en ella.

## El Padre Cejador

Recibe el título de bachiller el 23 de octubre de 1897, expedido por el Instituto de Málaga, con la calificación de sobresaliente. Es hora ya —14 años, más temprana que en las actuales generaciones— de decidir sus estudios universitarios. Su padre quiere que estudie Derecho pero el joven no tiene demasiado entusiasmo y, en cambio, se va despertando en él su inclinación por la Filosofía. Y decide matricularse en Derecho y Filosofía y Letras en la Universidad de Deusto, que regentan los jesuitas. ¿Por qué esta permanencia en una institución religiosa que le ha dejado mal sabor con su estancia en el colegio de El Palo, aunque nunca fuera anticlerical? Él quería aprender bien griego, que había iniciado, como vimos, con el padre Coloma, y en Madrid le convencieron, según su hermano Eduardo, «de que en aquella Universidad podría especializar sus estudios de humanidades con el sabio filósofo el Padre Julio Cejador. Estuvo, en efecto, allí durante un curso, pero salió definitivamente decepcionado. El Padre Cejador fue expulsado aquel año de la Compañía de Jesús y ahorcó los hábitos». Julio Cejador sería después catedrático de la Universidad de Madrid; según el gran filólogo Samuel Gil y Gaya, «su labor literaria y erudita es abundantísima aunque a menudo precipitada y de escasas condiciones para perdurar» [9].

Quizá a aquel breve paso por Deusto y a dos maestros —el padre Coloma en su iniciación en El Palo, y ahora la enseñanza más compleja de Julio Cejador— deba Ortega el conocimiento profundo y rápido de la lengua griega. Por Julio Cejador mi padre conservó siempre gran estimación, y le dedicó uno de sus primeros artículos en *El Imparcial*. «Si he contado ahora [la bella historia mítica de Pan y Siringa] débese a que ayer mi maestro y amigo D. Julio Cejador me envió un *Nuevo método para aprender latín* que ha recién compuesto; esto me llevó a pensar en los estudios clásicos [...] Mi maestro y amigo don Julio Cejador, el cual publicó hace unos siete años una *Gramática griega según el método histórico-comparado;* hace cinco, *Los gérmenes del lenguaje;* hace tres, *La embriogenia del lenguaje;* hace dos, la *Gramática del Quijote;* hace uno, el *Diccionario del Quijote;* hace dos meses, un tomo de ensayos sobre cuestiones filológicas y lingüísticas. Luego de grandes afanes, alcanzó el señor Cejador una cátedra de latín en el Instituto de Palencia. Y ahí está enseñando pretéritos y supinos a unos angelitos celtíberos.

»Sin perder compás y buen ánimo, el señor Cejador, fresco y tan sencillo, que parece un idilio pedagógico [...]. La gramática, el tinglado inorgánico de reglas, excepciones, etcétera, todo el artefacto engorroso de la pedagogía jesuítica, desaparece diluido en una conversación, porque el *Nuevo Método* se compone de dos libros: el libro de clase y el libro de casa, y ambos libros se hablan y el diálogo de ambos es lo que más se me antoja un idilio didáctico, casi tan bello como el otro idilio que os he traído a la memoria, de Pan y Siringa» [10].

---

[9] Voz "Julio Cejador", en el *Diccionario de Literatura Española* publicado en las Ediciones de la Revista de Occidente en 1949.

[10] "Sobre los estudios clásicos", *El Imparcial*, 28 de octubre de 1907 (*Obras completas*, tomo I, pág. 63).

Pienso que este elogio, seguramente más cordial que intelectual, influiría en que años después don Julio Cejador fuese académico de la Española.

Sin embargo en 1911 Ortega se sintió obligado a enviarle a Cejador algunas andanadas porque le habían venido de él «algunas piedras contra mi tejado», al enjuiciar a Joaquín Costa. Pero comienza por esta cálida invocación: «Es D. Julio Cejador uno de los hombres que más amo y respeto entre mis compatriotas; fue mi maestro de griego en la triste fecha de 1898 y luego lo ha seguido siendo de muchas e importantes materias durante los largos años de nuestro común trato. Yo siento hacia él esa emoción de morosa distancia que conviene a un discípulo frente a su maestro. Además admiro altamente su colosal saber, y aun cuando carezco de las nociones más elementales para poder valorar sus descubrimientos lingüísticos, es tal la masa bruta de noticias acumuladas en el Sr. Cejador, que me parece bochornoso no haberse hallado ningún Gobierno que le llevara a nuestra Universidad, donde en derecho tiene un puesto conquistado por méritos de harto más quilates que los equívocos de una oposición». Luego le afeará sus asertos en la cuestión concreta porque, complacido de lo que ha manifestado antes, «asimismo me complace que el Sr. Cejador piense de distinta suerte que yo acerca de Costa y de la europeización de España» [11].

## UNAMUNO LE EXAMINA

Los exámenes ha de pasarlos en la Universidad de Salamanca, de la que depende oficialmente la de Deusto, y en aquel agónico año de 1898, un mes antes del desastre de Cuba, Ortega se examina en la capital salmantina: notable en Literatura Universal y de España, sobresaliente en Metafísica, Historia Crítica de España y en Lengua Griega, esta última ante un tribunal que preside don Miguel de Unamuno. Abandona Deusto y se matricula, para seguir ambas carreras, en la Universidad Central de Madrid.

La vuelta a Madrid —tiene 16 años— le lanza de nuevo a su pasión por la lectura. Ya no son sólo las grandes novelas francesas las que subyugan su imaginación sino obras de pensamiento como las de Renan, Nietzsche y Schopenhauer. Y acude mucho al teatro, para cuyos principales recintos tiene siempre un palco el periódico, donde suele acompañar en los estrenos a De la Serna, el crítico de *El Imparcial*. Especial entusiasmo le produciría el estreno en Madrid por la compañía de Ma-

---

[11] *El Imparcial*, 25 de marzo de 1911 (*Obras completas*, tomo I, pág. 164).

ría Guerrero y Fernando Díaz de Mendoza del *Cyrano de Bergerac,* en el teatro Español. Y tenemos la suerte de que nada menos que Rubén Darío, como periodista enviado por *La Nación* de Buenos Aires a España para informar sobre las consecuencias del «desastre», relate aquella *premiére.* «La noche del estreno —nos dice Rubén— estaba en el Español el todo Madrid de las letras, y la belleza social tenía soberbia representación»[12]. Un escritor de la nueva generación y de un talento del más hermoso brillo, Manuel Bueno, ha escrito que «el nombre de Cyrano parece un reto. [...] Hay en las tres sílabas que lo componen un no sé qué de ostentoso atrevimiento que desafía. [...] Los tres catalanes —Martí, Vila y Tintoret— que tradujeron la obra se fueron directamente a la silva y al romance y ni siquiera intentaron poner en versos de nueve sílabas la balada o la canción llena de gracia heroica y alegre: *Ce sont les cadets de la Gascogne,* que tan desairadamente se convirtió en:

> Son los jinetes de la Gascuña
> que a Carbón tienen por capitán
> "Pinchabarrigas" y "Rompehocicos"
> son dulces nombres que ellos se dan».

Pero a mi padre le gustarían o le divertirían, porque nos los recitó cuando éramos chicos. Rubén Darío elogia fundadamente la labor de María Guerrero y de Fernando Díaz de Mendoza: «Ciertamente os digo que todo eso fue merecedor de la tormenta de aplausos».

SUS PRIMAS

Algunos de los veranos de esta inmersión en la adolescencia los pasa mi padre en Vigo en la finca de su tía María Gasset y Chinchilla, esposa de José Neyra, hombre de buena posición e influencia en Galicia. Esas estancias en la hermosa bahía de las Rías Bajas las recordaría siempre con gran fruición, quizá porque anduvo enamorado de una de sus dos primas Neyra, Josefa, que, como su hermana Maruja, era bellísima y elegante. Las imagino en esa finca que llamaban por su profundidad «El bosque», en aquellas alegres estancias de la familia, atractivas, contentas, antes de la herida del tiempo. El enamoramiento siguió durante algún tiempo en Madrid. «Mi hermano —cuenta el pequeño Mano-

---

[12] Rubén Darío: *España contemporánea,* prólogo de Sergio Ramírez; epílogo de Miguel García-Posada, Alfaguara, Madrid, 1998.

lo— comía siempre leyendo [costumbre, añado yo, que mantuvo toda su vida], llevando a la mesa libracos y cuartillas». «Pero en esta ocasión, con sus primas sentadas en torno a la mesa, leía menos y le llevaba flores a Josefa y parloteaba con ella en muy grato abandono. Duró una temporada el suave idilio, y al cabo del tiempo supe que la dulce prima había sufrido una congoja cuando se enteró de que las cosas de Pepe se formalizaban por otro camino». Pero mi padre tuvo siempre la intención de escribir un relato sobre *Mis primas*. Josefa Neyra se casaría años más tarde con José Baselga, matrimonio del que salieron alguna gran belleza y algún buen talento.

La verdad es que mi padre nunca nos habló de otros amoríos suyos tempranos, y debemos volver al librito de su hermano para saber algo de ellos. «Una rubita menuda —nos cuenta— pero muy bien hecha [...] fijó la atención de Pepe. Creo recordar que no consiguió mi hermano colocarla en suerte. Y le costó algunas pesetas porque convivía con nosotros Baldomero, como un hermano, un ahijado de mi madre, cuya misión los domingos por la mañana era personarse en la inmediata parroquia de la Concepción [...] y comprobar si acudía o no la joven a tal o cual misa [...] La pesquisa del buen Baldomero era puntual y largamente recompensada por el mandante. De los caprichos de mocedad de Pepe éste fue el que más duró, aunque duró poco». También hubo un súbito enamoramiento de la hija de una distinguida familia que acudía, con mis abuelos, al balneario de Baños de Montemayor. El pequeño que esto relata recuerda con qué caras largas iban los jóvenes Ortega a ese balneario extremeño, en pleno julio, con un calor asfixiante, en lugar de «reunirse por las noches en la Castellana, en corros muy simpáticos, con chicas de edades diversas [...] todas encantadoras y magníficas».

## SÓLO FILOSOFÍA Y LETRAS

El padre, Ortega Munilla, no era fácil de convencer, y seguía emperrado en que José no dejara la carrera de Derecho, pero José quería abandonarla y dedicarse íntegramente a Filosofía y Letras. Estudiaba largas horas en su pequeño cuarto de Goya 6, y no es leyenda que sobre la pared que tenía frente a sus ojos extendía un paño negro para favorecer su concentración con el libro que leyera. Y daba frecuentes paseos por el largo pasillo hasta convertirse en costumbre vital ese ir y venir, donde encontraría todas sus ideas.

Pero dispuesto a dejar los estudios de Derecho procurando evitar un duro altercado con su padre, Ortega rogó al padre Coloma —que estaba entonces en la residencia de los jesuitas en Madrid— que interviniese acerca de su testarudo progenitor. Parece que el padre Coloma le escribió para que fuera a verle. Y el padre Coloma convencería a Ortega Munilla de que el destino de su hijo José estaba más hacia la filosofía que hacia las vicisitudes jurídicas. Debió de ser a principios del verano de 1901, porque cuando volvieron sus hermanos de El Escorial se encontraron a un Ortega contento e ilusionado. Se haría licenciado en Filosofía y Letras por la Universidad Central el 12 de julio de 1902 con la calificación de sobresaliente. Salmerón había sido profesor suyo en su cátedra de Metafísica, que ocho años después, vacante por el fallecimiento del gran republicano en Pau en 1908, ganaría el propio Ortega.

## Su amigo Paco Agramonte

En la universidad ha hecho algunas amistades. La más sincera, con Paco Agramonte. El propio Agramonte, luego diplomático, lo cuenta en una especie de memorias —a mi entender no demasiado sinceras en lo que respecta a sus relaciones con la Administración franquista— que tituló graciosamente *El frac a veces aprieta*. En el prólogo, en que se pone a sí mismo en tercera persona, cuenta: «Se orienta al periodismo. Logra dar a la Prensa algún artículo inofensivo, hace unas traducciones de Wells, por cierto con Ramiro de Maeztu, y gracias a la amistad con sus compañeros de Universidad, José y Eduardo Ortega y Gasset, pasa a servir de secretario privado de su padre, don José Ortega Munilla, maestro de periodistas, modelo de hombres buenos y generosos y árbitro a la sazón de la política española desde la dirección del popular diario *El Imparcial*. Durante casi diez años desempeña con el máximo celo esta interesantísima misión, que le permite estudiar a fondo los entrebastidores de dicha política en los célebres *círculos bien informados,* en el Congreso, en las redacciones y en los gabinetes privados de los prohombres del día [...] Una noche menos movida que otra, el jefe le habló afectuosamente para hacerle una proposición ventajosa. Se trataba del acta de Padrón, en Galicia, que en todas las legislaturas era de don José sin disputa. Iba a quedar vacante porque su titular, después de haber rechazado una cartera que le ofreció Moret, iba a ser senador. Sus hijos no la querían: a José, ya inclinado definitivamente a la filosofía [...] no le atraía la política; Eduardo, ya diputado por Coín, hacía tiempo que no necesitaba otra acta; Manuel, dedicado a su estudio de la ingeniería de Minas, no pensaba dejar su disciplina en el Congreso. El joven secretario sabía perfectamente que una simple carta con su nombre bastaría para que los electores le eligieran, sin molestia ni gasto de ninguna especie. El acta era un pasaporte seguro para subir en su día a la Dirección General, la Subsecretaría, la cartera tal vez al fin [...] pero ya era tarde. El interesado estaba curado de espanto y sabía cómo se cocinaba todo [...] "No, querido don José —le dijo sin pensarlo mucho—, es usted buenísimo conmigo y le agradezco con el alma el deseo de favorecerme en lo que a la mayoría de los jóvenes de mi generación haría felices; pero no sirvo, lo haría muy mal; me horripila entrar en ese mundo de encrucijada y zancadilla. Si quiere usted hacer algo por su fiel secretario de varios años, es muy fácil: recomiéndeme para el ingreso en la carrera diplomática [...]" Don José accedió, se movió lo necesario y, no sin chalaneo y navajeo interno considerable, su recomendado salió con el número ocho de la promoción de 1910» [13].

La confianza entre ambos es grande, y en una carta a sus padres desde Leipzig en 1905 José les pide: «Decid a Agramonte que me envíe *El Imparcial, España, Blanco y Negro, Gedeón, España Moderna* y *La Lectura*».

## LA AMISTAD CON NAVARRO LEDESMA

Su estimación por la verdadera amistad la revela al enterarse por su padre del fallecimiento de Navarro Ledesma: «Me ha costado gran trabajo —contesta a su padre el 24 de septiembre de 1905— darme cuenta de la noticia que hoy me mandas». Comprende Ortega que debe escribir algo sobre su desaparecido amigo pero no lograría hacerlo hasta casi un año después con su artículo *Canto a los muertos, a los deberes y a los ideales,* que publicó en *El Imparcial* del 14 de septiembre de 1906. «Navarro Ledesma —escribe— fue mi aventura. Tú, señor lector, leerás esa frase con indiferencia pero es que tal vez no sepas qué hacecillo de abrojos y de amarguras, qué respiradero de inquietudes, qué cúmulo de anhelos dolientes, de dubitaciones, de tanteos desesperados, de ambiciones imposibles, constituye eso que llamaríamos el alma de un español de veinte años [...] Navarro Ledesma había sufrido mucho, moral y físicamente: su mocedad se había anegado en una labor incesante y rudísima: por eso, habiéndole faltado la juventud ardorosa, pasional, turbulenta, conservó durante toda su vida una juventud más quieta, más armoniosa, más de clara fuente risueña, pausada, densa; mantúvose siempre capaz de indignación y de entusiasmo; tuvo, en fin, hasta la muerte, sobre su rostro ancho y reciamente asentado en los hombros, esa tierna expresión con

---

[13] Francisco Agramonte: *El frac a veces aprieta,* Aguilar, Madrid, 1957.

dejos melancólicos que conservan en la mirada las vírgenes viejas». Para su amigo, la obra de Navarro Ledesma, «esparcida a todos los vientos en forma de escritos periodísticos, no es su obra [...] El tiempo, la esperanza y la libertad son los tres demiurgos que elaboran los planes del poeta y los tres faltaron totalmente a Navarro Ledesma por un conjunto de adversas circunstancias». Por eso concluyó su artículo con esta afirmación: «No reduzcamos los muertos a las obras que dejaron: esto es impío. Recojamos lo que aún queda de ellos en el aire y revivamos sus virtudes» [14].

Pero poco antes de morir, Navarro Ledesma había publicado en 1905 la que quedaría como su obra mayor, *El ingenioso hidalgo Miguel de Cervantes Saavedra*. El ejemplar que tengo a mi vista está dedicado en letra impresa «Al Señor, Don José Ortega Munilla, amparador generoso de todo esfuerzo intelectual, su admirador y amigo muy obligado, F. Navarro Ledesma». Lleva el número 7, dedicado a Don José Ortega y Gasset y de su puño y letra añade el autor: «A mi querido amigo Pepe Ortega, con un gran abrazo de Paco» y fecha el 20-IV-1905. En su correspondencia con Navarro Ledesma acusa el día 7 de abril de 1905 la impresión que le ha hecho leer el comienzo de ese *Cervantes* que ha adelantado *El Imparcial* en su edición del domingo; y un mes después —el 5 de mayo— recibe el libro mismo en Leipzig. No sé cómo valoran los cervantistas esta primera biografía del autor del *Quijote*, cuyos misterios se han aclarado algo años después, pero su lectura es provechosa.

## RAMIRO DE MAEZTU, AMIGO FRATERNO

Pero no tuvo mi padre propiamente amigos, y esto por una convicción que expresaba al suyo en esa misma carta: «Ya ha pasado para mí la edad en que se tiene el ánimo suficientemente abierto y confiado para trabar amistades hondas; hay que hacer el camino solo, como te decía. En nuestra tierra es muy difícil tropezar con hombres buenos».

Sin embargo mi padre tuvo una auténtica amistad con Maeztu que se quebró por las extrañas y extremadas posturas políticas que tomaría el que se iba a definir como el defensor de la hispanidad. Pero en esos años de Alemania estaba muy viva la relación cordial entre ambos. Y duraría al menos hasta 1914, cuando Ortega publica su primer libro, *Me-*

---

[14] *Obras completas,* tomo I, pág. 58.

*ditaciones del Quijote,* en las ediciones de la Residencia de Estudiantes, porque lo dedica *A Ramiro de Maeztu, con un gesto fraternal*[15].

Ramiro de Maeztu había nacido en Vitoria en 1874 y llevaba, por tanto, a mi padre nueve años. Su padre, nacido en Cienfuegos (Cuba), poseía varios ingenios azucareros —El Pelayo era el más importante— que daban a su matrimonio con la inglesa Juana Whitney una situación económica brillante, incluso lujosa, con viajes, criados y caballos. Ramiro de niño estuvo en Cuba en años todavía dorados, alternando con viajes a París y estudiando en el Instituto de segunda enseñanza de Vitoria. Ante las dificultades económicas de su familia y la muerte del padre en la villa cubana de Santa Clara, la viuda Whitney, mujer brava, viendo la dificultad de vender sus propiedades cubanas, decidió trasladar a la familia a Bilbao, donde abrió una academia para niñas. Ramiro, que era el hermano mayor, comprendió que debía ganar dinero para ayudarla, y marchó de nuevo a Cuba en 1891 donde, después de una calamitosa estancia como obrero de múltiples oficios —uno de ellos fue ser el lector que leía cuentos y novelas a los cigarreros mientras plegaban las hojas del tabaco habano—, que le enseñaron la otra cara del problema cubano, regresó a la Península en 1891 y se lanzó al periodismo en *El Porvenir Vascongado,* un diario de Bilbao. Luego en 1897 se trasladaría a Madrid y colaboraría en los periódicos nacionales más llamativos del momento como *El Imparcial* y el republicano *El País.* Su afinidad con los miembros de la generación del 98 es grande y con Azorín y Baroja forma el llamado "Grupo de los tres" e idean una revista combativa que llevaría ese título: *Los Tres.* Colabora también en *Vida Nueva,* una revista que supo acoger los nuevos valores que iban surgiendo en la literatura española —en ella publicaría mi padre su primer artículo, *Glosas,* en 1904— [16]. Pero Maeztu quiere conocer el mundo anglosajón y logra ser nombrado corresponsal en Londres del diario *La Prensa* de Buenos Aires en 1905. Es Francisco Grandmontagne quien lo presenta a los lectores de ese periódico al iniciar sus crónicas. «Sabe como nadie —dice— poner amor en el trabajo haciendo de la propiedad intelectual una verdadera religión... [y] dentro del periodismo pe-

---

[15] Dedicatoria que desaparece en la reedición de 1921.

[16] *Vida Nueva* estuvo dirigida por Eusebio Blasco y comenzó su andadura el 12 de junio de 1898. Luego la dirigió Dionisio Pérez y colaboraron en ella autores consagrados como Galdós, Campoamor, Balart; escritores jóvenes del 98 como Maeztu; regeneracionistas como Macías Picavea o políticos como Pablo Iglesias; y jóvenes escritores como Juan Ramón Jiménez y José Ortega y Gasset. En la revista aparecieron los últimos escritos de Ganivet. Apeles Mestres fue uno de sus ilustradores (nota tomada del libro *Juan Ramón Jiménez de viva voz* de Juan Guerrero Ruiz, Madrid, 1998; la nota es de Manuel Ruiz-Funes Fernández).

ninsular en que tan floreciente predominio tienen el ingenio, el humorismo y la sal ática, representa la pluma de Maeztu cierta tendencia antilatina, que se manifiesta por la elección de asuntos trascendentales, por la gravedad de sus palabras y por la honda inquietud que respiran todos sus escritos». Con ese mismo espíritu había publicado en 1899 su primer libro, *Hacia otra España,* un título que sin duda atraería a mi padre —todavía un desconocido— porque su posición intelectual, como señala Julián Marías, «es de apasionada rebeldía» y descontento de aquella España que había terminado de perder su imperio y para la que Maeztu ve como salvación que se inspirase en la vida inglesa. Quizá porque Maeztu, según lo describe Grandmontagne, «tiene la estructura física y moral de un inglés. Es alto, lampiño, derecho y anda a zancadas como Robinson. Tiene mirada de torrero, escudriñador de vastos horizontes. Todos los ojos ingleses parece que os miran siempre desde el puente de un buque o desde los faros y semáforos de las costas. Sajón es igualmente su espíritu. Lubbok le incluiría en su admirable definición de la raza: *un hombre es para sí mismo el mejor de los reinos».*

Yo también lo recuerdo así, enorme y fragoroso, cuando iba a jugar, de pequeño, con su hijo Juan Manuel —luego, además, compañero de colegio en el Instituto Escuela— en su casa, que yo sitúo entonces por la calle de Serrano, aunque pronto habitarían su hogar definitivo de Espalter 13. Mi madre, aunque, por timidez, difícil de entablar amistades frecuentadas, había hecho grata relación con Mabel, la esposa de Ramiro, inglesa, alta como él y con cierto encanto.

## MARÍA DE MAEZTU

No puedo olvidar cuando hablo de Ramiro de Maeztu a su hermana pequeña, María. Nacida en Vitoria en 1882 —un año antes que mi padre—, se había hecho maestra y había obtenido después el doctorado de Filosofía y Letras en Salamanca. Ejercía su magisterio, con gran competencia, en una escuela pública de Bilbao. Pero hacia 1908 viene a Madrid para ampliar estudios, y se aloja, dada la amistad entre Maeztu y Ortega, en el piso que ocupa la familia Ortega Munilla en Goya 6. En esa época «María es menuda, rubia, de ojos azules y gesticula vivamente cuando habla» [17]. Ramiro está en Londres y Ortega le escribe el 10 de agosto de 1910 dándole cuenta de estar pasando por una depre-

---

[17] Soledad Ortega: "Evocación de una tarea educadora", en *Cuadernos Hispanoamericanos,* núm. 193, enero de 1966.

sión, en un momento «en el que he dado mucho y recibido poco». «Una gran excepción he de hacer —añade—. He recibido algo de gran valor pero que por tratarse de un elemento puramente emocional, no baste a la larga: me refiero al afecto que usted me ha demostrado y al trato ferviente de esta pequeña María que le ha sido a usted donada como hermana... María no tiene ningún defecto grave y es la mujer más capaz de intelecto y corazón que conozco... ¡Pobre, cómo la han hecho sufrir en la escuela! Creo que no debe volver a ella pero que necesita vivir en Madrid, en suma, fuera de Bilbao. Si pudiera pasar junto a mí este año que entra pienso que acabaría de pertrecharse para escribir, que —ya sé que piensa usted lo contrario— considero su misión radical. Su acción en Bilbao representa un lujo que no puede permitirse nuestra raza».

María, en Goya 6, se hace muy amiga de Rafaela, amistad que llevaría a ésta a dirigir durante varias temporadas la Residencia de Señoritas que fundaría María en 1918, la cual debía ser «ni convento ni *collège*», como decidía después de recorrer los centros similares de Europa y los Estados Unidos. Pero mi recuerdo es verla llegar a cenar a casa y tener una larga sobremesa exponiendo a mi padre los problemas que se le planteaban y agitando vehemente sus brazos para apoyar sus argumentos. Nos dejaban asistir a esas discusiones hasta que nuestra madre nos arrastraba, no sin dificultad, a la cama para acostarnos pasadas las doce de la noche. María tenía un gran amor por su hermano Ramiro pero le preocupaba la evolución mística y ultra que éste iba teniendo. Cuando veía a María de Maeztu en visita de inspección de mi clase de preparatoria en el Instituto-Escuela que ella dirigía, y aunque no dejara de imponerme su presencia como alumno, me parecía que nos hacíamos un guiño, pues a lo mejor la noche anterior había asistido a su plática nocturna con mi padre.

Siempre la recordaré con cariño. La Residencia de Señoritas fue una gran creación suya donde se formaron muchas maestras y licenciadas que luego iban a mejorar el nivel pedagógico del país. Naturalmente, empezada la Guerra Civil, el Gobierno republicano no le permitió seguir en su dirección y, terminada la guerra, el franquismo la convirtió en una residencia religiosa teresiana. María se exilió en Buenos Aires, donde era ya bien conocida por sus cursos de años anteriores, y murió allí en 1947. Dejó a mi hermana Soledad las acciones que poseía del pequeño capital fundacional de la *Revista de Occidente*, que no le produjeron, desde su salida en 1923, dividendo alguno. Pero de esa creación editorial de mi padre hablaremos a fondo cuando llegue la hora.

Tuvieron los amigos Maeztu y Ortega gran polémica desde distintas tribunas periodísticas. Ortega escribió un artículo en la revista *Faro* el 9 de agosto de 1908 en el que, después «de darle las gracias por el interés benévolo con que lee mis escritos», se opone al pío deseo de Maeztu, que preferiría dejar las palabras de nuestra lengua, «demasiado concretas [...], bañándose algún tiempo en un poco de niebla hasta ver si les brotaba algo de ese musgo, de esa musicalidad inefable con que, en tierras del Norte, por hablar más a los sentimientos de los hombres, parecen impulsarles a la acción». Ortega es tajante al contestarle: «En este negocio de la precisión, querido Maeztu, me veo obligado a romper con todas las medias tintas. Nuestra enfermedad es envaguesimiento, achabacanamiento, y la inmoralidad ambiente no es sino una voluntad, oriunda siempre de la brumosidad intelectual [...] O se hace literatura, o se hace precisión, o se calla uno» [18].

Maeztu, desde Londres, donde ejerce su corresponsalía de *La Prensa* argentina, le contesta en *Nuevo Mundo* el 3 de septiembre siguiente con una glosa donde, según el propio destinatario, «salen muy mal paradas las teorías que defiendo». Porque Ortega le ha contestado en un artículo de *Los Lunes de El Imparcial,* que luego recogería en su libro *Personas, obras, cosas,* con el título "¿Hombres o ideas?". «Leyendo [el artículo citado] me he puesto a recordar los tiempos, no muy lejanos, en que, unidos por estrecha amistad, íbamos a lo largo de estas calles torvas madrileñas, como un hermano mayor y un hermano menor, entretejiendo nuestros puros y ardientes ensueños de acción ideal... Y no acierto a comprender cómo aquella no rota fraternidad ha venido cayendo tanto que hoy me hace usted decir y pensar cosas tan ineptas. No, querido Ramiro, el intelectualismo (?), el idealismo que yo defiendo no llevan a creer que las ideas andan solas» [19].

La controversia entre ambos se continuaría en el periódico y sobre todo en la correspondencia. Merecería la pena que alguien la estudiase a fondo. Se conservan muchas cartas de Maeztu y algunas copias de las de Ortega entre los papeles que se guardaban en la *Revista de Occidente,* ahora en la Fundación Ortega y Gasset, fechadas desde Londres y Marburgo, de los años 1908 a 1910. Pero no tiene sentido en esta historia demorarse en ellas [20]. Mi impresión es que mi padre se fue desilusionando de su amigo Ramiro, como hombre estimable pero poco exacto en sus ideas, y que esta desilusión se consumó al regresar Maeztu

---

[18] *Obras completas,* tomo I, pág. 113.

[19] *Obras completas,* tomo I, pág. 439.

[20] Véase en el número de mayo de 1999 de la *Revista de Occidente* el artículo de Santos Juliá sobre "Ortega y la presentación en público de *la intelectualidad",* donde se estudian las relaciones entre Ortega y Maeztu y como éste «reconoció públicamente a Ortega —y lo remarca en el homenaje que le ofrecieron pocos días después— como gran maestro de aquella generación y le invitó a que marcara el camino».

de cubrir como corresponsal la guerra europea. «En 1914 —escribe su hermana María, exiliada en Buenos Aires—, al declararse la guerra europea, fue al frente a hacer la información periodística. Allí conoció a un hombre extraordinario, Mr. Hume, que habría de ejercer sobre Maeztu un hondo influjo de carácter religioso. En esta época comienza a operarse en él un gran cambio ideológico y sufre, en horas de honda y terrible meditación, lo que había de llamar más tarde su combate interior. No puede hablarse de conversión porque nunca había dejado de ser católico, pero sí de una radical transformación espiritual que cambiaría la orientación y el rumbo de su vida. Entretanto publica [...] su libro *Authority, Liberty and Function in the Light of the War* [...] que contiene en germen toda su nueva ideología.

»[...] En 1928 es nombrado embajador de España en Buenos Aires [...] La visión directa de esta América hispana le sugiere el tema de su libro *Defensa de la Hispanidad*. Al regresar a España, en marzo de 1930, se había operado en él la transformación definitiva» [21].

Yo nunca oí hablar a mi padre de Maeztu. Sí consta que, cuando su segundo viaje a la Argentina, en 1928, Maeztu asistió como embajador de España a su primera conferencia del ciclo organizado por "Amigos del Arte", viaje del que daremos cuenta en su lugar.

«ME HE METIDO DE HOZ Y COZ EN EL ESTUDIO DE LA FILOSOFÍA»

«Cursaba yo —recordó en su librito el hermano pequeño, Manuel— en el año 1904 el segundo curso de Matemáticas en el Colegio de Estudios Superiores de María Cristina, en El Escorial. Una tarde de comienzos de la primavera, al volver a mi celda después del paseo, encontré una carta de mi hermano Pepe, y en el tono grácil y bien humorado de la esquela que me dejó, vine a darme cuenta de que se hallaba en un estado de ánimo verdaderamente dichoso: "No he podido esperarte más, porque tenía que coger el tren de las siete. Ubi eras?" Y a poco, dentro de la brevedad de sus líneas, escribió esta frase que tendría una significación trascendental: "Puedo decirte que me he metido de hoz y coz en el estudio de la Filosofía"».

Ortega era ya, como hemos visto, licenciado en Filosofía y Letras, y se doctoraría el 15 de diciembre de ese mismo año con una tesis sobre *Los terrores del año Mil: crítica de una leyenda,* tesis que su autor no estimaba mucho y no quiso que se recogiera en sus *Obras completas,* pero que

---

[21] María de Maeztu: *Antología del siglo XX,* Colección Austral, Espasa Calpe, Buenos Aires, 1947.

tiene un renovado interés ahora que está amaneciendo el tercer milenio; lo cual ha llevado a sus editores alemanes a publicarla.

Ser licenciado no es lo mismo que dedicarse a hacer filosofía, empezando por dominarla a fondo. La influyente situación de su familia —su padre director del periódico más importante y de mayor tirada en aquellos años; su tío Rafael Gasset, ministro y personalidad política con la que se contaba— hubieran hecho posible que el joven Ortega accediese fácilmente a una cátedra o a cualquier cargo cómodo. Pero Ortega, con sus veinte años cumplidos, prefiere la autenticidad de su vida personal a la facilidad y a la frivolidad que le brindaba la mediocre vida española de entonces. Además siente que bulle algo nuevo en su mente y comprende que para hacer filosofía hay que estudiar en Alemania. «A los veinte años —ha contado después en un *Prólogo para alemanes* que no llegó a publicar en vida— me hallaba hundido en el líquido elemento de la cultura francesa, buceando en él tanto que tuve la sensación de que mi pie tocaba con su fondo, que por lo pronto al menos no podía España nutrirse más de Francia. Esto me hizo volverme a Alemania, de la que en mi país no se tenían sino vagas noticias. La generación de los viejos se había pasado la vida hablando de las nieblas germánicas. Lo que era pura niebla eran sus noticias sobre Alemania. Comprendí que era necesario para mi España absorber la cultura alemana, tragársela, un nuevo y magnífico alimento».

El joven estudiante buscaba en Alemania —escribiría años más tarde— «henchir de idealismo algunos tonelillos y nunca olvidaré los trabajos que me costó dar con el manantial». Su ida a Alemania era interesada como español, «era el raudo vuelo predatorio, el descenso de flecha que hace el joven azor hambriento sobre algo vivo, carnoso, que su ojo redondo y alerta descubre en la campiña. En aquella mocedad apasionada era yo, en efecto, un poco ese gavilán, era voraz, altivo, bélico, y, como él, manejaba la pluma. La cosa era, pues, muy sencilla: yo iba a Alemania para traerme al rincón de la ruina la cultura alemana y allí devorarla». Ortega se sentía de tal modo identificado con su nación —una nación que estaba desarbolada, política e intelectualmente, al haber perdido en el 98 los últimos jirones de su imperio— que sus necesidades eran sus propios apetitos, sus personales hambres: «Yo sentía mi ser [...] de tal modo identificado con mi nación que sus necesidades eran mis apetitos y hambres» [22].

Ortega decide, pues, en 1904 ir a Alemania. Y convence a su padre —y a su madre—, entonces en una infrecuente buena situación eco-

---

[22] *Obras completas,* tomo VIII, pág. 24.

nómica, de la conveniencia de su estancia en Alemania, al menos por uno o dos años. España —decía a su padre— «se halla enormemente influida por ideas y formas de Francia. Mucho le debe a ésta y considero que la cultura francesa ha sido, en su hora, muy beneficiosa para España, pero pienso que toda cultura necesita periódicamente el enfronte con alguna otra. Ambas, de ese contacto, se fertilizan mutuamente. Inglaterra influye ya en ciertas cosas pero para estudiar ciencia y filosofía *en serio*, hay que ir a Alemania».

El joven Ortega vislumbra que va a ser una estancia dura; ante todo porque no sabe alemán, y dominarlo, para hablar y leer, es lo primero que debe hacer. Por otro lado quiere contener los gastos para no pesar demasiado sobre el esfuerzo generoso que hacen sus padres enviándole a Alemania. Va a renunciar a los viajes y excursiones por España que, como hemos visto, fue una de las enseñanzas que le dio su padre, entusiasta descubridor de los más recónditos rincones del país. Y sabe que ha de echar de menos los paseos por las calles de Madrid con algún amigo, como vimos con Maeztu. Pero justamente lo que quiere es estudiar y buscar su auténtica vocación.

## Aparece Rosa Spottorno

En uno de esos viajes españoles, una noche de fiesta en el Casino de Murcia —debió de ser por el año 1902— conoció a una joven cartagenera, Rosa Spottorno Topete, de la que quedó profundamente enamorado. Los Spottorno vivían ya en Madrid, destinado el padre, mi abuelo, en el Ministerio de Marina. De modo que pudieron verse, y el mutuo entusiasmo del uno por el otro fue creciendo y el año 1904 se formalizó el noviazgo [23].

Quizá sea éste el momento de hablar de mi madre aunque, naturalmente, aparecerá a menudo por estas páginas. Y creo lo mejor repetir lo que contaba yo en mi libro citado sobre los Spottorno.

Rosa fue una mujer con muchísimas cualidades y casi ningún defecto, como no fuera el venial de su debilidad ante las golosinas. Ser el menor de sus hijos, como era yo, aparte de la pequeña humillación de vestir a menudo ropas usadas de los mayores, tenía no pocas ventajas, la principal de las cuales era la inmensa ternura con que me trataba. Me bañaba ella misma, entretenido con los barcos de corcho que había construido mi hermano Miguel, y era raro el día en que, al volver de sus compras, no me trajese algún regalito. Este afán de mimar a los

---

[23] Véase mi *Historia probable de los Spottorno,* ya citado.

pequeños lo mantuvo asimismo con los nietos, y mi padre le decía: «Rosa, tú no mimas a los nietos, los sobornas». Es curioso cómo la figura de la madre no desaparece nunca de la mente, en cualquier época de tu vida, mientras ella vive y aun después. Mas los recuerdos más entrañables vienen de la infancia, en que estás más pendiente y dependiente de ella.

La familia Spottorno y la de los Ortega pertenecían a la burguesía liberal, aunque nunca fueron ricos y hubieron de vivir de sus profesiones: mi abuelo Spottorno como auditor del Cuerpo Jurídico de la Armada, en el que llegaría a general, y mi abuelo Ortega Munilla de la pluma, como periodista que alcanzaría la dirección de *El Imparcial.* Ambas familias tenían una concepción del mundo y una valoración de las cosas muy similares, por lo cual el matrimonio de mis padres fue bien acogido en ambos hogares. Se celebró el 7 de abril de 1910, después de un largo noviazgo que duró seis años, muy propio de aquellos tiempos, hasta que mi padre tuviera para vivir, al ganar en 1908 la cátedra de Psicología, Lógica y Ética de la Escuela Superior de Magisterio.

La luna de miel transcurrió en una de las casas de oficios que bordean la lonja del Monasterio de El Escorial, que tenían alquilada de siempre los Ortega Munilla, y los dos primeros años los pasó el matrimonio en Marburgo, en Alemania, donde mi padre estudiaba filosofía con una beca de la Junta para Ampliación de Estudios. Allí nació el primer hijo, mi hermano Miguel Germán. A finales de 1911 volvieron a Madrid, donde Ortega tomó posesión de su nueva cátedra de Metafísica en la Universidad Central. Mi hermana Soledad nacería en 1914 y el benjamín, éste que habla, dos años después. Creo que hubo un aborto, y a ese malogrado hermano solía yo llamarle Nonato.

Mi madre guardó un recuerdo alegre y luminoso de sus años de infancia y juventud pasados en su natal Cartagena. Y asimismo se acordaba de esos acontecimientos tristes que no se olvidan cuando se producen en la niñez. A sus nietos les contaba, por ejemplo, la impresión que le hizo el regreso de los soldaditos de la guerra de Cuba, tras la derrota del 98, que desembarcaron en Cartagena, derrotados y miserables, muchos de ellos cojos o mancos, y casi todos con el rostro macilento del hambre y las epidemias que padecieron en la manigua cubana.

Mis padres —como he dicho— se conocieron en una fiesta o baile que celebró el Casino de Murcia, el cual aún conserva hoy algo de su empaque y sus luminarias. Se veían en Madrid, muy vigilados por mi abuela Josefina, en La Colonia, el chalet del almirante Topete, dentro de lo que sería después la Ciudad Lineal. La Colonia quedaba entonces muy alejada del centro de Madrid y mi padre iba a ella a pie desde el tranvía que terminaba en Las Ventas. Nos contó que, más de una vez, tuvo que tirarse a la cuneta porque venían los toros, arropados por los garrocheros, desde la finca La Muñoza, en San Fernando de Henares, donde habían pastado sus últimas hierbas, camino de la plaza, situada entonces frente a la Puerta de Alcalá, para ser lidiados por la tarde.

Eran ambos muy fotogénicos y, ella, guapa, belleza que conservó hasta sus 96 años. Sus ojos, azules, eran preciosos, y el ligero ángulo de su nariz le daba un gran atractivo. Era muy presumida aunque nada coqueta y tenía el prurito de no parecerse a nadie; ni siquiera le gustaba reconocer que Inés, su nieta, había heredado esa inflexión nasal afortunada. Su cutis era lozano, sin requerir afeites ni tratamientos, cuya suavidad yo aún la recuerdo en las yemas de mis dedos porque me gustaba acariciar sus mejillas. Nunca se sintió mayor aunque al cabo de los años le gustaba presumir de ellos, en lugar de quitárselos como es habitual en las mujeres mayores. Pero era, además, elegante. Iba bien vestida, sin gastar en ese particular nada extraordinario. Le angustiaba ir apretada y solía arrancar las ballenas a las fajas para que se adaptasen más libremente a su cuerpo. Y cuando sus nietos eran pequeños y venía a mi casa a darles las buenas noches, les soltaba algo las sábanas que su madre, Simone, había remetido concienzudamente por su educación francesa. La elegancia consiste en no hacerse notar y esa elegancia la tenía asimismo en su forma de ser. Supo adaptarse, sin tragedia ni depresión algunas, a las tribulaciones que los acontecimientos, siempre peliagudos y extremados de nuestra historia, trajeron a mis padres y, en general, a cuantos vivimos la guerra civil. Tuvo que trabajar en faenas caseras que no le habrían correspondido en una vida normal, y lo hacía contenta, de buen talante, pensando siempre en los demás. Recuerdo especialmente la larga temporada de su exilio, al salir bufando de aquel Madrid del 36, de los paseos y las delaciones. Sí, claro, en el otro lado pasaba lo mismo. Por eso mi padre se quedó fuera, en silencio, lo que para un intelectual como él fue muy doloroso. Pero como él decía: «Cuando no te escuchan, no se debe hablar». Alquilaron en París un piso amueblado en la rue Gros, donde se fueron albergando muchos amigos y parientes que salían de Madrid prácticamente con lo puesto: mi abuela Dolores y su hija, la tía Rafaela, mi abuelo Spottorno, la familia de mi tío Manuel Ortega (a la que habían asesinado treinta y cinco parientes en La Mancha), Vicente Iranzo, gracias al cual, y al riesgo que corrió, pudimos salir de Madrid hacia Alicante y Francia en agosto del 36; mi prima Ángeles Gasset, la condesa de Yebes y otros amigos varios a los que sirvió aquel apartamento de refugio momentáneo. Pues bien, allí, Rosa, sin nadie de servicio, era la que hacía la compra y la comida para tanto comensal. Era como una fonda de mesa redonda. Y lo hacía sin un gesto de cansancio —había heredado la buena salud tradicional de los Spottorno— ni de queja; antes bien, con naturalidad y buen humor. Y hasta nos hacía reír porque el plato de carne, cuando lo había, venía a la mesa con una banderita señalando el mejor filete, destinado a mi padre.

¡Quiera Dios que se quiebre esa maldición que ha caído sobre tantas generaciones de españoles del exilio! Es una situación humana muy peculiar. El exiliado no es el emigrante, que deja en el recuerdo sus propios lares y se preocupa de conquistar la nueva tierra prometida. El exiliado, en cambio, sobre todo el de edad madura, que ha construido ya gran parte de su vida en su país, sigue pendiente de donde ha salido, sigue viviendo con pasión y atención las noticias que le vienen de allí, pensando siempre que el regreso es posible y cercano. De modo que su alma no está donde está su cuerpo y esto le produce una ansiedad y una distorsión espiritual. Y comete el error de creer que su país permanece siempre igual, sin caer en la cuenta de que ha ido inevitablemente transformándose mientras él esperaba. Pero yo he observado que en muchas parejas exiliadas fue la mujer quien mantuvo la moral, pues hace falta mucha fuerza moral para conllevar esa suspensión de la vida propia que es el exilio. En el caso de mis padres también hubo algo de esto. Cuando se fueron a Buenos Aires, del año 40 al 43, dejando París donde temían ver llegar a los alemanes, mi madre, menos pendiente de los trabajos caseros por disponer de una «mucama», se dedicó a traducir del francés algunos libros para Espasa-Calpe Argentina, como el de Alejandra David-Neel, la primera mujer occidental que pisó las tierras misteriosas y sagradas del Tíbet, *Místicos y magos del Tíbet*. Sabía muy bien francés —era casi bilingüe— porque tuvo desde pequeña una *mademoiselle* que le enseñó el idioma y la cultura francesas. Con su excelente memoria nos cantaba, a hijos y nietos, canciones populares francesas y recitaba muchas fábulas de La Fontaine.

Mis padres se querían muy de veras. Yo creo que tuvieron una relación admirable, porque Rosa supo dar a su esposo una vida familiar acogedora, que mi padre necesitaba para poder realizar su obra. Pero comprendió que, al tiempo, debía dejarle también hacer su vida fuera de casa, sin necesidad de acompañarle ella, y nunca le pareció mal que diese reuniones en los salones de la *Revista Occidente* a las que ella no acudía, ni que hiciera algún viaje solo. Para mí esto es el verdadero amor, que deja al otro ser el que debe ser. Pero también muchos matrimonios fueron amigos comunes de mis padres. Así, los Vela, los Marañón, los Hernando, los Zuloaga, en cuya residencia-estudio-museo de Zumaya pasaron ambos buenos ratos durante los veraneos. Hay una foto de un baile de disfraces que dio el gran pintor: parece que mi padre va disfrazado de embajador y mi madre de algo así como filipina. Igualmente, Juan Ramón y Zenobia, aunque en este matrimonio del gran poeta mi madre mantuvo más viva la amistad con ella que mi padre con él; los Luzuriaga, los Pittaluga, los Yebes, los portugueses Martha y Luis Pina, el matrimonio del gran doctor Martins Pereira... y un largo etcétera... Existía asimismo amistad común con personas solteras o de vida aislada como María de Maetzu, el gran Ramón Gómez de la Serna, don Pío Baroja (mi madre era amiga de su hermana Carmen, casada con el editor Caro Raggio) y otros muchos nombres que se fueron sucediendo a lo largo de la vida del matrimonio Ortega. La verdad es que en casa recibían poco, defendiéndola como lugar de trabajo de mi padre, pero quizá esto se debió también a que mi madre prefería ser ella quien visitase a sus familiares y amigas. Aunque no tenía muchas íntimas en quien confiar, y esto se lo reprochaba mi padre. Tampoco le gustaba la actuación diríamos pública, y cuando se vio obligada a participar en las tareas del Lyceum Club, un club cultural femenino que prosperó con ímpetu en la República, lo hizo sin ganas y lo abandonó muy pronto. Aquella generosidad suya de dejar a mi padre una vida fuera del ámbito familiar la tuvo desde los comienzos de su matrimonio. Yo nací estando mi padre en la Argentina. Hizo su primer viaje a aquellas lejanías —entonces más lejanas que ahora— el año 16, encontrándose mi madre ya encinta de mí. El éxito del ciclo de conferencias que pronunció en Buenos Aires fue tal, que se produjeron conflictos de orden público por la multitud que quería oírle y no cabía en el local. Más que éxito fue más bien la gloria, la gloria insólita de un intelectual español. Por eso no tuvo otro remedio que prolongar su estancia y no volvió a España hasta la primavera del año 17, con lo cual me conoció ya nacido. Y mi madre lo asumió con tranquilidad, ilusionada por aquellos triunfos, y a pesar de que los partos eran más peligrosos de lo que son hoy día. ¿No es un paradigma de amor y generosidad de mi madre ante un forzoso egoísmo por parte de mi padre? Ni siquiera la correspondencia llegaría con regularidad estando la guerra europea en su máximo fragor y habiendo que recurrir al cable. ¡Qué alegría tendría mi madre al acudir a Cádiz, con mi hermano mayor, para esperar al que llegaba en el vapor Reina Victoria Eugenia de la Compañía Trasatlántica!

Nació en Cartagena el 23 de abril de 1884 y la bautizaron con los nombres de Rosa, Encarnación, Teresa y Albertina, con esa costumbre que había de recoger un ramillete de nombres de sus antepasados. Allí transcurrió su infancia hasta que destinaron a su padre como Auditor General del Ministerio de Marina y se trasladaron a Madrid. Mas siempre conservó relación y cariño a las primas de Cartagena, en particular con Encarna y Pastora Spottorno. Desde niña tuvo gran amor a los animales y en nuestra casa de Serrano, en Madrid, hemos convivido con tortugas, palomas, galgos rusos —Taiga y Borzói—, una perdiz y una tórtola heridas en una cacería, que venían juntas a comer en la mano. El perro más antiguo de la familia, tan antiguo que yo no alcancé a conocerle, se llamaba Sil, un nombre que le dio mi padre buscando algo que casi sonara, pero el perro que quiso más mi madre fue un basset de pelo alazán que atendía por Pum y con el que yo jugué mucho.

Fue mi madre el enlace entre el clan de los Spottorno y el clan de los Ortega, el uno más cercano a Chéjov, el otro más propio de Galdós. «Mis padres —escribe mi hermana— se habían conocido cuando contaban 18 y 19 años de edad respectivamente, pues mi madre era sólo un año menor, pero el joven filósofo, desde muy pronto, representó más edad de la que tenía, y parecía llevarle más años. Fue la suya una unión extremadamente acertada. Como es muy frecuente en las parejas que se forman muy pronto, se había creado en ellos, casi adolescentes, un fondo de comprensión y de unión muy enraizado en sus almas. Mi madre, además de ser de una bondad extrema y de poseer en grado sumo el sentido de la sana entrega a sus afectos familiares —padres, hermanos, esposo e hijos—, gozaba de un equilibrio de carácter realmente excepcional, solamente comparable a su equilibrio físico pues tenía una salud envidiable y una normalidad vital que la han hecho llegar hasta los 96 años sin un solo padecimiento. Para mi padre, abrasado en ese fervor creador a veces agotador, con una sensibilidad a flor de piel, hija de sus mismas capacidades, cualidades y calidades, la serena compañía de mi madre, la tranquilidad de una casa que vivía al ritmo que él necesitaba, fueron factores estabilizadores sin los cuales es muy posible que su vida y su obra no hubieran podido desarrollarse como lo hicieron. Así lo sintió él siempre y ha dejado constancia en muchas cartas de ese sentimiento y de su gratitud» [24]. Murió en Madrid el 24 de septiembre de 1980. Tenía 96 años y conservó clara su cabeza casi hasta el último momento... Había sobrevivido 26 años a su marido.

En los sueños, las almas de los muertos nos miran desde la otra orilla. Yo, muchas noches, soñando, me encuentro con mi madre y aprendo muchas cosas de ella y de su vida que desconocía. No es fantasía, es la pura verdad.

## COLABORADOR DE *EL IMPARCIAL*

Esta semblanza de mi madre, desde su nacimiento en Cartagena en 1884 a su muerte en Madrid en 1980, nos ha alejado del año 1904 en

---

[24] Soledad Ortega: *Imágenes de una vida,* ya citado.

que tantas cosas le ocurrieron a aquel joven español de 21 años. Se ha decidido a estudiar filosofía; ha convencido a sus padres de que le conviene para esa pretensión el ir a estudiar a Alemania; y se ha hecho novio formal de Rosa Spottorno. Pero además en ese año memorable publica su primer artículo en *El Imparcial*. No se crea que por ser hijo del director le era fácil esa colaboración periodística. Ortega Munilla era exigente con los nuevos posibles colaboradores, y no hacía la menor excepción con su hijo, máxime cuando, como vimos en páginas anteriores, mi abuelo no comprendía el nuevo estilo que pretendía crear su vástago. El joven Ortega había dado ya su primera colaboración en la revista *Vida Nueva* en 1902 [25] con un artículo titulado "El poeta del misterio" sobre Maeterlinck, donde ya se vislumbraban su estilo y sus temas. Parece obligado comentar con algún detalle esta su primera aparición en un diario, en el que colaboraría después numerosas veces hasta la ruptura familiar con Rafael Gasset.

Para escuchar un drama de Maeterlinck —nos advierte— hay que prepararse para visitar un mundo desconocido, del cual sólo tenemos atisbos en momentos de la vida real especialmente plenos, de angustia o de ingente alegría. «Todos esos nombres desgarbados de fuerzas y acciones extrañas que [...] se muestran en la vida rodeadas de la incomprensibilidad del milagro [...], mil cosas pasan en nuestro derredor que no acertamos a explicar: nos envuelve lo desconocido [...] ¿Quién podrá negar la existencia de ese misterio que va dentro de nosotros, a nuestro lado?».

Seguidamente, el joven Ortega lo explica con una teoría que viene a tener un paralelismo con la idea del subconsciente de Freud, entonces un médico vienés que acaba de publicar —en alemán— su *Psicopatología de la vida cotidiana*, y a quien, naturalmente, Ortega no ha leído ni tiene noticia aún de su existencia: «Y es que existe una vida que está bajo la conciencia —dice el joven escritor—; en ese oscuro recinto inexplorable alientan instintos que no conocemos; allí llegan sensaciones de las que no nos damos cuenta: en él se realiza todo género de operaciones fisiológicas y psíquicas de las que únicamente percibimos los resultados [...] ¿Puede tener otra explicación esto, que admitir la existencia de una labor análoga a la intelectual, a la consciente, verificándose callada, bajo la conciencia». «En los dramas de Maeterlinck [...] el amor, el dolor, el misterio, la muerte, el porvenir, la fatalidad, mueven direc-

---

[25] *Vida Nueva*, 1 de diciembre de 1902. Mi tío Manuel cuenta en su librito que este artículo «hubo de presentárselo a mi padre en el comedor de Goya, a la hora del almuerzo... Veía en las escrituras de Pepe un estilo alambicado sirviendo motivos remotos y abstrusos. "Superafectaciones" parecían a nuestro padre los artículos de Pepe».

tamente sus figuras, y a veces, cruzan la escena, oprimen una puerta y van dejando a su paso mudos los seres».

Pero en su análisis, el joven Ortega promete, «si tuviera tiempo», demostrar cuánto hay de español en este misticismo de Maeterlinck. «El escritor belga es nieto de los ardientes españoles que compusieron *Las moradas, La cuna y la sepultura* y *Tratados de amor divino* y que, al entrar en los Países Bajos dejaron caer sobre las amplias carnes blancas de los flamencos la melancolía de nuestros misticismos». Vemos así que ya en su primer artículo no tiene tiempo Ortega para exponer un tema que le salta en el camino por la abundancia y riqueza de sus ideas, como le ocurriría a lo largo de todos sus escritos. Yo he sugerido a uno de estos estimables nuevos orteguianos que haga la lista de los temas sugeridos y abandonados por su maestro sobre los que dispara y no dispone de tiempo en su discurso principal para ver si ha caído la pieza y qué nos dice. Pero sí tiene un quicio de tiempo para afirmar que este misticismo «es el poso íntimo del alma española [...], y cuando en la lucha por la vida era éste una fuerza, fuimos los primeros; cuando fue inútil, nos paramos; cuando ha sido perjudicial, nos hemos dormido sin lograr arrancarlo de nosotros». Y termina su artículo con una frase muy característica de lo que iba a conformar su estilo literario: «Los místicos han estado durante todos los tiempos de pie en la frontera de lo desconocido: han sido los vigías de la humanidad, que izados en el ensueño o en el éxtasis, dan las voces de alarma al divisar las brumas rosadas que anuncian costa».

Su segundo artículo de ese año en *El Imparcial,* publicado el 25 de julio, comenta el libro que con el título *El rostro maravillado* acaba de publicar la condesa de Noailles. Es curioso: también aquí aparece un tema que iba a ser permanente en su pensamiento: la necesidad de que la mujer se incorpore a la cultura, hasta ahora demasiado exclusivamente masculina. Sólo sabe de la condesa: «Cuatro noticias, y no es poco: que es mujer, que es joven, que es guapa y que es griega». El lector puede comprobar la verdad de estas noticias en el famoso retrato que le hizo Zuloaga por esas fechas, y que es una de sus obras maestras. «Vivir [para esa espléndida mujer] es sentir el lujo de la propia vida que la pone entera sobre un momento, como aquellos gloriosos perdidos, de almas bien templadas, ponían toda su hacienda a una carta».

Y se atreve, iniciando una norma que sería después muy suya, a animar a las mujeres españolas a «cosechar los haces de anhelos de una existencia más libre, más alta, más intensa que el estilo de los campos y las playas arrastrará por vuestras almas, turbándolas, como el viento riza un agua dormida».

Los paseos a la Colonia donde ve a su novia, la redacción de su tesis de doctorado y la lectura incesante sólo se alteran por la preparación de su viaje a Alemania, para donde parte a finales de enero de 1905. Suponemos que toda su familia y su novia irían a la estación del Príncipe Pío para despedirle.

## HACIA ALEMANIA: 1905

Va a Leipzig vía París. La capital francesa le impresiona. «París es una cosa formidable, una revelación para un señorito de Madrid [...] París me ha maravillado: deslumbra y pone los nervios en tensión prodigiosa. He visto bastantes cosas y sobre todo he callejeado hasta reventarme. La mala fortuna es que he cogido un tiempo durísimo, aire, lluvia, nieve y frío y todo el programa de la meteorología desagradable [...] He comprado unos volúmenes en la librería de Flammarion que los da a menos precio que los mismos editores» [26]. En París no está solo porque Icaza [27] le ha invitado a comer en lugares selectos —cita Chez Marguery y el Grand Hotel— y sin duda el corresponsal de *El Imparcial* también le agasajó. Debió estar pocos días en la capital francesa porque a finales de febrero se encuentra ya instalado en Leipzig.

El imperio alemán venía apretando su garra en aquella Europa de las grandes potencias, feliz y pacífica hacia dentro de sí misma, pero en lucha y pugna diplomática y militar por sus posesiones coloniales en el ancho mundo. El joven y audaz Guillermo II, que quería realizar una política personal de engrandecimiento de Alemania, había apartado del poder al viejo canciller Bismarck y puesto en él, después de algunos personajes secundarios, al conde Bernhard von Bülow, que tenía ya gran experiencia en política internacional por su paso por el Ministerio de Asuntos Exteriores. El rearmamento naval alemán provocó un sonado discurso de protesta de Arthur Lee, primer Lord del Almirantazgo, que no evitó su prosecución y el acuerdo de ampliar el canal de Kiel para que pudieran pasar los grandes acorazados que iba a construir Alemania. Pero tranquilizaba a todos la calurosa entrevista que había tenido el emperador con su pariente Eduardo VII de Inglaterra. Guillermo II, aprovechando una visita a los yates del zar, firmó con Nicolás II de Rusia el tratado de Bjorko de mutua ayuda en

---

[26] Cartas a sus padres del 24 y 27 de febrero de 1905.

[27] Francisco A. de Icaza (1863-1925), literato y diplomático mexicano acreditado muchos años en España, donde vivió casi toda su vida, y donde murió; era amigo de Ortega Munilla. Fue después ministro plenipotenciario de México en Berlín. Fue poeta e investigador de temas cervantinos y publicó un importante *Diccionario de conquistadores y pobladores de la Nueva España.*

Europa. La conferencia de Algeciras se había celebrado dejando a un lado a Alemania pero poco después el propio emperador estaba en Tánger, donde proclamó la adhesión de Alemania a una política de oportunidades para todos. Noruega se había separado de Suecia nombrando a Haakón II rey de su monarquía, y Theodore Roosevelt ganaba en las elecciones norteamericanas un nuevo periodo presidencial.

El último y más valioso de los Strauss, Richard, estrenaba su ópera *Salomé* y Franz Lehar, su opereta *La viuda alegre*, cuyos alegres compases llegarían a todo el mundo. Morían Julio Verne y Henrik Ibsen, pero Rilke y Heinrich Mann empezaban a publicar algunas de sus grandes obras. Y el mismo año en que Ortega llega a Leipzig un joven matemático alemán, Albert Einstein, que no ha conseguido ser profesor universitario y ha de defenderse como empleado de la Oficina de Patentes de Berna, publica tres trabajos que van a revolucionar toda la física tradicional: un estudio sobre el efecto fotoeléctrico, el análisis matemático del movimiento browniano y la demostración de que masa y energía son sólo dos aspectos diferentes del mismo fenómeno. Pero en ese año sus teorías no habían salido del mundo académico y el joven Ortega no podía tener noticia de su existencia ni de su importancia.

«No puedes imaginar —escribe a su madre recién llegado— la diferencia que existe, hasta el aire, entre Francia y esto: aquí todo es más sólido, verdad y barato [...] La estación es un monumento y cada casa otro: habría que estarse un mes viendo las fachadas de las casas». Por cartas siguientes a su padre sabemos que se ha instalado en un cuarto de la «calle del Valle» —sería sin duda *Tahlstrasse*—, que da a una calle importante frente al hospicio y a una vieja iglesia de San Juan Bautista. Le cuesta 30 marcos y ha tomado un abono, por otros 30 marcos, en el restorán Panorama, que le coge cerca. Habituado a comidas copiosas, le preocupa esa comida alemana «que es la tercera parte de lo que se come en España». Pero percibe en seguida que aquella es una «ciudad tan provinciana que no hay manera de gastar [...]. En cambio para estudiar es un sitio admirable: aquí todo el mundo lee de una manera atroz». Y se maravilla de los centenares de periódicos que hay en los cafés, y en algunos hasta bibliotecas.

El cuarto que ocupa —le cuenta a su madre— «es casi tan grande como el comedor de casa, con dos ventanas, un lecho con su edredón libre, flotante, vaporoso, casi metafísico; una mesa de noche que —entre paréntesis— le viene chica al orinal [...]. Además de esto soy dueño usufructuario de una mesa de despacho con *bureau*, de un armario, de otra mesa cubierta de rico, esplendente, luminoso terciopelo escarlata que se halla en medio de la habitación. En derredor de la mesa están, como eternos convidados [...] hasta cuatro sillas de alto respaldo con rejilla y música. Luego existe un magnífico e incomodísimo diván, de terciopelo rojo también, que me viene grande. Un sillón parecido al que ahí dejé, sólo que de rejilla, para la mesa. Una cómoda, un lavamanos de mármol con cajones para botas y otras partes despreciables del vestido. En fin, beata y sumisa en perenne éxtasis, en una irrompible meditación, se alza mi blanca estufa que llega hasta el cielo raso de la habitación. Hace muchos días que no se enciende y el dios de las estufas, que debe ser un dios ya de cok, ya de encina, pero de carbón, quiere que no sea menester encenderla hasta noviembre. Y entonces como ya sabré alemán, celebraré con ella largas y calurosas conferencias: He aquí mi cuarto. ¡Ah! Un espejo de tamaño natural y un quitasol chino. Como veis se trata de un cuarto excesivamente *atopadizo* como dice esa alma mona de María».

## MAX FUNKE, FUTURO EXPLORADOR DEL TÍBET

Como vemos, el joven Ortega está solo, una soledad que se acentúa por el aislamiento que le produce el no dominar el alemán todavía. Por eso, después de buscarlo por anuncios en la prensa, ha hecho un acuerdo con otro joven alemán, Max Funke, para cambiar conversación. Pues saber a fondo alemán es prioritario. Max Funke «debe de ser muy pobre —le cuenta a su madre—, sé que da seis horas de clase semanales a los hijos de una familia rica y cobra por todo ello ¡10 marcos mensuales!».

A pesar de lo cual encuentra una mañana en su cuarto una espléndida edición de *El pueblo alemán,* una enciclopedia que andaba buscando y en la cual el pobre hombre se ha gastado 10 o 15 marcos.

«Todas las mañanas, a las diez, lo tengo a la orden. Me acompaña a donde tenga que ir, me sirve de intérprete en el Registro de Policía, etcétera, todo con una humildad y un placer llenos de ingenuidad y alegría». Ha estado con él en la universidad, en cuyas facultades de filosofía descubre la institución del «seminario» en el que, para cada especialidad, encuentra el alumno todos los libros que necesita, a la mano, y sólo por 10 marcos al semestre. Se inscribe, naturalmente, ilusionado con alternar con los otros estudiantes, con los profesores «y con el propio Wundt, que acaso sea hoy la primera figura filosófica de Europa». «Creo firmemente —añade a su padre— que en España hoy no existen más que dos o tres hombres que sepan media filosofía. Yo aspiro a saber toda. Veremos si tengo fuerza de trabajo».

Max Funke es un conmovedor muchacho que sabe varios idiomas y estudia una porción de disciplinas con vistas a hacer, andando los años, y ayudado por el Estado, un viaje al Tíbet y de ese viaje científico, un libro, entusiasmado tras haber leído los libros de Sven Hedin, el danés explorador de Asia central. Ortega no le iba a olvidar «¡Como te iba a olvidar, Max Funke!» —escribe en 1910— [28]. «¡Como he de olvidar los paseos que dábamos, en las frígidas siestas de invierno, por el Rosenthal, el valle de las Rosas, aquel parque enorme donde había largas praderas de grama verdinegra, unas sendas de tierra oscura, árboles altos y dormidos con troncos verdosos de humedad, bandadas de cuervos que graznaban, y ni una sola rosa!

»Max Funke me dijo que era su padre un modesto viajante de comercio, que él estudiaba en la Universidad Geografía, Mineralogía, Botánica, Zoología y, además, chino y tibetano.

»—Pero ¿qué quiere usted ser? —le pregunté. Y él:

»—Explorador del Tíbet, señor doctor...

»Luego de cursar sus estudios comenzaría a publicar en los periódicos y en las revistas especiales trabajos sobre aquella región y llegaría a hacerse un nombre científico. Más tarde conseguiría una subvención del Gobierno y una participación de capitales privados para realizar la expedición. Luego publicaría un libro [...] Leo con frecuencia sus artículos en el *Frankfurter Zeitung* [...] y no dudo que concluya con normalidad su carrera de explorador asiático [...] Max Funke valía para muy poco, acaso sólo para ir una vez al Tíbet. Si llega a ir, habrá realizado su definición. Y no tardará Alemania en tener en Lhasa una factoría» [29].

El joven español no quiere todavía colaborar en el periódico hasta, le dice en broma a su madre, «quince días antes de que se me vaya a acabar el dinero». Sin embargo en la carta a su padre del 8 de abril le envía dos artículos. «Aunque creo firmemente que cuanto menos publique por ahora mejor será. Tú escoge lo que te parezca menos deleznable y publícalo; algunas de las cuartillas que ahí van han sido escritas cuatro veces y ninguna menos de dos: así van llenas de tachaduras y acotaciones. Las he escrito con toda el alma y a pesar de la previa desesperanza con que las comienzo y la absoluta odiosidad con que las acabo». A lo largo de esos sus primeros años en Alemania enviaría varios artículos, muchos de los cuales no llegaron a publicarse, y por eso no ha quedado rastro de ellos salvo de los que insertaba en el mismo texto de las cartas, por ejemplo, un artículo titulado "La política de Guillermo II" [30].

---

[28] Recogidos en 1915 en *La Lectura* y luego incorporado en el tomo I de *El espectador*, con el título "Una primera vista sobre Baroja".

[29] *Obras completas,* tomo II, págs. 118 y 119.

[30] *Cartas de un joven español,* pág. 125.

SOLEDAD Y TRABAJO

Pero aparte sus conversaciones con Funke y algún comentario con la dueña de la pensión, su soledad es total. «Estoy absolutamente solo —le escribe a su madre— pero muy contento, tranquilo y resuelto». Pero ¿resuelto a qué? La carta que envía a su padre el 28 de abril es especialmente clara: «Si esta soledad absoluta que vive conmigo (hace casi dos meses y 10 días que salí de ahí) es perjudicial a la larga, y seca el cerebro, y llega a imposibilitar el pensar con atención sobre nada, para mí ha sido utilísima y algo con lo que contaba ya y que deseaba desde que pensé en venir a Alemania. Sabía yo que un frente a frente de mí mismo, me había de posar completamente, había de discurrir dolorosamente y por fin fijar mis proyectos de vida [...] Así me encuentro pasmosamente distinto. He visto, por ejemplo, que literalmente no sé nada de nada, que no tengo derecho a pensar y que si anhelaba hacer una vida sólida tenía que rehacerme por completo el ideario. Me he limpiado toda pequeña ambición y en su lugar me ha nacido un mastodonte: que no es otra cosa, en un español de veinte años a los mil y 900 años, que sentir un ansia infinita, vital, por buscar la verdad, por buscarla aunque no exista; siquiera lograr con el *summum* de certeza posible hoy, esa verdad de que no existe ni puede existir la verdad [...] Ha sido una resolución espontánea mía (no producida por personas o libros), y creo una natural evolución de lo que me venía rondando hace tiempo, el horror al *à peu près*, hacia el sinsontismo (sic) intelectual de los que en España se dedican a vivir de la cabeza, desde Pérez Galdós a Azorín pasando por el propio Navarro. No es esto una censura porque a pesar de esto los admiro y creo que hubieran hecho lo indecible si se hubieran desde el principio disciplinado el caletre o existiera en el ambiente esa misma disciplina.

»De modo que he decidido levantarme el resto de mis días a las cinco de la mañana como lo vengo haciendo de algún tiempo a esta parte. El año y medio o dos años que aquí esté, tengo que aprovecharlo de un modo tremendo y con el mayor orden [...] y ese tiempo salir sabiendo de verdad, no en guasa, Griego, Matemáticas, Química y Psicología». Pocos días después le aclara a su madre que si se ha metido en este nuevo rumbo de su existencia y de visión de la vida «es más que mía, culpa de Madrid, del ambiente que me rodeaba excesivamente halagador, de facilidad y excesiva consideración. No he podido hacer más que lo que he hecho, hurtarme de él, y cada instante que pasa, más me alegro de este paso que salva —espero— mi vida».

Su soledad buscada se la confía a su amigo Navarro Ledesma en carta que le escribió desde Leipzig el 16 de mayo. «Cerca de tres meses llevo viviendo absolutamente solo, encerrado conmigo mismo, luchando conmigo mismo: no se puede Ud. imaginar nada más doloroso. Pero es algo peor, es expuesto, peligroso. Momentos he tenido en que he estado a dos dedos de la alucinación, como lo oye Ud. Una gran tensión de la voluntad me ha arrancado de esos atolladeros y he seguido adelante sin graves desfalleceres. Creo que es una prueba gorda ésta que me da derecho a estar un tantico orgulloso».

Las faenas universitarias le entonan pero se siente no todavía dominando a fondo el alemán, y sobre todo la «interpretación» de las palabras, no únicamente solo sino extranjero. «Pero —añade— ya lo peor ha pasado; todavía no conozco a nadie (salvo un estudiante perfectamente tonto y un señorito rico que se está doctorando en *Jura* el cual vive en mi misma casa y toca el violín)... pero los indígenas son el delirio de cerrados para el abordaje espiritual».

## Berlín y el joven Alfonso XIII

No es extraño, por tanto, que a primeros de octubre piense en trasladarse a Berlín. «Aquí sigo —le escribe a su madre— sin conocer a nadie: la Universidad es una muralla china para extranjeros. Los sajones están aún tan inciviles como cuando les llamábamos los latinos, *los bárbaros*... En Berlín es todo lo contrario: la gente es más afrancesada; la Universidad facilita todo al extranjero»; y sigue con una serie de elogios a las ventajas que va a tener para él estudiar en Berlín. Se ve que considera mejor táctica convencer primero a su madre. Y a su padre, siete días después, le dice: «Se me ha ocurrido una idea: ¿por qué no me nombras corresponsal del periódico en Berlín?». El joven Ortega piensa en enviar, aparte los telegramas en casos excepcionales, una media columna cada dos días sobre la vida alemana. La propuesta no caería en saco roto y pocas semanas después le nombran corresponsal de *El Imparcial* para cubrir el viaje del Rey a Berlín, primera visita oficial que hacía el joven Alfonso XIII. En esa misma carta le comunica a su padre que *La Lectura* ha aceptado su propuesta de escribir una vida de Nietzsche [31], libro que no llegaría a hacerse aunque Ortega siempre le tuvo ganas al tema.

---

[31] *La Lectura,* dirigida por Francisco Acebal, tenía esos años gran prestigio como tribuna literaria independiente. En ella publicaría Ortega su segundo artículo, en febrero de 1904, sobre *Sonata de estío* de don Ramón del Valle-Inclán. En 1908 experimentó una reforma y la dirigió Ramón María Tenreiro.

No fue muy brillante esa entrevista entre el rey español y el emperador alemán pero quizá, según juicio del novel corresponsal, «por la
imbecilidad de los que le acompañan».

Debió de trasladarse a Berlín muy a finales de octubre del año 5;
Berlín era ya una gran ciudad con dos millones de habitantes. Su entusiasmo por la nueva vida que le proporciona la gran ciudad se lo comunica a su madre, en carta de 29 de noviembre: «La vida aquí es deliciosa: ni soñar puede un español que sólo conozca España y Francia, la
comodidad, la baratura, la abundancia y la perfección de la vida alemana. Tiene defectos, como es natural, la organización germánica pero,
¡qué pocos! y ¡qué perdonables!». Está muy contento con los cursos que
sigue en la universidad sobre Kant, sobre filosofía del siglo xix. «Los
profesores son considerables, como Simmel y Rhiel», y las bibliotecas
universitarias y los museos son tan eficaces y bien organizados que le
hacen pensar que «aquí, el que pueda vivir tres o cuatro años se hace
un sabio sin querer».

La última carta, desde Berlín, es la que dirige a su madre el 23 de febrero de aquel año 6 anunciándole que sale a primeros de marzo para
Madrid pasando por Gotinga, Frankfurt, Estrasburgo. De suerte que
el 16 de marzo está con los suyos en Madrid.

No hemos comentado aquí todos los consejos que fue dando en sus
cartas a su padre, en pleno poder como periodista y en plena depresión como persona porque lo hicimos detalladamente en las páginas
anteriores dedicadas a Ortega Munilla. Como ve el lector, la correspondencia de Ortega con su familia fue frecuente y larga —casi dos cartas
semanales—, y a ella hay que sumar las cartas a su novia, aún más frecuentes [32].

## BECA Y NOVIAZGO

Al joven Ortega le embarga un ímpetu de autenticidad intelectual,
de hacer las cosas con seriedad y, como le gustaría decir después, a la
altura de los tiempos. Se siente en cierto modo llamado a lograr que
España —que es su ineludible «circunstancia»— salga de la mediocridad y de los lugares comunes en que la había hundido el modo de ser

---

[32] Yo no estoy muy conforme con la libre decisión de mi hermana Soledad de publicar
esas cartas de noviazgo, sobre todo porque las de la novia al novio se han perdido o
fueron destruidas, seguramente, por mi madre en los últimos años de su vida. Por eso
no las comento.

de la Restauración. Como hemos señalado, él ve muy claro que España necesita sobre todo ciencia y especialistas de todos los lados de la vida, no sólo la intelectual. Y en esa tesitura, su primera obligación es saber a fondo filosofía y eso implica estudiar en Alemania. Ha estado un año en Leipzig y una corta estancia en Berlín pero sabe que donde mejor se cultiva la filosofía es en Marburgo a orillas del Lhan, donde reinan los neokantianos bajo el liderazgo de Cohen y Natorp. Sin embargo no quiere seguir cargando los gastos de esa estancia alemana a su familia, siempre, por su excesiva prodigalidad, en economía inestable. Se ha convocado un concurso de becas por el Ministerio de Instrucción Pública para estudios en el extranjero y decide presentarse. No debió de ser un concurso muy reñido, quizá por falta de candidatos, y por Real Orden del 6 de junio de 1906, ese ministerio le concede una pensión de 4.500 pesetas anuales para estudiar en Alemania «Prehistoria del criticismo filosófico» en el lapso de tiempo que va del 4 de octubre de 1906 al 30 de septiembre de 1907 [33]. No es mucho; esas cerca de 400 pesetas mensuales que pierden valor al cruzar la frontera le cubrían los gastos normales —pensión, matrículas, dentista, transportes—, dejando los ingresos eventuales que pueden proporcionarle sus posibles colaboraciones en El Imparcial para algún viaje y la compra de libros.

No tiene, por consiguiente, mucho tiempo que perder y su estancia en Madrid va a ser breve, dedicado a ponerse al día de la vida nacional charlando con la gente del periódico y, sobre todo, a estar con su novia lo más posible, toreando la vigilancia excesiva de su futura suegra Josefina. Quizá tuvo unos días de escapada a la finca de su tía María en Vigo, donde ya las primas Neyra no alteran su corazón, mientras Rosa, su novia, marcha a regañadientes a pasar esos días en San Pedro del Pinatar, en el Mar Menor, lugar habitual de veraneo de los Spottorno.

No sabría yo mejorar la descripción que hace mi hermana Soledad de la decisiva importancia que tuvo el carácter de mi madre en aquella familia que imaginaban nuestros padres en sus años de noviazgo y que, felizmente para todos —padres e hijos— resultó, como hemos visto, muy lograda.

---

[33] El tribunal de esta oposición estaba formado por Francisco Fernández y González, Nicolás Salmerón, Antonio Hernández Fajarnés, Manuel Salas, Adolfo Bonilla, Manuel B. Cossío y Antonio González Garbín.

## Marburgo

¿Por qué elige Marburgo para seguir sus estudios? Debemos, para saberlo, acudir al *Prólogo para alemanes* que escribió hacia 1931 y envió al doctor Kilppert, su editor alemán, director de la Deutsche Verlags Anstalt, para explicar a sus lectores alemanes, en vista del éxito que tenía con ellos, quién era él y sus relaciones con Alemania. Ese escrito iba a ir como prefacio a la tercera edición alemana de *El tema de nuestro tiempo (Die Aufgabe unserer Zeit)*. El doctor Kilppert tenía lógicamente prisa en poder atender los pedidos que recibía pero Ortega le rogó que retrasase la publicación de esa reedición para darle tiempo a esas consideraciones. Mas ese prólogo, traducido por Helena Weyl, se quedó en los archivos de la DVA porque «los sucesos de Múnich en 1934 me repugnaron tanto que telegrafié prohibiendo su publicación»[34]. El *Prólogo para alemanes* no vería la luz en vida de Ortega y sólo se incluyó en la edición de sus *Obras completas* hecha después de su muerte. Habremos de volver varias veces a él pues son páginas importantísimas para la mejor interpretación de la figura y la obra de Ortega.

«El idealismo trascendental —nos dijo allí— había terminado en una radical catástrofe de la filosofía. Hegel, que es uno de los cuatro o cinco mayores filósofos del planeta Tierra, fue acaso el más imprudente [...] y la gleba europea quedó sembrada de sal para los efectos filosóficos. Con una velocidad increíble se olvidó la *técnica* del pensamiento que la filosofía usa [...]; de aquí que las generaciones de 1840 y 1855 tuviesen que volver a la escuela, es decir, a los clásicos [...] y Cohen (y otros) fueron al aula de Kant. Éste es el gran sentido que tuvo el neokantismo, una necesidad escolar del europeo recaído en puerilidades filosóficas».

Mi padre había tenido ya en su estancia en Leipzig «el primer cuerpo a cuerpo desesperado con la *Crítica de la razón pura* que ofrece tan enormes dificultades a una cabeza latina». Sentado en un banco del jardín zoológico miraba al elefante «que con su gran paciencia —*el genio es la paciencia*— se dejaba limar por un empleado el callo de la frente. El elefante es filósofo y apretaba su frente contra los barrotes de su jaula [...] por eso se le forma el callo. Yo también lo iba formando dando embestidas contra los barrotes de la *Crítica* en aquella primavera».

---

[34] Purga sangrienta en la que fueron asesinados muchos dirigentes del partido nacionalsocialista, con el pretexto de un supuesto complot contra Hitler.

«Durante diez años —dirá en el ensayo que dedicó a Kant en su centenario— [35] he vivido dentro del pensamiento kantiano, lo he respirado como una atmósfera y ha sido a la vez mi casa y mi prisión. Y con gran esfuerzo me he evadido (de ella) y he escapado a su influjo». Pero Ortega se reirá de los que no pudieron dejar de serlo por no haberlo sido antes a conciencia. Uno de sus amigos portugueses, Pedro de Moura e Sa, de quien hablaremos al llegar a sus años de exilio en Portugal, hombre puramente literario, inteligente y encantador, a quien mi padre quería llevar al pensamiento, y a quien a petición suya le había dado a leer la *Crítica* endemoniada, vino muy contento después de tres días de lectura diciendo que la había entendido. Ortega le contestó con sorna: «Pues yo tardé tres años en comprenderle».

Hermann Cohen (1842-1918) fue el fundador de la escuela de Marburgo y máxima figura del neokantismo. «Era una mente poderosísima y la filosofía alemana, y la de todo el mundo, tiene una gran deuda con él. Porque él fue quien obligó con un empeño, sin duda un poco violento, a elevar el nivel de la filosofía». Cohen profesó en Marburgo hasta 1912 en que se trasladó a la Universidad de Berlín. Junto a él, como segunda gran figura del neokantismo, estaba Paul Natorp (1854-1924), al que Ortega recordaba después como «un hombre buenísimo, sencillo, tierno, con un alma de tórtola y una melena de Robinson Crusoe» [36]. En una de las cartas a su madre, escrita al final de su primera estancia en Marburgo, le cuenta con cierto orgullo que «el jueves pasado comimos una porción de colegas en casa de Natorp; ignoro por qué razón me sentaron en la presidencia de la mesa a mano derecha de Frau Natorp, que por cierto debe haber sido hermosísima» [37].

«No os he contado —le escribe a su padre la semana siguiente, ya desde Berlín— mi éxito en uno de los días de Marburgo cuando comimos en casa de Cohen todos sus discípulos. Luego de brindar algunos muy sosamente, me instaron y coloqué una improvisación que aún no comprendo cómo me salió tan bien. Hubo grandísimo entusiasmo: principalmente por lo inesperado que era tras los brindis sosos uno ameno. He dejado bien puesto el pendón español (frase de Cascales) en Marburgo y Cohen me ha encargado trabajos para su revista, que es como dar de alta».

Sabemos por las cartas a su novia que llega a Marburgo vía París y Colonia el 13 de octubre de 1906 y no sin dificultades encuentra por fin casa. Con suerte porque «voy a vivir en una de las calles más bellas y tranquilas de este pueblo y que esa casa es nada menos que la del Di-

---

[35] "En el centenario de Kant" *Revista de Occidente,* 1924 *(Obras completas,* tomo IV pág. 13).

[36] *Obras completas,* tomo VIII, pág. 15.

[37] Fecha 30 de julio de 1907, dirigida a Vigo.

rector del Instituto *(Gymnasium)*. Es un matrimonio viejo con un hijo de mi edad. No podía soñar nada mejor, mañana me voy para allá. Las señas son Worthstrasse 44, tengo dos cuartos enormes con largas ventanas chatas desde donde se ve la cabezota vieja del castillo y el monte».

Si buenos eran esos dos grandes maestros también eran notables algunos de sus condiscípulos, como Heimsoeth, Scheffer y Nicolai Hartmann. Años después, en las ediciones de la Revista de Occidente publicaría la traducción de algunos de los libros que escribieron esos camaradas. Y al buscar en el *Prólogo para alemanes* las razones de su éxito en Alemania creía deberse a «que, en la medida de lo posible, *pongo al lector,* que cuento con él, que le hago sentir cómo me es presente, cómo me interesa en su concreta, angustiada y desorientada humanidad», porque la involución del libro hacia el diálogo, el pensar que al hablar o escribir se dice algo a alguien fue siempre su propósito. Esto lo vio ya su condiscípulo Hartmann, como cuenta mi propio padre en uno de sus raros momentos de recuerdo:

«En la humilde buhardilla de Marburgo, allá en lo más alto de la empinada ciudad, el admirable Nicolai Hartmann toca su violonchelo. Yo le escucho. Tenemos veintidós o veintitrés años. La melodía, siempre patética, casi de varón, que emite el *cello* hace sus evoluciones en el aire como una golondrina. Por el ventanuco veo descender la ciudad, que vive agarrada al flanco del cerro, y llegar hasta el valle, por donde pasa el Lahn cantando siempre su canción ninguna.

»Hartmann deja un instante quieto en el aire su arco, que, al separarse del *cello* y quedarse solo, se convierte momentáneamente en un pequeño arco salvaje, de pigmeo. Me dice:

»—Usted, querido Ortega, tiene altruismo intelectual.

»Y luego vuelve a soltar la golondrina melódica que anida en el vientre rubio de su *cello,* del cual han salido más tarde cuatro o cinco magníficos libros».

## LA MUERTE DE NAVARRO LEDESMA

Su amistad con Francisco Navarro y Ledesma fue más bien la admiración de un joven por la pureza ética del escritor y filólogo que le llevaba casi quince años de edad [38]. Se ha conservado una amplia co-

---

[38] Nació en Toledo en 1869 y murió en Madrid en 1905. Perteneció al Cuerpo de Archiveros y después fue catedrático del Instituto de San Isidro de Madrid. Asiduo colaborador de los periódicos, excelente conferenciante y gran especialista en Cervantes, cuya biografía publicó días antes de su muerte.

rrespondencia de Ortega a Navarro Ledesma desde Leipzig, aunque no las contestaciones, casi toda del año 1905. Como ya vimos en alguna carta, le expone todos sus problemas en esos sus primeros meses en Alemania, tanto de temple personal como de la vida práctica. «Pienso que esto de abandonar la patria y la casa por largo tiempo cuando aún se tiene gran parte del ánimo en estado de cartílago viene a ser como sacarse una muela [...] con la diferencia de que la muela es uno». Y se queja de las nuevas costumbres materiales que ha de vencer cuando «en Madrid yo había bonitamente suprimido toda la parte muerta, todo el cascote de la vida y sólo me preocupaba hacer juegos de manos con docena y media de ideas» [39].

En abril de ese mismo año se entera por *El Imparcial* de la salida de la biografía de Cervantes, la obra cumbre de Navarro Ledesma, ágil y muy al día en los conocimientos que había entonces del autor del *Quijote*. La lectura de su comienzo, que reproduce el periódico, le ha producido una hondísima impresión. «Sepa —le dije— que sus glorias me saben a gloria y a carne de membrillo sus aciertos». Este libro, que se titula graciosamente *El ingenioso hidalgo Miguel de Cervantes Saavedra*, está dedicado, como ya dijimos, a José Ortega Munilla.

Como ya señalamos, la carta de su padre de finales de septiembre anunciándole la muerte de su amigo [40] le sume en gran desconsuelo: «El campo de mi vida, de la importante, que es la interior, cambia de un modo atroz. Navarro era mi único amigo; por un caso venturoso —yo contaba su amistad entre los mejores regalos de la casualidad— era al tiempo que un amigo un maestro, un hombre de recio y fecundo consejo [...] El gran problema del amigo —tan necesario y tan consolador— lo tenía yo resuelto de un modo inmejorable [...] pero un maldito y bestial golpe de viento, salido no se sabe de dónde, se lleva todo el afán y todas las esperanzas en un momento. Esto es un aviso: que hay que hacer solo el camino» [41]. Ese mismo día vuelve a escribir a su padre recomendándole a Salamero, un bibliófilo, para quien Navarro Ledesma era un padre, y le pide que logre meterlo en el periódico con un sueldo fijo. *El Imparcial* de 22 de septiembre le dedica varios artículos del propio Ortega Munilla, de Luis Bello y de otros redactores. Al joven Ortega le gusta mucho ese número y elogia en particular el poema que le dedica Rubén Darío en la primera plana:

---

[39] Carta del 7 de marzo de 1905.

[40] Ocurrida en Madrid el 21 de septiembre de 1905.

[41] Carta del 24 de septiembre de 1905.

Yo no escuché jamás palabra tan humana
y que fuese en mi sangre y en mi pensar hermana.
Era bueno. Era puro. Era lo que hay que ser
cuando se trae en el hombro la piedra del deber.

## LAS FUENTECITAS DE NUREMBERGA

En uno de esos viajes que se permitía cuando disponía de tiempo y de algunos marcos sobrantes llega a Núremberg, de la que nos ha dejado uno de sus más tempranos e infrecuentes relatos de viajero. *Las fuentecitas de Nuremberga* lo publicó, recién escrito, en 1906 en la revista *La Lectura* [42]. Le vemos caminar hacia la casa de Alberto Durero por la calle del monte Olivete, solitaria, al extremo de la cual «se alza el burgo imperial, alto, aguileño, magnífico». Núremberg le parece haber sido una ciudad alegre que guarda con amor su pasado, y «cuando una ciudad vieja llega a ser un cillero de historia, un montón de años secos, lo único que queda en ella viviente son sus fuentes viejas, que prosiguen cantando y corriendo como en la juventud de la villa». Por eso añade que «los vecinos únicos de Nuremberga son sus fuentecitas [...] el fluir nunca interrumpido de esas fuentecitas enlaza en la ciudad nueva y próspera con aquella otra callada, próspera también un día».

En 1933, en un viaje que hizo a Alemania con mi madre y mi hermano Miguel, volvió por la mítica ciudad, mucho antes de que se hiciera famosa por albergar al tribunal que juzgó los crímenes nazis.

Durante su breve estancia en Berlín, viniendo de Leipzig, en 1906, no había en las cátedras de aquella universidad ninguna gran figura de la filosofía. Estaba Dilthey pero todavía no se le reconocía originalidad filosófica, y además, «daba la casualidad de que desde unos años antes había dejado de explicar sus lecciones en el edificio universitario y sólo admitía a su enseñanza, que practicaba en su propia casa, a unos cuantos estudiantes especialmente preparados». Ortega lamentaría mucho este desencuentro, como explicó años después en su ensayo *Guillermo Dilthey y la idea de la vida* [43]. Por eso decidió al curso siguiente ir a Marburgo, adonde volvería, ya casado, en 1911, como luego veremos.

---

[42] Que luego recogió en su segundo libro, *Personas, obras, cosas,* aparecido en 1916 y que engloba trabajos de 1904 a 1912 seleccionados por el propio autor. El libro lleva el pie editorial de La Lectura.

[43] Publicado en los números de noviembre y diciembre de 1933 en la *Revista de Occidente.*

## 1907: DE NUEVO EN MADRID

A finales de 1907 Ortega vuelve a Madrid con ganas de iniciar su actividad profesional y poner en marcha los proyectos de acción y contemplación que ha ido madurando en su soledad alemana. Gobierna Maura desde finales de enero en el que se llamaría «gobierno largo» porque duraría hasta 1909, que con la «Semana Trágica», el fusilamiento de Ferrer y las frondas militares le obligaron a presentar su dimisión al Rey —que la esperaba— para dar paso a don Segismundo Moret.

*El Imparcial* está, como vimos, desde la constitución del trust periodístico en mayo de 1906, dirigido por Luis López Ballesteros, hasta entonces gobernador civil de Sevilla, previa venia de su jefe político, Moret. El abuelo, como ya contamos, dejaba esa dirección pero seguiría controlando *Los Lunes de El Imparcial* y haciendo algunos editoriales sin firma en defensa de las posturas políticas que quería su cuñado Rafael Gasset. Éste imponía al periódico una postura antimaurista y desde su escaño del Parlamento atacaba con frecuencia los proyectos de Maura. En un largo discurso que pronunció en nombre de la oposición el 10 de diciembre de 1907, en que se discutían los presupuestos para el año siguiente, le parecía un desatino asignar el aumento de las inversiones públicas, deseado por todos, principalmente a la construcción naval de tres acorazados, por otra parte muy necesarios. Parece que mi padre, su sobrino, le redactó algunos párrafos referentes a la enseñanza porque, como ya vimos, don Rafael se los reclamaba al abuelo en carta desde París, y pedía charlar con Pepe, «del enlace de los asuntos de enseñanza con los referentes a la riqueza pública» [44].

## EL PRIMER PERIÓDICO, *FARO*, Y LA REVISTA *EUROPA*

1908 va a presenciar su primera empresa editorial, que no duraría mucho pero tuvo su impacto por su carácter renovador. El semanario *Faro* fue fundado por mi padre con Bernardo Rengifo como director-gerente y la ayuda de Manuel Troyano, que firma el editorial del primer número, aparecido el 23 de febrero de 1908, con el título "Razón de Vida". Algo tengo oído de que Rubén Darío metió algún dinero en

---

[44] El discurso se recogió en un folleto de *El Liberal*.

la publicación, que viviría hasta el 28 de febrero del año siguiente. Nos parece muy ponderada la opinión que dan en el libro ya citado, *Historia del periodismo en España,* sus dos autoras [45]. Como ha señalado José Carlos Mainer, y en oposición al Gobierno de Maura, se fueron esbozando a varias voces todos los temas que seis años después desarrollara Ortega en su discurso sobre "Vieja y nueva política". «Nuestro periódico nació con una preocupación cardinal y obsesionante: existe un desnivel secular entre España y Europa. ¿Qué camino es el más corto, qué idea más emotiva para corregir ese desnivel?», decía Ortega en su número 52, del 14 de febrero de 1909. Ortega postula desde su primer número la necesidad de una reforma constitucional y de un nuevo liberalismo, que perfilará en el número 3 en polémica con Gabriel Maura. Entre junio y septiembre polemiza —como ya vimos— con Maeztu. También Troyano propone «la reorganización del Partido Liberal como labor de las izquierdas» y Luis Bello inicia una serie de artículos sobre «Lo que España no tiene».

Quiere, naturalmente, contar con la colaboración de Unamuno al que explica: «Sobre un capital de origen perfectamente independiente se va a publicar una revista dirigida tanto a los españoles como a los sudamericanos. El domingo que viene saldrá el primer número. Es semanal con las páginas tamaño *ABC.* Del sentido íntimo de la revista le salgo garante. Mi petición es que envíe Ud. artículos sobre asuntos sudamericanos [...] quisiera que su firma fuera en el primer número; para ello tendría yo que recibir el original el viernes lo más tarde. ¿Por qué no hace el *aperçu* sobre Sarmiento de que me habló?» [46]. En cartas posteriores le aclara que «gran parte del dinero procede de Martín Echegaray que vive en América y hará posible extenderla» [47]. Me gusta mucho lo que me envía —le dice más tarde—. Un abrazo estrechísimo: casi se me saltan las lágrimas. Así haremos España» [48]. Unamuno colabora con tres artículos, titulados "Por el Estado a la cultura: Clasicismo del Estado y romanticismo de Región", "Su Majestad la lengua española" y "El problema político-religioso en España".

No le hace mucha mella este su primer fracaso y apoya en *El Imparcial* la nueva revista dirigida por Luis Bello, que aparece con el orteguiano título de *Europa.* Ortega aparecía en ella como encargado de la "Re-

---

[45] María Cruz Seoane y María Dolores Saiz: *Historia del periodismo en España,* tomo 3: *El siglo XX,* Alianza, Madrid, 1998.

[46] Carta del 17 de febrero de 1908.

[47] Carta del 8 de marzo de 1908.

[48] Carta del 23 de marzo de 1908.

vista de Libros". Haría reseñas de libros o conferencias con su firma (que se han incluido en sus *Obras completas*) sobre "La teología de Renan" y sobre "Meier-Grafe", un alemán que ha pasado por Madrid «crítico de pintura, impresionista exacerbado y, por tanto, ciudadano díscolo y temible. En la briosa cruzada que comienza a levantarse en Alemania para defender la verdad artística lleva Meier-Grafe una pica de vanguardia» [49]. Su reseña de *La epopeya castellana*, de Ramón Menéndez Pidal, se publicó en el que iba a ser el último número de *Europa* el 22 de mayo de 1910.

Pero sigue con una colaboración más asidua en *El Imparcial* al tiempo que aparecen dos libros importantes: *Elejías puras* de Juan Ramón Jiménez y *El Greco* de Manuel Bartolomé Cossío, que vendría a dar nueva luz sobre el pintor de Toledo.

Su colaboración en *El Imparcial* se intensifica algo, y me parece el más combativo el artículo titulado "Pidiendo una biblioteca". Era difícil entonces en España, y en algunas materias imposible, realizar trabajos científicos. «Comienza —precisa— por no haber una sola biblioteca de libros científicos modernos. La Biblioteca Nacional es inservible; apenas si basta para asuntos de historia y literatura españolas, que son las disciplinas menos europeas; [en] las demás ciencias faltan las obras más elementales. Apenas si hay revistas». Y censura el reglamento de la Biblioteca Nacional, «donde están los libros para que no se los lleven, no para que sean leídos bajo ciertas garantías». Como en esos días se habla de crear un Teatro Nacional cree que «una biblioteca de libros científicos es institución mucho más urgente». Y termina pidiendo al Parlamento y al Gobierno tomar sobre sí ese empeño, para cuya dirección propone «el nombre respetabilísimo de D. Eduardo de Hinojosa» [50].

PROFESOR DE LA ESCUELA SUPERIOR DEL MAGISTERIO

Su prestigio empieza a extenderse. Es nombrado por Real Orden de 24 de junio de 1908 —pienso que por medio de un concurso más que de una oposición— Profesor de la Escuela Superior del Magisterio (recién creada) en la cátedra de Psicología, Lógica y Ética, a propuesta unánime de la Junta Central de Primera Enseñanza, de la Real Academia de Ciencias Políticas, del Consejo de Instrucción Pública y de la Facultad de Filosofía y Letras de la Universidad Central. Son sus alum-

---

[49] *Obras completas,* tomo I, pág. 146.

[50] *Obras completas,* tomo I, pág. 81.

nas —que constituyeron la primera promoción— varias mujeres que serían prestigiosas: María de Maeztu, Gloria Giner, Juana Ontañón, María Luisa Navarro. «Resultando —dice la Real Orden— que los cuatro centros citados proponen únicamente para el expresado cargo a D. José Ortega y Gasset, doctor en Filosofía y Letras con nota sobresaliente. S.M. el Rey ha tenido a bien nombrarle con un sueldo de 4.500 pts. anuales».

Ya tiene Ortega su primer ingreso fijo; pero es tan reducido que no puede aún casarse y fundar una familia. A la muerte de Nicolás Salmerón, ocurrida en Pau en ese año, piensa que se presentará —cuando se convoque— a la oposición para cubrir la vacante de la cátedra de Metafísica, que venía desempeñando el gran político en la universidad madrileña desde 1869, con los años mudos en que, destituido de ella desde el inicio de la Restauración, tuvo que exiliarse a París. Pero esa convocatoria no llegaría hasta dos años después.

En octubre participa en el Congreso Científico de Zaragoza que organiza la Asociación Española para el Progreso de las Ciencias. Parece que desarrolló en ella el mismo tema de su memoria para la beca de Alemania, «Descartes y el método trascendental», cuyo original, por cierto, se ha perdido. Antes, en *El Imparcial*, había dedicado dos artículos a la reunión proyectada. «Se trata de que concurran a ella los muchos o los pocos aficionados a estudios matemáticos, naturales, filológicos y filosóficos que hay en España, y que nos dejen una medida bastante exacta de la intensidad de la cultura que alcanza nuestro pueblo a la hora de ahora» [51]. Líneas antes había dicho «Europa = ciencia: todo lo demás es igual que al resto del planeta».

«Y si creemos que Europa es ciencia habremos de simbolizar a España en la *inconsciencia,* terrible enfermedad secreta que cuando infecciona a un pueblo suele convertirlo en uno de los barrios bajos del mundo». Pero es optimista y afirma que «no hay en España ciencia pero hay un buen número de mozos ilusos dispuestos a consagrar su vida a la labor científica con el mismo gesto decidido, severo y fervoroso con que los sacerdotes clásicos sacrifican una limpia novilla a Minerva de ojos verdes. Es menester hacerles posible la vida y el trabajo». No le importa que esa juventud severa y laboriosa vaya «desgarbadamente vestida, sin atractivo para las mujeres y, probablemente, sin buen estilo literario, porque es la única capaz de salvar los últimos residuos de dignidad intelectual y moral rígida que quedan en nuestra sociedad». Ya veremos cómo esos jóvenes respondieron con altura a su invitación.

«Todas las generaciones intelectuales que han hecho acto de presencia en España han debido arreglar, como primera providencia, sus cuen-

---

[51] *Obras completas,* tomo I, pág. 99.

tas con los del 98, con Unamuno, Baroja, Azorín, Maeztu y otros colegas de nómina generacional», dice muy acertadamente Santos Juliá en un artículo reciente [52]. Ortega, que llegaba al mundo de los intelectuales con un ímpetu y prestigio extraordinarios a pesar de su juventud —en 1909 cumplió 26 años, zona de la vida muy decisiva según él, como luego comentaremos—, fue el líder de los que eran adolescentes en el desastre y encabezó la crítica de los que en ese 98 eran hombres maduros. Su principal pugna, pero esforzándose en llevarle al que creía buen camino de inexcusable europeización de España, fue, naturalmente, con Unamuno.

Como ha recordado Vicente Cacho Viu en su libro *Repensar el 98*[53], «el término generación del 98 fue acuñado por Ortega en febrero de 1913 [54]… con objeto de convocar a los nuevos españoles, a la juventud estudiosa del momento, con el propósito de enderezar los torcidos destinos del país». «Ese mismo mes —añade Cacho Viu— Azorín se apoderó del término para convertirlo, retrospectivamente, en fecha epónima de un grupo literario que se habría dado a conocer quince años atrás, hacia el año del Desastre». Mi padre nunca denunció esa usurpación, ni siquiera en una disertación en 1935 de Pedro Salinas en el PEN-Club en la que éste recordó «el profundo acierto» de Azorín —que también estaba presente— al hacer esa denominación generacional. Ortega pronunció unas palabras como presidente honorario de aquella institución internacional que no rectificaron ese dato porque se refirió «a una vocación para el silencio que siento cada vez con mayor vehemencia» [55].

## SU RELACIÓN CON UNAMUNO

La polémica con Unamuno, la figura más señera de esa generación finisecular, nació con la defensa que hizo mi padre de Azorín por una carta de don Miguel en el *ABC*[56] atacando a su compañero del 98. "Unamuno y Europa, fábula" se titula el artículo aparecido en *El Imparcial*

---

[52] Santos Juliá: "Ortega y la intelectualidad", *Revista de Occidente*, 4ª época, mayo de 1999.

[53] Vicente Cacho Viu: *Repensar el 98*, Biblioteca Nueva, Madrid, 1997.

[54] Carta a Leopoldo Palacios, 14 de agosto de 1909.

[55] Pedro Salinas: "El concepto de generación literaria aplicado a la del 98", discurso en el PEN-Club del 6 de diciembre de 1935, recogido en *Revista de Occidente*, 1ª época, núm. 50 de ese mismo mes.

[56] *Obras completas*, tomo I, pág. 128.

del 27 de septiembre de 1909. El rector de Salamanca —nombrado para este cargo desde 1901— le reprocha que se necesite ir al extranjero para estudiar hispanismo. «Hay que proclamar nuestras superioridades actuales» —escribía apoyándose en un libro que acababa de publicar Menéndez Pidal, a quien todos estimaban. «Y si fuera imposible que un pueblo dé a Descartes y a San Juan de la Cruz, yo me quedaría con éste». Ortega pensaba «contestar con algún vocablo tosco [...] a D. Miguel de Unamuno, energúmeno español [...] En los bailes castizos no suele faltar un mozo que cerca de la media noche se siente impulsado sin remedio a dar un trancazo sobre el candil que ilumina la danza: entonces comienzan los golpes a ciegas y una bárbara barahúnda. El Sr. Unamuno acostumbra a representar ese papel en nuestra república intelectual. ¿Qué otra cosa es sino preferir a Descartes el lindo frailecito de corazón incandescente que urde en su celda encajes de retórica extática? Lo único triste del caso es que a D. Miguel, el energúmeno, le consta que sin Descartes nos quedaríamos a oscuras y nada veríamos, y menos que nada el pardo sayal de Juan de Yepes». Y luego le abruma con un trabajo de su amigo Américo Castro donde destaca la inundación de trabajos de filología castellana de investigadores extranjeros, sin alguno de los cuales, por ejemplo, no se hubiera aclarado que «el habla salmantina era algo más que palabras deformadas por la rusticidad aldeana [...] y esto tuvo que leerlo don Miguel en el alemán Gessner».

Y mi padre termina lamentándose: «Sin embargo, un gran dolor nos sobrecoge ante los yerros de tan fuerte máquina espiritual, una melancolía honda... ¡Dios mío, qué buen vasallo si *oviera* buen Señor!».

Pero esa violenta calificación de Ortega no rompería por el momento las relaciones entre ambos, que venían siendo muy cordiales en una correspondencia de los años alemanes de mi padre que se ha publicado casi íntegra [57]. Y las cartas de Unamuno y de mi padre siguieron hasta después del año 1912. Algunos ejemplos sirven para dar el tono cordial de esa correspondencia. Si Unamuno empezó dirigiéndose «al hijo de Ortega Munilla», éste pronto se convirtió en el «Querido amigo» o «Querido Ortega», y por parte de mi padre pasa del tratamiento de «Maestro» al de «Querido amigo», que luego sería el de «Hermano enemigo» al asumir la defensa de Unamuno, destituido de su rectorado en 1914 en los estertores del primer gabinete Dato, al comenzar la

---

[57] *Epistolario completo Ortega-Unamuno*, edición de Laureano Robles, Ediciones El Arquero-Fundación Ortega y Gasset, Madrid, 1987. (Es *completo* porque va toda la correspondencia que se conserva pero faltan ocho cartas de cada uno que debieron de existir porque hacen referencia a ellas.)

guerra europea. Dedica un artículo [58] a "La destitución de Unamuno" que ha dictado el abogado Bergamín como ministro de Instrucción Pública. «Según el Sr. Unamuno —que ha escrito naturalmente a Dato— los motivos por los que un Ministro de Instrucción Pública ha destituido al Rector de una Universidad, que es, a la vez, una de las más poderosas inteligencias nacionales, son inconfesables». Era necesario repetir esa frase —añade Ortega— porque «todos los periódicos recogieron la acusación del Ministro [de haber aceptado títulos extranjeros el rectorado de Salamanca] y ninguno —que yo sepa— ha recogido la acusación del Sr. Unamuno». «Personalmente —termina— no me unen al Sr. Unamuno más que polémicas agrias, y a veces, violentas. Se trata de que España tiene muy pocos hombres adecuados en el lugar adecuado. Y no habrá ningún patriota dispuesto a que por un puro capricho, ignoro de quién, le falte uno más» [59].

La correspondencia entre ambos pensadores de tan diferente edad había comenzado ya el año 1904 con una carta de Unamuno perdida, a la que contesta el joven Ortega el 4 de enero desde Madrid. Ya en ella empieza su esfuerzo por arrancar a don Miguel «de ese misticismo español-clásico que en su ideario aparece de cuando en cuando». «Prefiero —añade— para mi patria la labor de cien hombres de mediano talento, pero honrados y tenaces, que la aparición de ese genio (que añoraban muchos del 98), de ese Napoleón que esperamos y que llamaba Baroja con el nombre de Dictador en un número de *Alma Española*. Corre por todos los ánimos de los intelectuales nuestros de hoy un viento de personalismo corto de miras, estéril, que es lo más opuesto a nuestras necesidades». Y termina preguntando a Unamuno: «¿Se atrevería a censurarme que, no teniendo cosa mejor que hacer, trabaje sobre los libros de nueve a diez horas diarias?» Y se despide: «Sabe Ud... su amigo de veras».

Ortega había explicado a don Miguel la reorganización que, según parece, se estaba llevando a cabo en *Los Lunes de El Imparcial,* bajo la dirección de Luis Bello, animándole a que enviára artículos. A don Miguel le parece muy bien pero no excluye que Ortega le devuelva pronto algunos de ellos, «tal vez el primero que le envié. Porque cada día, amigo Ortega, me siento más llevado a las afirmaciones gratuitas, a la arbitrariedad, que es el método de la pasión, y cada día me arraigo más en mi anarquismo, que es el verdadero, y así me voy aislando cada vez más. No quepo en ninguna parte, ni en mí mismo» [60]. Se despide

---

[58] *El País,* septiembre de 1914. *(Obras completas,* tomo X, pág. 258.)

[59] *Epistolario completo Ortega-Unamuno,* ya citado.

[60] Carta del 17 de mayo de 1906 desde Salamanca.

don Miguel: «Sabe cuán de veras es su amigo —y esto es lo que importa— y muy leal». Y en la posdata le pregunta por el precio que puede poner a cada artículo. Y en carta siguiente le dice a mi padre que se va sintiendo «furiosamente antieuropeo. ¿Que ellos inventan cosas? ¡Invéntenlas! La luz eléctrica alumbra aquí tan bien como donde se inventó» [61].

En cartas posteriores de ese mismo año de 1906 se sincera con Ortega: «Y me ahogo, querido Ortega, me ahogo en este ambiente de ramplonería y de mentira. He pensado seriamente en largarme [...] ¿a dónde? Pero no, éste es mi puesto». Aunque también le comunica una nota positiva, que nos resulta conmovedora: «Hace poco tuve en Barcelona una dicha. Di la mano a Maragall, nos miramos a los ojos, nos sentimos hermanos. Se conmovieron las raíces de nuestras sendas almas. Y esto de sentir la hermandad espiritual es lo más delicioso que puede sentirse».

Desde finales de 1906 Ortega le sigue escribiendo desde Marburgo. «La enemiga de Ud. con la ciencia es, acaso, lo único que me parece anticientífico en Ud. ¡Guárdese también de Nietzsche!» Y le propone: «Vamos a ver. ¿Por qué no se dedica Ud. más de lleno a Filosofía de la Religión y le hacemos catedrático de nueva creación con máximo de sueldo en Madrid? Creo que le falta a Ud., mi buen Don Miguel, una continencia, una cejuela, un cilicillo; si no, nos vamos de cabeza al misticismo energuménico y, por ese mero hecho, nos colocamos fuera de Europa, flor del Universo» [62].

En la carta siguiente [63] «le regaña» sobre la teoría de don Miguel de la fuerza y la agilidad pero le añade: «Yo espero que, discreto o necio, tome cuanto le digo con la pureza con que se lo digo. Aunque le injurie alguna vez, bajo la injuria sabe Ud. muy bien que va mi altísima estimación y algo más, una extraña forma de cariño que no he acertado aún a explicarme».

Alemania está esos días en periodo electoral y Ortega opina que el «tiempo de elecciones debería elegirse para visitar los países extraños. Más secretos de la vida íntima del pueblo romano nos ha descubierto Pompeya que el resto del Imperio, y todo porque tuvo el Vesubio el humor de abrasarla en días de elecciones» [64]. Y también se sincera con don Miguel: «Estoy lleno de ascos. Esta gente decididamente es un rebaño imbécil. Los señores en cuya casa vivo —un director de *Gymna-*

---

[61] Carta del 30 de diciembre de 1906 desde Salamanca.

[62] Carta del 30 de diciembre de 1906 desde Marburgo.

[63] Carta del 3 de enero de 1907 desde Marburgo.

[64] Carta del 27 de enero de 1907 desde Marburgo.

*sium*— han llegado a odiarme porque soy socialista». «Se va a reír Ud. de mi ingenuidad pero contribuyó no poco a lanzarme por el camino de la filosofía pensar lo siguiente: ¡Que diantre! ¿No sería curioso ver cómo cristaliza esta rara cosa de la filosofía en una sesera española? Como un tío mío de 87 años [65] que todas las mañanas ante la sopa dice: vamos a ver lo que da de sí un hombre bien cuidado».

Después de la numerosa correspondencia, ya señalada, del año 14 con motivo de la destitución del rector de Salamanca, Ortega le escribe porque está preparando la salida de la revista *España,* la primera empresa editorial importante de mi padre. «Metido en los trances de preparación para que este semanario nuestro salga lo mejor posible no he podido escribir a Ud. antes. Ya ha visto que el buen Bergamín ha salido del Ministerio como el corcho de una botella» [66]. Unamuno colaboraría en *España* desde el segundo número. Tiene buena opinión de ella pero «hay todavía mucha cosa desvaída. Las cosas de nuestro amigo *Xenius* están demasiado fuera de lugar y de tiempo [...]; ese preciosismo vagoroso no entra aquí en las gentes. Valiera más que hablase del catalanismo y en concreto» [67].

La postura de Unamuno ante el fusilamiento, el 13 de octubre de 1909, de Francisco Ferrer Guardia, director de la Escuela Moderna, —proceso que culminó la represión por los sucesos de la Semana Trágica y cuya revisión pidió un sector del Congreso en abril de 1911— es en aquel momento muy conforme: «Se fusiló con perfecta justicia al mamarracho de Ferrer, mezcla de loco, tonto y criminal cobarde [...] y se armó una campaña indecente de mentiras, embustes y calumnias» [68]. Años más tarde, en diciembre de 1917, Unamuno rectificaría al leer el libro de su amigo el doctor Simarro. No parece, en cambio, que mi padre interviniera en la cuestión Ferrer.

Todavía en el año 22 hay una carta de Unamuno a Ortega dándole el pésame por la muerte de su padre, Ortega Munilla, «a quien conocí, traté y quise. No ha pasado por la vida como ocioso, la ha vivido de verdad y no para él solo» [69].

Los ataques de Unamuno a la dictadura de Primo de Rivera motivaron su deportación a Fuerteventura. Sin embargo, el general no logró callarle, porque don Miguel siguió haciendo declaraciones y pu-

---

[65] Es su tío Julián Munilla, del que ya hablamos.

[66] Carta del 4 de enero de 1915.

[67] Carta del 26 de febrero de 1915.

[68] Carta de Unamuno a P. Jiménez Ilundáin del 28 de marzo de 1911.

[69] Carta del 31 de diciembre de 1922.

blicando artículos virulentos. Mi tío —y padrino— Eduardo Ortega y Gasset relató la evasión que le organizó el diario parisino *Le Quotidien,* hecha con luz y taquígrafos, lo que indica que Primo de Rivera no quiso oponerse y la tomó como una liberación para su propia política [70].

En Francia pasaron Unamuno y mi tío Eduardo —que también había sido desterrado— seis años de exilio desde 1924 a 1930. Primero en París, luego en Hendaya donde el tío Eduardo publicaba unas *Hojas Libres* contra la dictadura. Mi tío, con su familia, vivía en una casa alquilada, y don Miguel, solitario, vivía en el hotel Broca, cerca de la estación de la SNCF (Sociedad Nacional de los Ferrocarriles Franceses), y se veían diariamente. Allí les fuimos a visitar mis padres y yo —tenía entonces 12 años— desde Zumaya donde veraneábamos, en 1928. Recuerdo que coincidimos con la viuda de Blasco Ibáñez, que proponía a Unamuno: «Mire don Miguel, Ud. lo que tiene que hacer es irse a los Estados Unidos y fundar una secta religiosa, con lo cual se hará millonario». Recuerdo la risa que compartieron Unamuno y mi padre ante tan extravagante propuesta.

Mas Unamuno no sintió esta evasión de la isla canaria como una liberación. Contó a mi tío que cuando iba hacia la costa para subir a bordo del barco que había fletado el periódico francés, «yo caminaba sin trabajo pero con melancolía. Cada paso me llevaba al destierro. Porque hasta entonces había vivido en esta españolísima tierra de Fuerteventura —y había recorrido Tenerife—, pobladas todas estas islas por una raza humana de los Iberos en las remotísimas gestaciones de los poblamientos peninsulares, cuyo enigma étnico comienza a descifrarse... El coloso del pico del Teide preside aquellos inmensos panoramas y me dolía alejarme de esta grandeza sublime en la que había vivido con tanto respeto y bienestar».

Yo tuve la dicha de publicar en las ediciones de la Revista de Occidente, en 1944, unos inéditos de don Miguel que tituló su compilador, el profesor Manuel García Blanco, *Paisajes del alma,* que incluyen seis espléndidas «divagaciones de un confinado» sobre su estancia en las islas Afortunadas.

Esta lejanía por el destierro de Unamuno contribuyó sin duda a una mengua de su relación con Ortega sin perder ambos su mutua estima. El tío Eduardo, en el libro citado que dedicó a Unamuno, recordaba el comentario de su hermano José a su propio discurso en el tricentenario de la Universidad de Granada. Mi padre opinaba que la universidad se había acabado por ahora en el mundo, precisamente

---

[70] Eduardo Ortega y Gasset: *Monodiálogos de Miguel de Unamuno,* México, 1958.

cuando los que le escuchaban creían que había triunfado más. «Sólo el viejo zorro que era Unamuno —decía de sí mismo que todo vasco lleva dentro un zorro pero que él llevaba dos— percibió el larvado vaticinio y le dedicó a ese trabajo mío unos artículos». «Unamuno —añade—, de quien había vivido unos veinte años distante, se aproximó a mí en los postreros años de su vida, y hasta poco antes de la guerra civil y de su muerte recalaba prima noche en la tertulia de la *Revista de Occidente* con su cuerpo ya combado, como el arco, próximo a disparar su última flecha. Algún día contaré la causa de esta aproximación que nos honra a ambos». Pero, que yo sepa, esa causa nunca la contó. El hecho es que esos veinte años de distanciamiento fueron los de fama y prestigio de la *Revista de Occidente,* y no envió Unamuno ningún trabajo para ella que, naturalmente, su director hubiera acogido gozosamente.

La muerte de Unamuno le sorprendió a mi padre en los primeros meses de su exilio en París. Estábamos en un piso amueblado, alquilado, en la rue Gros y recuerdo muy bien la llamada de Ortiz Echagüe, corresponsal de *La Nación* de Buenos Aires en París, comunicándole la triste noticia. Mi padre envió al prestigioso diario su último homenaje al gran español, que tituló sencillamente «En la muerte de Unamuno» [71]:

«En esta primera noche de 1937 —comienza el artículo—, cuando termina el que ha sido para España el año terrible —este año de purificación, año de cauterio—, me telefonean de la oficina de *La Nación* en París, que Unamuno ha muerto. Ignoro todavía cuáles sean los datos médicos de su acabamiento, pero, sean los que fueren, estoy seguro que ha muerto de "mal de España" [...] Ha inscrito su muerte individual en la muerte innumerable que es hoy la vida española. Ha hecho bien, su trayectoria estaba cumplida. Se ha puesto al frente de doscientos mil españoles y ha emigrado con ellos más allá de todo horizonte [...] Ya está Unamuno con la muerte, su perenne amiga-enemiga. Toda su vida, toda su filosofía han sido como las de Spinoza. Hoy triunfa en todas partes esta inspiración pero es obligado decir que Unamuno fue el precursor de ella. Precisamente en los años en que los europeos estaban más distraídos en la esencial vocación humana que es "tener que morir" y más divertidos con las cosas de dentro de la vida, este gran celtíbero —porque, no hay duda, era el gran celtíbero, lo era en el bien y en el mal— hizo de la muerte su amada [...] La voz de Unamuno sonaba sin parar en los ámbitos de España desde hace un cuarto de siglo. Al cesar para siempre, temo que padezca nuestro país una era de atroz silencio».

---

[71] Aparecido en *La Nación* el 4 de enero de 1937 *(Obras completas,* tomo V, pág. 264).

CAPÍTULO V

# LOS VEINTISÉIS AÑOS

### LAS EDADES DEL HOMBRE

El 9 de mayo de 1909 mi padre cumplió veintiséis años. Tiempo después, en su madurez, haría constar en su citado e inédito *Prólogo para alemanes* que «el grupo de jóvenes que entre 1907 y 1911 aprendía en la ciudadela del neokantismo, al llegar a los veintiséis años —fecha que suele ser decisiva en la carrera vital del pensador— no éramos ya neokantianos. Nicolai Hartmann debe tener un par de años más que yo y Heinz Heimsoeth, los mismos que yo [...]; esa fecha es el momento en que el hombre —me refiero por lo pronto al filósofo— comienza a no ser meramente receptivo en los grandes asuntos sino que empieza a actuar su espontaneidad [...] No se trata de que a esa edad se le *ocurran* a uno ciertas ideas sino más bien que descubrimos de pronto en nosotros, instalada ya y sin que sepamos de dónde ha venido, cierta decisión o voluntad de que la verdad posee determinado sentido y consiste en ciertas cosas [...], lo que entonces, a mi juicio, *sentíamos* o presentíamos». En el joven Ortega serían los atisbos de la vida como realidad radical y de la razón vital que constituiría la originalidad de su filosofía.

«Pero ese común despertar —añade—, era también la señal de la separación. Los veintiséis años —entiéndase, claro está, con alguna holgura la cifra— es el momento más esencial de partida para el individuo. Hasta entonces vive en grupo y del grupo. La adolescencia es cohesiva [...]; pero en esa jornada del curso vital, el individuo parte hacia su exclusivo destino, que es, en su raíz, solitario [...] Me encontré, pues, desde luego, con [...] que la vida personal es la realidad radical y que la vida es circunstancia [...] en la que, quiera o no, tiene que bracear para sostenerse a flote» [1].

---

[1] *Obras completas,* tomo VIII, pág. 44.

Hasta esa edad mi padre, como todos los jóvenes, aprendía y asimilaba las noticias que le daban sus maestros, la lectura de los libros y el eficaz estímulo de la conversación con el intercambio de puntos de vista. El espíritu del tiempo y las ideas de la época estaban en él, eran las suyas, hasta esa edad en que le van brotando las nuevas convicciones de su pensamiento. Todos los grandes filósofos se han preocupado de las edades del hombre. Como él mismo escribiría en su madurez, «allá en el mundo antiguo, y en la Edad Media, y aún en los comienzos de la modernidad, meditaban los sabios y los ingenuos sobre esta gran cuestión. Había una teoría de las edades, y Aristóteles, por ejemplo, no ha desdeñado dedicar a ella algunas páginas espléndidas» [2]. Para el gran filósofo griego las edades del hombre son tres: juventud, plenitud o *akilómetrosé*, y vejez, pero otros pensadores dividen la vida humana en tres, cuatro y hasta diez edades. Para Shakespeare —véase su comedia *A nuestro gusto*— el mundo es como una comedia en siete actos correspondientes a las siete edades del hombre. Pero mi padre, coincidiendo con Aristóteles, estaba convencido de que la edad decisiva del hombre es en torno a los cincuenta años.

En esas mismas conferencias aclararía por qué el hombre tiene una edad. Porque «la vida es tiempo —como nos hizo ver Dilthey y hoy nos reitera Heidegger— y no tiempo cósmico imaginario y, como tal, infinito, sino tiempo limitado, tiempo que se acaba, que es el verdadero tiempo, el tiempo irreparable». Y precisamente la edad es «estar el hombre en un cierto trozo de su escaso tiempo» en donde su vida pasa por la niñez, la juventud, la madurez y la vejez. Poco a poco para explicar la historia iría madurando en su mente la idea de que el hombre no es primordialmente su cuerpo y su alma sino su vida: «Una cierta trayectoria con tiempo máximo prefijado». El joven, que ha asimilado el mundo en que ha nacido, va poco a poco —o a veces violentamente— modificándolo con sus nuevas ideas y emprendimientos. El mundo toma otro perfil, otro color y, en las grandes cuestiones, todos los coetáneos, es decir, todos los que tienen la misma zona de edad forman una generación histórica, que son las vértebras en que se articula la historia. Más adelante veremos cómo esa coetaneidad abarcó para Ortega, en términos históricos, un periodo de quince años: «El mundo vigente en cada fecha es el factor primordial de la historia. Pero este mundo cambia en cada generación porque la anterior ha hecho algo en el mundo, lo ha dejado más o menos distinto de como lo encontró». Aunque sólo sea, como decía Cicerón en su *De senectute,* citando a un poeta romano, «plantar árboles que sirvan a otra generación».

---

[2] "En torno a Galileo" , *Obras completas,* tomo V.

Y Ortega recuerda que el Madrid de cuando está dando sus lecciones —1933— «hasta visualmente es distinto [...] del Madrid con el que se encuentran los que tienen veinte años [es distinto de aquel] con el que tuvieron que habérselas mis floridos veinte años —1903— [...] El perfil del mundo es otro y consecuentemente la estructura de la vida. Esto me hizo decir, allá por 1914, y luego en un libro que se publicó en 1923, que la generación era el concepto fundamental de la historia, cuando nadie en Europa hablaba de ello».

1910: SU PRIMERA CONFERENCIA PÚBLICA

El profesor Ortega sigue dando su curso en la Escuela Superior del Magisterio pero va a lanzarse a la palestra pública. Si ya lo viene haciendo con sus artículos, ahora va a utilizar la palabra —y, en un español, también el gesto y el ademán—, para la cual se siente especialmente dotado. Tiene sólo 27 años y despierta ya una gran expectación al anunciarse su conferencia en la sociedad El Sitio de Bilbao para el 12 de marzo. Esta sociedad de conferencias tiene prestigio, «renombre y distinción [...] y suele llamar —como dijo el conferenciante al agradecer la invitación— a aquellos compatriotas que representan las máximas condensaciones de la cultura nacional [...], hombres que llegan a ofrecernos la historia de su vida como un fruto maduro». Naturalmente él no tiene todavía obra detrás y sólo se explica que hayan recurrido a él porque «en España la realidad cultural es tan menguada y tan sórdida que solicitáis el porvenir y tratáis de hacerlo prematuro [...] llamando a la juventud». Ortega lleva —como hizo siempre— escritas sus palabras, en cuyas páginas señala con un rasgo de lápiz rojo los instantes en que conviene callar para dar mayor patetismo y profundidad a lo que va a seguir. Pero la conferencia se la sabe, suele estar muy pensada, y casi nunca mira las cuartillas y puede, en cambio, mirar al público y estudiar sus reacciones.

*El Noticiero Bilbaíno,* el periódico más importante de aquella época en Bilbao, le dedicó una larga crónica, con notas algo ingenuas como señalar que «en la galería había elegantes señoritas» pero sin dejar de repetir la frase final del discurso: «España es el problema y Europa la solución». Otros diarios, como *El Nervión,* se limitaron a dar noticia del acto [3]. Ortega —como ha dicho Santos Juliá en su artículo citado— habla en Bilbao, cuna de Unamuno, para lanzar un mensaje a la nueva

---

[3] Datos amablemente facilitados por Emilio Alfaro, jefe de la delegación de *El País* en Bilbao.

generación de españoles que no habían cumplido veinte años cuando el «desastre». Los primeros párrafos son como el grave sonido de un violoncello porque cree «cuestión de honradez que siempre que se pongan en contacto unos cuantos españoles comiencen por aguzarse mutuamente la amargura. Creo, señores, que la amargura debe ser el punto de partida que elijamos los españoles para toda labor común». «Porque España no existe como nación [...], es un dolor enorme, profundo, difuso [...] Construyamos España [...] y sea la alegría un derecho político, es decir, un derecho a conquistar». Su tesis era que «si educación es transformación de una realidad en el sentido de cierta idea mejor que poseemos, y la educación no ha de ser sino social, tendremos que la pedagogía es la ciencia de transformar las sociedades. Antes llamábamos a esto política: he aquí, pues, que la política se ha hecho para nosotros pedagogía social y el problema español, un problema pedagógico».

Y termina con esta afirmación que haría fortuna: «Regeneración es el deseo; europeización es el medio de satisfacerlo. Verdaderamente se vio claro desde un principio que *España es el problema y Europa la solución*» (el subrayado es mío). Jacques Delors citó esta frase al recibir en acto solemne en el Palacio Real de Madrid el 15 de mayo de 1985 la adhesión de España a la Comunidad Económica Europea.

Los periódicos importantes, incluidos *El Imparcial* y *El Liberal* de Madrid, dieron un pequeño resumen de la conferencia pero el texto completo no se publicó hasta 1916 formando parte del libro *Personas, obras, cosas* [4].

Maeztu, en una conferencia que dio en el Ateneo de Madrid a finales de ese mismo año, reconoció a su amigo Ortega como el gran maestro de su generación y le invitó a que marcara el camino. La autoridad de Ortega llegó rápidamente a todos los rincones de España y los nuevos valores de esa generación le animaron públicamente. Así, Américo Castro, que veía en Ortega «el único capaz de llevar un poco de savia a aquel medio intelectual»; o Fernando de los Ríos, quien recordando años después a la gente de su mocedad diría que «en esa generación primera que salió como unidad fuera de España a universidades extranjeras, se distinguió inmediatamente por la fuerza y el vigor de su pensamiento, por la profundidad con que iniciaba sus estudios, por la claridad y rotundidad de sus ideas, José Ortega y Gasset, que apareció en seguida como el guía espiritual por antonomasia de nuestra generación».

---

[4] *Obras completas,* tomo I, pág. 503.

## Su relación con Maragall

Las colaboraciones de Ortega en *El Imparcial* se intensifican algo ese año de 1910 en que va a contraer matrimonio y, por tanto, nuevas obligaciones. Su largo trabajo *Adán en el Paraíso* es para dos de sus principales discípulos —Julián Marías y Antonio Rodríguez-Huéscar— la primera exposición, todavía informe, de sus teorías sobre la vida. Pero debemos comentar asimismo su relación, cordial y sincera, con Joan Maragall.

El 28 de mayo publica Ortega un artículo titulado "Diputado por la cultura"[5] comentando elogiosamente el nombramiento de Luis de Zulueta como representante en las Cortes del movimiento de solidaridad catalana en su aspecto cultural. Es la primera vez que se enfrenta con el «problema catalán». «Antes parecían los catalanes de acuerdo en una forma; ahora se hacen solidarios de una cosa: cultura, es decir, pedagogía y justicia». Y les lanza majestuosamente su honda literaria: «Hermanos de Levante, gentes solícitas y fuertes, ¿por qué dividir la humanidad y encerrar las porciones en compartimentos estancos, de ambiente hermético? ¿No es la cultura el rompimiento doloroso de todos los muros fatales que mantiene la desintegración humana? ¿No es crimen mantener principios de disociación, siendo el único sentido noble de la actividad individual colaborar en la construcción de la sociedad? ¿No es el problema catalán un problema humano y, por tanto, nuestro? [...] En la leyenda virgiliana se habla de un jardín separado del paisaje circundante por un muro de aire. Yo creo que Cataluña no se halla separada de Castilla por otra cosa, nada sólido, compacto, preciso, ni en el pasado ni en el presente ni en el porvenir». Y concluye: «Hablemos de urbe a urbe, fundemos una gran amistad municipal [...] Que el problema nos una: Barcelona y Madrid tienen la misma cosa que hacer: educarnos a participar en la cultura. Barcelona, consciente de ello, nos envía un diputado pedagogo [...]: que nuestras ciudades se pasen mutuamente los brazos por cima de los hombres».

Maragall lee un mes después el escrito de Ortega y le escribe con fecha 29 de junio, trasladando a aquel las notas que le ha sugerido su artículo: «Ud. tal vez, en la serenidad de su noble espíritu, que no me es desconocido, sabría sacar alguna utilidad de su cultura». El escrito de Maragall muestra de forma ejemplar la pasión y las razones de la «cuestión catalana». «Dios mío, ¿qué no daría yo por que me entendiérais, por que nos entendiéramos en castellano, en catalán, en lusita-

---

[5] Recogido en *Revista de Occidente*, 2ª época, núm. 18, septiembre de 1964 y después en las *Obras completas*.

no? No me habléis más de si la solidaridad catalana vive o está muerta; no me habléis más de civilización ni de cultura ni de ideales comunes superiores, ni me habléis, en una palabra, de España, si antes no habéis encontrado la manera de dármela toda, íntegra, natural, alma y cuerpo, trina y una, como su lengua, como su espíritu, que quiere volar libre del Mediterráneo al Atlántico, sin obstáculos, sin fronteras, pero también —entendedlo— batiendo todas, todas, todas sus alas» [6].

Ortega le contesta el 15 de julio proponiéndole «ir hasta el Ebro, que está a mitad de camino, y esperar a que Uds., como ahora Ud., desciendan a la otra orilla y nos pongamos al habla con íntimo deseo de comprendernos mutuamente [...] Vengan sus magníficas sugestiones, que hallarán siempre una cordial acogida en su affmo., José Ortega y Gasset».

## SU RELACIÓN CON JOAQUÍN COSTA Y CON GINER

La estimación de mi padre por don Francisco Giner de los Ríos fue constante aunque su adopción de las ideas filosóficas de Krause le parecería una equivocación, quiero decir, un error el apoyarse en ese pensador alemán de segunda fila. Pero había sido don Julián Sanz del Río, soriano ejemplar, el que cometió esa equivocación en su viaje de estudios a Alemania.

Don Julián había nacido en 1814 en el pueblecito soriano de Torrearévalo. Hijo de labradores pobres, debió toda su carrera universitaria e intelectual a su tío materno don Fermín, que se lo llevó, al quedar huérfano de padre muy joven, a Córdoba, donde era prebendado. El mejor repertorio de su vida lo escribió el propio Giner de los Ríos —mas que un discípulo, seguidor de sus ideas y, sobre todo, de sus actitudes y de su magisterio personal, que el propio Giner reiteraría con mayor talento— en una larga nota que publicó firmada por «un discípulo», con ocasión del centenario de su nacimiento, en el *Boletín* de la Institución Libre de Enseñanza de finales de agosto de 1914. Nos interesa destacar su nombramiento en 1843 para reorganizar la Facultad de Filosofía —de la que era ya catedrático interino de Historia de la Filosofía— con la obligación de estudiar su estado en las universidades extranjeras durante los dos años que, según el nuevo plan, tardaría en abrirse la matrícula para la nueva enseñanza. Sanz del Río pasó ese periodo en Heidelberg, donde enseñaban algunos discípulos de Krause, lo que reforzó su admiración por el krausismo, cuya biblia, *El ideal de la humanidad* tradujo su entusiasta español.

---

[6] Publicado en el número antes indicado de la *Revista de Occidente*.

«Va para cincuenta años —escribió mi padre en torno a 1915— que un día, camino de Vicálvaro, en el paisaje desolado, decía con tristeza don Julián Sanz del Río a don Francisco Giner, que era entonces un mozalbete: "yo no soy más que un ser pensante". Mas al decirlo con tristeza demostraba ya que era un error lo que decía»[7].

En 1934, acompañados por José Tudela (de quien hablaremos más adelante), visitamos mi padre y yo la casa natal de Sanz del Río en Torrearévalo, una casa modestísima de piedra y adobe, y en 1958 el ayuntamiento del pequeño pueblo tuvo la gentileza de poner una lápida en el parque público en recuerdo de esa visita.

Aunque no escribiera Ortega ningún artículo plenamente dedicado a don Francisco Giner, su estimación por este apóstol de la enseñanza, fundador y alma de la Institución Libre de Enseñanza fue permanente. Hay alusiones en varios de sus escritos que lo demuestran: por ejemplo, al decir en el artículo "Tropos", que publicó en *El Imparcial* del 13 de septiembre de 1909, que «los españoles que sueñan con la imagen de una España europea no tienen otra arma que las razones. ¿Y habría quien crea que sirven de algo las razones? Ahí está don Francisco Giner, que es una de las fisonomías más raras y venerables de nuestro país. El señor Giner se ha pasado la vida dando razones y no se le ha hecho caso. Su exigua envoltura mortal oculta uno de los postreros yacimientos de entusiasmo que quedan en España; mas ese ardor entusiasta no ha hallado dónde aplacarse, le ha ido quemando interiormente y le ha dado la cetrina apariencia de un sarmiento»[8].

Fueron los institucionistas los descubridores de la sierra madrileña, a cuyas estribaciones iban de excursión antes de que el deporte de la nieve las inundara. Y los domingos el «abuelo» —como llamaban a Giner sus discípulos— va a El Pardo. «Habla ya de su fiesta en el campo dos o tres días antes —nos cuenta su discípulo José Pijoán en el libro *Mi don Francisco Giner* que le dedicó en 1932—[9]. ¿Con quién irá esta semana? Cossío sale más tarde y aprovechará la mañana de asueto y de quietud en aquella casa-escuela para escribir. Pero el abuelo sale más temprano con algún amigo o con uno de sus discípulos que ha venido a buscarle». Y para volver «deja que marche la multitud. Espera uno de los últimos tranvías para ir solo a Madrid. Cuando sale del Asilo en

---

[7] En una serie de «Investigaciones psicológicas» que parecían destinadas a *La Lectura* pero que no llegó a publicar *(Obras completas,* tomo XII, pág. 363).

[8] *Obras completas,* tomo XII, pág. 92.

[9] El Círculo Cultural Giner de los Ríos de Ronda hizo una reedición en 1998 en homenaje al ilustre rondeño.

dirección al tranvía atraviesa el sitio real, todo tan callado. Las estrellas brillan en el cielo».

Este amor al campo sería una de las coincidencias de Ortega con Giner. Al cumplirse el cincuentenario de su muerte publicamos en el número de febrero de 1965 de la 2ª época de la *Revista de Occidente* el texto, entonces inédito, de una larga carta que envió a Ortega el 13 de mayo de 1911. Quisimos con ello testimoniar, como hubiera hecho mi padre, nuestra admiración por la rectitud, el sacrificio, el amor y la austeridad, virtudes inactuales que su memoria realza y nos recuerda. La carta, que ha tardado mucho en escribir, «porque Ud. sabe bien que mi facilidad para hablar tiene su contrapeso en mi dificultad de escribir», nace de la lectura del artículo que Ortega ha publicado [10] sobre Joaquín Costa. Sobre un fondo de gran estimación por este gran aragonés, Ortega mantuvo grandes discrepancias, como los juicios que emite en ese artículo que le parecen demasiado negativos a Giner. «Dice Ud. cosas sobre Costa a las cuales ¡haría yo tantas reservas! [...] y en cuanto al interés de Costa por la educación, también encuentro algo rápida la sentencia». Y Giner le recuerda que fundó con él la «Institución», donde dirigió durante algunos años las excursiones de los muchachos «y defendió en el Congreso Pedagógico nuestras comunes ideas, moviendo un tremendo huracán». Ortega se había entusiasmado con Costa por su defensa de la necesaria «europeización» del hombre español. «Muchos años —dice en un artículo de 1908— en España de europeización [...] Nada hay más acertado para formular el problema español. Si alguna duda cupiera de que así es, bastaría para obligarnos a meditar sobre ella haberla puesto en su enseña don Joaquín Costa, el celtíbero cuya alma alcanza más vibraciones por segundo» [11]. Pero para Ortega esa marcha hacia Europa hay que llevarla cambiando su disposición y sus acentos. Y en defensa del auténtico liberalismo airea de nuevo a Costa con estas palabras: «Sólo una voz sonora se ha oído que sonaba por la parte de Aragón: la del señor Costa dando al aire bramidos como un búfalo viejo desde el fangal de un barranco. Conviene que esta noble y clara voz no se pierda [...] Para ello es menester que resucitemos el liberalismo y que luego el liberalismo instaure con sus manos sabias y puras un verdadero partido liberal» [12]. Costa escribió a Ortega en 1908 una carta que se ha perdido pero

---

[10] Titulado "Observaciones", *El Imparcial*, 25 de marzo de 1911 *(Obras completas*, tomo I, pág. 164).

[11] "Asamblea para el progreso de las ciencias", *El Imparcial*, 27 de julio de 1908 *(Obras completas*, tomo I, pág. 99).

[12] "La reforma liberal", *Faro*, 3 y 8 de marzo de 1908 *(Obras completas*, tomo X, pág. 33).

se conserva la respuesta de mi padre, fechada en Madrid el 16 de julio de 1908: «Su carta — escribe el joven Ortega — es tan afectuosa y estimulante que la he llevado varios días conmigo para que me diera calor. La energía de que son vehículo las palabras de un hombre viejo, o por lo menos, como es su caso, antiguo en la memoria de un joven, es incalculable [...] Tal vez una de las grandes desventajas españolas es que los españoles no hayan acertado a ser viejos. La vejez es la sazón para tener discípulos»[13]. Y le propone leer en público su comentario al libro que prepara Costa cuando venga por Madrid en octubre. «Éste sería un homenaje a Ud. que no podría rehusar porque no puede Ud. rehuir la obligación de servir como altar del respeto».

Giner —volviendo a la carta— se alegra mucho de que sus colegas de Marburgo le animen a hacer un libro. «Cierre Ud. el alma a las comparaciones, yo sólo pienso en el nuevo estudio que en esa nueva sesión de fermentación ganará Ud. para la espiritualidad de nuestra España».

Ortega mantendrá una amistad frecuentada con Giner, fundador en 1876 de la «Institución», y con el director de ella a la muerte del «abuelo», don Manuel Bartolomé Cossío; estimó mucho su labor pedagógica y le tengo oído su entusiasmo por su libro sobre El Greco, publicado ese año de 1908 y que para Julián Marías «marca una fecha en el conocimiento del gran pintor: de él arranca la valoración que de aquél ha tenido nuestro siglo, bien distinta de la que dominó en los anteriores»[14].

## DON GUMERSINDO DE AZCÁRATE

Sin llegar a una relación de amistad, también trató Ortega a otros prohombres de la Institución como don Gumersindo de Azcárate, republicano de toda la vida que militó en el partido de Salmerón.

Don Gumersindo había nacido en León, de cuyo distrito fue diputado en el Parlamento español durante cuarenta años, siempre adscrito al republicanismo. Sus trabajos jurídicos y sociológicos —fue catedrático de la Universidad Central— le ganaron una gran consideración en el mundo de la cultura y en el mismo Ortega. Presidió el Instituto de Reformas Sociales e ingresó en las reales academias de Ciencias Morales y Políticas, y de la Historia. Fiel a las doctrinas krausistas, ha-

---

[13] Recogida en *Cartas de un joven español,* ya citado.

[14] En la voz correspondiente del *Diccionario de Literatura Española* publicado por la Revista de Occidente en 1949.

bía sido presidente de la Institución Libre de Enseñanza. Para el joven Ortega, «los *solidarios* y don Gumersindo de Azcárate creen que todos los males provienen de la legislación vigente en España desde los Reyes Católicos: suprimámosla y presenciaremos la restauración de las energías sociales. Esto es una aplicación del razonamiento anarquista que hay en el fondo del viejo liberalismo individualista, de que el hombre es bueno en estado nativo y la sociedad reglamentada lo hace malo: destruid ésta y renacerá sobre sus ruinas la bondad humana como un jaramago inmortal» [15].

Mucho le hubiera gustado a don Gumersindo saber que su sobrino Justino de Azcárate sería un fiel seguidor de las actividades políticas de Ortega, participando en la creación de la Agrupación al Servicio de la República de la que hablaremos llegada la hora. El 14 de diciembre de 1917 moría en Madrid don Gumersindo. Y al día siguiente publicaba Ortega en *El Sol* un artículo anónimo. «Se nos va con Azcárate —decía la sentida crónica— el último ejemplar de una casta de hombres que creía en las cosas superiores y para los cuales toda hora llega con un deber y un escrúpulo en la alforja. Y como en todas las castas nobles parecen sutilizarse y aquilatarse las excelencias del linaje cuando la adversidad diezma sus filas, enrarecida por la muerte, la sangre de aquella generación vino a adquirir en Azcárate, su hombre último, la más pura y sencilla calidad. Muere solo nuestro bueno y amado Don Quijote de la barba de plata, solo entre sus libros y sus virtudes [...] Nuestra filial piedad consistirá en seguirle. Pero seguir a Azcárate —como seguir a Giner— es seguir hacia delante [...] Y ahora queda sobre su tumba lo que debe quedar siempre cuando los que viven son fieles a los muertos: el verde brote de la esperanza» [16].

En uno de los primeros números de la segunda época de la *Revista de Occidente* publiqué un estudio de su sobrino Pablo de Azcárate —entonces en el exilio, donde murió— sobre "El ideario político de Gumersindo de Azcárate" que contiene algunas ideas del político republicano dignas de recordar. «No hemos venido a este mundo para ser libres —dice Azcárate— sino que debemos ser libres para cumplir nuestro destino». «Para él, la organización de todos los poderes del Estado debe tener como única base admisible el principio de la soberanía nacional o del *self-governement,* según la expresión inglesa que él incorporó a la terminología política española». Y tratando de la conducta que debe observar un partido en la oposición y en el poder, en este último caso «un partido ha de tener en cuenta que lleva al mismo tiem-

---

[15] *Obras completas,* tomo I, pág. 83.

[16] *Obras completas,* tomo III, pág. 11.

po la representación de la parte y del todo, esto es, la de su partido y la del país». Debe ser un gobierno nacional y no de partido. Y Pablo de Azcárate destaca la preocupación de don Gumersindo por la indiferencia política y por la prensa. Respecto a la primera piensa que «por algo Solón castigaba al que en medio de una sedición no optaba por alguno de los bandos contendientes». Y respecto a la prensa política dice que debe ser desinteresada, imparcial, independiente y culta. Como muy bien señala su sobrino, esta conclusión que expone don Gumersindo bien puede ser considerada hoy, a los más de cien años de haber sido escrita, como valedera: «Cuando la voz desautorizada de la prensa se pierde en el vacío, los pueblos [...] la miran y consideran frecuentemente como un estorbo y una traba y los enemigos de la civilización moderna, uno de cuyos frutos más preciados es el poder de la prensa, se complacen en presentarla como una caja de Pandora de la que salen tan sólo daños y males para la sociedad».

CAPÍTULO VI

## COMIENZA LA MADUREZ

LA BODA

El 7 de abril de 1910 aquel largo noviazgo de mis padres terminó en el matrimonio. Mi padre, que había perdido pronto en su adolescencia la fe de sus mayores y que quiso desde entonces mantener acatólicamente —pero no anticlericalmente— todos sus actos civiles, desempolvó una disposición canónica poco usada para el matrimonio entre un cónyuge católico, mi madre, y un cónyuge agnóstico, mi padre. La boda se celebró en el piso de los padres de la novia en la plaza de Colón 3 —edificio sustituido hoy día por las llamadas Torres de Jerez— con carácter íntimo, y a ella asistieron únicamente ambas familias, de por sí numerosas. Mi abuelo, el general Spottorno, tenía derecho a capilla particular y se remozó la que ocupaba una pequeña habitación de la casa. Los casó el bueno de don Santiago, capellán que atendía los servicios de la capilla de La Colonia de don Ramón Topete. Y como en la ceremonia se empleaba el latín se pudo evitar que la muy religiosa abuela Dolores se diera cuenta de que su hijo no se casaba como católico. Como ya he indicado en otro lugar [1], mi padre prometió a Rosa que educaría a sus hijos en la religión católica y así fue en mi caso hasta los últimos años del bachillerato, que hice en el laico Instituto-Escuela, en que la fe se me fue por escotillón sin tragedia alguna y ganando una creciente afición a la lectura de libros que traten de lo eterno en el hombre. Según mi hermana Soledad, en su citado libro *Imágenes de una vida,* ante su pregunta de por qué nos hizo educar en la religión católica, mi padre le añadió, aparte de esa promesa a su novia, el que «los niños no pueden sentirse disgregados del medio en que nacen y se desarrollan porque padecen y es nocivo para ellos si sienten que de

---

[1] *Historia probable de los Spottorno,* pág. 229.

algún modo viven de forma distinta a los demás niños. Y en España, lo normal es ser católico, al menos en sus formas externas». Tenían alquilado desde hacía algunos meses un piso en la calle de Zurbano número 22, esquina a la de Blanca de Navarra. Era un tercero con largo pasillo, como el que tendrían todos los domicilios en los que vivió mi padre a lo largo de toda su vida. Porque su pensamiento lo fue labrando yendo de un extremo a otro de los pasillos, costumbre heredada de su padre y que yo también practiqué, defectuosamente, porque las casas ahora se han comido ese largo paseo interior. Mi padre se compró un podómetro para saber, por curiosidad, cuantos kilómetros recorría diariamente en sus meditaciones por el pasillo y creo recordar que era cifra de dos dígitos. También tenían ya dispuesta la cocinera, Elisa Puertas, una muchacha de Baños de Cerrato, en la Tierra de Campos palentina, que mandó mucho en la casa. Mis abuelos Ortega la habían tenido preparándola en su domicilio de Goya 6; así que puede decirse que entró en Zurbano antes que sus señores. Era una buena cocinera, que reinaba en su cocina donde no dejaba entrar con facilidad a la señora, mi madre. Muchas veces, de pequeño, la acompañé en el tranvía al mercado de Chamberí, que, aunque quedaba lejos de la casa de Serrano —que fue el segundo domicilio— yo creo que usaba porque tenía amores con un tranviario conductor, y por eso siempre íbamos de pie en la plataforma delantera.

El alquiler de Zurbano debía de ser modesto, porque los ingresos de aquel joven matrimonio se reducían al sueldo como catedrático de mi padre —unas 400 pesetas mensuales— y a sus colaboraciones en el periódico. En él nacimos mi hermana Soledad, en 1914, y yo, el pequeño, en 1916 pero debió de trasladarse pronto la familia a Serrano 47, esquina a Marqués de Villamejor, porque yo no recuerdo nada de ese primer domicilio. El edificio, *rara avis,* sigue igual en la actualidad.

El viaje de bodas fue bien modesto porque terminó en El Escorial y la luna de miel en el piso del abuelo Ortega en las casas de oficios del Monasterio, lugar que, como ya hemos apuntado, tanta importancia tendría en la vida y obra de mi padre. No contaba, naturalmente, con calefacción y había que emplear para combatir el intenso frío escurialense estufas y braseros, uno de los cuales atosigó a mi madre en esa luna de miel, lo que siempre contaba sonriendo de esa explicación emocional que daban los demás a tal intoxicación pasajera.

## Catedrático de Metafísica

Se ve que ese año de 1910 iba a ser importante para mi padre pues, aparte el matrimonio, va a ganar las oposiciones que se convocan, al morir Nicolás Salmerón, de la cátedra de Metafísica en la Universidad madrileña. El tribunal calificador estuvo formado por Eduardo Sanz y Escartín, como presidente, Francisco Fernández y González, José de Castro y Castro, Luis Simarro, Adolfo Bonilla y San Martín, José Caso y Blanco, y Alberto Gómez Izquierdo. Unánimemente le votan, así como el presidente representando al Consejo de Instrucción Pública, y por Real Orden del 25 de noviembre de 1910 Ortega es nombrado catedrático de la Universidad. Pero mi padre no quiere dejar descolgados a sus alumnos de la Escuela Superior del Magisterio y, renunciando a su nuevo sueldo universitario, solicita posponer la toma de posesión de su cátedra de Metafísica. Por una nueva Real Orden se acepta su ofrecimiento «de seguir desempeñando la asignatura de la Escuela Superior del Magisterio, sin percibir el sueldo asignado y hasta nueva resolución». Económicamente nada perdía pues ambos sueldos eran iguales, 4.500 pesetas anuales.

Los periódicos de la época celebraron jubilosamente la llegada del joven profesor a la Universidad; uno de ellos, *El Liberal,* señala el día del nombramiento como «día de fiesta para la ciencia y la pedagogía españolas».

## LA JUNTA PARA AMPLIACIÓN DE ESTUDIOS

Pero Ortega quiere volver a Marburgo para completar sus estudios de filosofía y solicita una beca de la Junta para Ampliación de Estudios, que naturalmente obtiene, y el joven matrimonio sale para Alemania en los primeros días del año 1911. Cierran la casa de Zurbano y Elisa, la cocinera, vuelve a vivir, en ausencia de sus señores, en casa de los Ortega Munilla, en Goya 6.

La Junta para Ampliación de Estudios ha sido una de las creaciones más felices de la Institución Libre de Enseñanza. Su alma fue José Castillejo, a quien habían formado Giner y Cossío. Castillejo había estado en Alemania y en Inglaterra estudiando los *colleges* y residencias universitarias; había ganado después la cátedra de Derecho Romano de la Universidad de Sevilla y en 1907 se trasladó a Madrid. Mi compañera de estudios en el Instituto-Escuela, Carmen de Zulueta, ha publicado un excelente libro sobre la Residencia de Señoritas [2], cuya introducción dedica a Castillejo. Su padre, Luis de Zulueta, había defendido la necesidad de crear un organismo que facilitase los estudios en el extran-

---

[2] Carmen de Zulueta y Alicia Moreno: *Ni convento ni college, la Residencia de Señoritas,* Publicaciones de la Residencia de Estudiantes, Madrid, 1993.

jero a los jóvenes universitarios españoles y «el 11 de enero de 1907 aparece un Real Decreto firmado por el Ministro de Instrucción Pública, Amalio Gimeno, creando la Junta para Ampliación de Estudios e Investigaciones Científicas. El objetivo básico era poner a España a nivel europeo y para ello se proponían dos cosas: a) provocar una corriente de comunicación científica y pedagógica con el extranjero; y b) agrupar en núcleos de trabajo intenso y desinteresado los elementos disponibles del país».

«Desde el primer momento fue secretario José Castillejo, puesto que conservó hasta 1934. El primer presidente fue Santiago Ramón y Cajal y los vicepresidentes, Azcárate y Torres Quevedo [...] El Patronato de Pensiones empieza enseguida a recibir solicitudes. El proceso de selección es muy riguroso. Un ponente, especializado en el mismo campo que el solicitante, estudia la solicitud y la recomienda o no, según su opinión. Los recomendados tienen que pasar también una entrevista personal con Castillejo [...] Se les juzga también por el conocimiento de la lengua del país donde van a ir. En el total de sus 29 años de vida, la Junta recibió 9.100 solicitudes de pensión de las que sólo 1.600 fueron concedidas».

Castillejo y mi padre se verían con cierta frecuencia. Había propiamente amistad entre ambos matrimonios; Castillejo estaba casado con una inglesa y yo recuerdo haberla visitado con mi madre en su casa de Chamartín, entonces muy distanciado de un Madrid que terminaba en el hipódromo de la Castellana. Castillejo se exiliaría en Londres durante la guerra civil y allí publicaría un libro muy estimable, *War of Ideas in Spain*. «Castillejo —nos dice Carmen de Zulueta— había visitado las famosas universidades inglesas de Oxford y Cambridge, donde existía un ambiente cultural que favorecía el estudio y la investigación. Su proyecto era crear en España una residencia que duplicase en Madrid el ambiente cultural y refinado del *college* inglés».

## ALBERTO JIMÉNEZ FRAUD

Así nació la Residencia de Estudiantes, creada por Real decreto del 6 de mayo de 1910 e inaugurada en Madrid el 10 de octubre siguiente. Por consejo de Giner y de Cossío, y a propuesta de Castillejo, la Junta nombró director de la Residencia a un joven malagueño, Alberto Jiménez Fraud, de padre malagueño y madre francesa, que se casaría pocos años después con Natalia Cossío, hija de Manuel Bartolomé Cossío. Alberto Jiménez había estudiado Derecho en Granada y se había doctorado en Madrid, donde fue discípulo de Giner; fue el contacto con éste lo que le estimuló a dedicarse a la educación. Viajó a Inglaterra, vio los *colleges* ingleses y cuando se le ofreció la dirección de la Residencia estaba bien preparado para asumirla.

Además, contar con una residencia para los estudiantes de provincias que venían a estudiar a Madrid era de todo punto indispensable si se quería evitar las viviendas de mala muerte que eran las casas de huéspedes, cuyo ambiente no animaba precisamente al estudio sino a la tertulia y las malas compañías.

La primera Residencia se albergó en un hotelito de la calle de Fortuny y dos años después, vista la demanda, hubo que añadirle el número 10 de la calle citada. Y en 1915 todo el conjunto se trasladó a los altos del Hipódromo, en pabellones construidos ex profeso por el Estado (los hotelitos que dejaban en Fortuny fueron ocupados por la Residencia de Señoritas, cuya alma y directora fue, como sabemos, María de Maeztu).

Julio Caro Baroja nos ha descrito esa «Colina de los Chopos», como la bautizó Juan Ramón Jiménez en una nota por la muerte de don Alberto que le pedí para la *Revista de Occidente*: «Allá por la cima del Museo de Ciencias Naturales, en los altos del Hipódromo, sobre el "canalillo" (y en un paisaje ya más *barojiano* que *galdosiano)* se levantó la "Residencia", que tenía cierto regusto andaluz, aunque era castellana, madrileñísima en esencia. Crecieron los álamos y los chopos, crecieron las yedras, año tras año florecieron los lirios. Las aguas del canalillo aislaban al conjunto residencial de Madrid [...], al fondo se veía el Guadarrama. Pero bajo los aleros verdes y las airosas torres de ladrillo, dentro de unos edificios de modesta arquitectura, no sólo vivían durante el curso los estudiantes de provincia venidos a la corte, sino que se montaban laboratorios, bibliotecas, salas de conferencias. Jiménez Fraud tenía a su cargo todos los nuevos servicios, que venían a renovar la rancia vida universitaria. Tomó la tarea ingrata de "superintendente de la cultura española", con férrea voluntad y desinterés admirable» [3].

Uno de esos servicios culturales fue crear las ediciones de la Residencia, que dirigió en su primera época el propio Juan Ramón Jiménez, que era a la vez residente honorario. Justamente el primer libro de Ortega, *Meditaciones del Quijote,* vio la luz bajo ese pie editorial en 1914. Mi padre colaboró mucho en las realizaciones de la Residencia de Estudiantes no sólo con sus propias conferencias sino animando a venir a notables extranjeros, muchos de los cuales él mismo presentaba, como Einstein, Bergson o Paul Valéry. Y participó en las tertulias que organizaba Alberto Jiménez Fraud casi todos los viernes.

«Hoy sabemos —sigue diciendo Julio Caro— que en la "Residencia" vivió y se formó en parte García Lorca y que de sus laboratorios sa-

---

[3] *Revista de Occidente,* 2ª época, núm. 16, julio de 1964.

lió Severo Ochoa. Pero de don Alberto entonces se sabía poco [...] no era una eminencia gris sino el prototipo de la voluntad callada, perseverante [...] Al comenzar la guerra pasó momentos de zozobra y un buen día se vio obligado a dejar lo hecho durante un cuarto de siglo, rumbo a la frontera».

Comienza Jiménez Fraud su exilio con su familia, primero en París, luego en Cambridge y por fin en Oxford —donde hay antiguos «residentes» que le respetan y valoran—, viviendo en una casita con leve jardín, en el número 2 de Wellington Place, desempeñando la tarea, bien humilde para él, de lector de español, y convirtiendo su casa en un segundo hogar para los peninsulares (como Julio Caro), que iban a Oxford en nuestra posguerra, «sin considerar opiniones o ideologías, filias ni fobias».

Yo le veía muchas veces cuando iba al Instituto-Escuela, que ocupaba una nave similar, a continuación de los edificios de la Residencia. Y traté mucho a sus dos hijos. Tuve el gusto de publicar en Alianza su *Historia de la Universidad Española*, un libro original que había escrito en su exilio inglés.

Federico de Onís cita tres nombres universitarios ligados a la Residencia: Unamuno —que fue residente efectivo—; Menéndez Pidal y Ortega. «Éste ya no es, para los que hemos asistido a su cátedra y seguido el curso de sus explicaciones, tan sólo una esperanza sino la capacidad más fuerte y original que hemos tenido en filosofía desde hace mucho tiempo, y el creador de toda una nueva visión de los problemas nacionales» [4].

Pero sería el propio Alberto Jiménez Fraud, en sus escritos desde el exilio, quien mejor resumiría la importancia que tuvieron para la Residencia la atención y el apoyo que le dedicó mi padre: «Su contacto con la Residencia se extiende a todo lo largo de la obra de ésta. Como vocal del Patronato asistió al nacimiento de ella, y veintiséis años después, presenció también los últimos días de la Residencia, en el verano de 1936. Ya los residentes de los primeros años —los de Fortuny— se enorgullecían de la presencia de aquel joven maestro, de distraído aspecto e indumentaria, cuya profunda y bella mirada parecía entregada a esa *visio divinae essentiae* que, alejada de cuanto es temporal, es para algunas almas escogidas la meta de toda aspiración humana.

»[...] Es curioso como los residentes, aun los recién llegados de apartadas y solitarias regiones, impregnados ya del ambiente de su nuevo hogar, supieron apreciar, cuando se lo comuniqué, el además del joven maestro, cuyo brillante y ascendente progreso en la vida española contemplaban con hondo placer».

---

[4] Discurso de apertura del curso 1912-1913 de la Universidad de Oviedo pronunciado por Federico de Onís.

Sus contactos con el socialismo

Dos años antes, en 1908, Ortega se había interesado por el socialismo y, al igual que Maeztu, señalaría que en España había nacido el partido socialista sin contacto alguno con los intelectuales, mientras en Alemania e Inglaterra comenzó a crecer en los libros científicos y en las cátedras universitarias. «Respetemos —dice— [5], compañeros intelectuales, la rudeza y el dogmatismo del naciente partido; veamos en él nuestra mascota política. Y al aproximarnos, hagámoslo con cuidado no sea que la trepidación avente los fecundos rescoldos, según suele ocurrir con los cuerpos hechos ceniza que se conservan en Pompeya».

Acepta dar una conferencia en la Casa del Pueblo madrileña el 2 de diciembre de 1909 que titula "La ciencia y la religión como problema político". Aunque va incluida en una serie de conferencias anticlericales, el joven Ortega les dice a sus obreros oyentes: «No somos sólo enemigos de nuestros enemigos: sería convertir el mundo en una negación. De esto es lo que protesto, socialismo, la palabra más grave y noble, la palabra divina del vocabulario moral moderno no puede significar sólo una negación [...] Para mí socialismo es cultura. Y cultura es cultivo: el socialismo es el constructor de la gran paz sobre la tierra». Arremete después contra la fórmula de que el socialismo es la lucha de clases: «Por ello yo no estoy afiliado a vuestro partido, aun siendo mi corazón hermano del vuestro. Sólo un adjetivo nos separa: vosotros sois socialistas marxistas y yo no soy marxista [...]. La lucha de clases como medio para socializar la producción constituye el marxismo [...] pero el socialismo empieza mucho antes que Marx».

Su respeto por la figura de Pablo Iglesias le lleva a dedicarle un artículo cuando el líder socialista gana un escaño en las Cortes. «Pablo Iglesias es un santo [...] se ha ejercitado hasta alcanzar la nueva santidad, la santidad enérgica, activa, constructora, política, a que ha cedido la antigua santidad quietista, contemplativa [...] y tenemos que orientarnos buscando en las multitudes los rostros egregios de los santos laicos. Pablo Iglesias es uno; otro es don Francisco Giner; ambos, los europeos máximos de España» [6].

Sin duda el ejemplo de Cohen y Natorp, sus dos maestros de Marburgo, ambos socialistas, debió de hacerle mella durante largo tiempo.

---

[5] "Nuevas glosas", *El Imparcial,* 26 de septiembre de 1908 *(Obras completas,* tomo X, pág. 90).

[6] "Pablo Iglesias", *El Imparcial,* 13 de mayo de 1910 *(Obras completas,* tomo X, pág. 139).

## EL JOVEN MATRIMONIO EN MARBURGO

Llega pues el matrimonio a Marburgo en los primeros días del mes de enero de 1911. Ortega, catedrático de Metafísica, no había querido todavía tomar posesión de su cátedra; prefería ir explorando las nuevas playas de la filosofía que había descubierto al dejar de ser —al tiempo que sus amigos Heimsoeth y Hartmann— neokantiano. Esas playas a las que arribaba no eran las que luego se llamaron filosofías de la existencia sino las de su «idea de la vida» como «realidad radical». Y a esta idea, como él mismo escribió en el famoso prólogo a la edición alemana de sus obras, «sólo se podía llegar, por influencia extraña, al través de dos pensadores: Dilthey y Kierkegaard. Ahora bien, ni yo ni nadie en Alemania sospechaba en 1913 ni mucho tiempo después [...], que en Dilthey existiese propiamente una filosofía de la vida; al contrario, Dilthey representaba la convicción de que no se podía tener una filosofía. El que más, conocía a Dilthey como un maravilloso historiador o como un problemático psicólogo. En cuanto a Kierkegaard, ni entonces ni después he podido leerle».

Así, lo primero es instalarse en Marburgo, y encuentran un apartamento agradable en la Schwannallee 44. Rosa no sabe alemán, aunque se defiende con su dominio del francés y con la rapidez con que aprende el alemán práctico de un ama de casa. Ha llegado, como se decía entonces, en estado interesante y, en efecto, el 23 de mayo nace su primer hijo, mi hermano mayor Miguel. El ginecólogo que atendió el parto, al sacudir al recién nacido para favorecer su respiración, parece que manifestó el deseo de que aquel niño «contribuyese, de mayor, a liberar Gibraltar de los ingleses». Se plantea el problema de darle nombre: el padre quiere llamarle Miguel porque «es también el nombre de un viejo amigo mío, de un español profundo y pobre, que anduvo por los caminos del mundo, ocultando bajo la sonrisa más cortés, el corazón más doloroso». Y también, como escribe a sus padres, por ser «un nombre muy español, nombre de arcángel, y arcángel guerrero, cuya efigie suele presidir los coros de nuestras viejas catedrales. Rosa se inclinaba a llamarle Germán porque es una grata casualidad que haya venido a nacer el día cuyo santo significa *alemán*... Hoy ha sido inscrito en el Ayuntamiento con los nombres Miguel Germán: no nos decidimos por ninguno de los dos y el uso vendrá luego a resolver nuestra vacilación» [7]. Mi hermano sería, en su vida, Miguel,

---

[7] Carta desde Marburgo a Madrid del 3 de junio de 1911.

aunque de pequeño los amigos de mis padres le llamaban a menudo Miguel Germán.

Aunque la crisis de Ortega Munilla en la Sociedad Editorial de España haría periclitar pocos años después, como veremos, las colaboraciones de su hijo en *El Imparcial,* desde Marburgo sigue Ortega enviando artículos al periódico. Varios artículos se refieren sucesivamente a tres grandes artistas de la pluma o el pincel cuya amistad mantenía mi padre con fruición. En "Una respuesta a una pregunta" [8] habla de Pío Baroja, a cuya relación con Ortega dedicaremos un apartado, muy ligada asimismo a su relación con el pintor Zuloaga, el otro gran vasco a quien dedica su ensayo "La estética de *El enano, Gregorio el Botero*" [9].

Ese año trataría mucho a Cohen y le debe a Marburgo, como él mismo ha dicho «la mitad de mis esperanzas y casi toda mi disciplina» [10].

## AZORÍN

A finales de diciembre de 1911 volvía la nueva familia a Madrid. Los Ortega Munilla esperarían en la estación con la ilusión de conocer a su primer nieto, Miguel Germán, y el abuelo se alegraría mucho al ver que se parecía algo a él. En enero de 1912 mi padre toma posesión de su cátedra de Metafísica en el caserón de San Bernardo y comienza un curso sobre Kant.

Yo imagino que debió de ser un momento de la vida de mis padres lleno de ilusiones. Se han instalado de nuevo en su piso de la calle de Zurbano donde vuelve a reinar Elisa en la cocina. Han tomado una niñera para que se ocupe de Miguel y empiezan a invitar a cenar a algunos amigos. Azorín, sobre el que acaba de publicar un artículo en *El Imparcial* acerca de un "Nuevo libro de Azorín", debió de ser uno de ellos y, por ello, parece ahora el momento adecuado para hablar de su mutua relación.

Había nacido José Martínez Ruiz en la ciudad alicantina de Monóvar el 8 de junio de 1873. Diez años le llevaba, pues, a mi padre, perteneciendo a la generación del 98 que él mismo, como vimos, nominó. No obstante lo cual la amistad entre ambos fue intensa y sincera. Mi padre estimaba mucho la ola de buen gusto que aportó Azorín a la literatura

---

[8] *El Imparcial,* 13 de septiembre de 1911 *(Obras completas,* tomo I, pág. 211).

[9] Luego incluido en *Personas, obras, cosas* (1916) pero escrito en 1911 *(Obras completas,* tomo I, pág. 536).

[10] *Obras completas,* tomo II, pág. 559.

de su tiempo, demasiado rimbombante cuando empezó él a publicar. Aunque por su familia tenía posibilidades de subsistir sin necesidad de lanzarse al oficio de escritor, Martínez Ruiz, con gran ímpetu, empezó a colaborar en los periódicos levantinos desde muy joven; pero pronto comprendió que en el régimen de la Regencia había que triunfar en Madrid para ser alguien estimado y conocido. «La cumbre de la fama periodística —ha contado él mismo— en aquellos tiempos era *El Imparcial.* Diario de más autoridad no se había publicado jamás en España. Los Gobiernos estaban atenidos a lo que decía *El Imparcial.* Crisis ministeriales se hacían a causa de *El Imparcial,* y un Gobierno a quien apoyara *El Imparcial* podía echarse a dormir. En lo literario, la autoridad del diario no era menor. *El Imparcial* publicaba cada semana una hoja literaria y no había escritor que no ambicionara escribir en esa página, pero publicar un artículo allí era trabajoso». Azorín lo intentó varias veces hasta que lo consiguió. Como ya dijimos, sus primeros artículos, sugeridos por mi abuelo, compusieron *La ruta de Don Quijote,* que luego aparecería en forma de libro en 1905. Azorín cuenta cómo don José Ortega Munilla le llamó a su casa y le dio las últimas instrucciones para el viaje y, además, un revólver chiquitito por si le hacía falta «por donde anduvieran los yangüeses». Hizo el viaje a partir de Argamasilla de Alba en una carreta tirada por una mula, escribiendo los artículos en los caminos y en las posadas.

Cuando Luca de Tena lanzó el *ABC,* Azorín pasó a colaborar en el nuevo diario hasta 1930, en que pasó a *El Sol,* y siguió a Urgoiti y a mi padre en sus avatares periodísticos de *Crisol* y de *Luz.*

Esos esforzados viajes por los caminitos de La Mancha y de Castilla le hicieron un gran compañero para las excursiones con mi padre, ya en automóvil, en los primeros años veinte; en las fotografías vemos a ambos, acompañados muchas veces por Baroja —tan notable y distinto escritor que Azorín— y también en los veraneos de Zumaya junto a Zuloaga y Salaverría.

La denominación de «Azorín» la tomó el autor de su propia novela *Antonio* Azorín, que para la crítica es una novela autobiográfica, y no tiene duda que es una palabra eufónicamente preciosa y elegante. José Blanco Amor —escritor muerto en el exilio argentino a quien no se le guarda el lugar que se merece entre los mejores autores de nuestra literatura— citaba en su libro *Encuentros y desencuentros* [11] la definición, ya mencionada, que daba Azorín: «La mujer es el encanto y el desasosiego del mundo». «Lope de Vega —dice Blanco Amor—, que escribió tanto sobre la mujer, no habría sabido hacer esta definición tan

---

[11] Editorial Losada, Buenos Aires, 1969.

bellísima, tan precisa y tan abstracta». Podríamos tomarla como ejemplo del nuevo estilo que traía Azorín a las letras hispanas.

Intentó, como hemos visto cuando hablábamos de Maeztu, hacer una revista con don Ramiro y con Baroja que iba a titularse *Los Tres* porque así les llamaban y se llamaban entre sí estas tres grandes figuras de la generación del 98. Pero esa precaria agrupación pronto se disolvería empujada en parte por la que capitanearon Benavente y Valle-Inclán.

Ortega promovió una fiesta en Aranjuez en honor de Azorín que se celebró en un lugar de los jardines elegido por Santiago Rusiñol el 23 de noviembre de 1913. Acudieron a ella todos los nombres importantes de la generación de Ortega, con una unanimidad que nunca se ha vuelto a repetir en el acerado mundo de las letras españolas. Estaban allí, según la reseña de *ABC*, Jiménez Fraud, Juan Ramón Jiménez, Corpus Barga, Roberto Castrovido, Alejandro Lerroux, García Sanchiz, Enrique de Mesa, García Martí, Ardavín, Pittaluga, Ramón Gómez de la Serna, Ramón de Basterra y otros famosos de las letras o de la política. Ortega ofreció el homenaje con estas palabras que resumimos a continuación [12]:

«Amigo Azorín: Esta fiesta tan sencilla, que a usted dedicamos, tiene, como los ensueños, varios sentidos. El más complejo y trascendente preferiríamos que usted mismo se encargara de interpretarlo. El más sencillo y próximo no es, sin embargo, el de menos importancia moral, y consiste en que nos hemos juntado aquí unas cuantas gentes dispuestas a otorgar con fruición el santo sacramento del aplauso. No es frecuente en nuestra patria, donde tanto se aplaude, la pura voluntad del aplauso. Dedícase éste al político influyente [...] o a las glorias nacionales [...] Mas usted, Azorín, no es un político influyente ni, claro está, una gloria nacional. Esto quiere decir [...] que usted, amigo Azorín, casi no es nada. Es usted un artista exquisito que ha elaborado unas ciertas páginas egregias, cuya belleza pervivirá libre de corrupción. Nada más, nada menos, y a ello se dirige nuestro aplauso [...] que esta vez proviene de una de esas súbitas dilataciones del ánimo que ante una perfección, aparezca donde aparezca, experimenta todo hombre honrado y sensible [...]

»Le traemos hoy a este sitio de románticas emanaciones en alusión al carácter de su poesía, que enlaza el clasicismo español con las inquietudes del año 1913. Es usted, después de Galdós, quien ha dirigido una mirada más afectuosa a esos años del siglo XIX, humildes por su resultado, pero sembrados de fervor y sacudidos por un fuerte dinamismo [...]

---

[12] *Obras completas,* tomo I, pág. 261.

»Otros dirán ahora los sentidos más complicados de esta fiesta».

En efecto, intervinieron casi todos los asistentes: Juan Ramón Jiménez, por ejemplo, dijo en su poema: «¡Alza, amigo y maestro, la iluminada frente que enflora la amistad!». Y el propio Azorín, en su discurso de contestación, cerró el acto con estas palabras: «Amigos, compañeros, gracias cordialísimas; gracias por siempre y para siempre» [13].

Pero Ortega se esforzaría en dejar mayor claridad de su opinión sobre Azorín con el trabajo que tituló "Azorín: primores de lo vulgar". Lo escribió en junio de 1916, en vísperas de su primer viaje a la Argentina, pero no se publicaría hasta 1917 en el tomo III de *El Espectador.* Y debió de darle un repaso a su vuelta porque está dedicado a una de las grandes damas que conoció en Buenos Aires:

A la señora Elena Sansinena de
Elizalde, dama argentina de alma
exquisita y nobilísima, honor de un
pueblo que es capaz de suscitar
virtudes tales. Que estas páginas
conduzcan allende el mar mi admiración
respetuosa.

Decidido a su viaje quiere despedirse de «esta España nuestra, tan agria, tan paralítica, tan inerte, hundiéndome de nuevo en El Escorial. Es un día de junio, claro como una niñez».

Y considera que no hay nada más opuesto a América que un libro de Azorín: América suena a grandes promesas pero leer a Azorín es «deslizar la mano una vez más sobre el lomo del pasado como sobre un terciopelo milenario». Para Ortega, «Azorín es todo lo contrario de un *filósofo de la historia;* lo minúsculo, lo atómico, ocupa el primer rango, y lo grande, lo monumental, queda reducido a un breve ornamento».

Azorín parte siempre de un libro viejo, de un edificio antiguo, de un cuadro patinoso, de una persona fallecida, que no son para él hechos fenecidos sino pretextos para revivirlos. Azorín practica, para Ortega, el «sincronismo», es decir, «la coincidencia de sentido, de módulo, de estilo, entre hombres o entre circunstancias desparramados por todos los tiempos», y no el simple sincronismo o coincidencia de fechas entre personas o acontecimientos diversos.

Ortega y Azorín pasarían parte de su exilio, por la guerra civil, en París, pero no se vieron o, mejor dicho, no quisieron verse porque am-

---

[13] Hay un número de la revista *Residencia* de 1915 que recoge todas las intervenciones del acto.

bos estaban desolados por aquella catástrofe. Y ambos se defendieron económicamente escribiendo en los grandes diarios bonaerenses.

Yo le visité en su casa de la calle de Zorrilla, pocos meses antes de morir. Era un viejecito conmovedor y cariñoso que no dejó elogio por hacer de mi padre. Pero no tuve esa asiduidad de su persona que tuvo, desde niño, Julio Caro Baroja. Por eso, le encargamos en la *Revista* una nota necrológica cuando murió Azorín en enero de 1967 [14].

«Noventa y cuatro años iba a cumplir el próximo mes de junio y hace casi setenta y cinco que empezó a bullir en la vida literaria española. Su primer libro data de 1893 y los que le siguen produjeron una mezcla de irritación, sorpresa y respeto. ¡Gran dolor sentimos hoy algunos ante la muerte de este ancianito pulcro, que conoció de su época muchas más cosas que las reflejadas en su cuantiosa obra! [...] Vivió cerca de algunos hombres mucho más viejos que él y tuvo amistad con escritores de épocas muy posteriores a la suya, viviente de cuanto ha ocurrido en España durante más de un siglo [...] Hay grandes autores que nos separan del pasado. Azorín nos une, nos ata a él, sea mediato o inmediato, de una manera que nada tiene que ver con las prácticas tradicionalistas ni con sermones dominicales.»

Para Caro Baroja, Azorín fue un guía a la hora de escoger muchas de sus lecturas y «como crítico y como escritor, abrió un camino difícil pero lleno de horizontes, que después se ha cerrado por falta de hombres capaces de seguirle». Ésta era la verdad para Julio. La amistad entre Baroja y Azorín la vivió muy de cerca. «Que no ha podido haber caracteres más dispares —dice en su nota—, es evidente. Pero la amistad no se hace con palos del mismo árbol. Los temas que en 1900 interesaban al joven levantino y los que interesaban al joven guipuzcoano eran parecidos hasta cierto punto, no absolutamente coincidentes. La visión es también distinta, como la complexión física de sus cuerpos, aunque en uno y otro hubiera un vago elemento que pudiéramos definir como nórdico [...] tuvieron un tipo de rubicundez que hizo que a Azorín se le pudiera tomar por un súbdito de su Graciosa Majestad, mientras que a mi tío, en París, allá por los años de la guerra española, le tomaban por ruso: un viejo ruso emigrado en 1917».

Ambos escritores se enviaban sus libros, y se guardan los de Azorín en Itzea como un tesoro por sus dedicatorias. Julio recuerda las visitas de Azorín a su casa madrileña, donde vivía con sus padres y su tío Pío. «Las visitas eran breves por lo general, melancólicas. Por ejemplo, la

---

[14] La escribió en marzo de 1967 pero no la recibimos hasta bastante después y, por ello, se publicó en el primer aniversario (*Revista de Occidente*, 2ª época, núm. 58, enero de 1968).

ocasionada por la muerte de mi padre en 1943. Año triste, cargado de inquietudes en general, acrecentadas por las zozobras individuales».

## LA VOZ Y LA MIRADA

¿Cuál es la distracción de Ortega?: la tertulia que en esos años, en torno a 1912, tiene en el café del Henar, en la calle de Alcalá, donde ahora se ubica el Círculo de Bellas Artes. Valle-Inclán y d'Ors tienen allí también sus tertulias y hay tertulianos que se corren de una a otra según el atractivo del que tiene la palabra. Pero es la de Ortega la que se levanta la primera, hacia las nueve de la noche, porque mi padre es ordenado y le gusta cenar a la hora (supongo que iría andando salvo días de lluvia en que tomaría un coche de punto). En la tertulia estaría Ramón Carande —que ha contado recuerdos de ella—, el malogrado Ramón de Basterra, José Tudela, a veces Pío Baroja, Luis Olariaga y esos contertulios cuya luz brilla en la conversación pero cuya importancia desaparece de su vida desde que salen a la calle.

Ortega ofrece, junto al interés de lo que trata, dos armas formidables: la voz y la mirada, que luce, naturalmente, asimismo en sus clases universitarias. Nueve años después del que estamos hablando, en 1921, vino por Madrid el ampurdanés Josep Pla como corresponsal de un periódico de Barcelona y publica sus impresiones de la capital madrileña en *Un dietari* que yo reedité, claro está en castellano, del que extraigo estas notas, para mí conmovedoras. Porque no sería muy diferente el ambiente de 1912.

Cuando salió de Barcelona, el director del periódico le había dado a Pla una carta de presentación para don Luis de Zulueta —de quien ya hemos hablado— que vivía casi en las afueras de un Madrid que terminaba en el antiguo Hipódromo cerca de Chamartín: «Me abre —cuenta Pla— la puerta un señor con el abrigo y el sombrero puestos: el propio señor Zulueta [...] Me dice que tiene la intención de ir a la Universidad; más exactamente, de asistir a la clase que el profesor José Ortega y Gasset ha de dar allí esta tarde. Le pido permiso para acompañarle. En la Castellana tomamos un tranvía que nos deja en los bulevares. Después, caminando un buen rato, llegamos a la calle de San Bernardo y entramos en la Universidad. El edificio parece un convento abandonado. Atravesamos un patio, subimos una oscura escalera, llegamos a un corredor y nos encontramos a la puerta de un aula. Zulueta —que conoce el terreno— abre la puerta. La clase ya ha empezado.

»Al principio no veo nada. El local está mal iluminado [...] Hay una tarima y una vasta mesa profesoral. Detrás de la mesa, de pie, está un señor de pequeña estatura, con aspecto de crispación dominada. Debe de haber una treintena de personas. Algunos, estudiantes; una buena parte del público terminó la carrera hace años; en el primer banco hay tres o cuatro clérigos, que toman notas [...] El ambiente es pobre [...] pero al minuto de haber tomado asiento, la materialidad de las cosas se esfuma [...] se tiene la sensación de haber entrado en un silencio absoluto [...] un silencio que parece producido por la ilusión de que se ha detenido el tiempo.

»El profesor Ortega, que imparte la lección andando, es de estatura más bien pequeña, pero grueso y metido en carnes, y viste una excelente americana cruzada de color gris claro, sobre la cual destaca un cuello planchado, reluciente, y una corbata azul a lunares blancos [...] El profesor se pasea lentamente [...] pero los ojos y la frente densa y concentrada, lo dominan todo [...] Pasaron dos minutos y el prodigio de la voz me tenía preso [...] La voz de Ortega es prodigiosa. Es una voz llena, de barítono granado. De una admirable precisión de matices, de vocalización perfecta, llevada hasta las últimas exigencias de las vocales. Por eso es una voz que parece sólida y, al mismo tiempo, es suave, afrutada, delicada, de superficies que incitan al tacto [...] La voz del profesor alcanza la máxima belleza cuando se piensa que todo lo que dice —sea lo que sea— se pierde en el desierto [...] Los oradores castellanos tienden al solo del clarinete [...] el instrumento de Ortega es el violonchelo, un violonchelo de buena madera, muy bien ajustado, explícitamente bien tocado» [15].

Pero también la mirada, sus ojos que ven mirando, es un arma en la que sucumbe el interlocutor. Gerardo Diego le dedicó a su muerte un poema en su *Vuelta del peregrino* [16].

> Mueren los ojos, pero ¿cómo
> puede morir la luz, la luz de la mirada?
> [...]
> Quiero contaros como un cuento
> —fastuoso, inverosímil—
> la mirada de un hombre,
> puesto que gocé de ella tantas veces
> que sobre mí, sobre mis ojos casi avergonzados
> de tanta luz de amor e inteligencia
> se posó, se dijo deslumbradora.

---

[15] Josep Pla: *Madrid, 1921,* Alianza Editorial, 1986.

[16] Gerardo Diego: *El Cordobés dilucidado* y *Vuelta del peregrino,* Revista de Occidente, Madrid, 1966.

[...]
Sol, soles en su órbita que a veces
se acercan y ciñen en curva hasta abrasarnos.
Ahora se ha ido lejos, muy lejos,
pero su fulgir errante, flotante, nos acosa,
nos faceta, nos conforta. Luz, luz de amor humano.
La mirada de un hombre.

Este don de la palabra y la mirada lo conservaría toda su vida —la segunda puede confirmarse en sus fotografías tomadas a distintas edades— e impresionarían también a sus discípulos de los años treinta, como Antonio Rodríguez-Huéscar.

«Se le oía —recuerda en un artículo de 1983— con una especie de gozoso sobrecogimiento: gozoso porque era una delicia asistir al espléndido proceso de creación verbal [...] pero, a la par, sobrecogimiento por la golpeante evidencia de estar asistiendo también, a su través, a un poderoso ejercicio de pensamiento vivo. Las inflexiones y tonalidades de su voz, de suyo grave y pastosa, iban como subrayando los cambiantes niveles y hallazgos de ese pensamiento [...] Acontecía que esa voz comenzaba a adquirir en ciertos momentos registros más profundos y un ritmo más pausado: era que el pensamiento se adensaba y ahondaba al ir penetrando en zonas de la realidad de más difícil acceso [...] El gesto y el ademán y la mirada se acompasaban con perfecto ajuste a estas inflexiones de la voz [...] otras veces, en cambio, los ritmos se alegraban y los registros joviales e irónicos subrayaban el nuevo *tempo* dramático»[17].

Hacen un corto veraneo en El Escorial pero la política es sacudida a fondo por el asesinato de Canalejas el 12 de noviembre por el anarquista Manuel Pardiñas, mientras el presidente del Gobierno miraba el escaparate de la librería San Martín, en la Puerta del Sol. Canalejas lo estaba haciendo bien, y como ha señalado Cacho Viu [18]: «Ortega y sus jóvenes compañeros intelectuales vueltos al redil monárquico por obra de la prometedora entente entre Canalejas y el Monarca [...] y el papel modernizador que el Rey parecía dispuesto a asumir, subió de punto a mediados de enero, con las visitas a Palacio de destacadas personalidades liberales que ocupaban cargos directivos en organismos paraestatales, como el Museo Pedagógico, el Instituto de Reformas Sociales o la Junta para Ampliación de Estudios. Ortega siguió, sin duda

---

[17] "Ortega, genio y realidad", art. publicado en el número de la *Revista de Occidente* dedicado al centenario de Ortega, mayo de 1983.

[18] Vicente Cacho Viu: *Repensar el 98,* ya citado.

por sus conexiones familiares, los preparativos de tales entrevistas, de las que quedó excluido en principio al no ostentar, a diferencia de los convocados —mayores además en edad— representación oficial alguna. De ahí que se anticipara a ofrecer, ante el cambio que se barruntaba en las alturas, el concurso de la generación estudiosa emergente para hacer la experiencia monárquica aportando a ese empeño severidad y competencia [19]. Pero al desaparecer Canalejas y ocupar su puesto el conde de Romanones todas esas intenciones se vinieron abajo.

Ortega daría en ese otoño de 1912 unas conferencias populares en el Ateneo sobre el retoño novísimo y pujante de la filosofía, que en el siglo XIX había tenido en Europa la mínima presión.

## Manuel García Morente

Ortega trabaja incansable: en la cátedra, en casa, escribiendo sus artículos para *El Imparcial* y preparando las actividades públicas que ha ido imaginando en sus horas alemanas. Sus clases atraen no sólo a alumnos sino a otros intelectuales que quieren conocer ese nuevo valor surgido en la escena española. Y en uno de aquellos días ocurriría el encuentro entre mi padre y Manuel García Morente, que acaba de ganar la cátedra de Ética en esa misma Facultad. Su amistad y colaboración sería tan larga y fecunda que hemos de dedicarle varias páginas.

Manuel García Morente fue, junto con Fernando Vela, el gran colaborador en los emprendimientos editoriales de mi padre y, además en su caso, el realizador de la moderna Facultad de Filosofía y Letras madrileña partiendo de las ideas de Ortega sobre la misión de la universidad. Había nacido en Arjonilla, en pleno corazón olivarero de Jaén, el 22 de abril de 1886. Hijo de un médico de origen rural de fuerte carácter e ideas liberales [20], y por el lado de su madre, de una familia acomodada de Porcuna emparentada con el poderoso general Serrano, pasó su infancia en Granada donde su padre tenía su consulta de oftalmólogo. Pero pronto lo envió a Francia para cursar, en el Liceo de Bayona, sus estudios escolares y el bachillerato; nueve años que le dieron a Morente un dominio extraordinario de la lengua y la cultura francesas, que años más tarde le serviría para redactar un *Dicciona-*

---

[19] "Sencillas reflexiones", *El Imparcial*, 10 de enero de 1913 *(Obras completas*, tomo X, pág. 224).

[20] Tomamos estos datos biográficos del prólogo de Juan Miguel Palacios y Rogelio Rovira a la edición, por ambos compilada, de sus *Obras completas*, Anthropos, Madrid, 1996.

*rio francés-español (y viceversa)* en la editorial Garnier que le salvaría de la miseria durante su exilio parisino. En 1903 se trasladó a París para estudiar Filosofía, venciendo la resistencia paterna, que quería verlo médico como él. Allí descubriría a Henri Bergson, sobre el cual, años después, cuando vino a Madrid en 1916 el autor de *La evolución creadora*, publicó un libro que aún se mantiene vivo. Durante esta visita Ortega y Bergson se conocieron e hicieron buena amistad.

Licenciado en Filosofía en Francia en 1905, tuvo que trasladarse a Madrid —que sería desde entonces su lugar de trabajo— para revalidar su título en la Universidad Central, lo que logró en abril de 1908.

Fue en el curso académico siguiente, de 1908-1909, cuando conoció a Ortega al seguir sus cursos de la Escuela Superior del Magisterio. En marzo de 1936, con ocasión de las bodas de plata de mi padre con la Universidad de Madrid, escribió: «Yo conocí a don José Ortega y Gasset hace veintisiete años [...] Durante esos veintisiete años la amistad fraternal que nos ha unido no ha sido enturbiada por una sola nube. Han sido veintisiete años de convivencia diaria, de compenetración íntima [...] Y cuando pienso en ello —y cada vez pienso más en ello— me maravillo de la fortuna increíble que he tenido. Cuando yo era joven y empezaba a leer con entusiasmo de neófito a Platón, a Descartes, a Kant, no solía contentarme con las exaltaciones que me causaban los magníficos acordes intelectuales de esos gigantescos pensadores, sino que, más allá del texto escrito [...] intentaba con la fantasía penetrar en las personas efectivas [...] me hacía la ilusión de oír su voz, de escuchar su palabra viva [...] Puede Ud. suponer lo que para mí ha sido la amistad de Ortega y Gasset. Ha sido por de pronto como el cumplimiento de un hondo deseo, largamente acariciado [...] y es el caso que, desde que le conocí, hube de tributarle esa admiración, mezclada de gratitud, efusión y respeto y que el trato más íntimo no ha logrado embotar. Vi en él, veo en él, el tipo del pensador» [21].

Después de una larga estancia en Alemania —en Berlín y Marburgo—, donde afianzó su alemán y su conocimiento de la filosofía, en 1912 gana por oposición la cátedra de Ética de la Universidad de Madrid. Era el catedrático más joven —veinticinco años— de España y su presencia en la Universidad Central afianzaría la naciente amistad con mi padre y su mutua estimación.

Pérez de Ayala —nos recuerdan sus citados biógrafos— presenta a García Morente en la última escena de su novela *Troteras y danzaderas*»,

---

[21] Está escribiendo Morente una "Carta a un amigo: evolución filosófica de Ortega y Gasset", publicada en *El Sol* el 8 de marzo de 1936 *(Obras completas,* tomo I, vol. 2, pág. 536).

bajo la figura del personaje Enrique Muslera, "un joven de la mesnada de Tejero". Tejero es como llamaba Pérez Ayala a mi padre en esa novela en clave.

«La conciencia de su propia valía, la amplitud y solidez de sus conocimientos [...] la proverbial claridad de sus explicaciones y hasta lo exigente de su actitud, hicieron pronto de él un profesor de extraordinario prestigio [...] entre los estudiantes y entre sus compañeros de Facultad». Su máximo empeño radicaba en la universidad y, aunque reacio a la política, su identificación con mi padre le llevó a formar parte de la Liga de Educación Política fundada por Ortega tras su famosa conferencia sobre "Vieja y nueva política" en 1914. Para algunos, como el mismo Unamuno, era un hombre difícil, y don Miguel se quejaba a mi padre, en carta de esos años, pidiéndole: «Dígale que se deje de encasquetarse más el sombrero cuando vea una bandera patria, que no se enfurezca con el catolicismo, que el principal enemigo es otro. Que no caiga, por Dios, en el fanatismo ferrerista» [22].

Desde que se funda *El Sol*, García Morente será uno de sus colaboradores asiduos; y cuando Urgoiti crea Calpe, se convierte en el director de su colección más famosa, la Colección Universal, que sería la primera serie de bolsillo en el mundo hispánico, aunque no se la calificaría así todavía, por su tamaño y su precio módico. Morente elige los títulos —todos literarios— y vigila las traducciones, algunas de las cuales se deben a su propia labor. Esta función de traductor sería uno de los grandes esfuerzos de Morente, que se pasaba varias horas al día, en su casa, dictando a su cuñada. Su labor más notable fue la traducción de la *Historia Universal* de Walter Goetz, una obra monumental, bellamente ilustrada, que publicó Calpe cuando era ya Espasa-Calpe al unirse con los creadores de la famosa enciclopedia.

En 1924, después de que nacieran las ediciones de libros en la *Revista de Occidente,* Ortega encargó a Morente la responsabilidad de esa Biblioteca donde aparecerían libros importantes de la creación intelectual europea de entonces. El propio Morente, infatigable, tradujo algunos, como las *Investigaciones lógicas* de Husserl, al alimón con José Gaos.

Le consulta mucho, naturalmente, a Ortega. Como en su carta desde El Escorial de ese verano que le dice: «Mi querido Pepe: Le escribo a Zumaya, suponiendo que ha regresado de Cauterets [mi padre solía hacer cura de aguas en este elegante balneario del Pirineo francés]. Nada me dice Usted de lo que debo contestarle a Schulten». Le anuncia que va a irse unos días con su hija María Pepa a Málaga, Granada y Morón, pero le tranquiliza: «Todo queda arreglado en Madrid, con

---

[22] *Epistolario Ortega-Unamuno,* ya citado.

Jarnés y Pepe Díaz en constante comunicación epistolar conmigo [...] pero espero con impaciencia el descansillo en el patio, junto a la fuente, a la sombra de la vela-*velum* que decían nuestros latinos tatarabuelos. Esto me recuerda que Vela se fue el día 2 y volverá el 1 de septiembre». Y una posdata para rogarle «dos letras *enseguida* para que me alcancen aquí». No puedo garantizar que mi padre atendiera este ruego, y el profesor Schulten se quedará sin contestación.

La correspondencia de Morente con Ortega fue frecuente desde los años en que aquél estudiaba en Marburgo. Las cartas son siempre sinceras protestando de las insolencias de Araquistáin o del excesivo mirarse a sí mismo de Maeztu. Y no deja de publicar su propia cosecha, como el libro sobre *La Filosofía de Kant,* en 1917, que es un paradigma de claridad en un paisaje difícil.

La llegada del último Gobierno de la Monarquía, del general Berenguer, y el nombramiento de su amigo y admirado don Elías Tormo para el Ministerio de Instrucción Pública le llevaron a aceptar el cargo de subsecretario de ese Departamento. Un ejemplo, por cierto, de la independencia de criterios que dejaba mi padre a sus colaboradores pues por esas fechas publicó en *El Sol* su famoso artículo "El error Berenguer". Pero, de todos modos, la llegada de la República alejó a Morente de la política y no formó parte de la Agrupación al Servicio de la República que creó Ortega con Marañón y Pérez de Ayala.

«Fue entonces —dicen sus biógrafos— cuando a Morente le eligieron por unanimidad decano de la Facultad de Filosofía y Letras de la Universidad de Madrid, cargo que desempeñó con inmensa ilusión y autoridad durante cuatro años y medio hasta la guerra civil. La puesta en práctica del *plan Morente* de esa Facultad a partir de la inauguración de su nuevo edificio (cuya construcción él mismo vigiló en constante relación con los arquitectos) en enero de 1933, y la realización del crucero universitario por el Mundo Antiguo, en el verano del mismo año, son los frutos más conocidos de su labor».

Pero la sublevación del 18 de julio y la Guerra Civil que le siguió trastornaron todo los planes sensatos de Morente, como les ocurrió a tantos otros españoles. Dos cartas de Morente a Ortega, una del 14 de julio del 36 desde París a Madrid, y otra del 4 de octubre, dirigida a Grenoble donde estábamos exiliados momentáneamente todos nosotros, dan clara idea de la catástrofe que cayó sobre España y personalmente sobre Morente.

La primera, que transcribimos íntegra por el interés del estado de Francia en ese momento, dice así:

«Querido Pepe: En primer lugar, el tiempo es de todos los diablos. Ni un solo día sin lluvia desde que llegué y el frío es casi invernal. Ayer tuvimos doce grados. En segundo lugar, el humor de los franceses es de todo punto insoportable. Nerviosos, inquietos, medrosos, no saben lo que quieren, no saben qué querer. Los del frente popular no se atreven todavía a confesarse a sí mismos que hay que rectificar; tienen miedo a lo que un amigo mío llama "segundas masas"; pero por otra parte están aterrados, sobre todo porque advierten que el peso específico de Francia en Europa disminuye por momentos. Los países de la Europa oriental —Rumania, Yugoslavia, Checoslavaquia, Polonia, etcétera— se les van de las manos y les pierden el respeto. Los franceses de centro derecha y derecha pura —que llaman "nacionales"— tampoco saben qué hacer. No se atreven a querer activa y resueltamente la dictadura, ni aun la "reforma del Estado"; pero piensan que es inevitable y necesaria. Lo malo es que no tienen dictador posible. El coronel De la Roque es un imbécil, *nómine discrepante*. Ahora se ha formado el partido de Doriot, de quien hablan bien muchas personas. Sí, la desorientación es completa y ya puede usted figurarse lo que eso representa para la mentalidad francesa, que necesita para vivir ideas claras. Casi todos los días se arman trifulcas en los Campos Elíseos y en el Boulevard Saint Michel. En las cuales las gentes son "beligerantes" y levantan el puño cerrado lindamente. Parece que empieza a dibujarse un movimiento serio de clases medias, pequeños industriales, propietarios y comerciantes. Por ahora los más notorios adalides de ese movimiento son viejos!!, el señor Marchandeau y el Sr. Bienvenu Martin, este último tiene ochenta años y fue ministro hace ya cuarenta.

»Anoche he comido en casa de un Sr. Rounseaux, que hace la crítica literaria en el *Figaro*. Estaba también el músico Florent Schmidt. Parece que la joven generación (los que tienen ahora veinte años) son de tipo completamente distinto; y me dicen que, educados en plena crisis y privaciones, con angustias familiares y porvenir sombrío, representan un retorno a la espiritualidad que desde hace veinte años había desaparecido; a la dedicación devota, a la poesía, a la gravedad intelectual. A mis comensales les chocaba justamente ese nuevo espíritu en condiciones de apretura material y lo hacían resaltar. Yo creo que justamente las dificultades e inquietudes económicas tienen que producir en Francia esas reacciones, sólo aparentemente incomprensibles, pero en realidad muy explicables. La holgura económica de 1920-30 había desmoralizado a la juventud. La juventud nueva, más castigada, se ha recogido más enérgicamente y ha vuelto al pensamiento. Pululan otra vez las "petites revues" en el Barrio Latino y los escritores ya llegados se sienten mucho más vigilados que hace diez años. Morand ha caído del todo. Montherlant está desgringolando. Le sostienen Duhamel y Maurois. Ha entrado en pleno resplandor Bernanos, que vive en Palma de Mallorca, y Caino, magistrado poeta.

»En la superficie callejera se nota la crisis económica de un modo atroz. Muchas casas de artículos de lujo se cierran. Los grandes restaurantes abaratan desesperadamente los precios, justamente cuando la vida empieza a encarecer notoriamente. Desde hace un mes a hoy calcúlase en un 31% de encarecimiento de la vida. La producción de lo que Francia suele exportar ha encarecido tanto que se prevén contracciones del comercio exterior, que pueden tener consecuencias graves para la economía. Ya le contaré a usted pequeños episodios curiosos de huelgas que he visto; y también algunas conversaciones interesantes que he tenido. El embajador Cárdenas me ha dado muchos saludos para usted. He visto a Delacroix, decano de Letras de París. He estado en Ermenonville, en donde he visto la tumba de Rousseau, que me ha producido una impresión enorme. Le hablaré a usted de Carré —que dicho en secreto es un imbécil— y de Martino, stendhaliano simpático y hombre de mucho "esprit". He huido de los filósofos como de la peste. Lo que he hecho con más gusto es pasear por los bosques de Chantilly, de Senlis y de Meaux. Esta tierra de Francia es un encanto. Acaricia los ojos y derrite el corazón. Se come estupendamente en esas aldeítas a cien kilómetros de París. Pero todo eso se acibara siempre por el estado de ánimo general de nerviosismo, recelo, inquietud, desconfianza, irritación contenida que reina más o menos en todos los pechos franceses. En conjunto: un país que veo en una situación, para mí desconocida, de angustia, de pesimismo y depresión.

»Espero salir el viernes y detenerme un día en Bayona-Biarritz. Creo, pues, que llegaré a Madrid hacia el domingo o lunes. Enseguida iré a verle y espero hallarle ya completamente restablecido.

Le abrazo muy efusivamente.

Muchos saludos a Rosa y a Soledad, a Miguel y a José».

Y en la segunda escribe:

«Querido Pepe:

»Hace tres o cuatro días que me encuentro en París. Al fin tuve que huir del infierno madrileño. No sé si sabe usted que mataron a mi yerno. Mi pobre hijita se ha quedado viuda, a los veinte y dos años, con dos hijos de 15 meses y de 3 meses. Hubo que ir a buscarla a Toledo con un salvoconducto especial y después de un viaje angustioso por los pueblos del trayecto, convertidas en horas salvajes, llegó a casa a las once de la noche con lo puesto y sus nenes. A mi yerno lo mataron unos de la FAI de Jaén, que, en quince días que estuvieron en Toledo, asesinaron a más de trescientas personas. A mediados de septiembre el ministro de I. P. [Instrucción Pública], el comunista Fernández, nombró una comisión para depurar al profesorado universitario. La comisión se componía de cuatro catedráticos y diez estudiantes. Entre los catedráticos estaba Pepe Gaos. Inmediatamente se habló de mí y los estudiantes pidieron mi destitución de catedrático justamente con la de otros muchos, y toda la Facultad. Pepe Gaos me defendió bravamente; pero no encontró el apoyo de nadie (Carrasco era uno de los catedráticos) y la tensión llegó al punto de amenazar los estudiantes a Gaos con una acusación ante la Agrupación socialista por contrarrevolucionario, fundándose en que me defendía. Luego me avisó secretamente Besteiro de que me marchara enseguida pues sabía que mi vida estaba en peligro; al parecer —como luego supe— los estudiantes, temiendo que el Ministerio no aceptase su propuesta de dejarme cesante, habían resuelto provocar mi muerte. Enseguida tomé las precauciones necesarias y por Bernardo Giner conseguí pasaporte y salvoconductos. He dejado a mis hijas al cuidado de mi cuñado el notario y pude al fin salir de Madrid el sábado 26, por la noche. En Barcelona me encontré con que los documentos madrileños no servían de nada. Estuve dos días y conseguí un salvoconducto de la CNT pudiendo al fin atravesar la frontera de Cerbère el martes 29. Llegué a París el miércoles 30. Claro, que no pude sacar dinero y desembarqué aquí con 230 francos. Afortunadamente la viuda de un viejo camarada de liceo y de Sorbona me aloja en su casa y me mantiene; y tengo esperanza fundada de hallar aquí otros apoyos. Pero no sé todavía qué va a ser de mí. Tengo los más vivos deseos de saber de usted y de su salud y de los suyos y de los proyectos y propósitos que tenga usted. Le suplico que me escriba. Mis señas son:

Madame Malavou
(pour Mr. Morente)
31 Rue du Sommerard
París — (V$^e$).

»Ayer se fue Américo a Buenos Aires. Hoy se va Ramón Prieto a Londres y mañana parten para el mismo destino los Jiménez. Tengo una muy gran impaciencia por saber de usted. Artese me llevó en su coche a la estación el día en que salí de Madrid.

Le abrazo con el mayor cariño».

Así estaba refugiado en París, cuando dos felices acontecimientos cambiaron el panorama de Morente. Uno, que el editor Garnier —famoso por sus enciclopedias y diccionarios— le ofreció la realización de un *Diccionario francés-español* que le suponía 1.000 francos mensuales, cifra suficiente para no vivir de la caridad de la viuda de su amigo. Y otro, que el profesor Alberini, alma de la universidad argentina, le ofreció una cátedra de Filosofía en la Universidad de Tucumán.

Conseguir traer a sus hijas y nietos era naturalmente su anhelo, que le tuvo sometido a días de esperanza y días de desaliento. Largo Caballero no consentía en darles el pasaporte pero, al igual que la oferta del trabajo del *Diccionario* de Garnier y la oferta de la cátedra en la universidad argentina de Tucumán, una vez más un acontecimiento favorable se producía de pronto. El Gobierno de Madrid había cambiado y estaba el doctor Negrín en la presidencia. Negrín había sido, en los años universitarios, buen amigo suyo. Pero, ¿cómo llegar a él? «Iba yo con cierta frecuencia —ha contado— a la casa que habitaba en Auteuil don José Ortega y Gasset [por tanto —interrumpo yo— debió de ser por la primavera del año 1937, en cuyos primeros meses trasladamos nuestro exilio de Grenoble a París] [...] Y he aquí que estaba allí de visita un catedrático de Madrid a quien yo conocía mucho y trataba con intimidad y cariño [...] Tenía el pobre la enorme desgracia de tener a sus hijos —varones todos y ya mayores— divididos en la cuestión española: uno de ellos estaba sirviendo como teniente de Ingenieros en el ejército de Franco. El otro, en cambio, era secretario particular del Dr. Negrín [23] y llegaba al día siguiente en avión desde Valencia» [24].

La recomendación que le prometió el visitante de Ortega surtió su efecto y los familiares de Morente pudieron trasladarse a Valencia primero y, no sin dificultades, a Barcelona después. Pero allí mandaba la CNT y tardaron mucho en obtener el salvoconducto hasta que el 9 de junio pudo Morente abrazar a sus hijas y a sus nietos, que habían logrado salir de la zona republicana por Cerbère.

En todo ese periodo de su exilio parisino tiene el alma puesta en Madrid, imaginando los peligros y dificultades que estaría pasando su familia, y ve que los golpes de suerte le llegan sin intervención suya. «Alrededor de mí —ha contado en su carta al obispo— [...] se iba tejiendo sin la más mínima intervención de mi parte, toda mi vida. La llamada de Garnier, el encargo del diccionario, el ofrecimiento de la cátedra argentina, este felicísimo encuentro con el padre de un secretario de Negrín, nada de eso había sido ni buscado ni procurado ni siquiera sospechado por mí [...] dijérase que un poder incógnito, dueño absoluto del acontecer humano, arreglaba sin mí todo lo mío [...] Por tercera vez la idea de la Providencia se clavó en mi mente.» Pero Morente seguía refugiado en su agnosticismo habitual y rechazaba «como necia puerilidad» pensar en que Dios andaba ocupándose de su existencia.

Mas una noche del mes de abril en que vivía solitario en el piso de su amigo Ezequiel de Selgas, puso la radio. Estaban radiando música francesa: el final de una sinfonía de Cesar Franck, la *Pavane pour une infante défunte* de Ravel y, en orquesta, un pasaje de Berlioz titulado *L'en-*

---

[23] No dice el nombre pero, por el cargo que indica, debía tratarse del doctor Méndez.

[24] Del borrador de la carta que Morente envió al obispo García de Lahiguera explicándole su conversión y que titulaba "El hecho extraordinario" *(Obras completas,* tomo II, vol. 2, pág. 413).

*fance de Jésus*, algo exquisito, suavísimo, de una delicadeza y ternura tales, que nadie puede escucharlo con los ojos secos. Esa música le había sumergido en una paz deliciosa y «sin que yo pudiera oponerles resistencia empezaron a desfilar por mi mente imágenes de la niñez de Jesucristo». Después sintió la necesidad de rezar el Padrenuestro que fue recomponiendo a trozos de su memoria.

Luego vendría lo que Morente llamó el «hecho extraordinario», que fue sentir que Dios estaba en la habitación contigua, pero no recordaría cuánto duró su presencia. El hecho es que aquel acontecimiento, que no sintió nunca como una alucinación, le llevó a recuperar vehementemente la doctrina católica y a desear tomar las órdenes cuando la Iglesia lo aceptara.

Pero ese nuevo sentimiento no se lo confió a nadie y aunque había pensado irse a meditar a un monasterio de monjes amigos del padre Jobbit —sacerdote que fue su amigo en el Madrid de la República— todo lo guardó en el secreto de su alma y sólo se preocupó, cuando llegaron por fin sus hijas, en organizar el viaje a Tucumán, donde podrían vivir esos años de exilio con los ingresos de su cátedra.

Cuando regresó a la España nacional se consagró como sacerdote y se reincorporó a la universidad madrileña. No volvió a escribir a su amigo Ortega pero siempre lo siguió estimando y viendo la filosofía de la vida prolongada en su creencia en la divinidad. Le preocupó mucho la concepción hispánica de la vida, y el 7 de diciembre de 1942 su hija mayor le halló muerto en su cama con la *Summa Teológica* en sus manos. El mes anterior el doctor Cardenal le había hecho una pequeña intervención pero nadie pensó en que su muerte fuera consecuencia de aquélla.

Alguna vez que comenté con mi padre la conversión de Morente, él me dijo que no le extrañó nada porque venía ya percibiéndola desde antes de la guerra civil. Ésta, con las tragedias y penosidades que aportó a Morente, no hizo más que aflorarla a la superficie.

## LA LIGA DE EDUCACIÓN POLÍTICA

Para Ortega, 1913 fue un año de intenso trabajo preparatorio de sus dos decisivas actuaciones del año siguiente en las que, como dice Julián Marías, se «dio de alta» en la vida pública española y publicó su primer libro de filosofía. Lanzó el proyecto fundacional de la Liga de Educación Política al que daría además público, como veremos en su conferencia "Vieja y nueva política" en el teatro de la Comedia en marzo de 1914. En ese «prospecto» define el papel de las minorías intelectuales, para las cuales «lo primero es fomentar la organización de una minoría encargada de la educación política de las masas. No cabe empujar a España hacia ninguna mejora apreciable mientras el obrero en la urbe, el labriego en el campo, la clase media en la villa y en las capitales, no hayan aprendido a imponer la voluntad áspera de sus propios deseos, por una parte, y a desear un porvenir claro, concreto y serio, por otra». Pero como estos propósitos fueron desarrollados más a fondo en la conferencia citada, los comentaremos con mayor detalle cuando lleguemos a ella.

Ese clarín del «prospecto» tuvo inmediata respuesta, porque cuando llega la conferencia son ya 99 [25] los miembros que participan en la Liga, entre los que figuran hombres que serán valiosos en política, literatura y ciencia en el futuro, destacando gentes de su generación pero también gentes del 98: Salvador de Madariaga, Antonio Machado, Ramón Pérez de Ayala, Gustavo Pittaluga, Fernando de los Ríos, Pedro Salinas, Ramiro de Maeztu, Luis de Hoyos y Enrique de Mesa. El secretario es Manuel García Morente y la cuota mínima que se solicita es de tres pesetas mensuales.

En el afán de mi padre de amparar la desolación y amargura en que se encontraba el suyo, organizó el veranear con los dos matrimonios de ambos suegros —José y Dolores y Juan y Josefina— junto con ellos en Sigüenza. Había asimismo razones económicas porque era un veraneo barato y se toreaba el calor. Ortega aprovechó para hacer excursiones en caballería por las sierras cercanas que ha descrito en su ensayo *Tierras de Castilla,* fechado en 1911 pero que no se publicará hasta la salida del primer tomo de *El Espectador* en 1916.

«Por tierras de Sigüenza y Berlanga de Duero —dice fingiéndose Rubín de Cendoya, místico español—, en días de agosto alanceados por el sol, he hecho yo un viaje sentimental sobre una mula torda de altas orejas inquietas. Son las tierras que el Cid cabalgó [...] donde se suscitó el primer poeta castellano, el autor del poema llamado *Mio Cid* [...] que —como un alcotán gritando desde un risco— dio en la altura desolada y agresiva de Medinaceli al aire este cantar.»

Le acompaña sobre una mula parda «más vieja que un Padre de la Iglesia» un vaquero de Sigüenza llamado Rodrigálvarez con fama de conocer mejor que nadie los caminos. Rodrigálvarez existió realmente y mis hermanos lo conocieron en una excursión a Sigüenza poco antes de la guerra civil. Siguen los viajeros el curso del Henares, que lleva en esas fechas estivales un hilo de agua. Después de andar parte del camino miran de lejos la viejísima ciudad episcopal cuya catedral

---

[25] Como consta en la edición original de *Vieja y nueva política* publicada por la Editorial Renacimiento en 1914.

fue a la vez castillo defensivo contra los moros. Y Ortega describe en uno de sus más logrados ensayos el enterramiento que alberga de don Martín Vázquez de Arce, «una estatua de las más bellas de España». Es el famoso «doncel de Sigüenza», cubierto de cota de malla y con un libro abierto en la mano, que le sirve a mi padre para preguntarse si «ha habido alguien que haya unido el coraje a la dialéctica».

En el trayecto habla con Rodrigálvarez, que anda, como buen campesino, entre refranes y que se lamenta de lo mal que lo hacen todo los hombres españoles, «porque España, don Rubín, es un rosal».

Imagino el cuarto de trabajo que se haría mi padre en aquella casa alquilada de mampostería, fresca en verano y para aislarse en él para escribir sus artículos.

Pero esa estancia en Sigüenza sólo podría recordarla mi hermano Miguel, ya que era el único hijo en aquellas fechas.

## RAMÓN PÉREZ DE AYALA

A finales de ese verano Ortega descubrió Asturias y a los asturianos en un viaje que hizo al Principado que se transformó en una larga estancia. Era amigo desde hacía tiempo de Ramón Pérez de Ayala, sobre cuyo libro *A.M.D.G.* publicó un artículo que ya comentamos. Mi padre le tenía en gran estima, tanto personal como literaria, y le divertían sus frases y ocurrencias. Y aunque no se vieran mucho, Pérez de Ayala estuvo siempre disponible para Ortega, y por ello, junto con el doctor Marañón, sería el tercer personaje de la Agrupación al Servicio de la República que fundaron en 1930 a favor de la inminente caída de la monarquía de Alfonso XIII, que veremos con detalle en su momento. Mi padre se reía cuando Pérez de Ayala decía: «Yo voy de telonero», aludiendo a ser él quien iba a hablar primero en el mitin de presentación.

A Pérez de Ayala se le considera ya un gran novelista y cuando publica en 1913 *Troteras y danzaderas* sus lectores se devanan los sesos averiguando a qué personalidad real responde cada personaje porque es una novela en clave donde mi padre sale como Antón Tejero, «joven profesor de filosofía». Para su paisano Emilio Alarcos es ésta su novela más conseguida. «Aparte la narración nuclear del protagonista [...] la novela posee un inmenso valor como pintura del ambiente literario madrileño, cuyas figuras son muchas veces, para los coetáneos y los eruditos, transfiguraciones en clave muy transparente de los escritores, artistas, toreros, políticos, etcétera, de aquel momento» [26].

---

[26] Emilio Alarcos: *Cajón de sastre asturiano*, vol. 1, Ayalga, Salinas, 1980.

Ramón Pérez de Ayala era a la vez trabajador pero desordenado y amigo de charlar con los amigos. Su hijo Eduardo, amigo mío desde la infancia, ha contado su horario de trabajo. «Ramón —como le llamaban sus hijos— era dormilón y trasnochador a un tiempo; así que se levantaba hacia las once de la mañana, de once y media a una y media solía escribir o leer, hacia las dos comíamos, de tres a cinco de la tarde dormía la siesta, y desde esa hora se encerraba en su despacho a leer o escribir. Hacia las ocho de la noche solía ir a la tertulia del Círculo de Bellas Artes, de donde volvía hacia las nueve y media o diez para cenar; después de cenar se ponía de nuevo a escribir o se metía en la cama a leer hasta altas horas de la madrugada».

Hombre de muchos y buenos amigos —entre ellos el príncipe de Gales cuando Pérez de Ayala era embajador de la República en Londres—, tuvo una especial amistad con Einstein. Se habían conocido en Bélgica y Einstein siempre que iba a Londres se hospedaba en su casa. Ambos solían mantener largas charlas hasta bien entrada la noche, y Pérez de Ayala era lo bastante inteligente como para poder discutir con el gran físico temas de filosofía de las matemáticas.

La amistad entre escritores no impedía algún zarpazo del uno al otro. Así mi padre en un artículo del año 1911 decía: «Hace poco, con la malignidad que le es nativa, me mostraba Pérez de Ayala un ejemplar de la *Estética* de Hegel en cuyos márgenes había dejado Cánovas unos cuantos gestos poco decentes»[27]. Pero en sus años mozos Ortega y Pérez de Ayala mantuvieron una creadora amistad, como atestiguan las cartas que se conservan de mi padre a don Ramón (muy lamentable que se hayan perdido las contrarias). Son cartas escritas a mano y en ellas puede observarse cómo la letra de mi padre va variando desde un trazo más escolar a su elegancia definitiva.

El 9 de octubre de 1903 mi padre le dice (en papel del Ateneo madrileño, por cierto):

«Mi querido amigo: he recibido hace un momento *Helios* y cojo la péndola para felicitar a Vd. sincerísimamente por sus "Coloquios". En la nota para *El Imparcial* hago especial mención de ellos. Son encantadores. Ganan su pentecostés.

»Mi padre los ha leído y le han agradado mucho: él fue quien me hizo fijar la atención. Es la gran ocasión para que me mande un artículo para los *Lunes*» [lo cual demuestra que mi padre ayudaba al suyo en buscar nuevos autores para los famosos *Lunes de El Imparcial*].

En carta del año siguiente —26 de agosto de 1904— le propone a Pérez de Ayala una labor paralela de ellos dos: «La mutua apoyatura

---

[27] "Observaciones", *El Imparcial,* 25 de marzo de 1911 *(Obras completas,* tomo I, pág. 167).

de ambos —le dice— me parece muy útil y factible. Dediquémonos, por ejemplo, durante algún tiempo, como trabajo de fondo (aunque para desengrasar hagamos otras cosas), a estudiar bien el alma española; comuniquemos los hallazgos, los puntos de vista, las conclusiones, las apreciaciones: una vez fortalecido o rectificado el pensamiento del uno por el otro [...] repartámonos la materia según los gustos de cada cual, y hagamos una serie de ensayos. Es labor, calculo yo, de un par de años. Al cabo de ellos hemos alcanzado hasta un par de tomos por barba que se complementan: hemos dado una visión nueva, sugestiva, seria y hasta científica de la estética española, y, por incidencia, de la religión, de la moral, de la política ¿No cree usted que sea ese un comienzo firme que había de colocarnos fuera de ese vivir al día de las letras periodísticas actuales?».

Pero ese proyecto de un joven entusiasta a su admirado mayor no llegaría nunca a efecto.

Veamos cómo se va acercando Ortega a Asturias en el tren mixto que ha tomado en León tras haber dejado en Venta de Baños el que había cogido en Madrid [28]. «Durante este verano he vivido mes y medio en Asturias. Ese tiempo y otro tanto más son insuficientes para conocer el cuerpo y el alma de una comarca [...] y si se trata de Asturias donde los paisajes y los corazones están tejidos con raros matices y transiciones, la insuficiencia resulta mucho mayor. Ahora bien, en ese mes y medio yo no me he dedicado a estudiar la vida asturiana sino más bien a lo contrario, a descansar de la vida castellana». Desde Pajares o desde Leitariegos la mirada hacia Asturias no es «disparar la flecha visual al infinito», como ocurre en la Castilla luminosa, sino enredarse en la niebla, «la niebla perdurable que sube a bocanadas, como un aliento hondo del valle». Y así como en el paisaje castellano domina la inmensidad, en el asturiano se descompone en valles donde «todo está a la mano, todo está cerca de todo, en fraterna proximidad y como en paz [...] ¡Oh admirable unidad del valle, pequeño mundo completo y unánime». Pero si salimos de él caemos en otro valle similar y de este modo «cada uno de estos valles es toda Asturias y Asturias es la suma de todos esos valles».

Ortega destaca aquí la importancia del concepto de «región natural», que estudió su amigo Dantín Cereceda, y cree que será el fenómeno matriz de la investigación geográfica futura. Y da una definición que el gran geógrafo Manuel de Terán consideró muy importante: «De la región podemos tener una imagen visual adecuada y, viceversa, sólo

---

[28] "De Madrid a Asturias o los dos paisajes", *El Espectador,* tomo III, 1921 *(Obras completas,* tomo II, pág. 247).

es región, sólo es unidad geográfica real, aquella parte del planeta cuyos caracteres típicos pueden hallarse presentes en una sola visión [...], eso que bajo la retina se lleva el emigrante y en las horas de soledad o de angustia parece revivir cromáticamente dentro de su imaginación».

El florecimiento económico es patente en Asturias pero Ortega encuentra, más o menos oculto, «en todos los asturianos, un fondo rural que perdura». Y para Ortega este ruralismo asturiano forma parte de sus esperanzas españolas porque cree que en la lucha entre la ciudad y el campo, vencerá el campo y «volveremos a él para restaurar nuestras almas que la gran ciudad ha esterilizado». Y Ortega se alegra de hallar en Asturias una raza de hombres modernos, capaces de intervenir en la vida compleja contemporánea «sin perder la solidaridad de espíritu con el campo nativo».

De ahí que los asturianos de buena cepa necesiten volver, de cuando en cuando, a su tierra para reponer vitalidad, para recargar sus baterías espirituales y lanzarse después a alguna nueva actividad en Madrid, en París, o donde fuera menester.

Ortega conocería en Oviedo y en Gijón a personas que se convertirían en buenos amigos suyos. El banquero Pepín Rodríguez, dueño del Banco de Gijón, fue, creo yo, su mentor en este viaje. Rodríguez estaba casado con la hija del pintor Evaristo Valle y hoy día la Fundación-Museo de Evaristo Valle está instalada en la antigua mansión de los Rodríguez en Somió, en los altos de Gijón. Allí se conserva la magnífica pinacoteca que había ido reuniendo el banquero, en la que abundan, claro está, los cuadros de Valle. Los Rodríguez veraneaban en Biarritz, en una espléndida villa alquilada donde yo, de pequeño, pasé días con ellos.

## APARECE FERNANDO VELA

Pero el gran tesoro que descubrió mi padre en Gijón fue conocer a Fernando Vela, uno de los hombres más inteligentes que pasó por su vida «y su brazo derecho en todas sus empresas editoriales». Su valía fue tanta que merece que le dediquemos una amplia semblanza. «Las condiciones de la vida literaria española obligan al escritor a gastar parte de su esfuerzo en artículos de periódico y revista y desparramar su atención sobre innumerables temas dispares. Esta dispersión tiene sus ventajas porque impone una curiosidad universal sobre el mundo contemporáneo [...] el atisbo de lo que nace, lo que perdura, lo que decae y desaparece. El escritor español no puede encerrarse en su poesía, su novela o su filosofía; tiene que estar *al tanto* de todo y hablar de ello». Esta queja jovial que daba Fernando Vela en la página preliminar de su libro *El grano de pimienta* refleja la triple vocación de periodista, escritor y ensayista de este ilustre asturiano, nacido en Oviedo en 1888 y muerto en Llanes en 1966. Los jóvenes periodistas harían bien en leer la mayor parte de su obra cuando la Caja de Asturias publique, por fin, sus *Obras selectas*, que yo preparé con ilusión para las ediciones de la Revista de Occidente y que no pudieron ver la luz por imposibilidad de financiarlas.

«Mi vida», decía melancólicamente en 1961, «está comprendida entre las muertes de dos grandes hombres: Leopoldo Alas, Clarín, y José Ortega y Gasset. Se abre con una y se cierra prácticamente con otra». Vela tiene trece años cuando muere Clarín, con sólo cuarenta y cinco. Está en la casa, y en su mente se graba, de un modo periodístico, la escena que luego describiría en el prólogo de su libro *Ortega y los existencialismos* con esta maestría: «Aquella tarde del 13 de julio de 1901 los tres hijos de Clarín —mis amigos de la infancia— y yo, cobijados bajo la gran magnolia del jardín, mirábamos fijamente y como sobrecogidos aquella ventana misteriosa, la de la habitación mortuoria, por donde parecía estar exhalándose poco a poco un espíritu demasiado grande para evaporarse repentinamente, mientras en el jardín, como él había escrito en uno de sus cuentos, se oían "los sonidos dulces y misteriosos de la Naturaleza, que ve pasar la muerte sin comprenderla, sin profanarla, sin insultarla, sin temerla, como albergándola en su seno"».

De Clarín ha dado Vela esta cifra ejemplar para entender su obra: «Sus temas eran el amor platónico, lo que pudo ser y no fue, lo que se marchita y decolora, una voz ronca». Ahí están, en esencia, *La Regenta*, *Doña Berta* y aquel cuento famoso de *La ronca*. «Oviedo —según dice otro eminente asturiano, Valentín Andrés Álvarez, de múltiple registro: humorista, dramaturgo, economista— fue la ciudad de su infancia y de su adolescencia, la de los recuerdos que perduran, y Gijón, la de su primera juventud, la de las ilusiones que pasan». Su padre era médico de la Beneficencia Provincial y, por sus méritos, estuvo pensionado en el Instituto Pasteur de París. Su madre, Felisa Alonso de Castro, cuyo apellido utilizó alguna vez como seudónimo, junto a los de Luis Longoria, Luis Arriondas y Héctor del Valle, debió de ser una señora inteligente y muy pendiente de sus hijos.

Cuenta Vela en su última colaboración en la *Revista de Occidente* (abril de 1966), hablando de Dostoievski, que en su adolescencia «aquel girar de Raskolnikov en torno al juez de instrucción Porfiri, atraído por él como la mariposa por la luz, me produjo palpitaciones de corazón, las mismas que él experimentaba. Dormía mal, tenía extraños sueños que me hacían gritar por la noche. Mi madre me quitó la novela y la guardó bajo llave, diciéndome: "Tú mismo te vas a convertir en un personaje de Dostoievski"». Pero Vela, que tuvo siempre entusiasmo por las cosas que lo merecen, supo adaptar sus ilusiones a la realidad y marchó por la vida con valentía, pero con precaución, arropado de cautelas. Sus dos hermanos murieron jóvenes: José, el mayor, falleció a los veintiocho años de tuberculosis (dejó un libro de poemas nada despreciable, en opinión de Federico de Onís), y Emilio, el pequeño, murió a los veinticuatro años, sin poder llegar a ser el gran violinista que prometía y de lo que había dado muestras en algún concierto en la Residencia de Estudiantes de Madrid. Su padre dejó este mundo también joven, a los treinta y nueve años.

Vela hizo el curso preparatorio de Medicina, carrera que abandonó —según la familia, por ser muy aprensivo, rasgo que mantuvo durante toda su vida— para prepararse para el Cuerpo Técnico de Aduanas, en el que ingresó en 1908, siendo destinado a Águilas y luego a Gijón. Quizá influyera en decidirse por esta carrera más fácil la mala situación económica en que había quedado la familia o el atractivo de los márgenes de ocio que le iba a dar esa profesión para su auténtica vocación intelectual. O quizá se debiera a su temperamento, tan lejos de la aventura como de la ambición, pues, como mi padre le decía en broma: «Vela, usted tiene la manía de cobrar un sueldo a primero de mes».

En 1913 aparecen sus primeros artículos en *El Noroeste*, un diario de Gijón fundado a finales de siglo e incorporado años después al famoso trust periodístico de Madrid con *El Heraldo* y *El Liberal*, y se afilia al partido reformista de Melquiades Álvarez, que había despertado muchas ilusiones no sólo entre los paisanos de este notable político, sino en toda España. Mientras tanto, había hecho una revistilla manuscrita con los hijos de Clarín, cuyo único ejemplar pasaba de mano en mano entre los amigos.

«Todos los domingos —contaba Vela— día de la llegada de las revistas a Oviedo, y los martes, llegada de *Los Lunes de El Imparcial,* saltando de impaciencia, nos dirigíamos a la estación para comprar allí mismo diarios y revistas y no retrasar un solo minuto la lectura. Un día encontré en *El Imparcial* un artículo firmado por un nuevo nombre. Se titulaba "El poeta del misterio". Su autor, José Ortega y Gasset... ¿Qué tenía aquel artículo para mí, muchacho admirativo y poco crítico, para discernir los motivos de mis reacciones [...]? Acaso la claridad, el temblor, el nuevo modo de decir y pensar. Pero sí sé que me atrajo, que me sedujo y que me juré no perder uno solo de los artículos de aquel autor».

Fue a finales de 1914, durante la estancia de mi padre en Asturias, inusitadamente larga, cuando se conocieron, y si un mes después mi padre abandonaba Gijón, nunca abandonaría la amistad con Fernando Vela. Le incorporó a todas sus aventuras editoriales o, mejor dicho, fueron éstas posibles gracias a la calidad y compenetración intelectuales y a la capacidad de trabajo de Vela. Efectivamente, cuando Ortega funda, en 1915, con otros escritores, la revista *España,* que él mismo dirige los dos primeros años, nombra a Vela corresponsal en Asturias, y cuando sale *El Sol,* hazaña magnífica de Nicolás María Urgoiti, Vela es también su corresponsal asturiano.

Esos años de Vela de actividad propiamente asturiana —en el Ateneo Obrero de Gijón, en la revista *La Región,* que él resucitó para defender el regionalismo político progresista— han sido estudiados con especial acierto por Teófilo Rodríguez Neira en su libro *Fernando Vela y Asturias,* a cuyas páginas remito al lector. Pero en 1920 obtiene el traslado administrativo a Madrid como profesor de la Escuela Central de Aduanas, y eso le permite entrar al tiempo en la selecta plantilla de 58 redactores de *El Sol,* que dirige a la sazón Félix Lorenzo, y donde pronto destaca como editorialista. «Las cosas que necesitó Vela —relata Valentín Andrés Álvarez—, revistas y una tertulia, las encontró en Madrid de un modo superlativo. La tertulia fue la de Ortega, que se reunía en los primeros años veinte en la desaparecida Granja del Henar, al anochecer, y duraba un par de horas». Como veremos más adelante, en 1923 Fernando Vela fue con Ortega fundador de la *Revista de Occidente* y su primer secretario.

Desde este temido puesto de secretario, «impulsó a jóvenes poco conocidos o absolutamente inéditos entonces, los *nuevos,* que a través de la puerta de aquella revista pasaron de las capillas literarias al gran público, paso sigilosamente vigilado por el aduanero Vela», como ha testimoniado uno de ellos, el citado Valentín Andrés Álvarez. Como es natural, esto le proporcionó a Vela grandes satisfacciones, al tiempo que muchos enemigos, alguno de los cuales conservó vivo su rencor hasta la Guerra Civil, como se verá más adelante.

¡Qué años dorados aquellos, en los que, junto a Unamuno, Baroja, Valle-Inclán, Azorín, Ayala, Marañón y Ortega, brotaban los nombres de García Lorca, Salinas, Gómez de la Serna, Guillén, Aleixandre, Alberti, García Gómez, Espina, Jarnés y una pléyade de excelentes especialistas e investigadores de ciencias y de humanidades! Vela, como escritor, no desmereció de ellos, practicando con su firma el arte de un ensayo agudo, gracioso, seductor. En 1924 había publicado su primer libro, titulado *Futbol Association y Rugby,* el primero que aparecía en España sobre fútbol, juego cuya importación del Reino Unido habían hecho los jesuitas de Bilbao para animar los recreos de sus alumnos. Mas su primer libro serio fue *El arte al cubo,* que publicaron en 1927 Los Cuadernos Literarios, y el tercero, *El futuro imperfecto,* editado en 1934 en la colección del Pen-Club vinculada a la revista *Literatura.*

Hombre retraído, tímido, poco sociable, lúcido y sensible, casi autodidacta, excelente traductor de obras difíciles en lenguas —alemán, francés, inglés—, que había aprendido a punta de diccionario, sin maestro alguno (de ahí que no supiera hablar ninguna de ellas), sus ensayos aguantan impávidos una lectura actual. Lo que puede extrañar en ellos es una alegría y una creatividad asombrosas, que existían en aquellos años veinte y que ahora no hay. Cocteau, una de sus figuras más representativas, veía venir el hombre futuro, lleno de exigencias y exento de deberes, poco amigo del humor, cuando se lamentaba de «¡Qué va a ser de un mundo que no cree ni en los prestidigitadores!».

Este ingenio, este *esprit*, transparece, asimismo, en los escritos de Vela. Por ejemplo, cuando habla de Charlot, gran mito de su tiempo: «Charlot es un vagabundo, un ser que se ha extraviado en este mundo. Vivía en otro distinto, pero un día, sin darse cuenta, entornó una puerta y vino a caer en un mundo de menor número de dimensiones, donde los espejos no pueden ser traspasados, donde cada paso es un tropiezo [...] En su miseria es de una pureza incorruptible, es protector, tutelar, se ha hecho astuto, pero su astucia es la de los inocentes acusados, su zancadilla es el *jiu-jitsu* de los ángeles». O cuando habla de jazz, «la única invención realmente artística de Estados Unidos, que al absorber en su seno ritmos y desacordes insólitos, ha dado un paso muy grande en la historia de la música, que es la conquista progresiva de la disonancia para llegar a la meta ideal, al gran acorde universal, en que suenan a la vez todas las notas y todos los instrumentos». Porque conviene recordar que Vela era un buen pianista secreto —sólo tocaba en su hogar— y un gran entendido en música. Así, contó la historia del origen del saxófono, inventado por un músico belga, el señor Sax, hijo rebelde de un *luthier* fabricante de instrumentos de cuerda. «Como suele ocurrir a todos los inventores, no supo lo que inventaba. No supo que inventaba un arma terrible, el arma de la revolución musical, que en Europa ocupaba un rango inferior, limpiabotas de los violines, y tuvo que emigrar a América para ser alguien». Así, también la introducción, casi musical, a su biografía de Mozart: «Por Salzburgo no se camina por las calles, entre casas, sino orientado por canciones. Para llegar a casa de los Mozart, adonde ahora vamos, no hay mejores señas que éstas: pasar por las escalas de un violín en estudios, seguir las vocalizaciones de una escuela de canto hasta topar con un oboe, y un poco más allá, a la vuelta de una trompeta, está el domicilio buscado».

Cuando retrocedemos en la historia, ha dicho Vela en otro lugar, «comenzamos a sentir el encanto de lo retrospectivo y, así como hay un punto de fusión para cada metal, hay un *punto de encanto* en ese recorrido, pasado el cual aparece la historia». Son épocas felices, en que sus contemporáneos se recrean en sí mismos, porque tienen el estilo propio, y no su ausencia, como ocurre en la nuestra. Nosotros encontramos ese punto de encanto en los años veinte, lo mismo que en los años del género chico, en que los madrileños eran felices, a pesar de los desastres del 98 y de la miseria nacional.

Los años treinta traen para Vela notas más sombrías. Un grupo de monárquicos poderosos, capitaneados por José Felix de Lequerica y Gabriel Maura, compran *El Sol* y echan a Nicolás María de Urgoiti, su creador. Ortega y Vela, en solidaridad con él, lo abandonan también y acompañan a Urgoiti en sus nuevas aventuras, que terminarían en fracaso, de los diarios *Crisol* y *Luz*. Mientras tanto llega la República, a la que tanto han contribuido los tres, y el financiero catalán Luis Miquel compra *El Sol*, *La Voz* y *Luz*, y Vela vuelve a *El Sol*, esta vez como director. Es su máximo puesto periodístico, pero le dura poco, porque el negocio no es rentable y hay que acudir a Juan March. Una última tentativa, promovida por Félix Cifuentes, es el *Diario de Madrid*, excelente periódico que sucumbe también pronto. Vienen los sucesos de Asturias y la vida española comienza a tomar cariz bronco y hostil. La sombra de Caín está en el horizonte y la guerra civil llega, inevitable, con el fatídico 18 de julio, por la discordia profunda de los españoles. Vela queda en Madrid. Ha contado sus avatares en el mismo ensayo sobre Dostoievski, ya citado, porque ha vuelto a leer, recluido en su casa, en aquel peligroso periodo, *Crimen y castigo*. «Cuál sería mi suerte —se preguntaba— que está en manos de cualquier enemigo ignorado, sin saber por qué ni cuándo me atacaría [...] Pasaba de continuo revista a mis acciones anteriores por si alguna pudiera servir de base, por mínima que fuera, para una arbitraria delación. Cuando yo creía haberlas repasado todas, de pronto surgía otro recuerdo: ¿Y aquel artículo, aquellas palabras? Un día recordé cierta declaración mía en un litigio de separación eclesiástica de un amigo, hecha años antes en favor de éste, tachado, entre otras cosas, de comunista por su esposa. Si revolvían los archivos del tribunal madrileño de la Rota podrían encontrarla. Varios días rondé la Nunciatura para observar si había señales de registro en los papeles del tribunal [...] Peores eran las noches, escuchando junto al balcón si se detenía a la puerta de la calle un coche de milicianos armados de la llamada *brigada del amanecer*. Esto ocurrió un día. Tras la puerta de la escalera yo les oía subir los peldaños con pesados pasos. No se detuvieron en el primer piso, donde yo vivía. ¿Llamarían? No. Siguieron hasta el cuarto, de donde se llevaron a una señora para que se despidiera de su marido, un general que iban a fusilar. Eran los mismos tormentos que padecía Raskolnikov cuando esperaba ser detenido de un momento a otro por el asesinato de la vieja prestamista, una situación semejante a la mía, aunque ésta sin asesinato ni culpa visible [...], un estado raskolnikoviano en que se han encontrado miles de españoles, entonces y después, en uno y otro lugar. Mis temores no eran injustificados, porque, al fin, apareció el insospechado enemigo: un rencoroso aspirante a filósofo, resentido por no haberse publicado años antes un ensayo en la *Revista de Occidente* [...] Aquel escrito rechazado me valió dos artículos anónimos, llenos de acusaciones falsas y arbitrarias, que empezaban: "Se lo recomendamos a las brigadas del amanecer". El doctor Marañón, alarmado, me llevó al asilo de una embajada».

El Gobierno de Madrid no lo defendió, como a ningún republicano moderado, y hubo de estar en aquel refugio de la embajada de Haití casi un año, hasta noviembre de 1937, en que, pasando por Francia, entró por Irún en la llamada «zona nacional». «Pero en esa zona», ha comentado Valentín Andrés, «también corría peligro un escritor y periodista de tradición liberal como él».

En Irún mismo fue denunciado, aunque hubo personas de prestigio que le avalaron y pudo establecerse en San Sebastián, donde se reunió con su familia y vivió medio oculto. A los pocos meses se encontró con su amigo Gregorio Corrochano, que se lo llevó a Tánger para el diario *España*, que iba a fundar en la primavera de 1938. Sus colaboraciones fueron asiduas y anónimas. Fue corresponsal del diario en Londres, sin salir de Tánger, y lo hizo tan bien y de modo tan favorable a los aliados que éstos buscaban por todo Londres al inexistente Luis Arriondas, seudónimo con que firmaba. Al final de la guerra le invitaron a visitar su desconocida Inglaterra. Lo que más le agradó de este viaje fue ver en Oxford una calle sin salida que se llamaba *calle de la Lógica*. En 1943 le convencí de volver a Madrid para ayudarme en las ediciones de la Revista de Occidente, y luego, veinte años más tarde, me asesoró, asimismo, en la reanudación de la revista misma. Pero ya todo su mundo se había derrumbado y se dedicó a trabajar, embozado casi siempre en algún seudónimo. Aparte de numerosas traducciones, publicó las biografías de Mozart y de Talleyrand y *Los Estados Unidos entran en la historia*, todos ellos en la Editorial Atlas; *Circunstancias*, en la nuestra, y colaboraciones en la revista *Mundo*, que dirigía el buen periodista Vicente Gállego, y por cuyas páginas comenzó a verse un resquicio del cielo azul de la libertad.

Cuando volvió a aparecer mi padre por España, en 1945, se le alegraron algo las pajarillas a Vela. Fueron diez años, hasta la muerte de su maestro, en 1955, en que pareció salir de su sombrío estar. Al evocarle en una conferencia que se prohibió y luego publicó *Sur*, en Buenos Aires, daba su dolorido sentimiento: «Para mí, la muerte de Ortega es ese quedarse solo. Con él se van 40 años de mi vida. Conversaciones diarias, confidencias, pensamientos y sentimientos compartidos, afanes y empresas comunes, de todo eso —sin duda la mejor parte de mi vida— me deja solo [...] Ortega ha sido en España, por su magnitud, por su excepcionalidad, más que un hombre, un *acontecimiento*. Sólo un acontecimiento puede influir con tal intensidad en los aspectos más heterogéneos de un país». La compenetración entre ambos fue extraordinaria.

¡Qué de sugerencias, qué de imágenes, cuánta gracia y cuánto talento rezuman de los escritos de Vela! Casi siempre es el ensayo —esa «breve teoría de urgencia», según Laín—; otras veces, pura literatura; en alguna ocasión, soterrados poemas que nunca publicó, y sólo una vez, que yo sepa, un cuento. Un cuento contra la censura. En él, un pintor amigo suyo, que vive en un carmen de Granada, para que no le moleste el gallo del corral, que da a su estudio, le pone una caperuza de plomo que le impide estirar el cuello y ponerse a cantar. Al año siguiente vuelve a casa de su amigo y se encuentra con que el gallo no tiene ya caperuza, pero sigue sin cantar. Su amigo se lo explica: «Después de llevarla tanto tiempo, ni siquiera se le ocurre intentar el *quiquiriquí*».

No fue Vela un gran luchador, pero supo decir lo que había que decir en cada momento a tirios y troyanos, y callarse cuando la gente no está dispuesta a escuchar. Al final de su vida sólo le complacía su familia, su mujer, María, y sobre todo su hija Mabi, también escritora, desaparecida en plena juventud, que se casó con Alfredo Corrochano, el torero que ha dado los mejores naturales en la historia de la fiesta. Se entretenía con el ajedrez, que jugaba bastante bien. Durante la guerra del catorce había mantenido una partida por correspondencia con un aficionado francés que tuvo sus líos con el *deuxième bureau,* escamado de aquel lenguaje críptico. Una tarde del estío de 1966, jugando su partida habitual en el café Pinín, de Llanes, donde siempre veraneaba, al mover el caballo negro, dejó de existir. Fernando Vela había perdido la partida decisiva, la de la vida.

## Valentín Andrés Álvarez

Volveremos a encontrarnos con Vela en las páginas que siguen, con múltiples motivos, pero ahora queremos concluir las principales amistades de Asturias de mi padre con la figura de Valentín Andrés Álvarez, a quien debió de conocer al principio de los años veinte.

Cuando me preguntan acerca de las gentes que rodearon a mi padre suelo distinguir quienes fueron discípulos de quienes fueron amigos. Los primeros fueron cautivados por su magisterio; los segundos, por su calor humano. Tuvo discípulos fidelísimos, pero que no pasaron el umbral de la amistad, y tuvo amigos a quienes no importaba demasiado sus ideas y sus escritos y sí en cambio su trato personal.

Valentín Andrés Álvarez fue, a la vez, discípulo y amigo, amigo al que se le hacen confidencias que no se hacen al discípulo y que, como buen amigo, aunque lo lamentemos, ha sido discreto y no las ha contado. Una amistad —la de Valentín con mi padre— que no desmayó en los años difíciles de la posguerra en que decirse amigo de Ortega no facilitaba precisamente las cosas. Yo heredé esa amistad y sintonicé muy bien con Valentín a pesar de no ser coetáneos, quizá porque tengo la sospecha de haber llegado a este mundo veinticinco años tarde, justamente los que nos separaban en edad. A pesar del largo trato que tuve con él, fue Valentín para mí siempre una interrogación. Y sigue siéndolo. Porque es difícil encontrar el sentido de la vida de un hombre como él, aficionado a todo, probador de cien oficios, gozador de experiencias varias. Sólo podemos decir, remedando un poema de Gerardo Diego:

> Que no fue lo que fue,
> fue lo que no fue.

Se ha contado mucho —lo refería él mismo— que mi padre le recibió un día con esta pregunta: «Valentín, ¿qué ha dejado Ud. de ser hoy?». Porque, en efecto, fue poeta, novelista, autor teatral, economista, matemático, profesor, decano y bailarín. Sí, gran bailarín de tango argentino en los años que el bandoneón triunfaba en París. Él ha narrado muchas veces que enseñó a bailar el tango a izquierdas a una hermosa francesa de la que estaba encandilado, para que no pudiera bailar con otro posible pretendiente. Y todas esas cosas las llevó a cabo con calidad y entusiasmo.

Cuando nacía Valentín Andrés Álvarez en el año 1891, morían el poeta Rimbaud y la inquietante sor Patrocinio, la monja de las llagas. Nacían Prokófiev e Ilia Ehrenburg; el general Boulanger se suicidaba por amor y Gauguin se quedaba en Tahití. Su ilustre paisano Clarín publicaba *Su único hijo* —para mi gusto, su mejor novela—; Conan Doyle lanzaba *Las aventuras de Sherlock Holmes* y Oscar Wilde hacía su *Retrato de Dorian Gray*, que pareció entonces tan escandaloso, mientras León XIII promulgaba su revolucionaria encíclica *Rerum Novarum* y en Madrid se publicaba el primer número de *Blanco y Negro*. Había, ¡cómo no!, hambre en Rusia y terremotos en Japón pero Europa no se había suicidado aún y el joven Guillermo II visitaba en Londres, en medio de grandes festejos, a la anciana reina Victoria. En ese mismo año del nacimiento de Valentín el futuro comenzaba con el invento de la telefonía sin hilos y el pasado resurgía al descubrir en Java el antropólogo holandés Dubois al *Pithecanthropus erectus*, aquel antepasado nuestro que tuvo la feliz idea de ponerse de pie.

Un hombre pleno de contrastes, Valentín Andrés tomaba en serio lo ligero y aligeraba lo serio, cultivaba tanto a los bohemios como a los científicos, era diletante y profesor, sólo se arrepentía de resistir alguna tentación, sabía no decir la verdad sin mentir, veía la vida como una gran falsificación en la que se confunden los locos y los cuerdos. De un hombre así hay que preguntarse: ¿quién era Valentín? Parece que la interrogación se resuelve si lo consideramos un auténtico humorista, un tipo humano que, como decía de su paisano Pepín Díaz Fernández —injustamente olvidado, por cierto—, tenía «esa duda, dolorosa y alegre al mismo tiempo, que el humorista vierte sobre las cosas: quién sabe si no es la única certeza que nos es dable conocer, la única afirmación posible».

Así era el mundo para Valentín Andrés Álvarez, un humorista activo que, como el malabarista de los platos en el circo, quería que girasen más platos cada vez —sus oficios sucesivos—, y que sólo se habrá arrepentido de lo que no pudo ser.

Edgar Neville, su similar amigo, lo hubiera dicho así:

> Vivió, gozó y amó.
> No hubo calvario.
> Trabajó sólo en lo que le gustaba
> y jamás hizo esfuerzo extraordinario.

Pero a la hora de recordar a un amigo que ha entrado en el gran misterio, más que su inteligencia, más que sus saberes y sus gracias, lo que nos resuena siempre de verdad es la calidad de su alma, y Valentín era, como el poeta, «en el buen sentido de la palabra, bueno».

## SU RELACIÓN CON PÍO BAROJA

Aunque coincidieron en el trayecto español del tren en que iba mi padre a Alemania en su primer viaje, creo que la amistad entre ambos se inició hacia 1908 en el Ateneo madrileño adonde acudían con cierta frecuencia. Sería una de las amistades que más estimó mi padre, y le dolió que se rompiera por causas nimias que luego veremos. Ortega naturalmente venía leyendo desde muy joven las novelas que don Pío publicaba con ritmo asombroso y creo que incluso convenció a su padre para que lo incluyese en *Los Lunes de El Imparcial.* En esas novelas, aparte su intriga y sus personajes, fue descubriendo la curiosa personalidad del gran novelista de la generación del 98.

Dos son los ensayos que Ortega dedicó a Baroja. El primero, escrito en 1910 pero que no se decidió entonces a publicar, se titulaba «Una primera vista sobre Baroja». En 1915 lo publicó en *La Lectura* y lo añadió después al trabajo de mayor envergadura, *Ideas sobre Pío Baroja,* del primer tomo de *El Espectador* aparecido en 1916. En el prefacio de su primer libro formal, *Meditaciones del Quijote*, prometía una tercera meditación sobre Baroja pero en los papeles que dejó a su muerte sólo estaba el original del ensayo indicado de 1910 que seguramente en 1914 pensaba ampliar.

En esa primera vista sobre Baroja, Ortega comienza señalando la lista de improperios que pone el novelista en *El árbol de la ciencia*. Para mi padre «los improperios son vocablos complejos usados como interjecciones, es decir, son palabras al revés». Y no olvidaría nunca como colmo «que en cierta ocasión, cuando salíamos del Ateneo, me manifestó Baroja que la jota le parecía repugnante». La explicación la encuentra mi padre en que Baroja aspiraría a ser como el superhombre de Nietzsche —«un carnívoro errante por la vida»— y al no serlo «sino todo lo contrario, un asceta calvo lleno de bondad y de ternura que deambula la calle de Alcalá arriba, quiere completarse trayendo personajes que se parezcan a su ambición».

El héroe de Baroja es el vagabundo y luego el aventurero cuando comienza la serie de las «Memorias de un hombre de acción».

El ensayo *Ideas sobre Pío Baroja* comienza con una llamada a «los jóvenes españoles que, hundidos en el oscuro fondo de la existencia provinciana, viven en perpetua y tácita irritación contra la atmósfera circundante [...] A estos muchachos díscolos e independientes, resueltos a no evaporarse en la ambiente impureza, dedico este ensayo donde se habla de un hombre libre y puro, que no quiere servir a nadie ni pedir a nadie nada».

Ortega ve clara la semejanza del novelista español con Stendhal y con Nietzsche: «Cuando Baroja oye o escribe la palabra *acción* experimenta la misma aceleración del pulso que Stendhal con la palabra *passion* o Nietzsche con la palabra *Macht* (poderío). Y las tres palabras expresan matices diversos de un anhelo idéntico».

Se ha dicho —y se decía en su tiempo— que Baroja escribía mal y que cometió muchos errores gramaticales. Ortega confirma que «la expresión de Baroja, privada de rotundidad y de deleite, lo mismo que su impresión de la vida, es la prosa ideal para que en ella fluya una de las delicadas maneras de ser hombre: la sinceridad». «Cierto día —cuenta mi padre— fue nuestro novelista invitado a firmar en el álbum de un establecimiento público. Estaban las páginas llenas de nombres, bajo los cuales se amontonaban títulos nobiliarios, académicos y administrativos. Tomó la pluma y escribió: Pío Baroja, hombre humilde y errante».

La gran delicia para mi padre fue hacer excursiones con Baroja y otros amigos, entre ellos el naturalista Dantín Cereceda que les explicaba todos los misterios del paisaje. Debieron de ser excursiones en coche o incluso en mula como hizo con su padre, o con automóviles alquilados, porque para las fechas de su excursión, por ejemplo, a la sierra de Gata mi padre no era todavía propietario de ninguno. Fue en esa excursión, estando en la posada de Coria, al volver por la tarde a ella «hartos de andar y ver» cuando se entabla una conversación en la que interviene también Baroja, a pesar de estar corrigiendo al tiempo las galeradas de su próximo libro. Mi padre cuenta que una de esas tardes Baroja estaba silencioso, «hundido, casi náufrago, en las olas tempestuosas de sus galeradas». Al cabo de un rato el silencioso novelista se dirigió a sus compañeros y les dijo: «¿Lo ven ustedes? No hay peor cosa que ponerse a pensar en cómo se deben decir las cosas porque acaba uno por perder la cabeza. Yo había escrito: "Aviraneta bajó de zapatillas". Pero me he preguntado si está bien o mal dicho; y ya no sé si debe decir: "Aviraneta bajó de zapatillas", o "bajó con zapatillas" o "bajó a zapatillas"»; situación que mi padre subtitulaba: «Baroja tropieza en Coria con la gramática».

Desde que mis padres empezaron a veranear en Zumaya, Baroja pasaba algunos días en la casa que aquellos habían alquilado. El propio don Pío lo cuenta en su novela *El amor, el dandismo y la intriga*.

«Este libro, comenzado en verano en un valle de los Alpes, voy a terminarlo en otoño a orillas del Cantábrico. Estoy en casa de un amigo, en un pueblo de la costa vasca, uno de esos pueblos un poco industrial, un poco pescador, un poco agrícola, con una playa de bañistas. La casa donde vivo da por delante a una callejuela, y tiene por detrás una galería que mira al mar. Desde esta galería suelo ver el puerto con sus vaporcitos, sus pailebotes y sus goletas, que cargan cemento y descargan carbón. A la entrada de la ría hay un puente gris por donde corren raudos los automóviles y pasan coches y bicicletas; más lejos, otro puente por donde cruza el tren, dejando nubes de humo negro. Y estos diversos medios de locomoción, el tren, el auto, los carros, las bicicletas, los vapores y los barcos de vela, dan al paisaje un aire pedagógico e instructivo de lámina de libro para niños.

»Por la mañana paseo en la playa con mi amigo. Los veraneantes se van; las casetas de lona desaparecen; algunos chicos juegan todavía en el arenal, haciendo agujeros; el mar se muestra más azul que nunca; el sol, amarillo y templado.

»Por las tardes vamos por la carretera que bordea la costa. Es la época del equinoccio. El mar está irritado: las olas se erizan de espuma y rompen en las rocas; los pedregales de la costa resuenan como descargas en la resaca; las gaviotas revolotean; la espuma espesa es llevada por el viento en copos, no tan blancos como los de la nieve. Y a lo lejos, el cabo Machichaco, misterioso y fantástico, se destaca en el mar sombrío y hostil».

Zumaya fue para mi padre y para toda la familia un lugar de veraneo feliz y divertido, aunque él sostuviera que había perdido allí el tiempo. Y algunos de sus mejores amigos pasaban en Zumaya unos días sólo para charlar con él. Así, por ejemplo, el pintor granadino José María Rodríguez-Acosta.

El recuerdo más lejano que tengo, a mis ocho años, del pintor granadino José María Rodríguez-Acosta es en Zumaya en 1924. Eran tiempos aquellos en que el País Vasco tenía la virtud de ser una de las regiones más agradables y prósperas de España, y Zumaya, uno de sus rincones con mayor encanto. Puerto de pesca y de pequeño cabotaje, y aquí coincido con la descripción de Baroja, con industria importante, aún equilibrada por una vida rural en los caseríos de las tierras en torno, dedicadas al maíz, al pastoreo, a la manzana y a otros varios frutos del suelo y del vuelo, parecía, como observó don Pío, el ejemplo perfecto para una cartilla escolar de geografía: allí estaban la bahía y el rompeolas, y el mar y las rías, el tren y los barcos, el astillero, los talleres y el ruido de sus fraguas, las tierras pobres de cultivo y los verdes prados desde donde los *casheros* bajaban sus productos al mercado, y los días de feria, sus ganados. Y coronándolo todo, la mole de la iglesia, como una enorme nave varada, desde donde don Wenceslao, el párroco, vigilaba con su confesionario y su catalejo las almas y la vida de sus feligreses... y de los veraneantes. Se hablaba entonces más que ahora el euskera, no sólo entre los aldeanos, de los que muy pocos sabían el castellano, sino también en las pudientes familias *vizcaitarras* que no querían hablar éste. Allí, en Zumaya, villa abierta a los forasteros sin dejar de estar siempre sumida en sí misma, veraneé yo con mis padres y hermanos desde la infancia. Alquilábamos parte de la casa de José Ibarguren —un cordial comerciante y consignatario, criador de la mejor sidra del contorno—, con cuyos hijos guardo imperecedera amistad. Desde su galería veíamos la bahía y el muelle, el puente de la carretera a San Sebastián y el de los Ferrocarriles Vascongados, y junto a la bocana del puerto, Santiago-Echea, la residencia, estudio y museo del gran pintor Ignacio Zuloaga, que era quien daba peso y prestigio a aquel rincón de Euskadi tan inolvidable para mí.

## Su amistad con Zuloaga

El estudio de Zuloaga, y el museo que fue naciendo a su vera, atraían a toda suerte de personas, españolas y extranjeras, pero en particular a sus amigos intelectuales o periodistas. Así tenemos una foto donde se ve a José María Salaverría, Rafael Picabea (director entonces de *El Pueblo Vasco*), Alma Reíles, Isabel Aranguren (una mujer extraordinaria de la que habrá ocasión de hablar), y don Pío.

Zuloaga, con su pasión por los toros, había organizado aquel verano de 1924 un festejo taurino en Zumaya a beneficio del hospital de ancianos que se estaba construyendo. Tuvieron que montar en la campa camino del faro una placita de madera donde iban a torear, acudiendo generosos a la llamada de Zuloaga y de José Ortega y Gasset, nada menos que Juan Belmonte, El Algabeño, Márquez, Valencia II y el rejoneador Antonio Cañero (entre paréntesis: ¿se podría ahora reunir un cartel comparable?). Y justamente mi recuerdo más antiguo y entusiasta de don José María Rodríguez-Acosta está unido a aquella corrida porque me invitó a ir con él a un tendido desde el que presenciamos sobrecogidos el tremendo cornalón que le dio el toro a Belmonte. Don José María solía ir a Zumaya todos los veranos con el pretexto de tomar las aguas del cercano balneario de Cestona, pero en verdad yo he colegido después que lo hacía por estar junto a sus amigos Zuloaga y Ortega. Era ya antigua su relación con mi padre y el año anterior, 1923, había sido uno de los accionistas fundadores de la *Revista de Occidente*.

Era un buen amigo de los niños y a mí me mostraba su cariño haciéndome acompañarle a Cestona alguna mañana temprano en su flamante Daimler de ocho cilindros; mientras él tomaba las aguas minerales, que —decía— le apaciguaban el hígado, yo me regalaba con un sustancioso desayuno. El resto del día lo dedicaba a hacer excursiones para mirar, con su ojo inmenso de pintor, tanta villa y paisaje maravillosos que tiene Guipúzcoa, o se llegaba a San Sebastián o Biarritz, muchas veces con mi padre. Pienso que le entretenía mucho acudir a Santiago-Echea, por donde pasaba gente interesante que iba a visitar a don Ignacio o participar en las fiestas y reuniones que éste daba. Se conserva una foto de una fiesta de disfraces, demostrativa de la jovialidad de aquellos años veinte, en la que aparecen, junto a bellas damas, además de Zuloaga y mi padre, Salaverría, Azorín, Baroja y don José María, disfrazado éste de mandarín chino, un chino, sin duda oriundo de Mongolia por su estatura y amplia cabeza.

Zuloaga dio con sus pinceles el mismo grito angustiado de sus colegas del 98, pero fue uno de los raros españoles en alcanzar renombre universal con sus triunfos en París y en Nueva York. Despreciando a los anticuados que imperaban en el mundo español del arte se concentró en su estudio de París, de la rue Cauliencourt, adonde acudían muchas norteamericanas ricas buscando que les hiciera su retrato el gran pintor español de moda. Pero sentía la necesidad de volver a España y a su tierra vasca. Y la satisfacción de este anhelo la logró al adquirir la marisma que bordea la playa de Santiago, frente a Zumaya. Tenía muy clara su idea de instalar allí su vida familiar y su vida de trabajo, sin abandonar París, y con gran energía fue venciendo

241

las dificultades que le ponían los vecinos y la naturaleza en Santiago-Echea, como bautizó lo que iba a ser para él el meridiano de Zumaya. Araquistáin en un folleto de 1924 cuenta esas peripecias: «Como el terreno era arenisco, Zuloaga tuvo que comprar un monte próximo para cubrir su finca de tierra fértil. No fue ése el único obstáculo que tuvo que vencer. Cerca de su casa había otra de labranza que estorbaba a sus futuros planes. Zuloaga quiso comprarla amistosamente. Negóse el propietario. Entonces el pintor, valiéndose de un ardid digno de un Maquiavelo campestre, alzó un enorme muro en la linde de su propiedad, frente al labriego recalcitrante, para forzarle a vendérsela. Hoy, al otro lado de la carretera luce un lindo caserío, menos pulido que el de Zuloaga, pero blanco y azul como el suyo, en la compensación hecha generosamente por el artista victorioso al labrador vencido» [29]. Pronto construyó su casa y, más cerca de la carretera de Guetaria, su estudio, la capilla, un frontón, y el garaje donde hoy se encuentra instalado el Museo Zuloaga, que alberga no sólo sus obras sino el Greco y el Goya que compró en su juventud. Tuvo que construir un dique para defenderse de las olas del Cantábrico y convirtió el árido terreno en un parque de tamarindos, pinos y *pelouses* con caminitos de piedras de playa.

Jugué frecuentemente con él en su frontón, con algún amigo suyo de Zumaya y a veces con mi padre. Casi siempre a pala corta. Zuloaga corría mal pero su empalado era tan potente que hacía difícil contestar a sus envites, a los que solía añadir la exclamación de: *¡Caracoles!* E incluso se desafiaban. Así mi padre le escribe la víspera de un día de san Ignacio: «Querido Zuloaga: Con sumo gusto iremos a acompañar Su Santo [...] Me complace el desafío a pelota. Busca Ud. su primera derrota en la vida», en carta que se conserva en el Archivo Zuloaga que guarda la familia. Habitualmente era sobre la una cuando salía de trabajar en su estudio contiguo. Allí se conserva el famoso mural de *sus amigos* donde está, naturalmente, mi padre, de figura entera, sentado, en un retrato que, para mi gusto, es el mejor de los tres que le hizo a lo largo de su vida.

Su afición a los toros no la perdió nunca. En el garaje estuvo siempre colgado en la pared el cartel de la novillada celebrada el 17 de abril de 1897 en la plaza de toros de la Escuela de Tauromaquia de Granada en la que uno de los matadores era «Ignacio Zuloaga, *el pintor*». Los retratos de sus amigos Juan Belmonte y Domingo Ortega son obras

---

[29] Citado por Enrique Lafuente Ferrari en su libro *La vida y el arte de Ignacio Zuloaga*, 2ª edición ilustrada que publicamos en las ediciones de la Revista de Occidente en 1972 y que es un texto indispensable para estudiar a Zuloaga.

maestras y siempre anduvo próximo a ellos. Y no dejó ningún verano de organizar en Zumaya becerradas o corridas por todo lo alto como la que hemos contado. Lafuente Ferrari nos recuerda en su libro la copla que le dedicó Luis de Tapia en *El Liberal* de Bilbao, que decía así:

> ¡Zumaya, la playa maga
> que pinta el sol y el chubasco!...
> ¡Zumaya!, el mar y Zuloaga,
> gigantes de perfil vasco.

En 1935, cuando pasó mi padre solo unos días por Zumaya, le organizó una capea en la plaza de Azpeitia —que él alquiló para nosotros— con unos toros de una ganadería de Astur, cerca de Régil, que el ganadero alquilaba embolados para festejos tales y que, naturalmente, sabían latín. Allí dio mi padre unos capotazos junto a Domingo Ortega y el propio pintor de los que se conserva testimonio fotográfico.

Nacido en Éibar en 1870 y muerto en Madrid, en su estudio de las Vistillas, en 1945, Zuloaga perteneció a una generación encarada con su patria como problema y por eso llenó las apetencias de los jóvenes de su tiempo.

En abril de 1910 mi padre pedía al ministro de Instrucción Pública una «exposición Zuloaga», no para homenajear al artista ya consagrado sino para que la gente pudiera ver la obra de un pintor «que le eleva sobre el resto de nuestra producción contemporánea». Pero el ensayo principal que le dedicó fue «La estética de *El enano, Gregorio el Botero*», en el que Zuloaga «logra una densa y bien definida materialidad con que llenar sus figuras, una materia sólida y real que con su peso bruto contrarresta el dibujo. ¡El dibujo de Zuloaga! ¿Cómo traducir en palabras su voluntariosa condición, su genio travieso, liberal, a la vez que positivo y constructor?» [30].

BAROJA NO LE ENTIENDE

Por esos años la amistad entre don Pío y mi padre era firme y frecuentada. En 1923 se había fundado la *Revista de Occidente* y en su primer número iba un artículo de Baroja sobre «Marsella, la focense». Recuerdo que mi padre trajo a casa un ejemplar de ese número recién nacido que yo —tenía siete años— leí con avidez, y lo único que me gustó fue el trabajo de don Pío. Seguían haciendo excursiones juntos,

---

[30] *Obras completas,* tomo I, pág. 539.

y en los veranos, muchas tardes mi padre —que ya tenía coche, un «Metallurgique» de segunda mano que compró al marqués de Foronda, ilustre veraneante de Zumaya— iba a buscarle a Vera para traérselo a Zumaya. Además la relación de mi madre con la hermana de don Pío, Carmen, casada con el impresor Caro Raggio, era cordial y yo pasé de niño algunas temporadas en Itzea, la casa de los Baroja en Vera, por mi amistad con su hijo Julio Caro Baroja, que tanta valía intelectual adquiriría al hacerse mayor. Como cuenta éste en su historia familiar de *Los Baroja*, «durante una temporada larga siendo niño, mi tío Pío y yo fuimos a comer los domingos a casa de Ortega. Mi tío se encerraba con Ortega en su despacho y yo jugaba con José, el hijo menor. El teatro de nuestros juegos era una terraza (a la que se accedía por un pasillo) en cuya pared había un caimán disecado —regalo de una admiradora argentina en su viaje de 1916— que a mí me producía verdadera admiración [...] Solíamos ir, andando como siempre, desde el barrio de Argüelles a la calle de Serrano, donde vivía entonces Ortega en una casa atestada de libros pero no cuidada como la que tenía últimamente. Era una casa en que había dos cosas importantes: los libros y los chicos. Porque Ortega y su mujer, doña Rosa, han sido los padres que he conocido con un amor más tierno y solícito por su prole». Según Julio —o Julito, como le llamamos siempre en casa—, aunque mantenían los dos escritores opiniones opuestas sobre muchas cosas, el enfriamiento de la amistad empezó con motivo del ensayo de Ortega *Ideas sobre la novela*. Baroja había publicado en *El Sol* unas notas sobre su reciente novela, *Las figuras de cera*, en las que empezaba a preocuparle la técnica novelesca y anunciaba otra próxima de *tempo* más lento. Pero a ese ensayo de Ortega contestó Baroja en una especie de prólogo que puso a la novela *La nave de los locos*. Para Ortega el porvenir de la novela sólo podía caber en el «género moroso» y la novela no debía ser hoy simple narración de peripecias, sino que «el autor se detenga y nos haga dar vueltas en torno a los personajes». Proust era el ejemplo máximo, y una lectura precipitada del texto de mi padre por don Pío le llevó —creemos— a considerarse aludido y menospreciado.

Todo esto ocurría hacia 1925 y —cuenta Julio— «de una forma u otra las visitas a casa de Ortega, en la calle de Serrano, se interrumpieron». Pero ni Julio ni yo pensamos que la fractura de esa larga amistad fuera sólo a causa de Proust y de la morosidad. Quizá influyera también que los discípulos y admiradores de Ortega en la universidad y en la tertulia de la *Revista de Occidente* proclamaban, según chismes que llegaban a don Pío, que él y sus contemporáneos «habían pasado». Sin embargo mi padre cuando publicó en 1932 una reunión de sus *Obras* en Espasa-Calpe—un tomo naranja que comentaremos—, le envió un ejemplar a don Pío con esta dedicatoria: «A Pío Baroja, viejo amigo infiel, con el cariño y la admiración imperturbables de Ortega. También influiría, según Julio, el que «Ortega se lanzaba cada vez más a la vida pública y mi tío se retraía más y más, hasta que, con motivo del advenimiento de la República, dejaron de tratarse».

La *Revista de Occidente* comenzó imprimiéndose en los talleres de Caro Raggio pero hacia 1928, es decir, cuando la revista tenía ya cinco años de existencia, no sé por qué razones dejó de hacerse allí. «En los talleres se dejaron de oír —dice Julio— las vociferaciones de Fernando Vela reclamando algo y de mi padre respondiéndole».

Pero esa fractura de amistad tan entrañable no impediría la estimación y el cariño que tuvo después mi padre por Julito, como persona y como sabio en el mundo de la antropología. Mas sí dificultó que siguiera los cursos universitarios de Ortega; en su libro lo dice: «Por un exceso de pudor y también porque entonces estaban alejados mi tío y él, no fui a las clases de Ortega. Ahora lo siento».

## Su primer libro

El 3 de marzo de 1914 nacía en el piso de la calle de Zurbano el segundo vástago del matrimonio, esta vez una niña, mi hermana Soledad. Este nombre de Soledad de la Paloma lo sugirió, según tengo oído, el poeta José Moreno Villa, que veía mucho a mi padre en la Residencia de Estudiantes, donde era residente honorario. En esa fecha había publicado ya dos libros de poesía, *Garba* y *El pasajero,* el último de los cuales lleva un largo prólogo de mi padre sobre la metáfora [31].

El 23 del mismo mes Ortega daba su conferencia sobre "Vieja y nueva política" en el Teatro de la Comedia. La expectación era enorme, el público ocupó hasta el escenario y el éxito fue clamoroso. No se crea, por esto, que había unanimidad en el juicio que merecía mi padre a las distintas gentes. Para algunos ponía demasiado acíbar en sus críticas de la sociedad y de los políticos de aquel tiempo, mas para la gran mayoría de los de su generación era un pensador que venía a traer claridad y una nueva moral a la vida española: un joven de treinta años con nuevas ideas y nuevas soluciones.

Viene a hablar el conferenciante en nombre de su generación, «una generación, acaso la primera, que no ha negociado nunca con los tópicos del patriotismo y que [...] al escuchar la palabra España no recuer-

---

[31] Que titula "Ensayo de Estética a manera de prólogo" (*Obras completas,* tomo VI, pág. 247).

da a Calderón ni a Lepanto, no piensa en las victorias de la Cruz, no suscita la imagen de un cielo azul y bajo él un esplendor, sino que meramente siente, y esto que siente es dolor» [32].

«En las épocas de crisis, la verdadera opinión pública no es la expresada por los tópicos al uso [...] y al hablaros frente a la vieja, de una nueva política no aspiro a inventar ningún nuevo mundo. Un principio, nuevo como idea, no puede mover a las gentes. Nueva política es nueva declaración de pensamientos que, más o menos, se encuentran ya viviendo en las conciencias de nuestros ciudadanos».

Y se atreve, ante un público tan vario y no sólo intelectual, a citar a un clásico de la filosofía: «Decía genialmente Fichte que el secreto de la política de Napoleón, y, en general, el secreto de toda política, consiste simplemente en declarar *lo que es,* donde por *lo que es* entendía aquella realidad de subsuelo que viene a constituir en cada época, en cada instante, la opinión verdadera e íntima de una parte de la sociedad».

Y oponiéndose a la idea de la eternidad de los pueblos, «es menester —dice— que nuestra generación se preocupe con toda conciencia, premeditadamente, organizadamente, del porvenir nacional. Es preciso —poniendo sin duda su voz más solemne— hacer una llamada enérgica a nuestra generación, y si no la llama quien tenga positivos títulos para llamarla, es forzoso que la llame cualquiera, por ejemplo, yo».

Quizá los oyentes sentirían un cierto patetismo en este párrafo de su discurso: «Lo que sí afirmo es que todos esos organismos de nuestra sociedad —que van del Parlamento al periódico y de la escuela rural a la Universidad—, todo eso que, aunándolo en un nombre, llamaremos la España oficial, es el inmenso esqueleto de un organismo evaporado, desvanecido, que queda en pie por el equilibrio material de su mole, como dicen que después de muertos continúan en pie los elefantes [...] Hoy en nuestra nación presenciamos dos Españas que viven juntas y que son perfectamente extrañas: *una España oficial* que se obstina en prolongar los gestos de una edad fenecida, y otra España aspirante, germinal, *una España vital,* tal vez no muy fuerte, pero vital, sincera, honrada, la cual, estorbada por la otra, no acierta a entrar de lleno en la historia».

Porque según el joven Ortega afirma: «Toda una España, con sus gobernantes y sus gobernados, con sus abusos y con sus usos, está acabando de morir».

Aclararía después que hay un diferencia esencial entre la Liga de Educación Política y los partidos de entonces. «Nosotros iremos a las villas y a

---

[32] *Obras completas,* tomo I, pág. 268.

las aldeas no sólo a pedir votos para obtener actas de legisladores y poder de gobernantes, sino que nuestras propagandas serán a la vez creadoras de órganos de socialidad, de cultura, de técnica, de mutualismo». Luego haría una crítica de la Restauración pronunciando una frase que se haría famosa y discutida: «La Restauración, señores, fue un panorama de fantasmas y Cánovas, el gran empresario de la fantasmagoría».

Para el conferenciante son indiferentes las formas de Gobierno, lo único importante es que sean verdaderamente democráticas. «La Monarquía puede, si quiere, hacerse solidaria de las esperanzas españolas y entretejerse hondamente con ellas». «Liberalismo, socialismo, bien entendidos, son la forma de la actuación futura de la Liga pero debemos proceder ante todo a la "organización de España"». Como conclusión afirmaría:

«Liberalismo y nacionalización propondría yo como lemas a nuestro movimiento [...] [pero no se entiende], por lo frecuente que ha sido en mi discurso el uso de la palabra nacional, nada que tenga que ver con el nacionalismo. Nacionalismo supone el deseo de que una nación impere sobre las otras, lo cual supone, por lo menos, que aquella nación vive. ¡Si nosotros no vivimos! Nuestra pretensión es muy distinta: nosotros [...] nos avergonzaríamos tanto de querer una España imperante como de no querer una España en buena salud, nada más que una España vertebrada y en pie».

La resonancia de este discurso no se limita a Madrid. Eugenio d'Ors, por ejemplo, le escribe desde Barcelona con fecha 28 de marzo:

«Ante todo, mi querido amigo, la más cordial de las felicitaciones por su conferencia del Teatro de la Comedia y por el éxito de la misma. ¡Cuánto siento no haberme encontrado presente! Me gustaría a lo menos poder conocer el texto. No me fío del todo de los extractos que ha dado la prensa. Un residente que se encuentra estos días en Barcelona (el Sr. Solalinde) me ha dado idea más clara del ambiente de solemnidad del momento y de la emoción del auditorio ganado por la palabra de usted.

»¡Adelante, pues! Ya sabe usted con qué fervor le seguimos» [33]. D'Ors estaba todavía luchando por ser el líder intelectual de Cataluña pero, como dice Cacho Viu, «podría decirse que d'Ors no tuvo un día sano en la Barcelona de los años 10 al estar cuanto conseguía por debajo de la misión que se había propuesto». Eran leídas sus «Glosas», que publicaba en *La Veu de Catalunya*, el diario dirigido por Prat de la Riba y órgano del vigoroso movimiento de la Mancomunitat. Pero *La*

---

[33] Tomado del libro de Vicente Cacho Viu: *Revisión de Eugenio d'Ors*, Residencia de Estudiantes, Madrid, 1997.

*bien plantada* a la burguesía catalana le pareció escabrosa y poco afín al catalanismo que nacía al crearse aquella organización en 1914. La novela la fue dando d'Ors por entregas en el «Glosari» en el verano de 1911 pero pronto se publicó en forma de libro con gran número de ediciones. En cada edición sucesiva, el autor —nos recuerda Cacho Viu— incluía nuevos prólogos «que constituían verdaderos ajustes de cuentas entre d'Ors y su para él esquiva patria». El mismo Prat de la Riba no se atrevió a defenderle y llegó a que el «Glosari» viera reducido su cuerpo de letra hasta proporciones casi microscópicas, castigo ingenuo y forma hipócrita de censura.

Amaba Barcelona pero no conseguía ser su líder intelectual como él deseaba. Por eso no olvidaba Madrid donde el predominio de mi padre haría imposible su propósito de liderar el movimiento autoritario que él veía como necesario. Ortega le brindó desde el primer momento apoyo y le invitó a colaborar en todos sus emprendimientos editoriales. La revista *España*, dirigida por Ortega, que apareció al año siguiente, lleva desde el primer número la colaboración de d'Ors. Y no debemos olvidar que en su intento fallido de ganar la cátedra de Filosofía de la Universidad de Barcelona, con un tribunal formado principalmente por eclesiásticos nada afines a él, el único que votó a su favor fue mi padre, único joven de aquel temible tribunal.

Y es muy significativo de la estimación de mi padre por la prosa de don Eugenio el hecho de que el primer título de autor español con que se inició en 1924 la colección de libros de la *Revista de Occidente* fuera un libro delicioso de d'Ors que se titula *Mi salón de Otoño*.

Pero lo que no perdió nunca fue su *esprit* y su acierto en frases graciosas. Sólo voy a recordar la que le dijo a mi padre en una recepción que había dado la condesa de Yebes para festejar la vuelta de Ortega a España en 1945. D'Ors centraba el círculo de invitados que esperaban la llegada de mi padre y cuando éste apareció don Eugenio se avanzó para saludarle diciéndole: «Querido Ortega: nos seguimos en las enciclopedias».

La relación entre ambos se enfrió con la dictadura de Primo de Rivera que d'Ors aceptó y en la que tuvo puestos. Y en el franquismo fue una eminencia gris de aquel mundo intelectual controlado. Pero la relación entre sus hijos y nosotros siguió siempre viva: mi hermano fue amigo de su colega médico Juan Pablo d'Ors y yo lo fui del pequeño Álvaro que, con los años, fue gran figura en Derecho Romano.

Mi padre estaba terminando su primer libro, *Meditaciones del Quijote,* que apareció inaugurando la sección de pensamiento en las ediciones de la Residencia de Estudiantes, que dirigía entonces Juan Ramón

Jiménez. Aquel verano de 1914 lo pasó mi familia en Vitoria acompañando a mi abuelo que, como vimos, se había retirado allí tras sus tropiezos madrileños. Vivían en unos hotelitos detrás del ferrocarril, en la calle Sur nº 5. No sé si fue ese verano cuando desapareció una tarde mi hermano Miguel, entonces de tres años, y mi abuelo pensó que lo habían secuestrado unos gitanos ambulantes que acamparon cerca. Movilizó a las autoridades y a la policía y luego resultó que el niño estaba en casa de un amigo.

Pero volverían pronto de Vitoria y mi padre organizó las cosas para vivir todo ese curso de 1914-1915 en el pisito de la casa de oficios nº 2 en el Escorial porque quería rematar cuanto antes el original de su libro para mandárselo a Juan Ramón. Como ha recordado mi tío Eduardo: «Las *Meditaciones del Quijote* y la "Meditación de El Escorial" están inspiradas y centradas en la Herrería y en el Monasterio. Veo el sitio en que las escribió. El muro es tan ancho que en el hueco de una ventana cabía la modesta mesa que allí colocó mi padre. Desde la ventana cuadrada se divisaba la galería de enfrente y los puntiagudos tejados de negras pizarras. La mesa era de pino con un recuadro de balleta verde. Tal fue el observatorio y el lugar de inspiración del joven y del hombre maduro. Pensó, meditó, escribió dentro del muro de la gigante *piedra lírica*. Logró hacer de ella una caja de sonoridad universal».

Mas aquel verano iba ser el comienzo de la I Guerra Mundial en que la poderosa Europa se suicidó. La rivalidad económica y el exceso de nacionalismo fueron las causas profundas de la guerra europea aunque el pretexto fuera el asesinato en Sarajevo del archiduque Fernando, heredero del trono austriaco, para que el 28 de julio de 1914 el Gobierno de Viena declarase la guerra a Serbia, en la que después se enzarzaron Rusia y Francia; el 4 de agosto Gran Bretaña declaraba la guerra a Alemania, y esa fecha se considera el verdadero comienzo de la terrible contienda que duraría hasta 1918. España permaneció neutral y en seguida se dividirían sus habitantes en francófilos y germanófilos.

La Residencia de Estudiantes publicó con gran diligencia las *Meditaciones del Quijote* y la mayoría de sus lectores quedó desorientada por el título, que les prometía sólo como una exégesis literaria y no la primera expresión de las ideas fundamentales que habrían de constituir su filosofía entera. En 1957 animé a Julián Marías a publicar una nueva edición de este libro con sus comentarios párrafo a párrafo. Creo que sigue siendo un libro orientador.

«Bajo el título *Meditaciones* —dice Ortega— anuncia este primer volumen unos ensayos de varia lección y no muchas consecuencias que va a publicar un profesor de Filosofía *in partibus infidelium*. Versan unos [...] sobre temas de alto rumbo; otros sobre temas más modestos, algunos sobre temas humildes; todos, directa o indirectamente, acaban por referirse a las circunstancias españolas. Estos ensayos son para el autor —como la cátedra, el periódico o la política— modos diversos de ejercitar una misma actividad, de dar salida a un mismo afecto [...] Resucitando el lindo nombre que usó Spinoza, yo le llamaría *amor intellectualis*. Se trata, pues, lector, de amor intelectual. [...]

»Yo sospecho que, merced a causas desconocidas, la morada íntima de los españoles fue tomada tiempo hace por el odio, que permanece allí artillado, moviendo guerra al mundo. Ahora bien, el odio es un afecto que conduce a la aniquilación de los valores [...] Por el contrario, el amor nos liga a las cosas, aun cuando sea pasajeramente [...] Entonces advertimos que lo amado es, a su vez, parte de otra cosa, que necesita de ella, que está ligado a ella. Imprescindible para lo amado, se hace también imprescindible para nosotros. De este modo va ligando el amor cosa a cosa y todo a nosotros, en firme estructura esencial. Amor es un divino arquitecto que bajó al mundo, según Platón [...] "a fin de que todo en el universo viva con conexión" [...]

»Yo quisiera proponer en estos ensayos a los lectores más jóvenes que yo [...] que expulsen de sus ánimos todo hábito de odiosidad y aspiren fuertemente a que el amor vuelva a administrar el universo [...].

»En este sentido considero que es la filosofía la ciencia general del amor; dentro del globo intelectual representa el mayor ímpetu hacia una omnímoda conexión».

Éstos eran los propósitos de Ortega en el prólogo a sus *Meditaciones*. La primera reseña que tuvo —no se piense que fueron muchas— fue la de Morente, en la que escribe:

«Podemos distinguir en ellas, tres conceptos: Primero: un momento teórico: el *concepto*. Segundo: el *afecto amoroso* que ha de acompañarlo: la visión del objeto se hace más perfecta [...].; y tercero: la *presentación* plena del objeto, no sólo su definición, que ya se dio en el primero, sino su emoción, su apariencia, su instante, su lugar [...] Precisamente el propósito de la *salvación* es la fusión completa de los tres momentos [...] Advertirás en el *Quijote* un aspecto nuevo y una significación universal que sospechabas acaso pero no acertabas a concebir claramente [...]: su sombra gigantesca ha recorrido el mundo y los ecos de su voz resuenan en los ámbitos de la historia universal» [34].

Ese mismo año la Residencia publicaba *Platero y yo* de Juan Ramón, uno de los libros del gran poeta que tuvo mayor éxito con el tiempo. Quizá por esa coincidencia de ediciones sea aquí el lugar para hablar

---

[34] Crítica publicada en *Revista de Libros*, año II, 1914 *(Obras completas,* tomo I, vol. 2, pag. 621).

de la amistad entre Ortega y Juan Ramón, nunca muy frecuentada y en ocasiones con sus desgarros. Su esposa, Zenobia, fue siempre, incluso en el exilio del 36 en Cuba y Puerto Rico, el alma y sostén de aquel matrimonio. Yo recuerdo haber ido algunas tardes a jugar a su piso de la calle de Padilla, pues no teniendo hijos, Zenobia sentía una gran ternura por los niños de los demás. Dos dedicatorias pueden resumir la amistad entre los dos grandes hombres. Mi padre tuvo colgado en su despacho de la calle de Serrano un retrato de Juan Ramón —creo que de Vázquez Díaz— con esta dedicatoria: «A Ortega, imán de horizontes»; y Juan Ramón en su mesa, un retrato de mi padre con esta otra frase: «A Zenobia y Juan Ramón, labradores de inverosimilitud, que pasan por la vida como Titania y Oberón, su amigo», según nos cuenta Juan Guerrero Ruiz, el «secretario» de Juan Ramón, en su libro *Juan Ramón de viva voz*. He de confesar que me gusta más la dedicatoria del poeta que la del pensador.

Juan Ramón era un maniático de las erratas y se enfadó para siempre con la *Revista de Occidente* porque, protestando un día a Fernando Vela —los dos en la librería de Espasa Calpe, en la Gran Vía— de las erratas que llevaba un poema suyo en el último número, Vela, que hojeaba un reciente libro de Tagore, traducido por Zenobia y vigilado por Juan Ramón, le señaló casualmente una errata en la página que tenía abierta. Juan Ramón se demudó y no volvió a aparecer por la *Revista,* ni en persona ni en obra.

Las cosas que le cuenta Juan Ramón a Juan Guerrero sobre mi padre, en los años de la República, reflejan un cierto desprecio por él. Ridiculiza el debut parlamentario de Ortega en la Cortes, «no es disculpable que un hombre como él vaya al Parlamento a pronunciar un discurso tan vacío en el cual sólo hay apenas un poco de contenido y todo lo demás es literatura, frases y palabras de relumbrón y de mal gusto». Pero como no lo dijo públicamente no debemos tenerlo en cuenta. Y tampoco quiero comentar las tristes pinceladas que da Zenobia de su esposo en algunas páginas de su *Diario,* publicado por Alianza Editorial.

La última vez que se vieron Juan Ramón y mi padre fue en un lugar que no les iba a ninguno: Lourdes. Hacíamos mis padres y yo una excursión en coche por el Pirineo francés y entrando en un restorán de la ciudad milagrosa nos encontramos al matrimonio. Resultaba que a Juan Ramón la visión de los samaritanos que atendían a los enfermos le producía un extraño sentimiento poético. Debió de ser en el verano del 35 y la guerra civil impediría todo nuevo contacto.

Juan Ramón fue, pues, el feliz editor del primer libro de Ortega, en el que, como se ha visto después con toda claridad, está definido el meollo de su filosofía:

«¿Cuándo nos abriremos a la convicción de que el ser definitivo del mundo no es materia ni es alma, no es cosa alguna determinada, sino una perspectiva? Dios es la perspectiva y la jerarquía: el pecado de Satán fue un error de perspectiva». El perspectivismo sería, en efecto, uno de los lados fundamentales de su filosofía. A la que en seguida une la idea de *circunstancia:* «Yo soy yo y mi circunstancia, y si no la salvo a ella no me salvo yo». «En suma: la reabsorción de la circunstancia es el destino concreto del hombre».

Julián Marías, en su comentario a este libro, piensa que este pasaje es tan decisivo en la obra de Ortega como mal entendido. «Se trata —dice— del destino *concreto* del hombre, no del destino del hombre *en general* [...] ese destino *concreto* es imponer a lo real su proyecto personal, dar sentido a lo que no lo tiene». Y en la circunstancia de Ortega está, en ineludible lugar, el ser español y —como él declaraba— «mi salida natural hacia el universo se abre por los puertos del Guadarrama o el campo de Ontígola. Este sector de la realidad circunstante forma la otra mitad de mi persona: sólo a través de él puedo integrarme y ser plenamente yo mismo». En las páginas primeras ya dice: «Habiendo negado una España, nos encontramos en el paso honroso de hallar otra. Esta empresa de honor no nos deja vivir. Por eso, si se penetrara hasta las más íntimas y personales meditaciones nuestras, se nos sorprendería haciendo con los más humildes rayicos de nuestra alma experimentos de nueva España». Estamos en julio de 1914, cuando entrega su libro al ilustre director de las ediciones de la Residencia.

## EL SEMANARIO *ESPAÑA*

Ortega no está muy contento del resultado de sus llamamientos a la acción cultural y social que ha venido haciendo desde su conferencia de Bilbao. El éxito de su discurso sobre "Vieja y nueva política", que quería ser el lanzamiento público de la Liga de Educación Política, ha aumentado su prestigio pero no la respuesta a su llamada. Los socios de la Liga no han crecido mucho. Ortega piensa entonces que hace falta un órgano periodístico que incite a esa política que, como él dijo, le compete hacer a su generación, y recoja todas las sugerencias de los jóvenes que la constituyen. A finales de1914 Ortega, febrilmente, empieza a organizarlo. Cuenta con el capital que, valientemente, va a aportar el industrial Luis García Bilbao, entusiasta suyo desde la conferencia de El Sitio. Se calcula un capital necesario de 50.000 pesetas (que equivaldrían a 25 millones de este comienzo de milenio). Ortega busca colaboradores, tanto redactores como articulistas, tanto jóvenes de su generación —que se llamaría la del 14— como valores indudables de la generación anterior del 98. Ya vimos cómo instaba a Unamuno para que fuera un artículo suyo en el primer número. *España,* subtitulada «Semanario de la vida nacional», aparece el 29 de enero de 1915. Junto con el director, Ortega, aparecían en primera página como redactores los nombres de Pío Baroja, Gregorio Martínez Sierra, Ramiro de Maeztu, Ramón Pérez de Ayala, Eugenio d'Ors, Enrique Díez Canedo, Juan Guixé y Luis de Zulueta. También aparecería pronto Bagaría, con sus caricaturas políticas, y algunos especialistas, como Luis Olariaga en Economía. Muchos de ellos se ven en la fotografía, con el logrado cartel que hizo Penagos al fondo, junto a otros marineros de esta navegación editorial, como el doctor Gustavo Pittaluga y don José Ruiz Castillo, que sería el administrador de ella, el dibujante Fernando Marco y el propio Luis García Bilbao. El estudio económico que ha hecho Ruiz Castillo permite poner el semanario a diez céntimos, pero pronto habría que subirlo a treinta céntimos cuando coincidieron la escasez de publicidad con el aumento internacional del precio del papel.

Mi abuelo, desde su retiro de Vitoria, escribe a su hijo dándole consejos sobre la nueva revista que va a aparecer [35]. Ortega se ha quedado todo el verano en Madrid —su familia veranea con los abuelos en Vitoria— preparándola. Cree necesario Ortega Munilla que «desde el primer número sea la revista un órgano de descentralización intelectual y se libre de los vicios del madrileñismo. Convenía que contase con colaboradores catalanes y vascos y acogiera los ecos del particularismo regional que es uno de los rasgos de lo actual». «Aunque sea una revista de pensamiento, debe atender también a los hechos, que muchas veces, incluso los diarios, los ignoran. Por ejemplo: nadie ha dicho en España que el ejército expedicionario que envían los Estados Unidos a la revolución mexicana "se compone de voluntarios gallegos que, por un peso diario más el rancho, han ido a Veracruz a hacerse matar"». Por ello «es preciso asomarse a las fronteras y contarnos lo que pasa más allá de ellas». En su segunda carta el padre le dice al hijo: «En esa revista lo esencial es tu persona, que inspira un enorme interés en todas partes, hasta en las más apartadas de la vida intelectual». Elogia la idea de resumir y enjuiciar los debates parlamentarios. «Eso dará, en efecto, resonancia entre la gente política [...] pero es necesario que esta labor sea de una imparcialidad absoluta, lo que a veces puede perjudicar a tus enlaces con Melquiades [Álvarez], quien incurre demasiado en los viejos usos de la política antigua, tanto que a veces resulta

---

[35] Artículo de Margarita Moreno en el núm. 192, mayo de 1977, *Revista de Occidente.*

un Sagasta, sin astucia y con elocuencia». Le sugiere una porción de posibles títulos, alguno de los cuales quizá influyera en la elección del título definitivo, como «España en pie» y «España en marcha». La última carta es ya salida la revista. Insiste en que se atienda al teatro y propone para esa sección a Benavente, «puesto que figura entre los colaboradores [...] Acaso desahogaría en ella sus pasiones pero le daría gran interés su ingenio, su firma y el ser dramaturgo».

Inicia el primer número un artículo no firmado del director en el que *España* saluda al lector y dice: «Nacido del enojo y la esperanza, pareja española, sale al mundo este semanario. Los que hemos de escribir en sus columnas —gente ni del todo moza, ni del todo vieja— asistimos desde 1898 al desenvolvimiento de la vida nacional [...] y raro fue el día durante esos 17 años, en que la realidad pública nos trajera otra cosa que impresiones ingratas [...] Esta experiencia de que existe una vasta comunidad de gentes gravemente enojadas —toda una España nueva que siente encono contra otra España fermentada, podrida— ha hecho surgir en nosotros la esperanza [...] Creemos en efecto que ha empezado para nuestro país una buena época [...] El momento es de una inminencia aterradora. La línea toda del horizonte europeo arde en un incendio fabuloso. De la guerra saldrá otra Europa. Y es forzoso intentar que salga también otra España». Y concluye con estas palabras: «Se publica en Madrid nuestro semanario pero será escrito en toda la nación. No es para nosotros Madrid el centro moral del país. Por cada pueblo, por cada campiña pasa, a cierta hora del año, el eje nacional. Solicitamos, pues, la colaboración de cuantos aspiran a una España mejor y creen que a ella se llega mediante una rebeldía constructora».

El número es un éxito y se venden 50.000 ejemplares, pero a finales de año *España* está sólo en 18.000. Y las cuentas de la aventura comienzan a ir mal. Sin embargo, es una excelente revista y, a juicio de Madariaga, «su discusión de los temas, ya nacionales, ya internacionales fue muy superior a lo que antes se solía dar por suficiente en nuestra prensa». Madariaga opina que «la elección de Ortega como director es tan errónea como obvia. Claro que tenía que ser él. Pero qué lástima que tenía que ser él. Porque no cabía imaginar entonces a nadie menos apto para cubrir las funciones cotidianas que el gran filósofo español»[36]. Probablemente Madariaga tenía razón y el propio Ortega, decepcionado, deja la dirección de *España* el 20 de enero de 1916 y un mes después se hace cargo de ella Luis Araquistáin. Según

---

[36] Citado por María Cruz Seoane y María Dolores Saiz, en su excelente *Historia del periodismo en España,* ya citado.

254

ha contado él mismo, Ortega «me ofreció espontáneamente la dirección del semanario, que yo acepté».

Aunque tenían cortés relación desde los años en que coincidieron en Marburgo, y aunque mi padre estimaba las crónicas que desde Londres enviaba Araquistáin para *El Liberal* —donde le sirvió de mucho la recomendación de Ortega—, el propio Araquistáin se extrañó de ese ofrecimiento. «Apenas nos conocíamos personalmente —ha contado—, habíamos cruzado un par de cartas y yo le vi por primera vez hacia 1912 en Marburgo [...] Pudo haber ofrecido la dirección del semanario a alguno de los muchos admiradores y futuros paniaguados que ya en aquella época le cortejaban [no sé a quién se refiere esta malévola afirmación] y no a un extraño como yo. Y no lo hizo». Margarita Márquez y J. F. Fuentes, en el estudio que acompañaba la publicación de unas cartas inéditas de Araquistáin a Ortega, señalan que el distanciamiento de ambos «empieza a fraguarse en los primeros meses de la Segunda República, cuando ambos, diputados de las Cortes constituyentes, postulan concepciones opuestas sobre la naturaleza del nuevo régimen. La ruptura se consumó en 1935, a raíz de la publicación por Araquistáin, en su revista *Leviatán*, de una furibunda crítica a la cuarta edición de *España invertebrada*, en cuyo nuevo prólogo el autor cuestionaba seriamente el derecho de las masas obreras a devenir dueñas de su propio destino. Leídas en el contexto inmediato de la Revolución de octubre del 34 parecían una provocación para uno de los principales ideólogos del socialismo español, entonces en plena fase bolchevique [...] Posteriormente la guerra y el exilio hicieron el resto, y la separación se hizo irreversible» [37].

Sin embargo, la muerte de mi padre en 1955 pareció conmover algo el alma poco clara del extremado socialista y publicó en 1956 en la revista *Sur* de Victoria Ocampo un largo artículo que titulaba "En defensa de un muerto profanado" con el que pretendía alcanzar —según le manifestó al líder socialista Rodolfo Llopis— «unas paces póstumas que reparen viejos malentendidos». Pero leyéndolo uno se da cuenta de la distancia conceptual, moral y política que separaban a ambas personalidades... y no creo que en el más allá se hayan vuelto a saludar.

Araquistáin, a pesar de tener más experiencia periodística, tampoco pudo sacar adelante al semanario. Quizá la observación que hacía el mexicano Alfonso Reyes, desde Madrid, a su paisano Martín Luis Guzmán estaría más en lo cierto: «Ya sabe Ud. que *España* nació con una bifurcación connatural, con una raya en la frente: mientras Ruiz Castillo decía

---

[37] En el núm. 156, de mayo de 1994, de *Revista de Occidente*.

*mi periódico,* Ortega y Gasset decía *mi revista»,* porque verla con una u otra perspectiva era naturalmente decisivo, incluso para su diseño.

Ortega daba mucha importancia a ocuparse de economía y Luis Olariaga fue el fiel discípulo que lo llevó a cabo. El presidente de la Real Academia de Ciencias Morales y Políticas, Enrique Fuentes Quintana, ha tenido la amabilidad de darme copia de la carta manuscrita de mi padre a Olariaga, de fecha 6 de abril de 1914, en que sin duda le tanteaba para esa sección de economía de su proyectado semanario. Con su autorización la transcribo con subrayados que son del propio Ortega en opinión del ilustre economista:

«Querido Olariaga: no me agradezca nada. Debo decirle en honor a la verdad que en presencia mía ha hecho Posada ante señores de la Junta un grande elogio de Ud.

»Trabaje Ud. heroicamente: *no lo más hondo pero lo más urgente que hoy necesitamos es economía.* Sin unos cuantos economistas no haremos *absolutamente nada;* con ellos lo haremos *todo.* Creo que no puede pedirme más paladina declaración de la grande, inmensa misión de un oficio que es bien ajeno al mío.

»Ahora reciba este consejo, no de un irrumpiente preceptor, sino de amigo y, sobre todo, de patriota que no quiere que se pierda o al menos que no dé todo su rendimiento una fuerza como puede ser Ud. Llegar a poseer una ciencia supone dos cosas muy delicadas: 1ª, no tener el menor apresuramiento en tomar una posición personal ante sus problemas generales. 2ª, tender al trabajo especialmente en cuestiones de detalle.

»La Economía es una ciencia *esencialmente no-central;* por tanto, ella no es —como acontece en filosofía— una o varias ideas centrales. Necesita imprescindiblemente éstas pero no es éstas.

»¿Tendría tiempo, gusto, humor y ocasión en escribirme introduciéndome en los temas que hoy se disputan más ahí entre economistas y mandarme notas bibliográficas razonadas?

»Otra pregunta: ¿conoce Ud. bien el "problema del Banco de España"? Por bien entiendo lo necesario para poder responderme a esta pregunta:

»¿Podía hacerse una campaña política fuerte, ejemplar, contra el Banco de España?

»Nuestro país cambia por días, por horas. Entramos en tiempos más fuertes.

»Saludos a sus amigos que andan por ahí. Sólo le deseo que goce del entusiasmo y de la fe de que goza su amigo, Ortega».

Fuentes Quintana me comenta que el consejo que da mi padre a Olariaga de «ocuparse del Banco de España críticamente» lo siguió con gran fidelidad publicando un conjunto de trabajos polémicos de

gran interés bajo el título: *El Banco de España, plaga nacional.* Y me añade que la polémica que suscitaron esos trabajos constituye un capítulo
importante en la historia del Banco de España.

El notable economista asturiano Juan Velarde Fuentes ha dedicado
numerosos estudios a la obra de Olariaga, y por ellos he podido imaginar su meritoria labor. Conocí a Olariaga esperando de pequeño en
nuestro automóvil, en Pi y Margall 7, a que salieran ambos de la tertulia de la *Revista de Occidente,* y guardo el recuerdo del acento circunfle-
jo de sus quevedos.

Olariaga había nacido en Vitoria en 1885 —¡generación de 1914!—,
hijo de un modesto comerciante. Colocado de empleado de una oficina local de Banca, pronto se relacionó con el grupo de la UGT, en
cuya sede pronunció varias conferencias. Él mismo señalaba —nos
cuenta Velarde— que las había dado «en una casa ante la que las beatas de mi pueblo se santiguaban al pasar». Va a Londres como empleado de Banca y allí conecta con Maeztu, lo cual va a ser decisivo para él
porque le pondrá en relación con Unamuno y Ortega. Es el propio
Maeztu el que consigue que el semanario *España,* recién nacido, publique su primera colaboración sobre el funcionamiento del Banco de España, que convence a Ortega de que Olariaga es una persona de altísimo interés. Gana en la Universidad Central la cátedra de Política Social
y, por razones que sería largo de explicar, rompe con su maestro Flores
de Lemus, el más prestigioso economista español de aquellos tiempos.

Después de colaborar en *El Imparcial* —había entrado de la mano
de mi padre— le sigue en su marcha en 1917 a *El Sol,* donde se conver-
tirá en un asiduo articulista. Y hace para aquel diario una famosa entrevista a Keynes cuando el economista británico viene a Madrid, a las
conferencias de la Residencia. Velarde recuerda con este motivo la con-
cordancia de Keynes y Ortega en la forma de comparecer ante la opinión publica: «Cómo hacerlo lo había señalado el propio Ortega: "por
el periódico, el folleto, el mitin, la conferencia y la privada plática, haremos penetrar en las masas nuestras convicciones e intentaremos
que se disparen corrientes de voluntad". Algunos años después, Keynes no diría nada muy diferente al escribir: "¿No requiere el progreso
de la economía que los precursores e innovadores eludan el Tratado y
prefieran el folleto o la monografía?... Los economistas deben dejar a
Adam Smith la gloria del *in quarto,* aprovechar el tiempo y esparcir folletos a los cuatro vientos, escribir siempre *sub specie temporis* y alcanzar
la inmortalidad, si la alcanzan, por accidente"».

Pero el dictador Primo de Rivera captó a Olariaga para la creación
de un primer Banco Exterior de España hacia 1928 y esto le obligó a
dejar *El Sol.* Desde entonces la relación con mi padre se fue diluyendo
y no creo que volvieran a verse, aunque la labor de Olariaga siguió

siendo importante en asuntos monetarios y sociales. Velarde resume así su obra: «Vivió entre dos etapas interesantísimas. Comenzó su existencia aún en el tiempo de *la belle époque*. La concluía en 1976, cuando ya se han situado en el escenario todos los artistas que representarán la comedia dramática del fin del siglo XX».

Ortega había dejado la dirección de *España* el 20 de enero de 1916 y Araquistáin se hace cargo de ella el 10 de febrero; en el interregno el director fue Ruiz Castillo. En 1923 la dirección pasaría a Manuel Azaña. Pero a las relaciones de Ortega y Azaña conviene que les dediquemos algún espacio.

Para mí la persona más idónea para juzgar esa relación es Juan Marichal porque fue el compilador de las *Obras completas* de Azaña, lector cuidadoso de su *Diario* y de sus *Memorias* y, además, como historiador de la política contemporánea española, conoce a fondo el pensamiento y la actuación política de uno y otro. Y voy a ceñirme al artículo que publicó en la *Revista de Occidente* sobre "Azaña y Ortega: el designio de una República" [38]. «Azaña, en su diario personal anota el 18 de agosto de 1931 la siguiente rememoración: "Yo estaba entonces —se refiere al primer año (1923-1924) del gobierno militar de Primo de Rivera— muy desanimado y en desacuerdo con casi todo el mundo, porque casi todo el mundo acataba la dictadura de Primo de Rivera o la encontraba muy buena, sin exceptuar a los escritores y redactores de *El Sol*". Entiendo yo que se exceptuaba él mismo injustamente cuando en ese periodo seguía siendo el director del semanario *España*, el cual definitivamente moriría por agonía económica —y no por la censura— en marzo de 1924.

»Se veían en el Ateneo y en una sesión en que Azaña defendió a Moret, en 1917, poco después del fallecimiento del político liberal, según anota el propio Azaña en una nota de su diario íntimo de 1927, "al salir de una de aquellas sesiones, Ortega me dijo: ¿Lo ve usted? Usted no se ocupaba más que de cosas literarias. Entra usted en el papel de parlamentario y ¡véase! con sobrantes por todas partes. ¡A los hombres hay que ensayarlos".

»Pero en 1915 Azaña [anota en su *Diario* el 15 de enero de aquel año]: "Por la tarde, un rato en el Ateneo, donde he visto a Guixé que me habla de la revista de Ortega, próxima a salir. Este Ortega, ¿quiere que le pidan las cosas varias veces? Hace meses le hice una indicación y aceptó con gusto que me encargara de una sección de la revista. Volvimos a hablar un gran rato, haciendo planes. Luego ya no ha vuelto a decir una palabra, como si se retrajera. No lo entiendo." El semanario salió,

---

[38] En el núm. 156 de *Revista de Occidente* ya citado.

como sabemos, diez días después y Azaña aparece como colaborador. Lo comenta al quinto número: "Por fin se publicó *España*, el semanario que dirige Ortega. No me parece que Ortega sea hasta hoy un escritor político: A mí me han puesto entre los colaboradores pero la verdad es que no me encuentro capaz de meter allí un artículo sobre nada, el "tono" no me sienta».

Para Marichal, Azaña y Ortega veían la renovación política de nuestro país de modos muy diferentes pues «puede afirmarse que el *estatismo* era una de las convicciones políticas más arraigadas en Azaña, mientras Ortega tenía el siguiente precepto: "Aprendamos a esperarlo todo de nosotros mismos y a temerlo todo del Estado"». Y esta divergencia puede explicar, a juicio de Marichal, el resentimiento de Azaña y su opinión sobre el semanario y sobre el propio Ortega.

Mi padre no tendría ninguna animosidad permanente contra Azaña. Prueba de ello fue cómo le proporcionó el aplauso unánime de la Cámara en su primer discurso en las Cortes constituyentes de la Segunda República: «Esta es la hora —dijo— en que por no ejercer la labor orgánica el gobierno, habéis hecho una maravillosa e increíble, fabulosa, legendaria reforma radical del Ejército, sin que a esta hora se haya enterado bien de ello el pueblo español. Y es grave, es desmoralizador para un pueblo que se acostumbre a recibir lo más difícil como cosa llana y natural, dejando en vacación su fantasía para que apetezca lo imposible *(aplausos)*. Esa reforma del Ejército a cuyo conjunto me refiero [...] sólo realizada por la República española [...] se ha logrado con corrección por parte del Ministerio de la Guerra y por parte de los militares [...] pero no se puede esperar mucho [...] de una Cámara que a estas horas no ha tributado el homenaje del aplauso a ese ministro de la Guerra, al Ejército que se ha ido y al que se ha quedado». *(Grandes aplausos.* La Cámara tributa una larga ovación al señor ministro de la Guerra, que era Azaña.)

Aquella misma noche —nos relata Marichal— Azaña escribe en su diario personal cómo al concluir la sesión se acercó a Ortega para expresarle su agradecimiento. Tras resumir la conversación entre los dos, Azaña observa: «Por lo visto, entre este hombre y yo toda cordialidad es imposible».

El discurso de Ortega fue pronunciado el 30 de julio de 1931 pero ya antes en *Crisol* —periódico trisemanal fundado por Urgoiti del que trataremos en próximo capítulo— Ortega había escrito un artículo diciendo que «si algo merece un homenaje nacional y espontáneo es la reforma del Ejército. Y este homenaje debe ir a Azaña». Pero añadía: «Como en España todo tiene un enorme coeficiente de personalismo [...] me interesa dar a conocer el que corresponde a este asunto. Hace muchos años que no veo al señor Azaña y desde siempre me ha dedicado su más escogida antipatía y su permanente hostilidad. Conste así. Pero esto no quita ni pone para que yo reconozca en él un hombre de gran talento, dotado, además, de condiciones magníficas para el gobierno».

Creo, pues, claro a quién va la culpa de la falta de entendimiento entre estos dos hombres cuya conjunción política, para algunos españoles posteriores, podría haber sido «un factor de estabilización para la II República, que quizá hubiera podido salvarla», en frase de Marichal.

## RAMÓN

Ese enorme quehacer de director del semanario no le impedía a mi padre asistir a su tertulia de la Granja del Henar. Por ella aparecían gentes de muy diverso linaje, sobre todo noveles que querían conocer a Ortega y que Ortega les conociese a ellos. Por allí apareció una tarde, llevado por algún amigo común, Ramón Gómez de la Serna —que ya regentaba su tertulia del café de Pombo— para darle el libro que acababa de publicar sobre *El Rastro*. Mi padre ya había leído cosas de él y, aunque no era de ningún modo un autor apropiado para *España*, que en definitiva era un semanario político, pronto descubrió la genialidad literaria de aquel humorista.

Cinco años llevaba mi padre a Ramón y sólo dos años separan sus sendos primeros escritos: *Glosas*, de Ortega, en 1902, y *Entrando en fuego*, de Ramón, en 1904. Sabido es que Ramón se escabulle de cualquier intento de adscripción generacional, pero esa proximidad le emparenta a la generación de mi padre por su común originalidad y su mismo entusiasmo por lo nuevo: las ideas del siglo XX, según las calificó Ortega —y de las que vivimos en gran medida todavía, seamos sinceros—, y las vanguardias literarias, por donde Ramón circulaba con pleno dominio. Juntos estuvieron en las epifanías intelectuales de su tiempo y juntos sintieron cómo el vendaval de la historia arrasaba aquel mundo, crisis prevista por el pensador y olfateada y temida por el humorista. Los dos percibieron muy hondamente la condición humana de la soledad, esa soledad que se siente sólo precisamente en medio de las infinitas cosas y seres del mundo, en el que descubrieron «el peligro que es el Otro y la sorpresa que es el Yo». «Seguimos trabajando», dijo Ramón en sus postrimerías, «el camafeo de la soledad, esa joya en piedra dura en la que queda mejor revelada la presencia de lo humano», y como símbolo, sus *Cartas a mí mismo* y su *Libro mudo* van dirigidos a él mismo. Pero junto a esa soledad medular, ambos creadores necesitaban la soledad física, el recogimiento, para escudriñar las rayas maestras de la verdad. Si en mi padre esto era patente —siempre lo recordaré subiendo en el lento ascensor de nuestra casa de Serrano 47, sin dejar la lectura del libro que traía en las manos—, en Ramón constituía uno de los lados ocultos de su vida, siempre en apariencia exuberante y extravertida, con sus agitadas tertulias y sus conferencias-espectáculo.

Pero si la estimación era mutua, en Ramón había, además, un gran respeto por el pensador, por el que busca la esencia y consistencia de las cosas, mientras él —como dijo Fernando Vela— «cultivaba el pensamiento asociativo, que es el que da la visión mágica del mundo, una visión juvenil». Se veían, aparte de en la tertulia, en reuniones y conferencias, y, que yo recuerde, fue uno de los raros visitantes que aparecían por nuestra casa. «Don José Ortega y Gasset —le contaba Ramón en una entrevista a Antonio de Obregón— ha subido varias veces a mi torreón. Allí confesaba él que fue donde vio claro el secreto del arte moderno [...], ascendía con bellas damas y hombres inteligentes [...] y mi alegría mayor fue verle comprender la hilaridad de todo aquello, lo que yo había querido que se desprendiese de su conjunto». El propio Ortega dijo un día: «Un mismo instinto de fuga y evasión de lo real se satisface en el suprarrealismo de la metáfora y en lo que cabe llamar infrarrealismo. Los mejores ejemplos de cómo, por extremar el realismo, se le supera —no más que atender, lupa en mano, a lo microscópico de la vida— son Proust, Ramón Gómez de la Serna, Joyce», lo cual nos demuestra, por añadidura, el rango intelectual que daba mi padre a Ramón.

Los dos profesaban la autenticidad intelectual y maldecían del falsario, del seudo, del que hace que hace y... del pelmazo. Ambos veían al hombre como un ser constitutivamente fantástico, utópico, cuyas aspiraciones —justicia, bondad, conocimiento, etcétera— son todas hijas de la fantasía. «Hay fantasías exactas», ha dicho en algún lugar mi padre. «Más aún: sólo puede ser exacto lo fantástico». De ahí la admiración de mi padre por el humorista auténtico —y su desprecio por el chiste o el juego de palabras y por la ironía cuando ésta es insistente—, que nos descubre, como en la greguería, ciertas afinidades inesperadas de las cosas y de las personas.

Ninguno renegó del paso inevitable de los años, gritando con Oscar Wilde: «¡Viva la juventud, con tal de que no dure toda la vida!». Quizá Ramón fue más explícito en recordar la maldad de las gentes al manifestar que «hay que saber que todo el que no se prepara para el bien y la dignidad, se prepara para el crimen: le corresponderá o no realizarlo, pero estará en su sorteo», porque, como buen humorista, veía más la mueca macabra de las cosas —no por casualidad llamó *Automoribundia* a su autobiografía—, mientras mi padre estuvo siempre más atento al lado jovial de la vida y por ello su filosofía fue contraria a las de *ser para la muerte* o a las de la *náusea*. Los dos tuvieron sus años de éxito en Madrid y Buenos Aires, ciudad querida donde ambos padecieron, sin embargo, el gusto amargo del exilio: Ramón, malviviendo de redactar los textos de las solapas de los libros de la colección Austral y enviando más de un artículo a diario a varios periódicos en nuestra lengua —«artículo de primera necesidad: el que se manda al periódico», lo definió sangrantemente él—, y mi padre, dando cursos y conferencias, ambos sin haber fijo alguno, en ese desamparo en que estaba antaño el intelectual español, sin premios y con penuria, sin mecenazgo alguno.

Ni siquiera un historiador de la literatura tan experto en vanguardias literarias como Guillermo de Torre fue capaz de encasillar a Ramón Gómez de la Serna en ninguna de las de su tiempo ni adscribirle formalmente a generación alguna. De todas se escabullía, demostrando una vez más lo que han visto mejor los hispanistas franceses que los críticos indígenas: que como escribe Jean Cassou «la literatura española procede por saltos, reencontrándose a sí misma, después de largos sueños, y viendo en Ramón uno de sus más altos brincos». Y tuvo el propio Ramón que convencer al crítico, cuando preparaba en Buenos Aires una «antología» suya, de que «los escritores en Europa son hijos de la cultura y de la tradición, la experiencia está inserta en sus tejidos espirituales, quiéranlo o no y por muy antitradicionalistas que parezcan. Contrariamente, el escritor español no es hijo de nadie; le pare la tierra y surge a la superficie de modo impresentable, recubierto aún de sangre y de lianas boscosas». No seré yo, ¡ignorante de mí!, quien intente ponerle etiqueta alguna a esa fuerza de la naturaleza que fue Ramón, literato todos los días del año, todas las horas del día, particularmente las de la madrugada; que odiaba la política porque apagaba el fuego de la literatura; del que se comentaba por el Madrid de sus amores que «era un hombre que dice todo lo que se le ocurre, escribe todo lo que dice, publica todo lo que escribe y regala todo lo que publica». Pero Guillermo de Torre vio muy certeramente que «destrucción y construcción era el orden no paradójico, sino lógico, del proceso creador que ha de seguir necesariamente todo espíritu auténtico, como el de Ramón, que no se conforme con ser eco y aspire a ser voz propia».

¡La voz de Ramón!, desde Unión Radio, que le había instalado en su torreón de la calle madrileña de Villanueva un micrófono personal para que en cualquier momento dijera cuanto se le ocurriese, transmitiendo al oyente la creación literaria en estado naciente y que así «la confesión periodística y literaria llegara al máximo de intimidad». ¡La voz de Ramón!, en la tertulia de la *Revista de Occidente,* a la que acudía puntualmente los miércoles y los viernes, de siete a nueve, para luego irse al café Pombo, donde solía cenar y seguir escribiendo. (El sábado era noche larga en Pombo, que duraba hasta cerca de las tres de la madrugada, «para dar después cinco vueltas a la Puerta del Sol, y muchas noches otras dos o tres a la Plaza Mayor [...] el caso era "ver los ojos claros del alba a través de los quevedos de la Puerta de Alcalá".)

Ramón mantuvo siempre admiración y lealtad hacia mi padre, quien también lo estimaba profundamente. Una de sus primeras «novelas grandes», *El secreto del acueducto,* que le publicó en Biblioteca Nueva su frecuente editor y buen amigo don José Ruiz Castillo, la brindó a mi padre con esta dedicatoria: "A don José Ortega y Gasset, gran pensador ibérico, maestro de escritores, rector de juventudes, creador y artista". Libro, por cierto, donde estampa una de sus más bellas greguerías: "Acueducto, paradójico puente por donde pasa el río". Padecieron los dos exilio en Buenos Aires, donde se veían de tarde en tarde. Ambos supieron lo difícil que le era a un español, aunque fuera insigne, como ellos, vivir en Argentina si no llevaba el billete de vuelta bien visible.

El hallazgo literario de la greguería —el primer volumen es de 1918, pero las venía soltando en sus novelas desde 1910— fue una genialidad que le hizo descubrir el continente de todas las cosas y le aportó una gran serenidad, como hombre que tiene en su mano un arma poderosa. «Ante todo», ha dicho en *Las 636 mejores greguerías,* que él mismo seleccionó años más tarde, «yo necesito recabar mi condición de iniciador, porque en este país en que se entierra en secreto a los precursores, en que no hay críticos y todo es rebatiña, es uno mismo el que ha de escribir las fechas de sus rebeldías». Rechaza semejanzas con las «máximas», con los «parecidos», con el «chiste», y, aunque reconozca precedentes, no admite que fueran influyentes. Se ha hablado entre esos precursores de Jules Renard y, en efecto, algunas de las observaciones de su *Journal* suenan ahora a greguerías, pero sin buscarlas, como Ramón, para saber el misterio de las cosas, el alma de lo inanimado, y que digan «tanto las suspicacias como las certezas».

Si Azaña y Araquistáin pueden considerarse como enemigos de mi padre, aunque yo nunca le oyera calificarlos de tales, creo que he compensado al lector dándole la semblanza de un gran amigo, Ramón. Fue de los pocos a quienes veía durante su mutuo exilio en Buenos Aires. Mi padre no guardó rencor a nadie; en cambio, tuvo siempre abierta su alma al prójimo, planteándose su vida, que es la mayor generosidad que puede tener un hombre.

CAPÍTULO VII

# 1916

UN AÑO IMPORTANTE PARA MI PADRE Y PARA MÍ

Tras el viaje a la Argentina en 1916 mi padre pasó de ser un líder intelectual en su país a serlo en todo el mundo hispánico, por el éxito que tuvieron sus cursos y conferencias en Buenos Aires. Esta estancia, que duró desde principios del verano a principios del invierno siguiente la relataré con toda morosidad en las páginas que siguen. Pero mi interés por 1916 tiene también una sencilla e ingenua explicación: yo nací en aquel año, un 13 de noviembre, estando mi padre en la capital argentina, y por eso pude decir que los primeros besos paternos fueron por cable, un cable que envió a mi madre, entusiasmado por la noticia.

Como fue un año tan crucial para ambos, me he asomado con curiosidad a periódicos y revistas de la época. He conseguido algunos ejemplares de diarios del mismo día en que vine al mundo y sé que ese 13 de noviembre —que era lunes— España andaba en paz y el tiempo era bueno. Los reyes daban una cacería en El Pardo. *El Imparcial* de ese día no publicaba su habitual suplemento de *Los Lunes de El Imparcial*—lo cual era mala señal—, salvo el folletón de Valle-Inclán. Gobernaba Romanones y don Rafael Gasset pedía al Congreso un crédito extraordinario para su Ministerio de Fomento, donde fue precursor de tantas cosas. James Joyce publicaba sigilosamente su *Retrato de un artista adolescente* mientras Blasco Ibáñez lanzaba a bombo y platillo sus *Cuatro jinetes del Apocalipsis,* que tuvo un éxito internacional colosal en aquel tiempo bélico. Benavente estrenaba *La ciudad alegre y confiada* con división apasionada de opiniones. Morían Henry James y Jack London. Y fallecía también nuestro premio Nobel, don José Echegaray, a quien se le dan honores de capitán general. Moría aquel loco de Rasputín y asimismo el emperador Francisco José, después de 51 años de reinado en los que vació las arcas del Estado austrohúngaro en guerras

265

y represiones. Griffith y Chaplin producían sus primeras películas. Enrique Granados estrenaba en Nueva York sus *Goyescas* y sucumbía al regresar a Europa en el buque inglés *Sussex*, hundido en el canal de la Mancha por un submarino alemán. Y si moría a los setenta años en Francia el ruso Ilia Méchnikov, descubridor de los fagocitos —desmintiendo con ello su propia teoría de que la vida natural del hombre es de ciento cincuenta años—, el joven físico Eddington, en cambio, exponía sus ideas revolucionarias sobre la expansión del Universo, que —recordemos— en su esencia aún siguen vigentes. Y el sordomudo Valentín de Zubiaurre terminaba el retrato que había hecho a mi padre y que va fechado, precisamente, en aquel año de gracia y desgracia de 1916.

Pero antes de ese mes de noviembre, a las ocho de la mañana del 21 de febrero de aquel año, caía el primer obús de la batalla de Verdún al pie de la catedral. El emperador Guillermo II había concentrado, bajo las órdenes aparentes del príncipe heredero, a las mejores tropas alemanas y una potencia artillera nunca vista de 2.400 piezas, incluidos 12 mastodontes del 42. «Verdún es el corazón de Francia —arengaba a sus soldados—, vamos a tomarlo y a los pocos días vendrá la paz». Pero los combates no iban a durar días, ni semanas, sino meses hasta que los generales Nivelle y Pétain obligasen a los alemanes a renunciar a su empeño; 350.000 franceses y otros tantos alemanes murieron en este episodio de la voraz guerra europea.

Y aunque un zepelín bombardeaba por primera vez la capital francesa, París «vivía con alegría y optimismo a fin de que los que llegaban del frente pudieran recuperar la moral», en testimonio de Misia Sert, aquella mujer extraordinaria de la crema de la sociedad de entonces. Incluso se estrenó, en plena batalla de Verdún, un ballet titulado *Parade*, con música de Eric Satie, un cartel enviado desde el frente por Jean Cocteau y decorados de Picasso, que por primera vez se asomaba al gran público. Además ese año nacieron gentes que iban a ser grandes figuras: dos premios Nobel, nuestro Camilo José Cela, de Literatura, y Francis H. C. Crick, de Medicina, descubridor con su colega Watson de que la molécula del ADN (ácido desoxirribonucleico), que ya se sospechaba que era responsable de la herencia, consistía en una doble hélice, como una serpentina arrollada en un cilindro. Pero también son de 1916 nuestro dramaturgo, ya fallecido, Buero Vallejo, el trágico poeta Blas de Otero, el virtuoso violinista Yehudi Menuhin, mi amigo el filósofo Paulino Garagorri, y figuras políticas que han sonado como Harold Wilson y Edward Heath.

Mientras tanto mi abuelo, Ortega Munilla, y mi padre habían embarcado en Cádiz, como sabemos, en el vapor de la Compañía Trasatlántica Reina Victoria Eugenia el 7 de julio, rumbo a Buenos Aires.

Ya relaté en la biografía de mi abuelo esta travesía pero ahora puedo añadir algunos detalles [1]. Conviene recordar que la Institución Cultural Española había sido creada en 1914 gracias al empeño del médico montañés Avelino Gutiérrez, movido por el deseo de dar a conocer en la Argentina el movimiento intelectual y científico español. Se creó una Comisión de Iniciativas para cubrir ese propósito estatutario, delegando en la Junta para Ampliación de Estudios madrileña las propuestas de candidatos para ocupar la cátedra que se creaba para los intelectuales españoles elegidos. El primer visitante fue don Ramón Menéndez Pidal, cuyo curso versó sobre la obra de Menéndez Pelayo, el polígrafo santanderino que había muerto dos años antes y cuya memoria fue uno de los elementos que contribuyeron a la creación de la Institución Cultural. El segundo visitante fue Ortega, una vez que Unamuno, Rodríguez Marín y Emilia Pardo Bazán, mucho más conocidos entonces en América que mi padre, hubieran renunciado a la invitación. Los lectores argentinos conocían sus artículos del diario *La Prensa* y, en menor medida, su único libro publicado hasta entonces, *Meditaciones del Quijote*, pues sus otras dos obras que iban a aparecer en 1916 —*Personas, obras, cosas* y el primer volumen de *El Espectador* (que más adelante trataremos)— no habían podido llegar a las librerías del Plata. Por eso mismo no despertaba ninguna controversia entre las distintas tendencias de la colonia española en la Argentina. Mi padre llegaba allí sin marchamo alguno, dispuesto a conocer a esos pueblos jóvenes más que a exponer a los oyentes argentinos el estado de la cultura en España. No llevaba, además, ninguna representación oficial.

Ortega emprendió el viaje sin haber solicitado ni obtenido el permiso de su condición de pensionado que concedía el Ministerio de Instrucción Pública para poder abandonar, sin sueldo naturalmente, su cátedra universitaria. Pero esta precipitación no fue debida a una falta de orden sino a la demora con que la Junta le envió su propuesta, pendiente como estaba de la renuncia de los famosos emolumentos citados.

Todos los gastos del viaje estaban cubiertos por la Institución Cultural Española con generosidad, a la que mi padre respondería con desprendimiento de la suma que podía gastarse, demostrando ya su perdurable desinterés por el dinero. Así, por ejemplo, se le abrió una carta de crédito en el Banco Hispano Americano contra el Banco de la Provincia de Buenos Aires por 3.000 pesos argentinos y Ortega sólo dispondría en su estancia de 1.450 pesos de ese total. El hotel de salida y

---

[1] Datos tomados del artículo "Viaje a la Argentina, 1916" de Carmen Asensio e Iñaqui Gabarain en el núm. 1 de la revista *Estudios orteguianos,* Madrid, 2000.

llegada era el Grand Hôtel de France et Paris, el mejor de Cádiz, y en Buenos Aires estuvo en el hotel España, perla de la hostelería bonaerense. El pasaje en el Reina Victoria Eugenia era, naturalmente, de lujo.

Padre e hijo llegaron a Montevideo y Buenos Aires con una popularidad muy diferente. Ortega Munilla era la figura de la expedición, y las personalidades que los recibieron le daban mayor importancia que a su hijo al llegar a la dársena norte del puerto de Buenos Aires el 22 de julio, después de tocar en Montevideo. Había durado, pues, la travesía del Atlántico exactamente quince días. Sin embargo el hecho de que el embajador argentino en Madrid, Marco M. Avellaneda les ofreciera un banquete de despedida, al que asistieron Ramón y Cajal, Menéndez Pidal, así como Tormo, Azcárate, Altamira, Posada y el embajador argentino en París, fue interpretado por algún diario bonaerense como si Ortega viniera con alguna misión oficial. Ortega, al llegar a Buenos Aires, dejó muy clara su independencia de toda representación oficial española al declarar a los periodistas que le esperaban, lo siguiente:

«Vengo con una curiosidad inmensa. Estas tierras tienen para mí la misma virginidad que tuvieron para Cristóbal Colón [...] y me es particularmente grato realizar mi visita a la Argentina en esta época en que la filosofía empieza a interesar a todos por causa de los grandes acontecimientos que ocurren en el mundo y como sirviendo de tregua a la época furiosa del siglo XIX, el siglo de las maquinarias.

»En mi permanencia en Buenos Aires, que ha de durar hasta noviembre, poco más o menos, trataré de estudiar detenidamente el ambiente de este conglomerado social, las costumbres del mismo, sus modalidades y características. Procuraré entresacar de mis observaciones cuál o cuáles son las influencias europeas que más pesan y han gravitado en el encauzamiento de la cultura intelectual de este país. Y claro que he de preocuparme más que toda la faz hispanoamericana de estas civilizaciones.

»Sobre todo lo que aquí aprenda, escribiré un libro, porque todo cuanto escucho y veo, luego de sufrir en mi interior las modificaciones del caso, aparece en forma literaria. Es mi costumbre» [2].

Pero para esta primera estancia de mi padre en la pujante Argentina de 1916 voy a guiarme por diversos trabajos de Marta Campomar, vicepresidenta de la Fundación Ortega y Gasset Argentina, a cuyo tesón se debe la actividad de esta primera reiteración en América de la Fundación de Madrid [3].

---

[2] Recogido por el diario *La Prensa* del 23 de julio de 1916.

[3] Dos son los estudios principales: "Los viajes de Ortega a la Argentina", en *Ortega y la Argentina*, Fondo de Cultura Económica, México, 1997, y "Ortega y Espasa-Calpe Argentina", núm. 216 (mayo 1999) de la *Revista de Occidente*.

Ángeles Gasset en París, 1937.

José Ortega y Gasset en la biblioteca de la Sorbona, 1938.

Gregorio Marañón y José Ortega y Gasset en Buenos Aires, 1940.

Vicente Iranzo, 1942.

Llegada a Lisboa de José Ortega y Gasset desde Buenos Aires, 1942.

José Ortega y Gasset y su hijo José, con los condes de Yebes, en Portugal, 1942.

José Ortega y Gasset en Cascais, 1942.

José Ortega y Gasset y José Ortega Spottorno en Sintra, Portugal, 1943.

Fernando Vela, Dolores Castilla, el Dr. José Sacristán y José Ortega Spottorno en la Revista de Occidente, 1943.

José Ortega y Gasset y José Ortega Spottorno en Portugal, 1944.

José Ortega y Gasset y José Ortega Spottorno con el Dr. Martins Pereira, su esposa Octavie
e Inés Hoogan, en Portugal, 1944.

Nicolás María de Urgoiti, 1946.

Fernando Vela, 1946.

José Ortega y Gasset en Aspen, 1949.

José Ortega y Gasset con Gary Cooper en Aspen, 1949.

José Ortega y Gasset con Thornton Wilder, que actúa
como traductor, en Aspen, 1949.

José Ortega y Gasset y su hijo José en la finca Navalcaide
de Domingo Ortega, 1949.

José Ortega y Gasset con Martin Heidegger en Darmstadt, 1951.

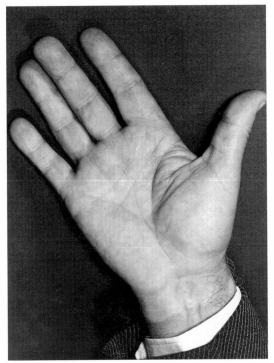

Mano de José Ortega y Gasset, 1953. (Foto Muller.)

José Ortega y Gasset con José Tudela en Numancia, 1953.

José Ortega y Gasset con su nuera Simone, su hijo José y sus consuegros Klein.

José Ortega y Gasset, su mujer y sus tres hijos en su casa de Montesquinza,
en Madrid, 1954. (Foto Muller.)

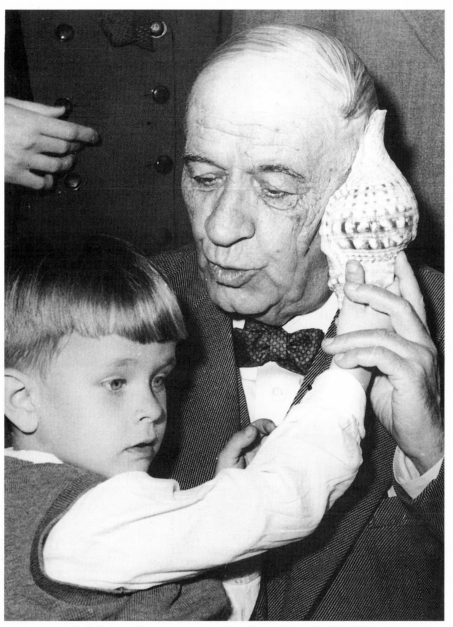

José Ortega y Gasset con su nieto José Ortega Klein, abril de 1954.

José Ortega y Gasset escribiendo en su despacho de Montesquinza, Madrid, 1954.

Eduardo Ortega y Gasset en Caracas, 1956.

Salida del cortejo fúnebre de José Ortega y Gasset en la calle Montesquinza, octubre de 1955.

Despedida del duelo de José Ortega y Gasset en el cementerio de San Isidro de Madrid, octubre de 1955.

«El gran despegue del ambicioso proyecto de la Cultural —nos dice Marta Campomar— es debido al éxito fulminante de Ortega y Gasset entre los argentinos y la acertadísima elección de Castillejo de enviar a Ortega a nuestro país». Venía mi padre, como sabemos, con el suyo, Ortega Munilla, que realizaría un amplio viaje por las tierras argentinas para estudiar las colonias hispanas en aquel país. «*De Madrid al Chaco* —afirma Marta— ofrece una versión generosa y respetuosa del patriotismo de la colectividad y se siente conmovido por esos sorianitos que emprendían, sin más equipaje que sus propias esperanzas, la conquista del Nuevo Mundo. Su intención no será ofrecer al público de la Habana —en sus crónicas del *Diario de la Marina*— una versión despectiva y humillante de esas colectividades en la Argentina. Todo lo contrario: como extranjero, se siente acogido por las atenciones que le dedican y las acepta como reflejo de su amor al país al que pertenecemos». Sería mi abuelo el que expresaría su gran alivio al llegar al Uruguay, después de un largo viaje de tedio y peligros marítimos.

El 7 de agosto inicia mi padre el curso de nueve conferencias en la Facultad de Filosofía de Buenos Aires titulado «Introducción a los problemas actuales de la Filosofía». Había gran interés por oír a Ortega, al que la prensa había presentado como un orador atractivo y no un simple profesor. Acudieron a la apertura ministros, embajadores, académicos, tanto españoles como argentinos. Avelino Gutiérrez hizo la presentación diciendo que este joven pensador español, dada su extraordinaria cultura y su conocimiento de la filosofía, podía «desvanecer la creencia vulgar, que raya en superstición, de que las filosofías las entienden tan sólo los que las hacen». Ortega se ganó al público al advertir que «cada pueblo es, señores, el ensayo de una nueva manera de vivir, es decir, de una nueva manera de sentir la existencia [...] Quien como yo no ha venido a esta tierra de la fortuna para ensayarla, ni le urge absorber el *stock* de diversiones y placeres de vuestra ciudad para ahuyentar de su pecho la melancolía propia de toda alma bien nacida, tiene derecho a que le pidáis otro linaje de cortesía que no sea la lisonja [...] Es menester que el orador renuncie a ser juglar e intente ser un hermano de su público. Sabed, pues, desde ahora para luego y para siempre que me avergonzaría hostigar aquella zona del alma de una muchedumbre donde automáticamente el aplauso se dispara; olvidando que sois una multitud, yo aspiro a dirigirme a cada uno de vosotros en cuanto individuo y, en cada uno, a aquel fondo veraz humano, severo, insobornable que cada cual lleva en el rincón mejor de sí mismo».

Tras estas palabras advirtió «a los pueblos en formación, que son potencia económica, que la riqueza espiritual viene del viejo tronco de España» y como cuenta el *Diario Español* —escribe Marta— «el público, que hasta entonces parecía cohibido, estalló en aplausos. De ahí,

Ortega se sintió a gusto y dejó caer con familiaridad y naturalidad sus teorías sobre los orígenes de la filosofía. En pocos minutos Ortega había subyugado a su audiencia».

»El éxito trascendió el ámbito universitario, y en la segunda conferencia fue tal el desborde que se rompieron las ventanas y hubo que llamar al orden público. Al aula no pudieron ingresar ni los profesores ni los periodistas ni los taquígrafos y, a duras penas, Ortega, acompañado por Avelino Gutiérrez». El *Diario Español* opinaba que «no podía darse un colmo mayor de desorganización». Quizá por eso mi padre en la tercera charla tuvo un desmayo y hubo de retirarse a la secretaría, donde Avelino Gutiérrez le atendió con agua y éter, y regresar a su hotel. «A los alumnos y profesores de la Facultad, con inscripción previa, Ortega dictó un seminario alterno de nueve lecciones matinales que para la revista *Nosotros* fue donde se reveló el verdadero genio docente de Ortega y la profundidad de sus ideas filosóficas».

El curso público se reorganizó para evitar las afluencias con la utilización de una tarjeta especial de asistencia, pero algunos, como mi propio abuelo, que no se enteraron de la necesidad de esa tarjeta, no pudieron acceder a la quinta conferencia. Una gran parte del público lo formaban las mujeres argentinas, que «fueron desde entonces el público predilecto de Ortega». Marta Campomar señala que, entonces, «Victoria Ocampo era la gran ausente». La novena y última conferencia fue breve, como una despedida en la que advirtió al argentino, ahora próspero y brillante, que no se confiara demasiado de sí mismo, ya que el porvenir es incierto. «Por eso yo os advierto, jóvenes argentinos, que atraviesa ahora la humanidad una hora de profunda crisis, crisis llena de promesas y llena de esperanzas. No me refiero a la guerra que como un incendio mantiene roja la línea del horizonte. Las guerras no crean nada espiritual, nada espiritual destruyen, simplemente aceleran o retardan lo que ya estaba formado en la conciencia de los hombres». No tiene prisa el orador en que sus ideas les convenzan. «Si lo he logrado, me retiro más satisfecho al regazo de la sierra castellana, rincón solemne del orbe donde un poder superior que no conozco bien ha querido ponerme para que de allí viera correr el río universal de la vida. Sólo pido a esas almas juveniles que cuando llegado un día, de cierto no lejano, en que pueblen el aire y parezcan doctrinas oficiales algunas de las cosas que aquí he dicho, despierten ellas el recuerdo de haberlas oído por primera vez al platónico viajero español de 1916». Y ahora al separarse de sus oyentes les pide permiso para que «en este instante vuelva mi recuerdo hacia la patria. Aunque nunca he aspirado a representarla, claro es que cuando he realizado un acto cualquiera y miro hacia atrás y lo veo en plenitud, no puedo dejar de notar que él pertenece a mi patria, a España. Yo soy un asta que va temblando en el aire, lanzada por el brazo centenario e inmortal de mi raza: ese soy yo. Y ahora —diría solemnemente— el alejamiento, con su larga guadaña, va a segar nuestra naciente amistad... ¡Adiós!»

El éxito obtenido lleva a los Ortega a dar conferencias por gran parte del país: Tucumán, Córdoba, Mendoza, Rosario, visitaque el abuelo, como vimos, prolongará hasta el Chaco. Y en Buenos Aires la gente «bien» les atendió con calor en comida y recepciones, pero fue la mujer argentina, sobre la que tanto escribiría después Ortega, la que más le interesó. A petición de Avelino Gutiérrez, mi padre alargó su estancia en el Plata hasta finales de diciembre para dar cuatro conferencias en Rosario —donde se instalaba la primera sucursal de la Cultural— y un cursillo en Montevideo. De esta forma sólo pudo llegar a Cádiz el 2 de febrero de 1917, donde le esperaban Rosa y mi hermano Miguel. El pequeño —yo— se quedó naturalmente en Madrid, porque sólo tenía dos meses. Como señala Marta Campomar, tanto Avelino Gutiérrez como Castillejo respiraron tranquilos al verle ya de regreso en España. El propio Castillejo le escribe, con fecha 19 de enero, cómo se había sentido responsable de la seguridad de Ortega en unas travesías en plena guerra. «La certeza de que está otra vez al lado de los suyos me ha vuelto la tranquilidad. Todo el tiempo de su ausencia me he creído culpable si algo sucediera».

Uno de los más auténticos discípulos —y amigo— de Ortega en la Argentina sería Máximo Etchecopar. En 1916 tenía cuatro años, y descubriría a mi padre en el segundo viaje de 1928. Etchecopar publicó en 1983, con motivo del centenario del nacimiento de mi padre, un espléndido librito sobre *Ortega y la Argentina*. «No cabe la menor duda —dice en él— de que en la relación entre Ortega y la Argentina, el grado de intensidad [...] proviene en medida considerable de aquel primer encuentro del filósofo con Victoria Ocampo». Se refiere Etchecopar a la comida en que se conocieron, en 1916, y que motivó la primera carta de mi padre a Victoria y el relato que hace ésta en sus *Memorias* (en el tercer volumen, que titula *La rama de Salzburgo)*. La biografía de esta mujer excepcional está por hacer y debemos contentarnos con esa su *Autobiografía*. Era una mujer bella y rica, porque sus padres pertenecían a la oligarquía y tenían fortuna que les permitió dar a sus hijas una educación excepcional. El inglés y el francés los hablaba y leía Victoria con total plenitud, y muchas de las cartas a Ortega están escritas en francés. Y hasta su ensayo *De Francesca a Beatrice* estuvo escrito originalmente en francés; fue Ricardo Baeza quien lo puso en prosa castellana para publicarlo, como segundo título de la serie de libros de las Ediciones de la Revista de Occidente, en 1924. Aunque en esas fechas andaban distantes, mi padre, como es sabido, le puso un famoso epílogo.

Con un gran sentido de lo que es literatura, Victoria sólo se interesaba por los autores ingleses y franceses, y era bastante indiferente a la cultura española. De ahí que no deseara asistir a las conferencias de aquel joven pensador español del que tanto hablaban los periódicos. Se encontraron por primera vez en una cena en casa de Julia del Carril y el interés mutuo se despertó.

«Al conocer a Ortega —cuenta Victoria en su autobiografía, publicada, naturalmente, después de su muerte— quedé atónita ante su inteligencia efervescente que bebía a traguitos por el cosquilleo de agua mineral que me producía. Esa inteligencia estaba en su mirar, en los gestos de sus manos, que parecían dibujar en el aire sus frases o detener su vuelo. La cabeza, poderosa, demasiado pesada para un cuerpo ligeramente por debajo de la altura media, atraía la mirada, pues daba la sensación de que allí pasaba siempre algo. Era como estar delante de una chimenea encendida: uno sigue el baile de las llamas.

»¿Cuáles fueron los temas de nuestras primeras conversaciones? No lo recuerdo. Yo escuchaba. Recuerdo, sí, que todo cuanto él decía estaba dicho de una manera especial y penetrante. Me acuerdo de su manera de decir más que de las cosas que decía. Ortega tomaba un tema y lo seguía como los reflectores siguen, en un ballet, los *entrechats* del bailarín solista. Con esta diferencia: él era a la vez los reflectores y el bailarín. Yo contemplaba el espectáculo y apreciaba su maestría. La suerte no me había convidado todavía a un festín de esa magnitud. ¿Era en mi honor ese festín? No sé si el joven filósofo español se había propuesto dejarme boquiabierta y si era eso *la moitié du mystère, la moitié du secret de son chant,* como corresponde a todo gallo que lo es fundamentalmente. En todo caso, lo lograba».

Por la primera carta de Ortega a Victoria, escrita desde Madrid con fecha 22 de mayo de 1917 y que tardó aún días en enviar y nunca completa, sabemos la reacción de mi padre ante aquella extraordinaria porteña: «No conozco bien —escribe— a la Gioconda austral pero sé lo bastante para sospechar que no es propenso su ánimo a mantenerse en situaciones intermedias. Dentro de su corazón debe ser siempre o mediodía o medianoche. Ando muy próximo a creer que ha llegado para mí el momento de las tinieblas. Hubo unas horas vagas en que sin pretenderlo ni esperarlo me sentí regalado con su afecto, y su alma, bella y enérgica, se orientaba hacia mí con ilusión. ¿No es cierto? Ahora, en cambio, temo que mientras le escribo emocionado, con una fiebre en mi pulso que usted no ha querido ver nunca, se rompa mi entusiasmo sobre una Victoria de medianoche que, remota de aquel afecto, siente hacia mí más bien enojo, hastío, impaciencia, tal vez aversión. Ya ve que no me hago muchas ilusiones. Verdad es que no me las he hecho nunca. Lo divino de los dones femeninos es ser inapelables y venir del fondo insobornable a que es fiel toda mujer superior».

Pero en aquella primera cena Ortega ve a Victoria todavía como una niña. Es en la segunda cena, en casa de Bebé Sansinena de Elizalde, cuando mi padre descubre a Victoria. «Sentado a la mesa alzo una vez los ojos y en el lugar frontero hallo inesperada pero evidente, sin que quepa la menor duda, a la *Gioconda en la Pampa*... ¡Gioconda en la Pampa! Quien conociese cuánto significa para mí la Gioconda y cuánto para mí significa la Pampa, no vería en mi unión de ambas palabras, por lo pronto, una galantería sino toda una previsión de historia americana [...] que no es oportuno dibujar aquí. Aquella noche el descubrimiento de la esencial figura fue un capítulo de la historia argentina, no la historia de mi corazón».

Enfadada Victoria por una censura que había emitido Ortega sobre un guapo mozo que era su amante, no volvió a escribirle durante muchos años. Pero como veremos más adelante, en el segundo viaje, de 1928, la paz volvería a esa amistad. Así nos encontraremos a Victoria frecuentemente en este relato. Yo tuve el gusto de conocerla en mi primer viaje a Buenos Aires en 1962. Vivía sola en su casa de San Isidro y seguía ocupándose de su revista *Sur*. Un día se me ocurrió cederle los trastos de director para que dirigiera un número de la *Revista de Occidente*. Su aceptación me llenó de alegría.

Marta Campomar señala que una de las últimas conferencias de Ortega fue la que regaló a la revista *Nosotros* sobre "La nueva sensibilidad", que tuvo tanto impacto que para la excelente revista significó su supervivencia. En el banquete de despedida que le ofreció Avelino Gutiérrez le dedicó estas emotivas palabras:

«Por vuestra labor eximia, el concepto espiritual de España se cotiza hoy un poco más alto, en esta orilla del Plata se aprecia más a la colectividad española y se ha prestigiado nuestra Institución, pero con esto no han de quedar cerradas vuestras cuentas: España os ha de deber con el tiempo mucho más. Y quiera Dios que así sea».

Hubiera correspondido hablar de las actividades de mi padre en el primer semestre de este año 1916, antes que del viaje a la Argentina, pero la importancia que éste tuvo justifica el retraso.

Mi padre fue un gran creador de ideas editoriales, en el amplio sentido de la palabra. Ya vimos la aventura de la revista *España* pero, consciente del distanciamiento creciente con Rafael Gasset, veía claramente que *El Imparcial* ya no era su periódico y no podía contar con él. Entonces imaginó publicar, sin ritmo fijo pero con propósito de cierta frecuencia, libros de temas varios que denominó *El Espectador*. Su amigo José Ruiz Castillo se iba a ocupar de su comercialización que, inicialmente, se pensó fuera por suscripción. La edición la hacía la imprenta

Renacimiento y no llevaba ningún pie editorial, aunque sin duda el que le correspondía era el de la propia Editorial Renacimiento, que regentaba justamente Ruiz Castillo. El primer volumen salió en mayo de 1916. Necesitaba Ortega, según manifestó en las iniciales «Confesiones de *El Espectador*», «acotar una parte de mí mismo para la contemplación» en un mundo, en España y fuera de ella, en que la política, «es decir, la supeditación de la teoría a la utilidad» lo invade todo. Busca a los hombres veraces y recuerda *El libro de los Estados,* donde su autor, el infante don Juan Manuel, decía: «Todos los Estados del mundo se encierran en tres: al uno llaman defensores, et al otro oradores, et al otro labradores». Se olvida el infante del Estado de los espectadores. El nombre tiene genealogía porque Platón «concede una misión especial a *los amigos de mirar;* son los especulativos, los contemplativos». *El Espectador* —concluye— tiene «una primera intención: elevar un reducto contra la política para mí y para los que compartan mi voluntad de pura visión, de teoría». En suma: busca aquellos «lectores incapaces de oír un sermón, de apasionarse en un mitin y de juzgar personas y cosas en una tertulia de café». A ellos se dirige este «libro escrito en voz baja».

Entreví el autor la llegada de una edad más rica, pero esa edad mejor depende de su generación. Y, citando a Hegel, les pide a sus futuros lectores: «Tened el valor de equivocaros».

*El Espectador* intentará tener una especie de secciones fijas: «Confesiones de *El Espectador*», «La vida en torno», un rincón para la Filosofía y otro para ensayos de crítica. El segundo volumen, que salió en 1917, mantiene esa estructura pero a partir del tercero, el índice es más diverso. Ocho volúmenes compusieron la serie, del año 1916 al 1934, y no se pueden señalar los más notorios de los ensayos que los forman porque fueron todos importantes en la obra de Ortega. Señalaré, sin embargo, dos en el capítulo de Filosofía: «Conciencia, objeto y las tres distancias de éste», en el primer volumen, y «Las dos grandes metáforas», en el cuarto volumen, de 1925.

No olvida incluir algunos artículos sobre gentes o temas de actualidad. Y precisamente en ese volumen citado nos da un tierno relato sobre su amigo Pepe Tudela, una de esas almas sencillas con que a veces nos encontramos en la vida, valiosas, conscientes de sus límites pero que saben dar lo mejor de sí mismas. José Tudela de la Orden nació en Soria en 1890 y murió en Madrid en 1973. Este soriano ilustre, conocedor como nadie de su hermosa y lírica región, fue gran amigo de mi padre, a quien guardó constante entrega y devoción. Tuve yo la suerte de heredar desde muy joven esa amistad, al tiempo que el entusiasmo paterno por Soria y sus gentes.

La popularidad de Tudela trascendió fuera de las numerosas tertulias que frecuentaba, al publicar mi padre en 1921, en el cuarto volumen de *El Espectador*, un artículo que tituló «Pepe Tudela vuelve a la Mesta».

Alguna lectora de aquel artículo paterno, muy femenina, esto es, admiradora del sexo opuesto, se imaginó al personaje como un atractivo ganadero a lomos de su corcel. Pero Tudela, magro y escueto como el propio paisaje soriano, aunque varón cabal, no estudiaba para conquistador, y aquella dama, después de conocerle, increpó a mi padre diciéndole: «Ortega, es usted un canalla; me ha hecho enamorarme de una figura que se me ha disipado al conocerla». Gerardo Diego, compañero de tertulias veraniegas en La Dehesa de Soria, con Tudela, Mariano Granados, el magistrado, Blas Taracena, el arqueólogo, y el gran poeta Juan Larrea, fue el que mejor describió a nuestro amigo en uno de los retratos de sus *Cuadernos sorianos*, al decir: «Bermeja y satinada le ardía la mejilla del color que la piedra toma al sol de Castilla». Pero la experiencia ganadera acabó en fracaso y Tudela volvería a sus quehaceres de archivero y bibliotecario.

Aunque santa Teresa y Bécquer dejaron huella en Soria, entra ésta de pleno en la poesía española con Antonio Machado. El poeta sevillano llegó a la ciudad del Duero en 1907 como catedrático de francés del Instituto. Allí descubriría su amor por Leonor, una vecina quinceañera con la que casaría en 1910. Marchó el matrimonio a París, donde Machado iba pensionado, pero hubieron de volver a Soria al verano siguiente, muy grave ella de una enfermedad que la llevaría a la tumba dos veranos después. Heliodoro Carpintero ha narrado de modo ejemplar las aventuras y desventuras de Machado en Soria, que abandonaría a los pocos días de la muerte de Leonor. Tudela conocería a Machado en Segovia, donde ambos coincidieron por sus respectivas profesiones, y sería Tudela quien le ayudaría a encontrar el modesto pupilaje donde vivió el poeta hasta la guerra civil.

No fue fácil la iniciación a la vida de Tudela. Su madre murió al darle a luz y su padre, abrumado de tristeza y soledad, siete meses después. La ayuda del tío Ramón de la Orden le permitiría llegar a la Universidad Central. Liberal de fondo y de forma, perteneció a la Agrupación al Servicio de la República que fundaran Marañón, Pérez de Ayala y mi padre. Hizo gran campaña en su tierra a favor de la República en las elecciones de 1931 y, junto al magistrado Mariano Granados, proclamó la República en Soria el 14 de abril. Durante los años sensatos de aquella esperanza española trabajó en asuntos de reforma agraria, pero de nada le servirían sus méritos republicanos, porque, al poco tiempo de estallar la guerra civil, unos incontrolados milicianos le metieron en la cárcel de Fomento, de tan mala memoria para muchos. Felizmente, un muchacho de Almazán, asombrado de ver entre rejas a su adorado don José, por propia iniciativa lo sacó de aquella prisión. Su amigo Aurelio Viñas, que dirigía en París el Institut Hispanique, consiguió llevárselo a Francia, donde pasó tres años de exilio dando clases de español en un liceo de Burdeos. La vuelta al Madrid nacional, al terminarse la contienda, tampoco fue fácil, pues su fama de liberal no gustaba en aquellas inclemencias: la depuración política y las malas artes de algunos que tenía por amigos retrasaron su reingreso en su puesto profesional. Tudela se fue dedicando cada vez más a los temas hispanoamericanos, que lo llevaron en 1949 a ser nombrado subdirector del Museo de América, que entonces empezaba su andadura, y donde publicaría una docta edición de un códice azteca que lleva su nombre.

También a principios de 1916 publica mi padre su segundo libro, *Personas, obras, cosas* en Ediciones de La Lectura, en el que se recogían trabajos publicados antes en periódicos o revistas. El más antiguo, «Las ermitas de Córdoba», de 1904, y el más próximo, de 1912. «Al dar este tomo a la imprenta me ha parecido que me despedía de mi mocedad... He tomado la mano de mi mocedad como la de un amigo fiel. He mirado al fondo de sus ojos, y he visto que no se turbaba. He empujado su espalda hacia el pretérito, y he dicho: *Adiós. Puedes irte tranquila.* El premio único, el premio suficiente, el premio máximo a que cabe aspirar es éste: poder irse tranquilo».

Como ve el lector, la actividad de mi padre en ese año, guarecido en El Escorial, fue frenética. Porque, además, no olvidaba su cátedra, tomando el tren tres días a la semana para dar sus clases de Metafísica en la universidad. Podemos mencionar uno de los máximos placeres que tuvo en su vida: el descubrimiento de los ballets rusos de Diáguilev que vinieron a Madrid, invitados por el Rey, el 26 de mayo de 1916 [4]. Stravinski dirigió una de las funciones en que se representaba su genial *Petrushka.* Mi padre nos contaba el asombro que produjo en Madrid la fuerza y la originalidad de aquel ballet que tanto contribuiría al cambio del concepto de la danza.

## Cambio de domicilio

Debió de ser a finales del año 1918 o principios del 1919 cuando la familia se mudó a un piso de la calle Serrano 47 —hoy 53— esquina a la de Marqués de Villamejor, que desemboca en la Castellana. Allí había sitio para todos y en esa misma casa transcurrió toda mi infancia y

---

[4] Datos que me ha facilitado gentilmente el compositor José Torregrosa, entendido también en la historia de los grandes espectáculos musicales.

parte de mi adolescencia, y ha quedado, naturalmente, muy grabada en mi recuerdo. Era un piso tercero, y, como era habitual entonces, no tenía calefacción y nos calentábamos con una estufa de carbón cuyo largo tubo para la salida de los gases recorría todo el pasillo, desde donde irradiaba algo de calor a los cuartos. Una estufa adicional de alcohol se trasladaba a los distintos cuartos los días de mucho frío, según lo necesitase el inquilino respectivo.

Mi padre andaba siempre dando sus largos paseos por el pasillo o sentado en la mesa del comedor, trabajando con un ple sobre los hombros que le había hecho su madre. Pero eran años también de mucho calor en verano, para defenderse del cual —el piso era el último, algo bajo de techo, por tanto, caluroso— mi madre ponía cortinas húmedas en las ventanas. Según me contó, nos llevaba muy temprano, a las 6 o 7 de la mañana, al Retiro —que quedaba a alguna distancia— para respirar aire fresco, y volvíamos hacia las diez, cuando apretaba ya el calor. Como es sabido, el clima madrileño era entonces más extremado, nevaba muchos días y era un horno en los veranos.

## HA SALIDO *EL SOL*

La historia de *El Sol* está tan ligada a la figura y a la actividad de don Nicolás María de Urgoiti —tanto o más que a la de mi padre, que sería su mentor intelectual—, que debemos proceder antes a contar la vida de este ilustre vasco al que traté personalmente en su vejez y con quien colaboré en la publicación, en las Ediciones de la Revista de Occidente, de una Biblioteca Ibys de Ciencia Biológica que financiaba el Instituto Ibys, creado por él y su amigo Abelló [5]. Mercedes Cabrera, en un libro excelente [6], ha investigado su vida y su obra.

El impulso industrial y financiero que dieron a toda España los vascos en el primer cuarto del siglo XX es muy digno de admiración. Un impulso que enlazaba con la tradicional intervención de guipuzcoanos y vizcaínos en los asuntos españoles, que les llevó a estar presentes des-

---

[5] La iniciativa de crear ese instituto de biología había nacido en una cena a la que asistieron el doctor Pittaluga, Marañón, Ortega, Serapio Huici y Urgoiti. Fue Pittaluga quien expuso la conveniencia y los beneficios que se podrían obtener de la producción de sueros, vacunas y otros productos farmacológicos. Luego, bajo la dirección de Ricardo Urgoiti —tan dinámico como su padre— se convertiría en la primera fábrica de antibióticos de España.

[6] Mercedes Cabrera: *La industria, la prensa y la política: Nicolás María de Urgoiti (1869-1951)*, Alianza, Madrid 1994.

de 1492 en los países americanos recién descubiertos; una tradición que ha seguido un ritmo oscilante, como el de las mareas, como el de la luna, con sus crecientes y sus menguantes, surgidos estos últimos cuando los vascos se encierran en sí mismos y traen a su hermoso país, a la vez, ensimismamiento y alteración. Como desgraciadamente ocurre ahora. Pero aquellos primeros años de nuestro siglo fueron una gozosa pleamar de su inventiva y de su actividad. Uno de estos vascos fue Urgoiti.

Nicolás María de Urgoiti fue el forjador de la industria española del papel, antes de él incipiente y menesterosa, con la creación de La Papelera Española y sus consecuencias naturales, la editorial Calpe (luego asociada con Espasa) y los periódicos *El Sol* y *La Voz*. Todas esas empresas, al final, se le fueron de las manos por intrigas políticas, al no ser propietario mayoritario de ninguna de ellas. Porque, reiterando lo que dije hace años en la muerte de otro ilustre ingeniero, cuando se pone la vida seriamente en algo hay que pasar por muchos avatares hasta lograr el empeño: atravesar las tierras de los desalmados, evitar el promontorio de los tontos, no perecer en las arenas movedizas de los propios errores y vacilaciones, y doblar el cabo de las desesperanzas. Al final Urgoiti fue vencido por la peligrosa nobleza con que planteó todos sus emprendimientos.

Por parte de su padre, la familia de Nicolás era vizcaína, en su origen carlista. La familia materna, por el contrario, era guipuzcoana y liberal, de posición desahogada, que por sus ideas tuvo que emigrar del foco carlista que era la Guipúzcoa profunda. Del matrimonio de Nicolás Urgoiti Galarreta con Anacleta Achúcarro nació —en Madrid, por azar—, el 27 de octubre de 1869, Nicolás María de Urgoiti y Achúcarro, que sería el primogénito de cinco hermanos. «Cuando era niño —cuenta en su diario—, en la escuela estaba prohibido hablar en vascuence, y en casa se hablaba castellano». De ahí que recurriese a infinitivos y sustantivos aprendidos al oído para entenderse con los *casheros*. Pero siempre lamentó, de mayor, no poder leer directamente la rica poesía vasca, la cual —como decía Baroja—, «fuera del idioma en que está escrita, no es nada. No es traducible porque es más música que literatura». Urgoiti fue un vasco de larga mirada que abarcaba a toda la nación, aunque sentía nostalgia por los paisajes de Euskadi cuando estaba lejos de ella. Para consolarse no dejó de poner nombres vascos a las casas que tuvo para sus vacaciones: Eguzki, la de Biarritz y Nicotoki, la de Cercedilla.

Flamante ingeniero de Caminos en 1892, casó a los pocos meses con su prima María Ricarda Somovilla Urgoiti. Aunque sus aficiones parecían destinarle a las grandes construcciones, aceptó el puesto de ingeniero de la fábrica de papel de Cadagua, en las Encartaciones, en la linde con Santander. Las condiciones de la oferta eran tentadoras para un ingeniero recién casado, pero también influyó en su decisión que el valle del Cadagua le recordaba al valle vasco de Loyola, y la chimenea de la fábrica, a la cúpula del convento de los jesuitas donde había estudiado de pequeño. Allí descubriría lo que iba a ser su gran pasión: el papel. Pero esa pasión surgía en un momento oportuno, cuando se estaban modernizando en Euskadi las estructuras de los principales sectores industriales: la minería del hierro, la siderometalurgia, la construcción, las navieras, los ferrocarriles, la industria eléctrica, las industrias químicas, los seguros y la banca. «En diferentes y sucesivas oleadas —nos explica el libro citado de Mercedes Cabrera— fluyeron los capitales y Bilbao se convirtió en la plaza en que mayor número de sociedades anónimas nacían, y en 1891 se fundó la Bolsa de Bilbao».

Los financieros de ese desarrollo comprendieron, además, que los ingenieros y técnicos debían formar parte de los cuadros directivos y tener voz y voto en las decisiones empresariales. En el caso de Urgoiti, el presidente de La Papelera del Cadagua era el futuro conde de Aresti, que sería «una de las personas más cercanas a él, que le apoyó en todo momento en sus proyectos de unión papelera». Pues Urgoiti vio en seguida que hacía falta una doble integración de las fábricas de papel, dispersas y enfrentadas: la integración horizontal, mediante su fusión, y la integración vertical abarcando todo el proceso, desde la producción de materias primas hasta la creación de almacenes propios de distribución en los puntos neurálgicos del mercado. Así nació, a finales de 1901, bien promocionada por Rafael Picabea, La Papelera Española, con un capital de 20 millones de pesetas, lo que para aquellos tiempos significaba una sociedad de gran dimensión. Su presidente inicial fue José María de Arteche, pero, fallecido a los pocos meses, le sustituyó el conde de Aresti en ese cargo, que ocupó hasta su muerte. Urgoiti fue el director general hasta su forzada dimisión en 1925.

Las incidencias, los problemas financieros —a los que aportó tranquilidad Juan Manuel Urquijo con su banca—, la creación de sociedades complementarias, la violenta polémica con *El Imparcial* y con Luca de Tena por los aranceles, las consecuencias buenas y malas de la guerra europea y la relación de Urgoiti con el Rey y los políticos —Maura, Dato, Primo de Rivera—, fueron la lucha cotidiana no siempre grata de este hombre extraordinario, cuya normalidad psíquica se rompió dos veces en su vida, lo que él mismo calificó después en su diario como «el descenso a los infiernos».

Pero desde su mocedad, Urgoiti tenía dentro el duende del periodismo. Y como empresario había definido los obstáculos que lastraban la vida de la prensa española: la insuficiencia de capital, la mediocridad de la presentación material y la falta de organización para la venta y la publicidad. Ese periódico a la altura de los tiempos soñado por Urgoiti nacería, después de varios intentos fallidos, el 1 de diciembre de 1917 con el nombre de *El Sol*.

Pero antes de ese nuevo periódico hubo acuerdos y desacuerdos con los Gasset para reflotar un renovado *El Imparcial*. Éste, otrora líder de la prensa española, iba decayendo en ventas y en calidad hasta límites peligrosos. Lo seguía dirigiendo López Ballesteros. Urgoiti planteó a La Papelera su proyecto de hacer un periódico para, por un lado, ampliar el consumo de papel —porque pensaba desde el principio en crear asimismo una editorial de libros— y, por otro lado, para poder defenderse de la ofensiva de los demás diarios —especialmente *El Liberal* de Miguel Moya y el *ABC* de Luca de Tena— contra los aranceles en la importación de papel extranjero.

*El Imparcial* se había separado el 27 de mayo de 1916 del trust que diez años antes se había formado, como ya vimos, con la Sociedad Editorial de España. Pensaban los Gasset que esa salida iba a hacerle recobrar su antiguo prestigio, pero más bien aceleró su decadencia. Los Gasset vieron claro que había que hacer un nuevo y más moderno *Imparcial* y que, para ello, necesitaban aportaciones de dinero fresco. Por eso cuando Urgoiti, aconsejado por los Urquijo, banqueros de La Papelera, se acercó a ellos, no presentaron ninguna dificultad para llegar a un acuerdo y constituir una nueva sociedad denominada El Imparcial, S. A. El capital en su gran mayoría lo aportaba La Papelera y el espíritu de la nueva fórmula estaba definido por Urgoiti, que nombró director a Félix Lorenzo, con todo un nuevo equipo de redacción. Rafael Gasset se reservaba el derecho de publicar artículos con su firma cuando quisiera defender sus actividades políticas, la mayor parte de las cuales iba a criticar el propio periódico. Pero la publicación el 13 de junio del artículo de Ortega "Bajo el arco en ruina" analizando el movimiento de las Juntas de Defensa del Arma de Infantería que había estallado en Barcelona el 1 de junio, y en el que su autor proclama el fin del sistema y la necesidad de convocar Cortes constituyentes, fue considerado por Rafael Gasset como ataque a la Monarquía, y decidió romper los pactos establecidos con La Papelera aprovechando que Ricardo Gasset no había registrado aún las escrituras. Esta medida motivó la salida de Félix Lorenzo y gran parte de la redacción, y del propio Ortega, que se identificaba con la nueva línea patrocinada por Urgoiti, rompiendo así definitivamente los escasos lazos familiares que guardaba con los Gasset y abandonando el que había sido su periódico y donde había publicado hasta entonces todos sus artículos. *El Imparcial* seguiría renqueando bajo la dirección de Ricardo Gasset unos años todavía [7]. Ortega incluyó después "Bajo el arco en ruina" en el libro *La Redención de las provincias y la decencia nacional*, como iniciación de esa segunda parte [8].

Las Juntas de Defensa, como bien sabe el lector, fue creada por un grupo de oficiales de Infantería en contra de unas medidas tomadas por el capitán general de Cataluña que consideraron vejatorias. Venían así a luchar contra el Gobierno —un gobierno débil presidido por García Prieto— que se vio obligado a dimitir, no pudiendo disolverlas y no queriendo reconocerlas. Ortega en su artículo comprende esa rebeldía como repulsa a la vieja política y subraya que «hace una semana que la forma de Gobierno ha cambiado en España. El poder eficiente reside en las Juntas de Defensa. Con un bello nombre clásico diremos que España vive bajo el gobierno de los hoplitas». Esa rebelión suscitó, en general, un optimismo que él comprendía pero no compartía, aunque demuestra que las Juntas están al final de un proceso de disgregación «sin poner en duda la honradez y la nobleza de las reivindicaciones del Ejército». Pero hay que evitar que otras clases sociales imiten al Ejército, y no deben por eso buscarse soluciones ficticias, o sea, satisfacer meramente esta o aquella urgencia militar. Y puesto que el Gobierno —ya está Dato en el poder— no puede hacerlo, Ortega pide «un poder transitorio más amplio que los existentes el 31 de mayo», o dicho de otro modo: pide «Cortes constituyentes».

Pienso que los dos, Rafael Gasset y Nicolás María Urgoiti, se alegraron del fracaso de su unión, porque ninguno se fiaba del otro en cuanto a cumplir la ideología del nuevo *Imparcial*. Gasset temía que ese nuevo periódico dificultase su política con el monarca, y Urgoiti sabía que le iban a poner trabas para sacar el periódico que él buscaba y cuya definición había plasmado en un «Programa del diario *El Sol* redactado por su fundador». Así que se puso con su energía tradicional a la tarea de sacar ese mismo año su diario. *El Sol* saldría en Madrid el 1 de diciembre de 1917. Su preparación había sido rápida pero cuidadosa.

Mariano de Cavia, que tantos años había sido redactor puntal de *El Imparcial*, se sumó a la aventura y fue el que escribió el primer editorial. Félix Lorenzo se reunía casi diariamente con Urgoiti para ir perfilando

---

[7] Ricardo Gasset fue un hombre cuya simpatía conquistó a todos los que le conocieron. Terminó su carrera política como ministro de Comunicaciones en 1936, en el gabinete de guerra que presidía Giral y tuvo que exiliarse unos años por ello.

[8] *La Redención de las provincias* comprende todos los artículos de Ortega sobre el tema de la gran reforma de la región que publicó en *El Sol* del 18 de noviembre de 1927 a febrero de 1928, aunque el último de ellos no vio la luz por la ofensiva contra Urgoiti.

el contenido y la estrategia del lanzamiento. Manuel Aznar, que se había consagrado como periodista con sus crónicas desde el frente de guerra europeo, asesoró también a don Nicolás, y un año después, a mediados de 1918, sustituiría a su director inicial. El periódico no hablaría de toros, ni de ningún suceso sensacionalista. Si hubiera alguna desgracia en el ruedo se daría en una pequeña sección que iba a titularse «La llamada fiesta nacional». Y como iba a ser un periódico eminentemente cultural, fueron eligiendo para las diversas secciones gente joven y preparada, como Lorenzo Luzuriaga, Luis Olariaga, Adolfo Salazar y otros que allí se consagraron.

Mi padre, desde que regresó anticipadamente de Zumaya, se reunía diariamente con Urgoiti, Lorenzo, Aznar y algún otro técnico, como los gerentes de Prensa Gráfica, imprenta controlada por La Papelera y donde se iba a tirar inicialmente el periódico. Luego se adquirirán los locales de la calle de Larra, donde pudieron instalarse las rotativas más modernas, con capacidad para imprimir 40.000 ejemplares la hora.

Y así un 6 de noviembre —según cuenta Urgoiti en su *Diario*— salía mi padre con él por la calle Mayor para contemplar el cartel anunciador del nuevo e inminente periódico: un gallo en pie sobre una bobina de papel dando su canto al sol naciente. Pocos días después se firmaban las escrituras de las dos nuevas sociedades independientes que se creaban: El Sol, C. A. para las publicaciones periódicas, y Tipográfica Renovación, propietaria de los talleres. La Papelera controlaba la mayoría del capital de ambas: en la primera, el capital de Urgoiti era muy pequeño.

Pero en todo ese periodo preparatorio no dejó Urgoiti de oír cantos de sirena ofreciéndole colaboración y tentaciones: por ejemplo, el 6 de julio recibió la visita de Luca de Tena diciéndole que estaba dispuesto a vender el *ABC* por seis millones de pesetas, oferta que Urgoiti rechazó.

Salido *El Sol*, se reunían todas las noches, en su sede de la calle de Larra, el fundador con el director, Félix Lorenzo, Ortega y los colaboradores más importantes. Era el «Olimpo», que los redactores de mesa veían con envidia.

Mariano de Cavia destacó en su editorial el espíritu de renovación —título que él había propuesto para el nuevo diario— y no de revolución que iba a inspirar al periódico. El diseño era nuevo en la prensa española, dividido en grandes secciones. Más adelante dedicaría planas enteras semanales a temas sociales —controladas por Lorenzo Luzuriaga—, biológicos —que estaban a cargo de Gonzalo Lafora— y otros capítulos de la cultura.

Con gran esfuerzo, Urgoiti había conseguido reunir el capital necesario entre particulares, algunos accionistas de La Papelera. La imprenta —Tipográfica Renovación— era propiedad entera de La Papelera.

El éxito, digamos intelectual, fue fulminante, pero no se correspondió con la venta, que alcanzó sólo los 28.000 ejemplares en el primer año y se estabilizó desde el año siguiente en unos 70.000. Lo curioso es que la venta en Madrid no pasaba del 20 por ciento, y el resto se vendía en provincias, un fenómeno contrario al habitual de la prensa madrileña, pero que le dio mayor resonancia nacional.

Al año de salir, empezó a fallar su director, Félix Lorenzo, y Urgoiti se vio obligado a sustituirle, aunque manteniéndole el sueldo y convirtiéndolo en un colaborador asiduo. Eran muy leídas sus «Cartas a *El Sol*», que firmaba con el seudónimo de *Heliófilo*. Le sustituyó Manuel Aznar, de quien ya dijimos que era bien estimado por su crónicas desde el frente de guerra europeo y que había colaborado con Urgoiti en la preparación del nuevo rotativo.

Con la venta escasa y la poca publicidad, las cuentas que había hecho Urgoiti no salían y se decidió a publicar un periódico de la noche —*La Voz*—, más popular, atendiendo mucho la «última hora» y donde las crónicas de toros ocupaban amplio espacio a cargo de un notable revistero que firmaba Corinto y Oro. Su director era Fabián Vidal, un periodista que se había dejado las uñas en el antiguo periódico *La Correspondencia de España*. *La Voz* fue un éxito fulminante y cada noche vendían los voceadores en Madrid casi 100.000 ejemplares, y otros tantos se vendían en provincias, por lo que pronto dio dinero a la empresa, compensándola así de las pérdidas de *El Sol*. Sus colaboradores, además, cobraban menos que las estimadas firmas del diario matutino, aunque alguno escribía en ambos periódicos, como Ramón. Quizá la estimación de mi padre por Urgoiti la expresó ejemplarmente en la carta que le dirigió el 17 de abril de 1919 y que transcribo íntegra, agradeciendo a su nieta, María Soledad Carrasco Urgoiti, el habérmela proporcionado.

Está escrita con motivo de la oferta que hizo don Antonio Maura a Urgoiti para formar parte de su Gobierno. Lleva membrete de «Calpe-Comité Directivo».

Jueves Santo
Sr. D. Nicolás Mª de Urgoiti

Mi querido amigo: Permítame deslizar en el paisaje ameno que le rodea la palabra efusiva de un amigo lejano. Va en ella mi cordial felicitación por el ofrecimiento que Maura le hizo de una cartera. Pocas veces como ésta es la exaltación a una cima social efecto automático del valor que a una persona reconocía tácitamente la comunidad.

Puede Ud. con toda justicia respirar sin reserva alguna la satisfacción que un hecho tan puro debe proporcionar. Un hombre del temple de Ud. no ve en ello un motivo de vanidad sino algo muy distinto que ignoran todos aquellos para quienes la vida es lo que venga y no una vigorosa trayectoria y una larga tarea preconcebida, a saber: la confirmación de que el camino seguido era un camino acertado. Al comienzo de su *Ética* dice bellamente Aristóteles: ¿Busca el arquero un blanco para sus flechas y no lo buscaremos para nuestras vidas? Es Ud., amigo mío, uno de los pocos hombres-arquero que he encontrado en nuestra España, uno de los pocos para quienes la vida es la elección de una noble meta y la aspiración grave, seria y continuada hacia ella. La satisfacción que ahora le llega es, no más, no menos, la del sagitario que ve su flecha vibrante hincada sobre el blanco.

Reservo, sin embargo, una más delicada, más íntima felicitación para el gesto negativo con que ha apartado Ud. de sí un honor que no era a la vez un deber.

Suyo, *Ortega.*

No es extraño que periodísticamente también saliera muy logrado *El Sol* porque, aparte de la experiencia que aportaron Mariano de Cavia, Félix Lorenzo y Manuel Aznar, también aconsejó el periodista, joven entonces, Corpus Barga, que sería uno de los mejores cronistas y corresponsales que ha tenido España. Y no sólo por la información que obtenía de primera mano, sino por la calidad de su prosa. «Durante mucho tiempo —ha dicho él mismo— no hice más que artículos cortos con asuntos largos». Siempre preocupado por el estilo: «¡Cuántos artículos míos hay con todos los párrafos de la misma longitud, es decir, las pausas musicales!».

Vivió en París desde 1914 a 1930, enviando sus crónicas a *El Sol* —que se titulaban "Reflejos de París"— pero haciendo frecuentes viajes a España para conocer a los nuevos valores y tomar el pulso a los viejos. La lista de sus entrevistados es ingente, tanto españoles como extranjeros, todos ellos nombres importantes que han quedado en la historia, grande o menuda. Durante la I Guerra Mundial entrevistó, por ejemplo, para la revista *España* a diversas personalidades francesas, como Rodin, Bergson, Honnotaux, etcétera [9]. Colaboró además con frecuencia en la *Revista de Occidente* desde su fundación en 1923, lo cual indica que mi padre lo estimaba mucho y le hizo intervenir en todos sus empeños editoriales. Lo conoció en 1913 y no dejó de tratarle

---

[9] Datos tomados del prólogo de Arturo Ramoneda a su edición de *Entrevistas, semblanzas y crónicas de Corpus Barga*, Pre-Textos, Valencia, 1992.

hasta 1936, en que la guerra los separó: Corpus quedó en Madrid hasta el final de la contienda y mi padre eligió el exilio desde 1936. Corpus acompañó a Machado a Collioure y se instaló de nuevo en Francia; en 1948 se fue con su familia a Lima para llegar a ser allí director de la Escuela de Periodismo de la Facultad de Letras, que él creó integramente.

A principios de 1930 *La Nación* de Buenos Aires envió a Corpus a que se ocupara de su agencia en Berlín. Victoria Ocampo, que se encontraba en París a punto de ir a Alemania, recibió una carta de mi padre diciéndole: «Lo mejor es que llames en Berlín a Corpus [...] Es excelente persona, inteligente y de mucha simpatía [...] Haz sobre todo que te presente a Paul Scheffer, del *Berliner Tageblatt*, antiguo amigo mío y uno de los hombres más inteligentes de Alemania».

Corpus Barga escribiría dos artículos sobre Ortega muy divertidos, que Ramoneda ha recogido en su compilación de *Crónicas literarias*: "Las siete vidas frustradas de Ortega y Gasset" y "Un aspecto de Ortega, el refractario".

Cuando volvió a Madrid, a principios de los años setenta, colaboró en la segunda época de la *Revista de Occidente* e iba algunas tardes por la tertulia que habíamos organizado en Bárbara de Braganza. Guardaba aún el encanto del deje andaluz de un nacido en Belalcázar, y toda su inteligencia.

En 1973 publicamos en Alianza sus memorias literarias, que tituló *Los pasos contados*, muestra, según dijo Laín, «de uno de los grandes prosistas de nuestro siglo XX».

El segundo tomo de *El Espectador*, que mi padre pensaba lanzar a finales de 1916, no pudo salir hasta el mes de mayo del año siguiente pues el viaje a la Argentina alteró, naturalmente, todos sus planes. Por eso puso en sus primeras páginas unas «Palabras a los suscriptores». Les cuenta que desde hacía años sentía el afán de ir a América, «una como inquietud orientada, de índole pareja al nisus migratorio que empuja periódicamente las aves de Norte a Sur». Europa tenía una vida menguante y deseaba ir hacia nuevos contornos de vida ascendente. Pero cree que este viaje precipitado, y no por culpa suya, le ha compensado porque ha conocido las tierras del Plata y «*El Espectador* será en lo sucesivo tan argentino como español», y aconseja tanto a los escritores argentinos como a los españoles que miren en grande su lengua común y abandonen «emociones y pensamientos de aldea». Por eso puede terminar con estas palabras, ahuecando la voz: «En las páginas de *El Espectador* no se pone el sol».

Si me pidieran que eligiera los ensayos más interesantes de este nuevo volumen señalaría el que titula "Democracia morbosa", donde quiere advertirnos del peligro de aplicar la democracia, plena y óptima como norma del derecho político, a otros campos como la religión o el arte, el pensamiento y el gesto o el corazón, que la convierten en «el más peligroso morbo que puede padecer una sociedad». Eso lleva al plebeyismo y a lo que Nietzsche llamaba el resentimiento y la total inversión de los valores. «Vivimos rodeados —dice— de gentes que no se estiman a sí mismos, y casi siempre con razón. Quisieran los tales que a toda prisa fuese decretada la igualdad entre los hombres; la igualdad ante la ley no les basta: ambicionan la declaración de que todos los hombres somos iguales en talento, sensibilidad, delicadeza y altura cordial».

Aconsejaría también al lector que leyese el ensayo "Muerte y resurrección". En él cita por vez primera al biólogo Von Uexküll, cuyas ideas sobre el sujeto y su entorno iban a confirmar a Ortega en su idea del hombre y su circunstancia. Lo había leído en alemán, pero años más tarde —en 1921— lo publicaría en castellano en la colección que dirigiría en Calpe. Estaba meditado en El Escorial durante una fiesta de Resurrección, «un día de comienzos de abril, que es en el Guadarrama tiempo muy revuelto» y «hay en El Escorial un tremendo ser que sojuzga por entero el contorno. Es el viento, el viento indomable que baja de la Merinera, allá en lo alto». Y Ortega se acuerda de que siempre ha sido el viento para el hombre símbolo de la divinidad: «En la Biblia suele Dios presentarse bajo la especie de un vendaval, y Ariel, el ángel de las ideas, camina precedido de ráfagas». Pero Ortega penetra en las salas capitulares del monasterio y se encuentra el *San Mauricio* de El Greco. Él llama a este cuadro *La invitación a la muerte* y «en la mano de San Mauricio, que vibra persuasiva, en tanto que sus palabras convencen a sus amigos de que deben morir, encuentro resumido todo un tratado de ética». «Para ascender a sí mismo, para ser fiel a sí mismo, necesita volcarse íntegro en la muerte. Siempre en la voluntad de morir se busca una resurrección». Ortega recuerda entonces la impresión que le produjo subir al estudio de Zuloaga en París, en el último piso de una casa de la calle Caulaincourt, y encontrarse allí con el *Apocalipsis* de El Greco, un cuadro que encontró Zuloaga en sus correrías por el fondo de Castilla. Ante él sintió «con pavorosa proximidad, el tema más sencillo y más profundo de la pintura: un poco de materia puesta a arder».

Dejo el ensayo sobre Azorín, "Primores de lo vulgar" porque ya hablé de él al tratar de su amistad con mi padre, pero me detengo en el ensayo final sobre «El genio de la guerra y la guerra alemana», donde analiza el libro que ha publicado, dos años antes, Max Scheler con ese mismo título. Estima muy a fondo a este espíritu selecto, pero le discute los lugares comunes en que cae.

En esos días de 1917 Alemania había declarado la guerra submarina y precisamente el hundimiento de un barco norteamericano había hecho que, como ya pensaban, los Estados Unidos entraran en la guerra europea. Un hecho decisivo que cambiaría la suerte de la contienda.

## SUS AMIGOS MÉDICOS

Los médicos de la generación de Ortega estaban dando un vuelco no sólo al progreso de su ciencia y de las aplicaciones de los nuevos productos sino al concepto mismo de su oficio. El médico no era ya un simple consultor sino un verdadero investigador que buscaba las causas de las enfermedades y que descubría las nuevas que respondían a unos mismos síntomas. Esos nuevos médicos, que pronto irían alcanzando renombre personal —Gregorio Marañón es el paradigma—, eran además gente humanista interesada por los hechos de la cultura y que han dejado una larga lista de muy estimables libros y publicaciones.

No es, pues, extraño que mi padre se acercase a ellos y que varios formaran parte del círculo de sus mejores amigos. A esto añadimos que la salud de mi padre fue siempre precaria —cólicos hepáticos, la vesícula y una oscilación vagotónica de su ánimo, que pasaba a veces de la euforia a la depresión pasajera— y le obligaba a consultar a esos médicos que nunca le negaban la posibilidad de un fármaco nuevo que iba a curar sus dolencias. Mi padre lo tomaba unos días con fe, aunque la mayoría acababan en el armario, que mi madre vaciaba todos los años. Debo añadir que mi padre no renunció nunca al café —algo menos frecuente, cierto, que Balzac— ni al tabaco, que fumaba incansablemente y que fue con el tiempo la causa de su muerte. Fumaba tabaco negro de picadura en unos mazos que encargaba en el estanco de mi abuela. Luego se aficionó al tabaco rubio y, cuando vivió en Lisboa, fumaba los pitillos «Melachrinos» que eran de tabaco negro con alguna brizna de turco.

Era muy poco bebedor de vino y de destilados, aunque en su última estancia en Buenos Aires se aficionó a tomar un whisky, al ponerse el sol, como debe ser. Las aguas minerales las consumía abundantemente, particularmente el agua gallega de Cabreiroá, que le aconsejaban para el hígado.

Pero no fue sólo la amistad ni el buscar consejos médicos lo que acercó a mi padre a la medicina. Existía también el interés, dentro de su hambre voraz por todo lo que ha hecho el ser humano en la tierra, por los avances de esta ciencia tan especial, salvadora tantas veces. Por eso seguía los pasos de aquel malogrado doctor, Nicolás Achúcarro, que murió antes de desarrollar toda la experiencia profesional que llevaba dentro. El 16 de abril de 1918 Ortega le dedicaba una necrología en *El Sol* que llevaba por título "Una pérdida nacional: Nicolás Achúcarro":

«Ayer en *El Liberal* hace el doctor Marañón una conmovida y certera semblanza del egregio espíritu, del hombre encantador que se nos ha ido por la muerte, como tantas veces le hemos visto irse por una de estas calles madrileñas, el amplio abrigo flotando al viento, unos folletos bajo el brazo, los lentes reverberantes de inteligencia y la sonrisa, siempre altiva, sobre el noble rostro de un hombre del Norte. El doctor Marañón no puede reprimir una dolorida sospecha: la de que se aleja sin que España vislumbre cuánto pierde con su irremediable ausencia [...] Nicolás Achúcarro me parecía uno de los diez o doce españoles de más alta calidad intelectual» [10].

En una carta del 1931 a Urgoiti, alegrándose de su mejoría, le dice: «Su enfermedad es una crisis que, con uno y otro grado de intensidad, sufrimos todos los hombres que no coincidimos con el medio en que vivimos. No hay que darle vueltas: hay individuos cuya relación constitutiva con el contorno social es de estar flotando en él, de ser llevados por él. Pero hay otros cuya sensación vital casi permanente, o por lo menos con frecuencia renovada, es la de sumergirse en él por no ensamblar con casi nada y con casi nadie».

Así nació la amistad entre mi padre y algunos médicos como Gregorio Marañón, Teófilo Hernando, José Sacristán, Gustavo Lafora y Gustavo Pittaluga, de los que voy a hacer breves semblanzas. A todos les conocí y les recuerdo con afecto.

### Gregorio Marañón

Fue un gran acierto de Alfredo Juderías, compilador de las *Obras completas* del doctor Marañón, dedicar las mil páginas largas del tomo primero a reunir los prólogos que puso don Gregorio a numerosos libros a lo largo de su vida. Su lectura seguida nos hace ver que no se trata de escritos de compromiso para cumplir con el autor amigo o pedigüeño, sino que son el pretexto ideal para hacer con ellos mínimos ensayos sobre multitud de temas que le importaban, sin que pudiera esperar de su vida, tan apretada, el regalo de una cantidad razonable de tiempo libre para desarrollarlos con morosidad. En ocasiones, además, nos dan noticia de sus tribulaciones personales, como el prólogo a su traducción de la biografía de *El Empecinado,* de Hardmann, que escribió durante su estancia en la cárcel madrileña, en 1926, durante la dictadura, «buscando un esparcimiento en las largas horas en que he gustado la áspera bienaventuranza de sufrir por la justicia». «Yo suelo compa-

---

[10] *Obras completas,* tomo III, pág. 28.

rar los prólogos —dice en el *Breve prólogo sobre mis prólogos,* una especie de media verónica literaria con que remata la suerte de esos prefacios— a esa esterilla que se coloca a la entrada de las casas, que cumple un papel auténtico, dejar en ella el barro de la calle; el simbólico, preparar el espíritu, en los segundos que dura la planta fricción, para un hecho siempre trascendente, que es deslizarse del mundo exterior y recogerse en el ambiente cerrado donde nos espera una vida distinta». No hace falta siquiera ser entendido en la materia del libro, «porque es justamente el que no sabe el único que puede enseñar ese importante lado de la verdad que sólo ven los que no la conocen». Y más que hablar del libro mismo andan esos prólogos en torno a él, demostrando —y por eso señalo esta obra suya, en definitiva menor— la omnímoda curiosidad intelectual, a la par que la profunda generosidad de este hombre extraordinario que nació en Madrid el 19 de mayo de 1887.

No fueron sólo su talento, su saber, su responsabilidad social y ética los que dieron forma a esa egregia personalidad. También su época, en la que se despertaron o se hundieron tantas cosas importantes, le proporcionó tiempo y distancia para desarrollarla. El espacio se percibe en tiempo, y el tiempo, en espacio, y el cambio es la manifestación de la existencia de uno y otro. El mundo de Marañón fue de acelerados y sustanciales cambios. El que ahora vivimos es bien distinto: más estrecho precisamente porque todo está más cerca, habitado por gentes con poco tiempo, tan hacinadas que no dan lugar para que vuelvan a surgir figuras como las de Marañón y otros grandes españoles de su tiempo. Aunque no fueron héroes ni semidioses, sino simplemente los mejores, ya Sciascia —el radical Sciascia— nos ha advertido del peligro: «Parece, como mínimo, grotesca la teoría de que un pueblo puede, o incluso debe, no tener en cuenta a los héroes. Al contrario, me parece que el crepúsculo de los semidioses, actualmente, ha sido fatal para la sensibilidad pública. Me gustaría mucho que nacieran nuevos héroes, por ejemplo en la ciencia [...] Cultos y heréticos».

¿Por qué Marañón se dedicó a la medicina? Nada ha dicho él mismo de la cuestión, en esos raros momentos en que se permite aparecer en sus propias páginas. Su niñez, muerta muy joven su madre, transcurrió junto a su padre, don Manuel Marañón y Gómez-Acebo, un jurista notable, amigo de Galdós, de Pereda, de Menéndez Pelayo, con quienes coincidían, padre e hijo, durante sus largos veraneos santanderinos. Marañón niño asistía, con fervor y en tímido silencio, a la tertulia de aquellos escritores, tan distanciados ideológicamente, de los que aprendió «la gran lección de la tolerancia», de la que sería después denodado practicante. ¿Por qué no tomó el camino familiar de las leyes? Para Marañón la vocación despierta tarde, incluso después de tener que elegir la carrera o la profesión: «Decide nuestro porvenir el consejo de cualquiera o la simple imitación de un amigo, o la tradición familiar o cualquier otro motivo no menos impregnado de azar». Pedro Laín, en la rauda y exacta biografía que encabeza las citadas *Obras completas*, sugiere —y me parece una visión certera— que «acaso fuese la instancia decisiva el prestigio del médico en la literatura del siglo XIX», que tan a fondo había leído Marañón en su adolescencia. En todo caso, no me cabe duda alguna de que, desde joven, allá en el hondón de su alma, estaban juntas dos vocaciones: la de médico y la de escritor, la *praxis* y la *theoria*.

Yo me encontré con el Marañón escritor, de joven, al leer su ensayo sobre el hombre pez en el número de la *Revista de Occidente* de noviembre de 1933. Claro está que la familia Marañón y la familia Ortega manteníamos, a todos los niveles de edad, una amistad cordial y un trato frecuente. En su domicilio de Serrano 43 —dos casas más allá de la nuestra— se reunía la «redacción» de aquella revista *Juventud* que, dirigida por Gregorio hijo, nos divertíamos en hacer, entre ingenuos y pedantes, los hijos de algunos famosos escritores de entonces. Don Gregorio solía asomarse al cuarto de la redacción, para orearse un rato de los pacientes que esperaban en la sala, y nos daba ánimo e ideas. La leyenda del hombre pez, un hombre que podía estar sumergido en el agua indefinidamente y nadar sin reposo, la recogió el padre Feijoo de la historia del *peje* Nicolás y, la más cercana a él, de Francisco Vega, el nadador de Liérganes, cubierto de escamas. Marañón, que tanta admiración profesaba al ilustre monje, al que dedicó uno de sus libros más famosos *(Las ideas biológicas del padre Feijoo)*, corrigió aquí la excesiva credulidad de Feijoo. «Verosímilmente, Francisco Vega», explicó, «era un cretino, casi mudo, y los cretinos, por su escasa función tiroidea, consumen menos oxígeno; nadaba con pericia y resistencia extraordinarias y se sumergía mucho más tiempo que los muchachos de su edad». No excluye la ciencia, como es sabido, que el hombre proceda del pez que se quedó varado en la playa al elevarse los continentes. Un pez que sería muy inteligente y nada cretino, aunque a veces algunos de sus descendientes humanos lo parezcan. Como médico tuvo ideas sutiles, como la de que «a veces un cierto grado de enfermedad es el único modo de prolongar la vida. En otras palabras, que hay enfermedades respetables, es decir, enfermedades que, con toda cautela y medida, se deben mantener». Practicó, como aconsejaban los antiguos —y observa Laín—, la bondad como fundamento de su arte de curar, y supo ser maestro de una escuela perdurable. Como político, de temple liberal, hizo siempre lo que debía hacer, aunque le repugnara la política, y como escritor fue acendrando su pluma, día a día, hasta culminar en ese maravilloso *Elogio y nostalgia de Toledo*. ¡Toledo y Marañón! «En uno de sus cigarrales», escribía en Madrid en las horas terribles del verano de 1936, «han transcurrido mis horas mejores, las más fecundas de estos catorce años, de

1922 a 1936, los más sobresaltados de la historia de España. Allí están escritos todos mis libros, en su paz transida de pasado y de pensamiento, que es pasado y futuro». Era el cigarral de Menores, al que ese día quería «dedicar a su sencilla historia unas páginas mientras llega de allá lejos un eco remoto de guerra, y con él, la duda de si lo volveré a ver».

Acudí varias veces a su piso de la rue Georges Ville, en su exilio de París —que coincidió con el de mi padre—, donde pudo ejercer su profesión por ser doctor *honoris causa* de la Sorbona. Por su casa pasaba gente de muy diferentes pelajes, amigos y enfermos, españoles y suramericanos, muchos de los cuales iban a husmear qué noticias tenía don Gregorio, hombre siempre muy bien informado. A él debe la familia Ortega que no muriese mi padre en 1938 de una obstrucción de colédoco. Su estado general era tan malo que el doctor Gosset, el gran cirujano que había llevado Marañón, no se atrevía a operarle. Y sólo se decidió cuando don Gregorio le dijo: «¡Adelante! ¡Usted no sabe lo que es un celtíbero!».

Cuando murió don Gregorio, en Madrid, su esposa, Lola —Dolores Moya—, piedra angular de su vida, sin la cual ésta no puede explicarse, nos dejó entrar a Simone, mi mujer, y a mí en la habitación mortuoria. Aún estaba en el lecho y parecía dormir en gran sosiego, la cara serena. Lola, mirándole, dijo a media voz: «¡Gregorio, qué guapo eres!». No conozco pensamiento más hermoso de una mujer en la muerte del hombre de su vida.

*Teófilo Hernando*

Teófilo Hernando —don Teófilo para todos— era sólo dos años mayor que mi padre y fue el médico y amigo en quien tuvo mayor confianza. Había nacido en 1881 en el pueblecito segoviano de Torreadrada donde su padre ejercía de médico rural. Heredó el interés paterno por la medicina y podía haber seguido el modesto oficio rural de su padre si no fuera porque le entusiasmaron los avances de la ciencia médica en tiempos de su juventud, estudiando la carrera en el hospital madrileño de San Carlos, donde tuvo maestros como Cajal, Oloriz, Sañudo y San Martín. El año 1907 obtenía su doctorado y ganó por oposición plaza en la Beneficencia Municipal de médico forense y de profesor auxiliar de Terapéutica y Medicina legal. Descubría en ella, todavía anticuada y que oficialmente se llamaba «arte de recetar», un horizonte de perfeccionamiento, sobre todo después de sus estudios en Estrasburgo en 1911 con el entonces as de la farmacología moderna, Schmieleberg. Al año siguiente ganaba en propiedad la cátedra de Terapéutica de la Facultad de Medicina de Madrid.

Pero sin dejar de dominar las virtudes de los medicamentos y perseguir en su laboratorio la aplicación, Hernando se especializó en gastroenterología y fue una de las máximas figuras españolas en esta rama, alguien con el que había que contar en todos los casos difíciles. Esto le supuso un aumento en sus ingresos profesionales, aunque él decía en broma que el médico es simplemente «un atento observador de la naturaleza humana». Era, en efecto, un hombre divertido, de observaciones y recuerdos graciosos. No me olvido de su relato de cómo presidiendo él un tribunal de exámenes, al preguntarle a una alumna para qué servía la cantárida, la chica, titubeando, contestó: «Se creía que para aumentar la potencia sexual pero desgraciadamente no es así».

El *Manual de Medicina* que publicó con su amigo Marañón fue durante muchos años la fuente de información más al día y clara que tuvieron a su alcance los médicos españoles e hispanoamericanos. Además publicó estudios sobre su paisano, el doctor Andrés Laguna, famoso médico del siglo XVI.

Hombre de ideas liberales, aunque no participó directamente en política, recibió con alegría la venida de la Segunda República; entusiasmo que se fue enfriando con las medidas demagógicas que fueron tomando sus últimos gobiernos. En 1936 se exilió a París y no volvió a la España nacional hasta 1941, gracias a las gestiones de su discípulo Gutiérrez Arrese que, por su matrimonio sevillano, trató como médico al general Queipo de Llano. Los franquistas no le devolvieron su cátedra hasta su jubilación, en 1951.

En París compartió su exilio con mi padre. Aparece en una foto, junto a Marañón, despidiendo a Ortega en la estación del Quai d'Orsay cuando mi padre trasladó su exilio de Francia a la Argentina, como veremos, para no estar cuando llegaran los alemanes, como se esperaba pocos meses después de iniciada la II Guerra Mundial.

A sus ochenta años, los de la tertulia de la *Revista de Occidente* le dimos un banquete en Lhardy. Siento no haber guardado las cosas galanas que contó a los postres.

Murió en Madrid, a los noventa y cinco años, en 1976. Nunca perdió la cabeza. Laín lo definió muy bien: «Varón acólico, hombre sin hiel».

## *José Sacristán*

No sé cuándo se conocieron el doctor Sacristán y mi padre, pero debió de ser muy tempranamente porque yo, de niño, iba a jugar con sus hijos. Vivía en la calle Serrano, muy cerca de nuestra casa que, esquina a Marqués de Villamejor, quedaba entre la de Marañón y la de

Sacristán. Como tantos de su generación —había nacido en Madrid en 1887— amplió sus estudios en Alemania hacia 1912 con los ases bioquímicos de Múnich, y después los remató en Madrid con Achúcarro. Pero su gran tarea fue la dirección del manicomio de mujeres de Ciempozuelos, de 1919 a 1936, y la del sanatorio psiquiátrico privado de Los Ángeles.

Era un hombre elegante, de buena facha, curioso de todo y al tiempo de una gran timidez en sus relaciones con los demás. Mi padre cobró por él una gran simpatía y lo incorporó a su tertulia de la *Revista de Occidente,* adonde acudía puntualmente todas las tardes. Yo heredé esa presencia suya en la posguerra, cuando las autoridades franquistas le habían destituido de la dirección de ambos manicomios. Era muy culto, y contaba los usos y abusos de ese periodo triste de nuestra historia con ironía y cierta causticidad, sobre todo cuando hablaba de sus colegas Vallejo-Nájera y López Ibor, los dos psiquiatras entonces con el mando. A la hora del aperitivo acudía a Lhardy para tomar su caldito o su jerez, donde se le reservaba el único sillón que había en aquella tertulia de pie.

Aunque tenía algún cliente privado —que, como él decía, muchos «se hacían los locos para no pagar la minuta»—, no andaba bien de dinero y yo le proporcioné algunas traducciones para las Ediciones de la Revista. Dominaba el alemán, pero la *Psicología* de Messer —al que llamaba «el señor Cuchillo»— le supuso algunos tártagos.

Cuando su admirado Lafora proyectó su revista *Archivos de Neurobiología,* convenció a mi padre para formar parte de su comité directivo. La primera época de esta revista duró hasta 1936, y sólo se pudo reanudar en los años ochenta gracias al esfuerzo de su hijo Víctor y de algunos de sus discípulos más afines.

Cuando volvió mi padre por Madrid, en el año 1945, se le alegraron las pajarillas, pero su muerte en 1955 le afectó mucho. Con Ortega se iba definitivamente su mundo, y dos años después, en 1957, fallecía en Madrid el doctor Sacristán.

*Gustavo Lafora*

La amistad entre dos personas viene por caminos y motivos muy diversos. La que se estableció entre el doctor Lafora y mi padre no nació por la recíproca admiración hacia sus respectivas labores —Ortega en filosofía y literatura, Lafora en psiquiatría y todo el apasionante mundo del cerebro—, sino a veces por coincidir en personales aficiones. Así pienso que esa amistad, sincera pero nunca demasiado frecuentada, nació del mutuo entusiasmo por el campo español, por los rincones de nuestro país y por el arte como expresión del fondo del alma de las gentes de cada centuria. Los separaba el mundo de las antigüedades, una pasión para Lafora que le hizo llenar su casa de piezas valiosas, y a la cual mi padre prestaba muy poca atención.

Lafora había nacido en Madrid el 25 de abril de 1886. Quedó huérfano de padre a los seis años de edad, en que padeció una poliomielitis a consecuencia de la cual toda su vida marchaba mal, necesitado de bastón y obligado a reponer su salud con largas estancias en la costa mediterránea. Desde pequeño tuvo una gran disposición para el dibujo, lo que le llevó a pensar, en su mocedad, en dedicarse a la pintura. Pero se decidió por la medicina, que estudió en San Carlos y el curso especial de Medinaveitia fue muy importante para su vocación, y después, como todos los despiertos de su generación, amplió estudios en Alemania y en Washington, donde le animó su malogrado colega Achúcarro.

Cuando volvió a España hacia 1916, colaboró en el semanario *España* que había lanzado Ortega y conecta con la Residencia de Estudiantes, donde Jiménez Fraud le hace director de su laboratorio de Fisiología. Sus publicaciones para técnicos y sus artículos en *El Sol* poniendo al día a sus lectores de los avances de su ciencia, le sitúan rápidamente en la vanguardia de los psiquiatras españoles, y puede decirse que entre 1924 y 1930 consagrase su pleno éxito profesional. Como ha señalado su discípulo Luis Valenciano en la espléndida biografía de su maestro, «su consulta privada era cada vez más nutrida, casi agobiante», porque además, «se prolongaba hasta las 8 o las 9 de la noche [...] y fuera cualquiera el número de enfermos citados, se demoraba mucho tiempo con un paciente, trastornando la marcha de la consulta»[11]; y con ello, pienso yo, la organización de la vida familiar. Entre sus pacientes —recuerda Valenciano— tuvo a gente conocida, como Juan Ramón, Azaña, Urgoiti, Valle-Inclán, Regoyos y otros. Ese demorarse lo tenía también en los viajes, parándose en los pueblos de su ruta para ver esta o aquella iglesia, lo que desesperaba a su esposa y a sus hijos, que nunca sabían cuándo iban a llegar al lugar de destino.

Solía asistir, cuando podía, a la tertulia de la *Revista de Occidente* y, aficionado al automóvil, hizo alguna excursión con mi padre a perdidos rincones de nuestra tierra profunda.

La guerra española le obligó a exiliarse en México —donde había sido invitado por sus colegas de allá con gran respeto— y permaneció en la capital azteca más de nueve años, olvidándose a veces —como recuerda Valenciano— de enviar dinero a su familia, que había quedado

---

[11] Luis Valenciano Gaya: *El doctor Lafora y su época*, Morata, Madrid, 1977.

en España. Volvió en 1947 y reanudó su consulta, pero no le dejaron reanudar sus queridos *Archivos de Neurobiología*. Fue longevo: murió en Madrid en 1971, a los ochenta y cinco años de edad. Meses antes escribía a su mencionado discípulo una carta en la que manifestaba esto: «La tremenda soledad de la senectud renqueante, el problema moral más grande de la poesía española. El barco va hundiéndose poco a poco sin remedio posible».

## Gustavo Pittaluga

Tengo oído de pequeño que el doctor Pittaluga vino a España como representante y divulgador de un producto farmacéutico italiano. Pronto revalidaría su carrera en nuestro país y se convertiría en uno de sus más estimados profesionales. El desarrollo teórico y práctico de la hematología española le debe mucho, y sus estudios sobre el sistema retículo endotelial fueron en su momento una novedad científica considerable. Contrajo matrimonio con María Victoria Huertas, de familia madrileña conocida, y tuvieron tres hijos —Gustavo, Mario y Carlos—, muy amigos nuestros, que no dejaron de darle alegrías y disgustos.

Vivía en una casa de cuatro pisos —que se conserva todavía sin gran variación— en la calle Blanca de Navarra 4, en el barrio elegante de Argensola. El sótano estaba dedicado a laboratorio, el primero, a recepción, el segundo, a las habitaciones del matrimonio y a las salas de pacientes, el tercero era para sus hijos y en el último vivía el servicio y estaba el cuarto de plancha. Era una casa divertida, con amplias mesetas en cada piso, donde Carlos y yo jugábamos y zascandileábamos y los mayores daban sus bailes con bellas invitadas. El mayor, Gustavo, sería un valioso compositor, discípulo de Óscar Esplá y formó parte del llamado «grupo de los ocho», que reunía a los compositores de aquella generación, cuyas obras siguen aún vivas. *La romería de los cornudos*, por ejemplo, de Gustavo Pittaluga, se sigue tocando con frecuencia en conciertos sinfónicos. Mi hermano Miguel era amigo y compañero en la Facultad de Medicina de Mario, un hombre muy inteligente, que con la guerra tuvo que exiliarse y murió trágicamente con un ataque de *delírium trémens*. Mi amigo Carlos —que era un gran inventor de greguerías— no supo dominar su exilio en México y tuvo que acudir, de cuando en cuando, a algo parecido al sablazo entre los emigrados, según me ha contado alguno.

Don Gustavo emigró a Cuba, donde tuvo que hacer de nuevo su carrera de medicina porque no admitían las autoridades cubanas la reválida. Con la lamentable casualidad de que uno de los textos que manejaban los alumnos cubanos era del profesor español Gustavo Pittaluga.

Mas antes de la guerra civil, el doctor Pittaluga supo estar activo y presente en el grupo de los intelectuales liberales, como mi padre. Colaboró en *El Sol,* y con el poder social que entonces tenían los médicos supo moverse con soltura tanto en los círculos republicanos como entre gente de cierta alcurnia. Ya vimos que fue un buen consejero de Urgoiti, animándole a crear el Instituto Ibys. Era buen escritor y su libro más literario, *El vicio, la voluntad y la ironía,* se publicó en las Ediciones de la Revista de Occidente, a cuya tertulia acudía con frecuencia.

Murió en La Habana, donde veía de cuando en cuando a Zenobia y Juan Ramón, triste y abandonado, como tantos seres a quienes la guerra truncó su vida sin remedio.

## LA FUNDACIÓN DE CALPE

Casi al mismo tiempo que su proyecto de hacer un gran periódico, Urgoiti albergaba el deseo de crear también una editorial a la altura del tiempo. Había estudiado el mercado del libro y veía que las editoriales españolas contaban con muy escasos capitales y una organización demasiado elemental, frente a editoriales extranjeras potentes que estaban ocupando el comercio del libro español, incluso en la propia España. Su amigo Gallach, que había creado en Barcelona una de las pocas editoriales con cierto ímpetu y originalidad —fue la primera en publicar enciclopedias por fascículos— le confirmó con precisión estas perspectivas y se entusiasmó con las intenciones de Urgoiti de hacer una gran editorial.

Había además otras razones que podían favorecer a La Papelera. La producción nacional de papel —casi toda ya agrupada en torno a La Papelera— era en 1917 de unas 30.000 toneladas, de las cuales un tercio era el papel de periódico. Pero este papel era el que dejaba menores beneficios y convenía diversificar más los tipos de papeles para libros. La idea de Urgoiti era que quedara sólo la fábrica de Rentería para papel prensa.

Todas estas ideas y ese análisis del mercado convencieron a los consejeros de La Papelera y el 1 de junio de 1918 quedó constituida C.A.L.P.E., acrónimo de Compañía Anónima de Libros, Publicaciones y Ediciones. El capital social se fijó en 12 millones de pesetas, de los que se pensaba desembolsar sólo 6, la mitad cubierta por La Papelera y la otra mitad por accionistas privados que lo eran ya de aquélla. La idea de Urgoiti era que Calpe abarcase desde los talleres de imprenta hasta grandes librerías, porque las librerías existentes, no obstante la calidad personal de los libreros, eran pequeñas y con pocos medios. En realidad, la única gran librería que se creó fue La Casa del Libro, en la Gran Vía, que aún sigue allí con sus grandes escaparates.

El consejo de administración de la nueva sociedad lo presidía el conde de Aresti, que lo era ya de La Papelera. Urgoiti ocupaba la presidencia del comité directivo que —consciente, igual que en El Sol, de la necesidad de contar con los mejores valores de la cultura española para tener éxito—, se creaba al tiempo, formando parte de él José Ortega y Gasset, don Ramón Menéndez Pidal y algún otro intelectual de prestigio, entreverados con importantes accionistas de la propia Papelera, como Serapio Huici. El director gerente era José Gallach.

Mi padre apoyó con entusiasmo esta iniciativa de Urgoiti, y Calpe fue para él, desde su creación, una de sus mayores dedicaciones. El formar parte del consejo directivo le proporcionó además unos ingresos inesperados que ahormaron un poco la tenuidad de su vida económica. Personalmente dirigió la Biblioteca de Ideas del siglo XX, que se inició con la traducción del famoso libro de Spengler La decadencia de Occidente.

La Colección Universal, que pronto, como vimos, dirigió García Morente, era la primera colección de bolsillo que nacía en España. Constituyó uno de los éxitos notables de la editorial y serviría para atraer suscriptores a El Sol, que la ofrecía con un descuento especial. Esto motivaría protestas virulentas del ABC y El Liberal, que lograron una Real Orden del Gobierno Dato prohibiendo esa combinación. Se inició también la Biblioteca Contemporánea, que regentaba Luis Bello; de geografía humana y geografía física, a cargo de Dantín Cereceda; la pedagógica, dirigida por Lorenzo Luzuriaga; la de ingeniería, química y electricidad, llevada por el gran ingeniero y matemático Esteban Terradas; y una sección de medicina y biología que presidía la figura ya venerable de Ramón y Cajal. Mi padre fue el captor de muchos de esos directores de colección. Por ejemplo, en carta a don Nicolás de fecha 2 de julio de 1918, le comunica desde Madrid: «Hablé ayer con Dantín Cereceda. Acepta la dirección de nuestras producciones geográficas. En septiembre entregará un plan completo de Guías Regionales; antes, una breve nota sobre el circuito territorial que conviene incluir en la de Valencia; por si conviene dar desde luego algunos pasos de carácter administrativo en aquella comarca, le he pedido que anticipe eso. Pensará, en correspondencia conmigo, la lista de obras de "Viajes y relaciones etnográficas"». Avisa también a Urgoiti de que Menéndez Pidal «sé que se ocupa en el proyecto de edificación del Diccionario»; y un mes después —en carta desde Zumaya del 27 de agosto de 1918— le confirma: «Adjuntas van la carta y las cuartillas donde Menéndez Pidal hace su primer esbozo del plan para el Diccionario. Como Ud. ve, es de enorme interés. Las indicaciones con que piensa completar la definición de cada palabra darán a la obra un carácter de guía y norma para el habla que contribuirá mucho a la expansión del libro. La recibí ayer y al punto escribí a M. Pidal pidiéndole noticia sobre el único punto, para nuestros estudios, esencial, que ha olvidado: probable tamaño que exigiría el Diccionario. Con ese dato podremos inmediatamente hacer un primer dibujo de presupuesto»[12]. El *Diccionario de la Lengua Española* sería, como sabemos, uno de los grandes éxitos de venta de la editorial.

Sin embargo Urgoiti había calculado demasiado por alto la capacidad del mercado —el de Hispanoamérica era por entonces incipiente—; los edificios y talleres costaron más de lo pensado, y todo ello motivó que Calpe estuviera en números rojos mucho tiempo, siendo su principal acreedor La Papelera, lo cual traería conflictos graves a Urgoiti. Hubo intentos de unión con Saturnino Calleja, que fracasaron, y sólo la unión con Espasa —creador de la magna enciclopedia— acabó por arreglar la situación al constituirse en 1922 la empresa Espasa-Calpe, S. A.

Mi padre, por su sangre de periodista, gustaba de estar bien informado de todo y, claro, especialmente de la guerra europea. Pero era muy difícil, y aunque Manuel Aznar, que había estado de corresponsal en el frente francés, le orientase sobre las noticias que llegaban, la incógnita sobre quién triunfaría seguía estando en el aire. Pétain había puesto orden en el desmoralizado ejército francés y cuando el mariscal Foch fue nombrado generalísimo de los ejércitos aliados, incluidos los batallones norteamericanos que iban desembarcando en Francia en número creciente, la situación se volvió en contra de los alemanes. Éstos habían intentado aprovecharse de la desaparición del frente ruso y el asesinato del zar, trasladando tropas al frente occidental. Ludendorff intentó con ellas, por cuatro veces, ofensivas potentes —entre ellas la sangrienta de Yprés— pero no lograron su objetivo por la movilidad que tenía en su mano Foch para trasladar tropas de un punto a otro. Además, la acción de los submarinos no dio el fruto esperado y no impidió la creciente oleada de soldados norteamericanos que llegaban a Inglaterra y a Francia.

Por eso, y cuando el frente de guerra europeo estaba más estabilizado, sorprendió que los Imperios centrales pidiesen la paz en los primeros días del mes de octubre. *El Sol* del 7 de octubre traía a cinco columnas la noticia, y un suelto, sin firma pero escrito por Ortega, que se titulaba "La paz y España: esta hora suprema nos encuentra desprevenidos".

---

[12] Cartas que me ha suministrado su nieta Marisol Carrasco Urgoiti, que conserva una encomiable y justificada admiración por su abuelo don Nicolás.

«Alemania, Austria y Turquía —comienza diciendo— piden la paz. Sea cualquiera el resultado próximo de este hecho, quiere decir que, en uno y otro grado, la paz está ahí; sobre la línea del horizonte quiebran los albores de un tiempo nuevo.

»Queremos que esta primera columna sea hoy reservada para el primer sentimiento que este hecho despierta en nosotros, que no es otro que el de esta pregunta: ¿y España? ¿Qué significa ese enorme y venturoso suceso de la paz para España, para esta tierra amada que vivimos, para este pueblo que somos?»

Según ese redactor España no está preparada, y es preciso que entre en la zona de la paz con una organización pública que no tiene. Y termina con estas palabras: «El día de la paz amanece derramando júbilo y promesas sobre los hombres de buena voluntad: ¡que no llegue el mediodía sin que España se encuentre por completo en pie!» [13]. Poco después —el 11 de noviembre— se firma el armisticio en el vagon restorán anclado en una vía muerta de Compiègne, y el año siguiente vendría el tratado de Paz de Versalles, orientado principalmente por Wilson y que contribuyó, en nuestra opinión, a completar el suicidio de Europa.

Mientras tanto Pirandello estrenaba en Roma la obra que iba a hacerle más famoso, *Seis personajes en busca de autor.* Mi padre la vio años después en París, y fue el único exceso que se permitió en su exilio parisino en 1937: verla de nuevo, esta vez representada por los Pitoeff.

## LOS PRIMEROS AÑOS VEINTE

La paz de los ejércitos tras el Tratado de Versalles trajo una súbita alegría en la sociedad de los aliados triunfadores, que motivó la frase de «los felices años veinte». Pero en realidad para Europa y para una España que salía de su neutralidad se diferenciaron muy nítidamente los primeros años veinte —que abarcan de 1920 a 1923— de la segunda mitad, en la que surgieron todos los problemas de una gran crisis, desde la económica, con el hundimiento de la Bolsa neoyorquina —y por repercusión, de todas las demás—, el paro creciente y el nacimiento de los diversos movimientos totalitarios de uno y otro signo.

En este capítulo vamos a referirnos a esos primeros años veinte, que fueron para Europa una cosecha de talento, gracia y *esprit.*

Tener talento es saber descubrir relaciones insospechadas entre las cosas, oír los rumores del porvenir silenciados por el fragor de la tormenta, establecer algo original que desconocíamos, sea la relatividad

---

[13] *Obras completas,* tomo X, pág. 451.

del espacio y del tiempo y el fin de su carácter absoluto, sea el hallazgo poético de la «soledad sonora» donde se reposa el alma mística de San Juan de la Cruz, o el talento profético de quien prevé lo que aparecerá cuando rompa «la ola incontenible en que en los tiempos de crisis se convierte la historia», como decía patéticamente José Ferrater Mora. ¿Cómo puede medirse el mayor o menor talento en cosas diversas? No por descubrir una ley física, universal, que se cumpliría aunque no existieran los hombres, tiene más talento su descubridor que los que hallaron sensibilidades simplemente humanas. El paso del talento al genio lo hace el tiempo, cuando va dando rango permanente y validez actual a determinadas ideas, maestrías, obras de arte o mentefacturas que respondían al talento de su creador en el instante de su emanación. Así ha ocurrido con Cervantes en su *Don Quijote,* cuya lectura no sólo apasionó a sus contemporáneos, sino que sigue levantando el alma de sus lectores de hoy. Es claro que, al no existir ninguna vara de medir la genialidad de los genios, estimaremos más a uno que a otro según la clase de temas que nos atraigan y más nos puedan conmover. El genio es forzosamente original, inventor, hace patente lo latente. «El prototipo de la originalidad —dijo el autor de *Personas, obras, cosas—* es Dios, origen, padre y manadero de todas las cosas».

El hombre de talento no necesita ser famoso. Talento puede tenerlo una persona que no deje huella en el mundo. Talento tuvieron, ciertamente, Picasso y Napoleón, César y Einstein; pero talento tuvo asimismo Juan Belmonte al trastocar los terrenos del toro y del torero, y talento percibimos en algunas gentes con las que convivimos, en nuestros estudios o en el ejercicio de nuestra profesión, que ven con prontitud, sin necesidad de recorrer puntos intermedios, la solución de un problema o de una dificultad. Cabe también cierto talento para conocer a los individuos, como lo tuvo Goethe después de visitar a Napoleón. «Pasamos a hablar de Napoleón —cuenta Eckermann en sus *Conversaciones con Goethe—* y yo le dije que sentía no haberle conocido. "Sí", dijo Goethe; "valía la pena conocerlo. ¡Un compendio del mundo!" "Tendría", insinué yo, "un aspecto imponente", "Era él", respondió Goethe; "se veía que era él". He ahí todo».

Tener talento supone tener inteligencia, al menos en alguna de las múltiples caras que ésta presenta, e implica poseer capacidad y dotes para ejercerlas. Pero la recíproca no es siempre cierta, y un hombre inteligente puede no alcanzar el talento, creador por naturaleza. ¿Qué es el talento? No olvidaré una visita —tuve la suerte de acompañarle— que hizo mi padre a Stravinski —buen conocedor de su pensamiento—, en el hotel Ritz, al paso por Madrid del gran compositor ruso en los años cincuenta. Se hablaban en francés, y Stravinski escuchaba con gran atención las opiniones de mi padre sobre la música —que los musicólogos españoles no han estimado demasiado—, y cuando éste le dijo que, para él, el mejor ejemplo del puro talento era el *Bolero* de Ravel —esa variación de timbres sobre un tema único—, Stravinski, con su permanente vaso de whisky en la mano, asintió con grandes sacudidas de cabeza. Si después hubieran seguido hablando sobre esta afirmación, quizá hubiera yo entrevisto el misterio del talento.

Tan estimable como el talento es, para mí, la gracia, esa virtud que poseen algunas mujeres de saber provocar la sonrisa y la admiración. Los humoristas no son sus únicos propietarios; incluso, a veces, en el humor negro se alejan de ella. La gracia está en la conversación de alguien con gracejo, con chispa; en los gestos de una mujer con salero, vestida con gracia y que tiene eso que llamamos "ángel". Una persona de suerte le cae en gracia a otra y, cuando el encanto se rompe, cae en desgracia. La gracia suprema es, claro, "la gracia de Dios", que no solamente corona a los reyes, sino que lleva el consuelo a los afligidos. A Karl Vossler, aquel gran hispanista alemán, le hacían mucha gracia nuestros piropos. Cuánto se hubiera reído de haber escuchado el piropo que ganó un concurso periodístico: un obrero le dice a una señora estupenda que pasa a su vera: «¡Vaya usted con Dios..., pero vuelva!». Era la misma gracia popular que tan fielmente reflejaban las piezas del género chico. No así el género cómico, que suele caer en la sal gorda, la vulgaridad y lo chabacano. En cambio, los grandes escritores españoles practican una gracia fina, mitad poética y mitad irónica, buscando el contraste sugestivo de la paradoja. Así, Julio Camba nos cuenta en su obra maestra, *La casa de Lúculo*, su desprecio por el bacalao, que procedía principalmente de Noruega. «Lo que se ignora generalmente es que, a fin de que los españoles podamos comer bacalao los viernes, manteniendo así las prácticas de nuestra religión, los pobres noruegos tienen que quebrantar la suya, cogiendo cada sábado unas borracheras terribles. Noruega, en efecto, había adoptado la ley seca, pero en el año 21 España le obligó a comprarle 5.000 hectolitros de vino. O Noruega compraba nuestro vino, o nosotros renunciábamos al bacalao. Tales eran lo que cierto maestro de periodistas llamaba los dos dilemas que la España católica presentó a la Noruega luterana». La gracia está también en las pregreguerías de Jules Renard. «Era tan feo —escribe en su *Journal*— que cuando hacía muecas lo era menos». Álvaro Cunqueiro nos cuenta una admirable historia del perro de su amigo Somoza, abogado de Leiva: «Era un perro triste y callado, que comía las manzanas caídas en el prado, y si escuchaba zumbar las abejas, se ponía a pararlas, agachado, como si fueran perdices. "Ese perro no vale nada", le dijo mi primo a Somoza. "Pues es el perro propio de un letrado", respondió éste. Y le explicó a mi primo: "Es un perro que solamente ladra a la parte contraria"».

Mas el ingenio que los franceses, sus mayores consumidores durante esos primeros años veinte de las vanguardias, llaman *esprit* ha sido la disposición intelectual de acceso a la realidad desde la literatura más importante históricamente. Ya Pascal distinguía entre *l'esprit de géométrie* y *l'esprit de finesse*, es decir, entre el espíritu racional y la sutileza, más cercana ésta a la verdad si la buscamos como coincidencia del hombre consigo mismo. El *esprit*, el espíritu ingenioso y sutil, se manifiesta en observaciones donde la ironía y la profundidad van muy unidas. En Francia, Jean Cocteau y todos sus amigos de aquellos años felices, que perdieron su felicidad con la guerra europea, fueron los demiurgos del *esprit* europeo. *Esprit* es asimismo el *propos* de Alain de que «nada es tan peligroso como una idea cuando sólo se tiene una». Paul Morand, a quien su amigo Cocteau definía como «un pesimista que desea que todo se logre», fue también un gran representante del *esprit*. «Eres bella como la mujer de otro», le decía a uno de sus *flirts*.

En España hubo dos representantes mayores del *esprit:* Gómez de la Serna, con sus greguerías, y d'Ors, con sus glosas. «El sereno es el único artista a quien se le aplaude antes de trabajar», decía d'Ors. «Si el mar está limpio es porque se lava con todas las esponjas que quiere», escribía Ramón. El *esprit* se extendía por toda Europa: aún conservó algo de él la Polonia comunista con este dicho anónimo: «Bajo el capitalismo, el hombre explota al hombre. Con el comunismo ocurre exactamente al revés».

Edgar Neville fue un jovial diplomático que realizó con éxito todas las nuevas artes de su tiempo: cine, teatro sentimental, humorismo. Durante su estancia en Hollywood aprendiendo el oficio de cineasta, enviaba a mi padre fotografías de desnudos de las grandes artistas de entonces. Y es famoso el telegrama que puso al ministro de Asuntos Exteriores —su jefe natural— cuando le destinó a un país africano, preguntándole: «¿Dónde está ese país?». Fue uno de los amigos jóvenes de mi padre que le guardó fidelidad y respeto durante la guerra civil, a pesar de que no era nada favorable en la España de Franco decirse amigo de Ortega. No vamos a verle más por estas páginas, pero tuve el placer de publicar en las Ediciones de la Revista de Occidente su único libro de *Poemas*, uno de los cuales dedica a Ortega:

> Fuiste sin duda alguna
> el supremo maestro.
> Y tu voz grave y honda
> y el gesto de tu mano
> tenían autoridad
> pero sabor humano.

Tenías elegancia siempre en tus ademanes.
Y lo sabías todo y todo lo explicabas
con una sencillez y claridad totales.
Y además;
además eras el único
que podía aguantar los alemanes.
[...]
¡Aquel viajar contigo por Castilla,
Zorita de los Canes o Mondéjar.
O ir contigo a Toledo y descubrirnos
lo que nadie sabía y la razón de todo.
Para después con bromas de estudiante
bajar al llano, para ver los toros.

La juventud te preocupaba tanto
que por darle tu luz y tu consejo
hubieras admitido
el sacrificio de llegar a viejo.
Mas de ello te libraste y frotando tus manos,
con gesto habitual
entraste suavemente en el misterio...

Y nos quedamos huérfanos
Miguel y Soledad, Rosa y José
y Vela, y tus amigos de café.
[...]
No debiste morir
hasta que no estallara el Universo.

*Zumaya*

Aquellos primeros años veinte fueron también felices y divertidos
para los veraneantes de Zumaya. Ya hemos descrito, hablando de la
amistad entre Baroja y mi padre, este puertecillo guipuzcoano y la casa
que tenía alquilada mi familia en la propiedad de los Ibarguren, en la
calle del Secretario. Por cierto que este nombre provenía de los buenos oficios que hizo para Zumaya el secretario del rey Felipe IV, don
Juan de Olazábal. Su palacio, hoy propiedad de la familia Uriarte,
inaugura la calle dando a la plaza de las fuentecillas de san Juan. Pero
quizá no hemos mencionado bastante la colonia veraniega, formada
principalmente por gentes de Madrid, de Bilbao y de algunas villas de

la Vasconia profunda. Podemos citar así al periodista Echevarría, que era el director del diario bilbaíno de mayor circulación y que tenía dos hijas gemelas —Irene y Luisa— muy amigas de mi hermana; a los Aguirre, emparentados con los Borrell, de Madrid; a los Soriano, bilbaínos, todos —ellos y ellas— guapos y cordiales; a los Losada —sobre todo Pilar, que era una belleza, y Mario, soltero empedernido y divertido—, de la Bolsa de Bilbao; los Aladrén, de San Sebastián; y algún que otro *maqueto* como en el fondo éramos los Ortega. Pero la gente del pueblo estaba en aquel momento de su historia distendida y próspera, en esa fase de la economía nacional en que el País Vasco iba a la cabeza, como vimos al hablar de Urgoiti. Estaban además los Aranguren, o, mejor dicho, las Aranguren, dos señoritas de Azcoitia —Isabel y Clarita— con casa propia en la misma plaza que el palacio de Olazábal. Isabel, bella e interesante, fue una de las grandes amistades de la familia Ortega y especialmente de mi padre, que descubrió en ella muchos de los valores que más estimaba de la auténtica femineidad.

Toda esa colonia veraniega —a la que habría que añadir los hijos de Zuloaga y Valentine, Antonio y Lucía, colosos de tamaño, jóvenes todavía, que participaban con frecuencia en las excursiones y fiestas comunes— convivía con el pueblo de Zumaya en las romerías —Oiquina, Arrona, San Miguel, etcétera— y en el baile de los días festivos al son de la banda municipal, danzando todos el *aurrescu* para pasar al baile «agarrao», salvo las chicas a quienes se lo prohibían sus madres beatas. Porque los espías del párroco, don Wenceslao, en caso de quebrantamiento de esa prohibición, se lo dirían en seguida a su parroquia de San Pedro.

La bici era el vehículo ideal para ir de excursión a los pueblos próximos, como Guetaria y Zarauz, y llegar hasta Orio, si íbamos hacia el oeste, o a Icíar, Deva y Cestona en el otro sentido. Los días de lluvia, que eran muchos, metían las bicicletas en el tren para no dejar de asistir a las fiestas de cada uno de esos pueblos. San Sebastián y Francia quedaban para los mayores y sus automóviles, como era el caso de mis padres.

### Toros y toreros

Quizá el gran verano de Zumaya fue el del año 1924 en que se celebró la corrida de toros organizada con fines benéficos, para el hospital local, por Zuloaga y por mi padre, a la que ya me referí en el epígrafe dedicado al gran pintor. Ambos eran muy entusiastas de la fiesta y ambos eran amigos de Juan Belmonte, el torero puntero entonces y uno de los genios de toda la historia de la tauromaquia. Belmonte movilizó fácilmente a sus colegas más en boga y en pocos sitios se habrá celebrado una corrida de tanto fuste como aquélla. La plaza, de madera, se instaló en la campa que había entonces junto al faro y es posible que el ruedo fuera demasiado estrecho para los «toros» de cuatro años que lidiaron y fuera la causa de la grave cogida que sufrió Belmonte al lancear su segundo toro.

En invierno —Belmonte vivía en Madrid— se veían a menudo él y Ortega en paseos y excursiones en automóvil a pueblos próximos. Siempre le oí decir a mi padre que Belmonte era una de las personas más inteligentes que habían pasado por su vida. Y quizá sea éste el momento de comentar las ideas y relaciones de mi padre con la fiesta nacional. Para ello me atrevo a resumir un artículo que publiqué en *El País* a la muerte de Domingo Ortega porque mereció el premio González Ruano de 1988.

Los dos Ortega fueron buenos amigos, los dos fueron maestros, cada uno en su terreno, y —es curioso— los dos alcanzaron su apogeo hacia los mismos años, en torno a 1931. Símbolo de esa amistad puede servir la invitación que hizo mi padre al matrimonio Ortega para asistir al carnaval de Múnich en 1954. Mi padre acababa de realizar una *tournée* triunfal de conferencias por Alemania y quiso transmitir así su euforia a sus amigos. Parece que hizo sensación la entrada de la pareja —él, Domingo, vestido de corto; ella, Pikuki, con mantilla de blonda, ambos elegantes y magníficos— en el salón donde se celebraba el gran baile del *Fasching* muniqués, a los acordes de su famoso pasodoble, cuya partitura me había ordenado mi padre enviarle para que se la aprendiera la orquesta del hotel. Poco después, Domingo le regalaría a mi padre un lujoso capote de paseo que vino a mis manos en el reparto de esos objetos que se quedan dormidos en las estancias silenciosas cuando sus dueños se van para siempre. He querido inútilmente darlo, en vida de su donante, al Museo Taurino de Madrid. No me han hecho ni caso y pienso que hubiera sido un acto brillante en el que Domingo se avenía a pronunciar unas palabras que han quedado inefables.

No era mi padre propiamente un «aficionado» a los toros. Sólo de cuando en cuando asistía a una corrida para tomar el pulso de «cómo iban las cosas». Pero presumió siempre de ser uno de los espectadores más antiguos porque, muy de chico, acompañaba a menudo a la plaza a su padre, Ortega Munilla, periodista que empezó por ser, como sabemos, cronista taurino. Pero si no fue un aficionado, en cambio hizo con los toros lo que no se había hecho: «Prestar atención al hecho sorprendente que son las corridas de toros, espectáculo que no tiene similitud con ningún otro, que ha resonado en todo el mundo y que, dentro de las dimensiones de la historia española de los últimos siglos, significa una realidad de primer orden». Y este saber que la historia de la fiesta es un hecho de primer orden en nuestra historia y, a la vez, un paradigma científico para la evolución de todas las artes, le llevó a arremeter contra algunas «sabandijas periodísticas» que en aquel año de 1949 creyeron desacreditar las lecciones que daba "En torno a Toynbee y su interpretación de la historia universal" notificando despectivamente que a ellas asistían toreros, «porque Domingo Ortega, mi amigo y tocayo, me hace la mesura de asistir a este curso».

Un año después era Domingo el conferenciante y José Ortega y Gasset, el oyente en la conferencia que dio el diestro toledano el 29 de marzo de 1950, en el Ateneo de Madrid, sobre «El arte del toreo».

Oyéndole, uno se admiraba de cómo este hombre sabía estar en su sitio, hablando tranquilo de su sabia experiencia sin erudiciones ni pedanterías, lo mismo que supo estar siempre en su sitio frente a los toros. Al poco tiempo publiqué yo el texto de esa conferencia en las Ediciones de la Revista de Occidente, con un epílogo de mi padre que se titulaba: "Enviando a Domingo Ortega el retrato del primer toro". Era un dibujo del *urus* o *Bos primigenius* que había mandado hacer el curioso Leibniz del macho de un último rebaño que tenía el rey de Prusia en sus cazaderos de la linde con los bosques de Varsovia.

España invertebrada

La actividad creadora de mi padre en esos primeros años veinte fue extraordinaria. En 1920 comienza a publicar en *El Sol*, en forma de folletones [14], su análisis de la historia de España, que tituló con un nombre, *España invertebrada*, que haría fortuna y se maneja aún en nuestros días.

La primera edición en forma de libro es de mayo de 1921 y su éxito reclamó una segunda en octubre del año siguiente (que añadía unas cuarenta páginas de ampliaciones). En 1934, es decir, quince años después del parto de esta obra, vino una cuarta edición con un nuevo prólogo donde Ortega explica las razones de esta publicación.

«La vida es prisa. Yo necesitaba sin remisión ni demora aclararme un poco el rumbo de mi país, a fin de evitar en mi conducta, por lo menos, las grandes estupideces. Alguien, en pleno desierto, se siente enfermo, desesperadamente enfermo. ¿Qué hará? No sabe medici-

---

[14] El abandono, por múltiples razones, incluso económicas, de los periódicos de formato grande, de sábana, impide prácticamente la inserción de folletones que ocupaban la falda de una página grande con columnas más anchas que las de información. Esos folletones eran muy útiles porque acogían textos casi dobles que los habituales de los artículos, permitiendo así el ensayo breve y, como en este caso, la publicación paso a paso de todo un libro.

na, no sabe casi de nada. Es sencillamente un pobre hombre a quien la vida se le escapa. ¿Qué hará? Escribe estas páginas, que ofrece ahora en cuarta edición a todo el que tenga la insólita capacidad de sentirse, en plena salud, agonizante y, por lo mismo, dispuesto siempre a renacer».

Divide el libro en dos partes, «Particularismo y acción directa» y «La ausencia de los mejores». Su admiración por el pueblo romano, «único que desarrolla el ciclo entero de su vida, su nacimiento y extinción delante de nuestra contemplación», le lleva a recordar las palabras con las que comienza Mommsen su magna historia de Roma: «La historia de toda nación, y sobre todo de la nación latina, es un vasto sistema de incorporación». Porque, en efecto, Ortega ve muy claro que la incorporación histórica no es la dilatación de un núcleo inicial sino la organización de muchas unidades sociales y preexistentes en una nueva estructura. Hace falta que el grupo iniciador tenga talento nacionalizador y sepa ilusionar, aunque aplique a veces la violencia, a los demás grupos que se le van agregando. Y cuando ese talento y ese empuje se debilitan, «reaparece automáticamente la energía secesionista de los grupos adheridos». Es un error creer que «cuando Castilla reduce a unidad española a Aragón, Cataluña y Vasconia, pierden estos pueblos su carácter de pueblos distintos entre sí y del todo que forman. Nada de esto: [...] la fuerza que hay en ellos perdura, bien que sometida [...], por la energía central que les obliga a vivir como partes de un todo y no como todos aparte». Castilla tuvo esa energía y, al perderla, puede el autor decir que «Castilla hizo a España y Castilla la deshizo».

Para quien tiene buen oído histórico —y Ortega lo tenía—, la unidad española se realiza al unificar «las dos grandes políticas internacionales que había entonces en la Península: la de Castilla, hacia África y el centro de Europa; y la de Aragón, hacia el Mediterráneo». Como vio muy claro Maquiavelo, *El Príncipe*, es decir, el rey Fernando, fue el gran iniciador de empresas «a las cuales da el fin que la suerte le permite y la necesidad le muestra».

Dedica el autor muy esclarecedoras páginas al fenómeno del «particularismo» en que esos grupos sociales se desintegran. La esencia de ese particularismo «es que cada grupo deja de sentirse a sí mismo como parte, y en consecuencia, deja de compartir los sentimientos de los demás». Y justamente para mi padre ese particularismo es lo más grave que le ocurre a la España de su tiempo... y quizá podríamos ampliar esa opinión al presente español.

El particularismo no se produce sólo en las regiones o partes de un país, sino también dentro de la nación enferma, en grupos sociales. El caso más característico es el del grupo militar. En 1917 —recuerda el autor— «el Ejército perdió un instante por completo la conciencia de que era una parte, y sólo una parte, del todo español». Y, como el militar, también surgen otros grupos sociales particularistas, como sería el proletario y, en cierto modo, el maurismo inicial con su famoso grito de «Nosotros somos nosotros». Esos grupos sociales creen que la salvación está en imponer su voluntad, lo cual desemboca en la acción directa que se manifiesta, en el caso del grupo militar, en los «pronunciamientos».

En la segunda parte —«La ausencia de los mejores»— se oye ya el oleaje del fenómeno de las masas que tanto preocuparía a Ortega y que desarrollaría pocos años después con uno de sus libros de mayor fama internacional, *La rebelión de las masas*. Éste comenzó a salir, también en folletones en *El Sol*, en 1926, y hablaremos de él en el capítulo siguiente. *España invertebrada* dedica una larga meditación histórica al papel de masa y minoría en la sociedad. Y vemos muy claro cómo el valor social de las élites —que no hay que confundir con la aristocracia— depende de la capacidad de entusiasmo que le dedique la masa. «Cuando en una nación —dice gravemente el autor— la masa se niega a ser masa —esto es, a seguir a la minoría directora—, la nación se deshace, la sociedad se desmembra y sobreviene el caos social, la invertebración histórica. Un caso extremo de esta invertebración estamos viviendo ahora en España».

En la décima edición de la obra que publicamos en 1957, decíamos sus editores que en este libro puede verse ya una aplicación del que después llamaría el autor *método de la razón histórica*, al derivar el estado de invertebración española de la *embriogenia defectuosa* que padeció en los tiempos de la formación de nuestra nacionalidad, es decir, en la época del feudalismo.

A Iberia llegaron los visigodos, «un pueblo decadente que venía dando tumbos por el espacio y por el tiempo», y que no era como el franco, que inundó Francia con su vitalidad. Los visigodos aplican de una forma débil la organización feudal creada por los germanos. Nuestra Edad Media carece de vigor, pero eso explica también —dice el autor— «nuestra sobra de vigor de 1480 a 1600, el gran siglo de España».

¿Cómo puede explicarse que nuestro país pasara en cincuenta años del estado miserable en que se hallaba hacia 1450, a ser una prepotencia desconocida en el mundo nuevo y sólo comparable a la Roma en el mundo antiguo? Sólo descubre Ortega un hecho nuevo en ese corto periodo: la unificación peninsular. Gracias a ella «tuvo España el honor de ser la primera nacionalidad que logra ser una, que concentra en el puño del rey todas sus energías y capacidades». Y esto se lo facilita al monarca la debilidad en la Península del pluralismo feudal, tan fuerte en el resto de Europa.

## *El tercer volumen de* El Espectador

La producción no cesa. Al mes siguiente —junio de 1921— aparece el tercer volumen de *El Espectador,* ese libro revista personal que ha creado Ortega. Se inicia con una sección de "Incitaciones" en la que va el único artículo sobre música que publicaría mi padre, el titulado "Musicalia", muy discutido. Como "Notas de andar y ver" va el relato de su viaje a Asturias que ya citamos al hablar de sus amigos asturianos. Mantiene la sección de "Ensayos filosóficos" con "El *Quijote* en la escuela", donde censura la enseñanza usual que mira al niño como un futuro hombre y no se le enseña para que pueda seguir siendo infante. Y publica su "Meditación del marco".

Yo imagino que una tarde de trabajo, sentado en su mesa buscando un tema, miró a la pared y vio que las fotografías que tenía enfrente se lo sugerían. Eran dos fotografías que siempre vi en casa —y que ahora se albergan en la Fundación—, una de la figura de la Gioconda, que está en el Museo del Prado; otra, de *El caballero de la mano en el pecho* que pintó El Greco. No vamos, claro está, a repetir aquí todo el ensayo, pero sí su final, que el autor titula "Fracaso" porque confiesa que su intento de escribir un pliego sobre el marco ha fracasado, «como era de prever». Debía haber hablado del «sombrero y la mantilla como marcos del rostro femenino. Luego convendría plantearse el sugestivo tema de por qué el cuadro en China y Japón no suele tener marco. Pero para entenderlo sería preciso sugerir antes por qué el chino se orienta hacia el Sur y no hacia el Norte, como nosotros; por qué en los lutos viste de blanco y no de negro; en fin, por qué cuando quieren decir que no mueven la cabeza de arriba abajo, como nosotros cuando queremos decir que sí».

## *La Biblioteca de Ideas del siglo XX*

El año 1922 es también el lanzamiento de esta colección que ha propuesto a Calpe y que va a dirigir el propio Ortega. Y escribe el prólogo a la Biblioteca y los prólogos a algunos de los primeros títulos que van apareciendo en ella.

Ortega cree necesaria la nueva colección porque la ciencia y casi todos los ámbitos de la cultura han experimentado «en nuestros días un incomparable crecimiento de vitalidad. Desde 1900, coincidiendo peregrinamente con la fecha inicial del nuevo siglo, comienzan a elevarse sobre el horizonte pensamientos de nueva trayectoria». Ortega es el primero en observar que todas esas ideas, aunque se refieran a los asuntos más dispares, tienen «una fisonomía común y una rara y sugestiva unidad de estilo».

Pues bien, la nueva Biblioteca va a reunir las obras más características del tiempo nuevo, abriendo sus fauces a la matemática, a la historiología, a la estética y a todos los rincones de la cultura donde surjan esos pensamientos nuevos «antes no pensados».

El primer volumen es la obra de Rickert sobre *Ciencia cultural y ciencia natural*. Ortega, en su correspondiente prólogo, destaca cómo el filósofo alemán, en vez de limitarse a reflexionar sobre las ciencias físicas, como hizo Kant, busca el contacto con las ciencias históricas, «y del conflicto dramático entre ambas formas nace el tema de este libro».

Le sigue una obra del gran físico Max Born sobre *La teoría de la relatividad de Einstein y sus fundamentos físicos*. Familiarizarse con el nuevo mundo que descubre el genial hebreo permitirá que «muy pronto una generación aprenderá desde la escuela que el mundo tiene cuatro dimensiones, que el espacio es curvilíneo y el orbe, finito».

El tercer volumen, *Ideas para una concepción biológica del mundo*, del barón Von Uexküll, era un libro que había leído Ortega en sus años de Alemania y que estimaba mucho porque, en cierto modo, la idea del entorno y la idea de circunstancia son muy afines. Lo que una mosca ve es un mundo muy distinto del que ve el hombre que la espanta de un manotazo, lo mismo que son siempre diferentes las circunstancias de los seres humanos por muy vecinos que sean. «Debo aclarar —dice Ortega en su prólogo— que sobre mí han ejercido, desde 1913, gran influencia estas meditaciones biológicas [...] que no ha sido meramente científica sino cordial. No conozco sugestiones más eficaces que las de este pensador para poner orden, serenidad y optimismo sobre el desarreglo del alma contemporánea».

No incluye Ortega en su Biblioteca sólo libros que coincidan con su pensamiento sino también obras sugerentes y sugestivas aunque partan de concepciones del mundo que chocan con las suyas. Una de éstas es *La decadencia de Occidente* de Oswald Spengler, que ocuparía cuatro volúmenes de la colección, y que venía precedida de un gran éxito internacional. No es lugar, claro, el prólogo para explicar sus diferencias con el autor. Sí, en cambio, para elogiar la gigantesca labor del traductor, el profesor García Morente, «para que no se pierda nada del sentido y aun del gesto literario del original».

El quinto volumen es la traducción del libro de Roberto Bonola sobre las *Geometrías no euclidianas*, las cuales «se imponen como un nuevo clasicismo en el pensamiento matemático».

*Un regalo editorial*

«Querido Ruiz Castillo —dijo un día mi padre a su amigo, el editor José Ruiz Castillo—, yo no tengo dinero pero voy a hacerle un regalo. Publique Ud. toda la obra de un psicólogo vienés, Sigmund Freud, cuya fama está creciendo en todo el mundo con su ciencia del psicoanálisis».

Y Ruiz Castillo, que siempre fue un editor valiente, se lanzó a la empresa de publicar en castellano las *Obras completas* del gran médico austriaco.

Era una aventura editorial arriesgada —diez gruesos tomos— que mi padre no se atrevía a incluir en la Biblioteca que dirigía en Calpe. Y el primer volumen salió en Biblioteca Nueva, la editorial de Ruiz Castillo, con un prólogo de Ortega. Hay que añadir que fue uno de los grandes éxitos de Ruiz Castillo y que durante muchos años fue el título que sostuvo la nave editorial, sometida por doquier a grandes vendavales.

«La claridad —dice Ortega en el prólogo que acompañaba al primer volumen, aparecido en 1922—, no exenta de elegancia, con que Freud expone su pensamiento, proporciona a su obra un círculo de expansión indefinido. Todo el mundo —no sólo el médico o el psicólogo— puede entender a Freud y, cuando no convencerse, recibir de sus libros fecundas sugestiones». Porque Freud es el primero «que quiso curar» las enfermedades «mentales» tomándose en serio ese carácter y no viéndolas sólo como enfermedades somáticas. Para Ortega las hipótesis de Freud son a veces caprichosas, pero «la necesidad de descubrir los escondrijos del alma donde vienen a ocultarse esos tumores afectivos, generadores según Freud de las enfermedades mentales, le llevó a penetrar en el territorio de los sueños».

Con esa edición, España se adelantaría treinta años a las similares en otras lenguas distintas de la alemana.

*Ortega profetiza desde la* Sagrada Cripta de Pombo

Necesitaba Ramón encontrar un café para reunirse en día fijo con sus amigos y encontró Pombo, un viejo café inmediato a la Puerta del Sol, «a un paso de todos los tranvías y por lo tanto propicio a todas las citas». Y a mi padre le haría gracia que en un café tan vetusto se cobijaran las diversas vanguardias que acompañaban a Ramón. «Cité a la inauguración y quedó constituida, sin necesidad de documento alguno, la *Sagrada Cripta de Pombo*».

Entre las muchas actividades que desarrolló aquella famosa tertulia estaba la de organizar banquetes y homenajes a veces estrambóticos, como el Banquete a la Primavera o una cena conmemorativa en honor de Nadie; otras veces, en serio. Una de esas cenas serias fue en homenaje a mi padre, una noche de la primavera de 1922. No tengo el texto del ofrecimiento que haría Ramón, lleno de devoción hacia Ortega, pero sí las palabras de agradecimiento de éste que clausuraron la velada.

«Cuando yo tenía diez años, con mi padre y con Rodríguez Chaves, autor mirífico de *Cuentos de dos siglos ha*, solía venir a Pombo para tomar sorbete de arroz. Desde entonces creo que no he vuelto a entrar hasta hoy en este venerable tabernáculo». Y se alegra de que todavía «entienda los rumores del cuarto de al lado» al comprender las vanguardias que aquí se cobijan. «Permítanme ustedes que me aventure a profetizar el porvenir, al decirles que además de ser Pombo «el único mito del presente, es Pombo la última barricada». El resto de su oración fue la explicación de esta afirmación: «Llevamos tres siglos de liberalismo, de combate con lo constituido como tal, contra la autoridad política, contra el dogma religioso, contra el escolasticismo científico, contra la norma poética [...]; pero el liberalismo, por su esencia misma, tiene los días contados. No es una actitud definitiva, que se baste a sí misma. Cuando no quede títere tradicional con cabeza, el liberalismo no hallará nada de qué liberarnos y se reabsorberá en su nada originaria. Pues bien, amigos míos, yo creo que, al menos, en poesía, son ustedes la última generación liberal, y esta Sagrada Cripta donde se alojan, la última barricada». Porque Ortega pronostica un porvenir muy distinto al pronunciar las últimas frases de su discurso, que yo transcribo:

«Más allá me parece estar viendo otros hombres más jóvenes aún que ustedes, una próxima generación, en quien un nuevo sentido nada liberal de la vida comenzará a pulsar. Amantes de las jerarquías, de las disciplinas, de las normas, comenzarán a juntar las piedras nobles para exigir una nueva tradición y alzar una nueva Bastilla.

»¡Brindo, pues, por "Pombo", único mito del presente y última barricada!».

El año anterior se habían constituido el partido fascista en Italia, el partido nacionalsocialista en Alemania, y el Komintern en Rusia, y el mismo año de 1922 Mussolini hacía su famosa marcha sobre Roma; aunque mi padre no se refería sólo a los jóvenes totalitarios sino a toda una nueva actitud ante la vida de la surgente generación.

Esta capacidad de presagio, pronóstico o profecía de Ortega se ve en muchos de sus trabajos, pero fue su discípulo José Gaos —del que hablaremos, naturalmente, en el apartado que dedicaremos a los discípulos— quien planteó el tema en su ensayo sobre «La profecía en Ortega», dentro del libro que publicó, en México, dos años después de su muerte [15]. Gaos quiere estudiar el profetismo de Ortega, «que no se ha limitado a hacer predicciones hasta acabar su obra, siendo toda ella, central, esencialmente, de predicción, no siempre de profecía [...] El "Ocaso de las revoluciones" (del que trataremos al hablar de su tercer libro, *El tema de nuestro tiempo*) no es todo él otra cosa que la predicción que indica el título, fundada así mismo en una visión de la historia de Occidente». Pero mi padre no presumía de augur, sino que considera que «es perfectamente posible prever el sentido típico del próximo futuro, anticipar el perfil general de la época que sobreviene. Dicho de otra manera: acaecen en una época mil azares imprevisibles; pero ella misma no es un azar, posee una contextura fija e inequívoca. Cabe en historia la profecía. Más aún: la historia es sólo una labor científica en la medida en que sea posible la profecía. Cuando Schlegel dijo que el historiador es un profeta al revés, expresó una idea tan profunda como exacta» [16]. Y pone como ejemplo el cesarismo: «Un romano del siglo II a. de C. no podía prever el destino singular que fue la vida de César, pero sí podía profetizar que el siglo I a.de C. sería una época *cesarista* [...], que era una forma genérica de vida que venía preparándose desde tiempo de los Graco. Catón profetizó bien claramente los destinos de aquel futuro inmediato».

Por eso «pronostica» que «si alguien quiere ocuparse en reunir datos para una historia de las profecías históricas, se encontrará en seguida, sin necesidad de vastas investigaciones, con que la profecía ha sido lo normal, con que casi toda nueva etapa fue pronosticada con pasmosa precisión». Gaos completa su trabajo con una lista de muchas de las predicciones de su maestro.

Pero en esos tres primeros años veinte —1920 a 1922— también ocurrieron hechos tristes o muy tristes para España y para mi padre. En 1920 había muerto Galdós, y Ortega escribió un suelto sin firma en *El Sol* protestando de los míseros honores funerarios que le dedicó el gobierno de Dato. Al año siguiente Dato, presidente del Gobierno, era asesinado, y mi padre lo sintió profundamente pues en el fondo estimaba a este político. El sindicalismo anarquista amenazaba gravemente el orden público y tres de esos terroristas, Matheu, Casanellas y Nicolau, dispararon desde una motocicleta cuando el presidente del Gobierno pasaba con su coche por la plaza de la Independencia, camino de su casa. Murió en el acto. Era el 8 de marzo de 1921.

En el verano de ese mismo año se producía la rebelión por Abd el Krim de las cabilas sometidas en la región del Rif, y el desastre del cam-

---

[15] José Gaos: *Sobre Ortega y Gasset*, Imprenta Universitaria, México, 1957.

[16] Véase el cap. "La previsión del futuro" en *El tema de nuestro tiempo*.

pamento de Annual, donde una retirada forzada y mal organizada produjo cientos de muertos entre jefes, oficiales y soldados. El responsable pareció ser el general Fernández Silvestre, cuyo cadáver ni siquiera apareció, aunque tuvo también su responsabilidad el general Berenguer, Alto Comisario y general en jefe. El propio Ejército nombró al general Picasso para que hiciera su famoso expediente, que tardó mucho en ver la luz por posible responsabilidad del propio Rey.

Pero para mi padre el momento más triste fue justamente el penúltimo día del año 1922 en que murió su padre, Ortega Munilla, cuya agonía y entierro hemos descrito en el capítulo III. Mi padre tenía por el suyo devoción, ternura y admiración. Ya hemos visto cómo le animó a la lectura con su magnífica biblioteca, al arte de la conversación que tan bien dominaba mi abuelo, y a conocer esos pueblecitos de la España profunda. Siempre recordaría mi padre el viaje de ambos a la Argentina en 1916 que hemos relatado en su lugar.

## 1923: EL NACIMIENTO DE LA *REVISTA DE OCCIDENTE*

Cuarenta años después de la fundación de la *Revista de Occidente*, pudimos, en abril de 1963, iniciar su segunda época aprovechando que la censura franquista se había abierto un poco con la ley de Prensa del ministro Fraga. Los números de noviembre y diciembre de ese año los dedicamos, en un monográfico, a estudiar los tremendos cambios que había experimentado la vida intelectual, y lo titulamos *Cuarenta años después*, esto es, cuarenta años desde la fundación en 1923 de la propia *Revista*. Y como teníamos la suerte de contar todavía con Fernando Vela, su primer secretario, fundador con mi padre de ella, le pedí, como era natural, que nos contase qué pasó... en 1923. Nadie mejor que él para recordarnos aquel feliz acontecimiento. Éste es su texto:

«En nuestros paseos por las calles de Madrid me había hablado Ortega muchas veces de la conveniencia —más bien, necesidad— de que España contara con una Revista que pusiera a los lectores españoles al corriente de las nuevas ideas, los nuevos descubrimientos científicos, los nuevos hechos sociales que en aquellos años posteriores a la I Guerra Mundial comenzaban a transformar el mundo de la filosofía, de la literatura y las artes, de la economía y la ciencia y, como consecuencia, el mundo humano en general. Por donde quiera —como se diría después en el primer número de la Revista— "surgen los síntomas de una profunda transformación en las ideas, en los sentimientos y las maneras, en las instituciones; muchas gentes comienzan a sentir la penosa impresión de ver su existencia invadida por el caos". Como en toda época de fermentación, reinaba una enorme confusión de ideas, tendencias, movimientos que originaban incertidumbre e inseguridad y no permitían ver claramente por dónde marchaba el mundo hacia su futuro, y había también el afán de conocerlo. El mismo pensamiento occidental que había engendrado esta confusión tendría que ser quien volviera a poner orden y claridad. Había que satisfacer esa curiosidad vital y había que hacer un alto en el camino y mirar alrededor, lo que significa establecer automáticamente una perspectiva y una jerarquía. Esto había de ser —y fue— la *Revista de Occidente:* una mirada alrededor. Esto era el propósito de Ortega.

»Una tarde a mediados de abril de 1923, subiendo por la calle de Alcalá, Ortega me dijo: "¿Y por qué no hemos de ser nosotros los que hagamos esa Revista? Usted me ayudaría como secretario de redacción". Yo era muy poco para tan grande y difícil empresa, pero al lado de la gran personalidad de Ortega me sentía con fuerzas para ese cometido auxiliar. En aquel paseo quedó esbozado el plan, las colaboraciones extranjeras con que se podía contar desde luego o había que conseguir, las españolas que merecían la pena, e incluso los sumarios aproximados de algunos números. Ortega se comprometía a contribuir no sólo con artículos propios, sino también con traducciones del alemán que aparecieron en los primeros números, entre otras la "Filosofía de la coquetería", de Simmel.

»Todo se hizo apresuradamente, en una verdadera improvisación, que es como se hacen en España muchas cosas, incluso grandes cosas. Dos meses y medio después estaba en la calle el primer número. Uno de los primeros problemas fue el título que había de ostentar la Revista. Se pidió a los amigos que se reunían en torno a Ortega en aquella inolvidable tertulia de la Granja del Henar —anticipación de la que después se congregaría en la sala de la Revista—, los títulos que preferían y se formó una lista de quince, entre los cuales se eligió el de *Revista de Occidente* como el que mejor indicaba nuestros propósitos. Esta denominación extrañó bastante entonces y hasta fue muy criticada, pero con el tiempo se ha visto que no era una denominación cualquiera, por ejemplo, puramente geográfica, escogida por capricho, sino por profundas razones y como inspirada por un presentimiento del porvenir, porque hoy Occidente ha venido a ser uno de los términos del trágico dilema de nuestros días; al destino de ese gran nombre está ligada nuestra existencia, toda nuestra existencia, incluso la física.

»Había después que hallar el dinero para resistir algunos meses hasta que la Revista se consolidara y encontrara la difusión y venta necesarias para subsistir. Al efecto se constituyó una Sociedad por acciones, de las cuales no se suscribieron más que 38.000 pesetas por los amigos más íntimos [17]. Con este pequeño capital nos lanzamos a la aventura. El primer paso fue buscar un local de modesto alquiler donde instalar la redacción y administración. Lo hallamos en el número 7 de la Gran Vía, que entonces se llamaba Avenida de Pi y Margall. El edificio no estaba terminado y teníamos que entrar por una puerta secundaria de la calle de la Salud y subir por una escalera que todavía estaba sin barandilla, con riesgo de caer al fondo al menor traspié.

»La habitación era muy reducida, sin espacio más que para dos mesas. Allí trabajamos durante algún tiempo Ortega, su hermano Manuel como administrador, la señorita Dolores Castilla (Lolita, que ya es un mito en la historia de la revista) como secretaria, yo como secretario de redacción, Ángel Pumarega como corrector y confeccionador y el ordenanza Anacleto. Fueron aquellos "los tiempos heroicos de la Revista", como después los hemos llamado, en que el entusiasmo suplía todas las deficiencias. Todos trabajábamos en todo. Yo tenía que ir a la imprenta por los ejemplares terminados que llevaba en taxis, y después, con Lolita, hacía y ataba los paquetes para su envío a las librerías y al correo, y ayudaba también a hacer las facturas. Más tarde, alquilamos dos habitaciones mejores en el mismo edificio, cuando éste estuvo terminado y, posteriormente, en el mismo piso, un despacho para Ortega, que llenó de estanterías de libros, y un salón donde desde entonces se reunió la concurrida tertulia a la que acudían todas las tardes artistas, escritores, catedráticos, científicos, políticos. Uno de mis remordimientos es no haber retenido por escrito las conversaciones entre todas estas personalidades —conversaciones siempre brillantes, atravesadas por fulgurantes rasgos de ingenio— y, sobre todo, las palabras de Ortega, que a menudo eran las anticipaciones, los gérmenes de sus teorías que después, más desarrolladas, pasaban a sus libros y conferencias.

»Como el propósito de difundir la cultura moderna en todos sus aspectos no quedaba cumplido totalmente con la Revista, Ortega decidió fundar una editorial para publicar los libros más importantes aparecidos en España y el extranjero que significasen una novedad o una transformación en el panorama ideológico, científico, etcétera. De la

---

[17] Los accionistas, que suscribieron cada uno varias acciones de 1.000 pesetas, fueron: Nicolás María de Urgoiti, María de Maeztu, Serapio Huici, José María Rodríguez Acosta, y algún miembro del Consejo de Administración de Espasa-Calpe. Mi padre no tuvo nunca acciones de Revista de Occidente, S. A. y sus hijos, al terminar la Guerra Civil, se las compramos a sus propietarios, los cuales nunca percibieron beneficio alguno de esa inversión. Las acciones de María de Maeztu se las donó ella graciosamente a mi hermana Soledad.

Editorial se encargó nuestro íntimo, el profesor don Manuel García Morente, que la cuidó hasta 1934, sucediéndole yo en esta tarea hasta el año 1936 en que se interrumpió, lo mismo que la Revista.

»Los ejemplares de la Revista se vendieron durante toda su primer época a 3,50 pesetas, y no se tiraban más que tres mil, que casi nunca se agotaban. Una gran parte de la edición era vendida, con el consiguiente descuento, a Espasa-Calpe para su envío a Hispanoamérica, principalmente a la Argentina. Estos datos son importantes, porque ¿cómo con tan escasa venta la Revista adquirió inmediatamente tan enorme crédito y tan enorme influencia en el mundo del pensamiento, tanto en España como en el extranjero? Indudablemente, por su espíritu. Y ese crédito no se ha desvanecido en el transcurso del tiempo; a pesar de los veintisiete años que ha estado sin publicarse, su memoria se ha conservado, y al renacer este año ha ratificado las esperanzas que pusimos en ella en aquella tarde de abril de 1923, cuando subíamos por la calle de Alcalá».

También Ramón Gómez de la Serna ha contado algo de aquel gozoso momento. Y como su relato lo amplía a la famosa tertulia, me atrevo a darlo casi íntegro [18] máxime cuando el ejemplar de su autobiografía se lo envió a mi padre, a los pocos días de publicarse, con esta dedicatoria: «A mi muy querido y muy admirado don José con el viejo fervor de Ramón».

«Un día lejano, antes de repúblicas y guerras, salimos del café de la Granja del Henar en que nos reuníamos con don José Ortega y Gasset todas las tardes, para inaugurar aquel salón propio de la Gran Vía, ya lejos de la promiscuidad del turismo de los cafés. (Sólo Pombo no era café de turistas.)

»La *Revista de Occidente* había sido planeada en aquel café, y yo insistí con Ortega para que tuviese el tipo de letra que después caracterizó a sus páginas, ese tipo de largas des y de pes con larga espalda, tipo que sin yo saberlo había de costar muy caro y por una nueva ley de la imprenta encarecía la impresión, pues los cajistas internacionales le han impuesto una contribución mayor.

»¡Cómo nos asomamos al primer número aristocrático, excepcional, con su título en un verde del que sólo se da en algunas plantas de América, quizás en las proximidades del Amazonas!

»La tertulia era el presbiterio de la revista, y allí se iban seleccionando las personas y los originales.

»Fernando Vela, el secretario de la Revista, nos soplaba al oído:

---

[18] *Automoribundia*, capítulo LXII, Editorial Sudamericana, Buenos Aires, 1948.

»—¿Qué, me trae usted eso?

»En sus manos depositábamos los originales y él escribía en la punta superior izquierda el número del tipo en que debían ser compuestos.

»La tertulia no tenía prisa ni inquietud. Tenía sofá y muchas butacas y sillas. (Si hacían falta más, se traían del misterioso cuarto de al lado donde don José tenía una biblioteca y una mesa de trabajo y donde no entraba más que él.)

»Comenzaba de siete y media a ocho y acababa de nueve y media a diez.

»El salón estaba recóndito en una de esas casas para oficinas que resplandecen por todos sus balcones en la Gran Vía, y en las que hay escuelas de choferes, onduladoras, dentistas, y hasta se hacen operaciones en una pequeña oficina quirúrgica echando al cesto de los papeles los restos extirpados.

»Don José Ortega y Gasset suele llegar a las siete y media de la noche, y primero se refugia en el habitáculo del trabajo, donde las pruebas cacarean. Sólo a las ocho se abre el salón de decorado un poco submarino.

»El que llega a esas horas tiene que asomar discretamente por entre las cortinas que dan al salón sumergido. Debe enterarse primero qué recepción hay para no caer en cónclaves inesperados, pues en el reino submarino del salón hay un girar de plataformas que comunican distintos mundos con la redacción.

»Esos moscardones en el salón significan que hay junta de obispos; esas voces bien timbradas y ese chasquido de perlas cuando las risas sacuden las gargantas, es que hay condesas y marquesas; ese silencio es que hoy han venido unos caballeros del Santo Sepulcro, y ese hablar con intermitencias de ahogo es que hay ingleses o alemanes. A veces nos atrevemos a traspasar el umbral aunque haya condesas, pues esos días la recepción tiene sorpresas, y se abre la puerta misteriosa y sale el cochecito del té con pastas, un precioso cochecito en que parece que sacan al príncipe recién nacido para que reconozcamos si es príncipe o princesa.

»El coche de ruedas para recorrer los largos *trottoir* convierte el salón en andén —no podía convertirse de ningún modo en gabinete—, y se ve que estamos en una elegante estación submarina y se nos ha acercado el cochecillo de los surtidos para el viaje.

»Ortega, que aplica la brújula de su nariz a cada conversación mientras olfatea los lejanos horizontes percibiendo la caza lejana, ofrece pastas con levadura de pensamientos y con el piñón de una frase amable.

»Y en ese medio azulado, la improvisación es ágil, y nos queremos acordar después de lo que hemos dicho, favorecidos por esa agilidad que da el agua propicial a los movimientos y a los desperezos frenéticos de la imaginación. Sólo un grande hombre que posee las llaves de las grutas maravillosas ha podido permitirnos ese goce de la levitación.

»Los que entrábamos los primeros encontrábamos aún revoloteando palabras del día anterior, alegres en su remanso inviolable.

»Ortega se sentaba a un extremo del sofá y detentábamos uno de los dos buenos sillones que componían el tresillo mientras no llegaba el sabio físico don Blas Cabrera.

»Comentábamos la página de historia del día, y siempre don José nos señalaba una raya de horizonte más optimista, al fin todo arreglado en la España difícil.

»Había días de muchos y días de pocos, días de caballeros vestidos de negro y días de caballeros vestidos a la moderna, con chaquetas de "sport" o con trajes "príncipe de Gales".

»Ortega fumaba sus mejores y más tranquilos cigarrillos de tabaco moruno en la tertulia de los que fuesen, de los que traía el azar entre los escogidos.

»No había miedo de que se colase un indeseable. El que no pertenecía al cónclave no sabía levantar la cortina de entrada y tocaba el timbre de la puerta abierta. Vela salía presuroso. Le llevaba a la redacción de la revista y allí le interrogaba y le solía despedir.

»La tertulia tenía aun con eso "forasteros", pero habían de poseer el pasaporte en regla.

»Se hacían las consultas más inesperadas. Se hablaba de la alergia. Al doctor Sacristán se le preguntaba sobre la locura circular. A don Blas se le preguntaba por el átomo como si fuese un niño chico.

»A los consultados no les gustaba hablar en la tertulia literaria de cuestiones técnicas, y al doctor Sacristán le agradaba hablar del surrealismo y a don Blas le volvía loco hablar de su época de estudiante cuando en su casa de huéspedes convivía con poetas como Bargiela.

»Pocas veces se hacía el silencio en la tertulia, pero cuando llegaba una de esas pausas era un silencio irremovible, un silencio de catedral.

»Los jóvenes poetas llegaban un poco azarados y vanagloriosos. Ortega tenía para ellos benignidad y simpatía.

»García Lorca llegó allí con su primer manuscrito de versos y la Revista se los editó sin más, siendo uno de los éxitos mayores.

»A veces aparecía Antonio Espina, y Ortega decía de él que era agudo como una pulmonía de las que lanza el Guadarrama sobre Madrid.

»—¿Cómo va ese *Luis Candelas?* —le preguntaba Ortega, que se lo había encargado para Espasa-Calpe.

»—Marcha... La historia del célebre bandolero es difícil, porque en el incendio del Tribunal Supremo se quemaron los autos y declaraciones de su proceso.

»Un sacerdote alto y obispal, el profesor Zaragüeta, se sentaba en el sillón de la derecha y acudía también un curita joven, Xavier Zubiri, sabio en metafísica, y que ahora se ha casado con la hija de don Américo Castro, después de lograr en Roma la dispensa del Papa, en difícil licitación en que usó tan sagazmente su saber teológico que logró lo que parecía imposible. [Por cierto que al comentar años después en Buenos Aires este caso y la larga etapa de estudio y reflexión de Zubiri en Roma para conseguir el permiso, Victoria Ocampo exclamó: "¡Vamos, que ha intentado enseñar Dios al Papa!"]

»Al filo de la primera hora llegaba algún día la visita excepcional, el Príncipe Bonaparte, o un viejecillo de perrilla y bastón con puño de oro, que era nada menos que Cunningham Graham.

»Allí tenía confirmación la esperanza, y días de abrumador pesimismo se disolvieron al conjuro de esa imperturbabilidad bonancible del capitán del navío verdegal.

»La revista iba encuadernando tomos y dando índices del semestre anterior. Ya era un plúteo de biblioteca y en seguida vino el segundo.

»Las primeras cosas de Kafka, de Huxley, de Lawrence, mucho antes de su popularización en libro, fueron dadas en las páginas de la revista, y Spengler y Simmel y Jung y Keyserling dieron allí sus primicias.

»Se sentía en el ambiente de descanso y de desahogo paradojal y teorizador, el fraguarse esmerado, bien corregido, bien traducido, bien confesado del "próximo número". No se veía término al escalonarse interminable de la colección.

»—Se necesitan otras doce viñetas para el año próximo —decía don José cuando el año presente estaba en su noviembre.

»Ya se habían explotado los doce apóstoles, las doce horas, los doce signos del zodíaco, etcétera.

»Entonces había un juego de equivocaciones, pues se suponía que eran doce los trabajos de Hércules, y doce los círculos del Infierno del Dante, y doce los Caballeros de la Tabla Redonda, y hasta doce las musas. Todo se quería que consistiese en doce ex libris.

»Ortega rectificaba:

»—No son doce... Son veinte... No sirve.

»Era difícil encontrar doce reinos o majestades de cosas o estrellas, pero hasta que la revista se interrumpió hubo doce cosas legítimamente docenales.

»No envejecía el pensamiento y era inagotable en ensayos, poesías, relatos, notas de libros nuevos, suposiciones del pensamiento, etiologías de la razón.

»Parecía la *Revista de Occidente* la casa eterna, y el capitán con su brújula orientaba y hacia occidente nos llevaba detrás del sol sin que entrase en su ocaso, siguiendo su salto de horizontes. Sin rezagarnos en ningún valle.

»A veces iba don Miguel de Unamuno en cuanto tenía unas oposiciones en Madrid, y traía de Salamanca, al igual de esos obispos a los que el pintor ponía una catedral en la mano, como si fuese una mitra, la Universidad, el Palacio de Monterrey, la rectoría con su piedra iluminada de albadas candeales».

Esta tertulia donde Ortega tenía prohibido hablar de política —aunque, claro, las noticias importantes sí se comentaran— debió de tener conversaciones de gran interés intelectual o «manifestaciones del gran *esprit*» de algunos de sus contertulios. Fernando Vela debía haber llevado un diario de ellas; él mismo, como hemos visto, ha lamentado no haberlo escrito. Publicamos dos fotografías de la tertulia con identificación de sus fechas y partícipes. Es una pena que en una de ellas, a la que asistía don Miguel de Unamuno, sólo se vea el pie del gran hombre.

La *Revista de Occidente,* dirigida por mi padre, duró de julio de 1923 a julio de 1936: catorce años con 157 números. Empezó imprimiéndose en Caro Raggio y a los dos años pasó a hacerse en Galo Sáez, un impresor castizo madrileño, con un regente aún más personaje de género chico —el señor Luis—, que imprimía los pliegos de la *Revista* y de los libros en una máquina plana que se llamaba Vicenta: era el nombre de su mujer.

Hay dos índices analíticos de los artículos, uno hecho por José Gaos durante su exilio mexicano. Pero no hay un estudio serio de esta publicación, que fue la revista cultural en lengua española de mayor influencia en todo el orbe hispánico. Se agotó pasados los años de su defunción y un editor alemán publicó una edición facsímil que, al parecer, se vendió fácilmente.

Se componía a mano en el tipo exclusivo que tanto le gustaba, como hemos visto, a Ramón.

*Las Ediciones de la Revista de Occidente*

Muy pronto, como recordó Vela, inició Ortega la publicación de libros en las Ediciones de la Revista de Occidente. La *Revista* había salido en julio de 1923 y no había pasado ni un año cuando se publicó el primer título de esas ediciones. Eran los *Cuentos de un soñador,* de lord Dunsany, traducidos ejemplarmente por mi tío Manuel, el pequeño de los Ortega. A éste siguió inmediatamente el primer título de autor español, *Mi salón de otoño,* de Eugenio d'Ors, lo que indicaba, como ya vimos, el aprecio de mi padre por el gran escritor catalán. El siguiente título sería el amplio ensayo de Victoria Ocampo *De Francesca a Beatrice,* con un epílogo del propio Ortega. Victoria lo había escrito en francés —lengua para ella tan materna como la argentina—, y fue Ricardo Baeza su vertedor al castellano. Cuando hablemos de ese epílogo contaré las consecuencias favorables que tuvo para la reanudación de la amistad entre Ortega y Victoria, un poco en el aire en aquella fecha de 1924.

En conjunto, la producción de libros fue creciendo, a ritmo a veces superior al mensual de la propia *Revista*[19].

La mayor parte de esos libros fueron traducciones y realmente se fue formando una especie de «escuela de traductores» de la *Revista de Occidente.* Entre los más asiduos y valiosos debemos citar a Manuel García Morente, J. A. Pérez Bances, José Gaos, Margarita Nelken y el propio Fernando Vela. Pero no olvidó mi padre a los noveles autores españoles, creando una colección para ellos que denominó «Nova Novorum», en la que aparecieron muchos de los principales escritores de la que luego se denominó Generación del 27. En ella vemos, en efecto, a Pedro Salinas, con su famosa edición del *Poema del Cid* en 1926, y con su propio libro, *Víspera de gozo* en ese mismo año; a Benjamín Jarnés con su novela *El profesor inútil,* también en 1926. El año 1927 se publica la edición de Dámaso Alonso de las *Soledades* de Góngora —estamos en su centenario—, *El pájaro pinto* de Antonio Espina; la *Antología poética en honor de Góngora,* hecha por Gerardo Diego. En 1928 aparece la primera edición del *Romancero gitano* de Federico García Lorca —que, por cierto, valía tres pesetas de entonces el ejemplar— y la primera edición del *Cántico* de Jorge Guillén. Rafael Alberti inaugura las publicaciones del año 1929 con su libro de poemas *Cal y canto;* le siguen Antonio Espina, con su *Luna de copas;* García Lorca da su famoso *Cancionero* y Benjamín Jarnés su novela *Paula y Paulita.*

En los años treinta esos jóvenes autores son ya de sobra conocidos y no necesitan ni quieren apoyo alguno, por lo que no publican ninguna novedad más en las Ediciones de la Revista, salvo alguna reedición —no muchas— de sus novedades anteriores.

Los títulos traducidos fueron una importante incorporación para los lectores españoles de las obras extranjeras más novedosas del pensamiento y la ciencia. La mayor parte de ellos se incluyeron en la colección titulada "Nuevos Hechos. Nuevas Ideas" y me voy a limitar a señalar los que, a mi juicio, tuvieron mayor impacto; lo cual no equivale a que tuvieran éxito económico, claro, pues sus tiradas eran pequeñas

---

[19] La producción fue la siguiente: 1924, ocho títulos; 1925, veinticinco; 1926, veintiocho; 1927, treinta y seis; 1928, veinticuatro; 1929, veintiuno; 1930, veintidós; 1931, veintidós; 1932, catorce; 1933, quince; 1934, catorce; 1935, diez; 1936, ninguno.

—no más de 2.000 ejemplares— y tardaron en agotarse, y algunos ni siquiera llegaron a tan deseado fin.

El primer año de la editorial, Ortega publicó el libro del geógrafo Wegener *La génesis de continentes y océanos,* donde explica su teoría de la separación del continente africano del americano. El entusiasmo de mi padre por Simmel —a cuyas lecciones había asistido, como vimos, en sus años juveniles en Berlín— le llevó a publicar su *Filosofía de la coquetería,* un libro delicioso sobre ese «ofrecer sin dar» que es la esencia de la coquetería, no sólo femenina. Al año siguiente publicaba *Qué es la materia,* de Hermann Weyl, el que hizo a Einstein el esquema matemático de sus intuiciones físicas. Por cierto que la esposa de Weyl, Helena Weyl, sería la perfecta traductora de las obras de mi padre al alemán. Citemos también *Santa Juana,* de Bernard Shaw y *Lo santo,* de Rudolf Otto —*santo es más que bueno, ese más es lo numinoso*—. Aparecieron también los primeros títulos de una serie de cuentos populares de la tradición de las diversas culturas, como *El Decamerón Negro,* de Leo Frobenius —que motivaría un artículo de Ortega que tituló "En el desierto, un león más"— y los *Cuentos populares de China.*

El año 1926 se inaugura con *El cantar de Roldán,* traducido por Benjamín Jarnés; *Tántalo o el futuro del hombre,* de F.C.S. Schiller, vertido por Adolfo Salazar; *El tren blindado 14-64* de Vsiévolod Ivánov; *El saber y la cultura;* la primera traducción de Max Scheler, que sería un autor muy presente en la *Revista de Occidente* no sólo con sus libros sino además con sus ensayos en la propia *Revista;* las *Bases de la evolución psíquica,* de Kofka y los libros sobre *Confucio* y sobre *Laotsé y el taoísmo.* Keyserling, que en esos años había dado sus ruidosas conferencias en la Residencia de Estudiantes, no quedaba fuera con *El mundo que nace.* Y Victoria Ocampo —que citamos aquí porque hubo que traducir su texto francés— con *La laguna de los nenúfares,* que significaba una notable mejoría de su amistad con mi padre. En 1927 se publican los cuatro gruesos volúmenes de la *Sociología* de Simmel y el libro sobre *Santa Teresa* de Gabriel Cuningham. El doctor Pittaluga aparece en 1928 con su inteligente trabajo sobre *El vicio, la voluntad y la ironía.* Waldo Frank, ese norteamericano que, como decía Ramón, despreciándole un poco, «es famoso en España porque creen que es famoso en América, y es famoso en América porque creen que es famoso en España», publica su *España virgen,* y el doctor Sacristán se atreve a traducir el difícil libro de Kretschmer sobre *La histeria.*

También trae Ortega nuevas traducciones de los clásicos de la filosofía, como Brentano —su *Psicología*— y Hegel —su *Filosofía de la Historia*—, que llevó a cabo, hercúleamente, José Gaos. Señalemos asimismo *Los seis grandes temas de la Metafísica occidental* de Heinz Heimsoeth, el compañero de mi padre en Marburgo, y la *Psicología de la edad juve-*

*nil* de Eduard Spranger, libro que, excepcionalmente, tendría varias reediciones. No se nos olvida señalar el *Análisis de la materia* de Bertrand Russell ni los tres volúmenes de las *Investigaciones lógicas* de Edmund Husserl, cuya traducción fue una labor ingente, al alimón, de Morente y Gaos.

Debo añadir que mi padre publicó ya todos sus libros desde 1924 con el pie editorial de la Revista de Occidente, comenzando con el volumen cuarto de *El Espectador*.

## Lolita de Occidente

No podría concluir el relato de este logro editorial de mi padre sin hablar de Dolores Castilla, que fue durante toda la existencia de la *Revista* su secretaria, al tiempo que secretaria de mi padre. No tenía buena salud pero eso no impedía que desarrollase una capacidad de trabajo extraordinaria. Porque de ella dependía que llegasen los originales que había encargado Vela a los colaboradores, que viniesen las galeradas de la imprenta y las devolviesen corregidas sus autores. Era la que mantenía una relación cordial con ellos y la que evitaba que los indeseados insistiesen demasiado en tratar de ver a Ortega. Aunque no entraba en el salón de tertulia, todos los tertulianos la saludaban, fueran o no autores. García Lorca, por ejemplo, le guardó siempre clara amistad y la llamaba justamente "Lolita de Occidente".

Pudo salir de la España republicana y la acogió naturalmente mi padre en su piso alquilado de París. Debió volver a Burgos a finales de 1938 y luego a Madrid, donde me seguiría ayudando en la reanudación de las Ediciones de la Revista. En 1942, cuando mis padres trasladaron su exilio de Argentina a Portugal, fue a recibirles a Lisboa. Su entusiasmo, casi amor, por mi padre fue claro y no pudo resistir el guardar algunos de sus manuscritos —que ella copiaba a máquina para enviarlos a la imprenta—. A su muerte, en 1943, apareció una caja con varios de ellos que dejó a su hermano Ángel —mi amigo el doctor Castilla—, quien, a su vez, me los dio a mí. Yo, por mi parte, los entregué al archivo de la Fundación.

Lolita fue, así, una pieza fundamental en toda la tenue organización de aquella aventura editorial. No quiero dejar de recordar al silencioso Manzanera, el contable; a Anacleto, el conserje; y a Paco, el jefe de almacén. Como les ocurre a todos los editores modestos, este asunto del almacén fue uno de los problemas más graves. Durante la guerra, y por temor a los bombardeos, Manzanera, que era entonces el jefe, improvisó uno en los sótanos del edificio de Pi y Margall para conservar en buen estado el fondo editorial.

El tema de nuestro tiempo

Ortega siente que su verdadera vocación es ser profesor universitario de Metafísica, pero también siente como especial obligación ampliar sus cursos fuera del recinto de la Facultad cuando tengan una especial importancia, a su juicio, en el desarrollo de su propia filosofía. Así las lecciones universitarias con las que inauguró el curso habitual en el ejercicio 1921-1922 siempre las consideró muy decisivas en el desarrollo de su filosofía de la razón vital y por eso decidió darlas también en forma de libro. Se sirvió para ello «de los apuntes minuciosos y correctísimos que tomó en el aula» uno de los oyentes, su «querido amigo don Fernando Vela». Se publicó en agosto de 1923.

Al dirigirse ahora a un público más diverso que el que asiste a sus clases, debe «desarrollar un poco más algunos pensamientos que podían ser menos asequibles para lectores extraños al estudio filosófico». Y más que resumir directamente esas lecciones, voy a ir siguiendo la recensión que hizo de esta obra Manuel García Morente pocos meses después de su aparición [20]. Así, además, colaboran juntos sin saberlo estos dos hombres que iban a ser, que estaban siendo ya, los dos brazos con que contó mi padre en todos sus emprendimientos editoriales.

«Este libro de Ortega —dice Morente— es hijo de una preocupación grave; tiene no sé qué de edificante, algo así como una cariñosa pero severa admonición. De sus páginas, a veces proféticas, asciende inexpresada, pero *tanto más elocuente*, una noble convicción moral: que el tema de nuestro tiempo es el deber de nuestro tiempo. El libro de Ortega habla conjuntamente a las inteligencias, a los corazones y a las voluntades». Lo primero que intenta el autor es hacer ver los «nuevos hechos y nuevas ideas» que gobiernan ya en el siglo XX; pero existen obstinados que persisten en los hábitos mentales del pasado siglo, «que si se rezagandasen en los místicos arrobos de un racionalismo pueril o de un positivismo romo, los veríamos con pena —afirma Morente—, extraviados y extraños a su tiempo, condenarse a perpetuo anacronismo y prematura senectud».

Ortega expone en su libro «un nuevo modo de pensar que podríamos llamar filosofía de la perspectiva [...] que también gusta llamar la doctrina del punto de vista», porque la nueva filosofía «pretende restablecer la normalidad intelectual y considera los conceptos como

---

[20] *Revista de Occidente*, núm. 5, noviembre de 1923.

función de las cosas, no las cosas como función de los conceptos. Esto quiere decir que el concepto es una perspectiva de la realidad [...] y las cosas, por esencia, tienen caras, perfiles, perspectivas diversas, cada una de las cuales contiene íntegra la realidad. Una perspectiva no es, pues, un fragmento, sino la cosa toda colocada en un sesgo determinado». Morente pone el ejemplo de dos cuerpos en el espacio, uno en movimiento y otro en reposo. Para la nueva filosofía ninguno de ellos está en absoluta quietud ni en absoluto movimiento. «La física de Einstein sostiene, no la relatividad del conocimiento, sino la relatividad, el perspectivismo de las cosas reales». «Es bien extraordinario —añade Morente— que nadie lo haya visto con claridad antes de Ortega. Lo único real es la realidad de cada perspectiva». De ahí que mi padre tuviera gran interés en añadir al libro un apéndice sobre "El sentido histórico de la teoría de Einstein", porque creía que «por vez primera se subraya aquí cierto carácter ideológico que lleva en sí esta teoría y contradice las interpretaciones que hasta ahora solían darse de ella».

Morente hace su reseña sin seguir estrictamente el índice del libro. Ahora vuelve su mirada al primer capítulo, donde Ortega explica su «Idea de las generaciones». Nos aclara antes Morente que las palabras «nuestro tiempo» no significan el pasado próximo, ni siquiera el presente, sino más bien el próximo futuro, y por eso el libro comentado «se arriesga a la profecía». «Las profecías biblioides —desde Bossuet y Vico hasta Spengler, pasando por Hegel y Marx— [...] son profecías *para* la historia, no profecías *de* la historia [...] y la verdad es que ni la historia carece de sentido ni está regida por un idealismo metafísico». Para Ortega —y no es este libro una novedad de su pensamiento sino una explicación más profunda— la generación es el verdadero sujeto de la historia, la cual varía porque varía el estilo y la estimativa de cada generación histórica. Y al predecir lo que cada generación quiere lograr se puede vislumbrar el futuro y hacer posible «no sólo la predicción, sino la inteligencia misma de la historia».

«Y lo que constituye realmente el deber de cada hombre es realizar con máxima plenitud y entera lealtad las posibilidades de su última esencia». Morente termina su recensión con estas líneas: «La verdadera razón, la razón razonable, es la razón vital [...] La filosofía de la perspectiva [...] no consentirá nunca en ahogar un germen ni en matar una voluntad ni en reducir a esquemas geométricos las ricas variedades de las cosas. Pide que se derrame luz sobre el mundo y sobre la vida. Aspira, en suma, a que la razón sea un auxilio, no un obstáculo a la vitalidad».

Los años de la dictadura

A nadie le extrañó. Las elecciones de 1922 habían dado mayoría parlamentaria para que García Prieto formara un gobierno de concentración liberal, pero no supo, ni intentó siquiera, emprender las reformas que el país requería. Por el contrario, «el proceso de descomposición se agudizó aún más: conflictos con la Iglesia, con motivo de la anunciada reforma constitucional; con el Ejército, por el proceso de responsabilidades y la cuestión del rescate de prisioneros; con la opinión, por la continua sangría de Marruecos y la creciente anarquía, situación que hacía que la mayoría de esa opinión reclamara una intervención enérgica al margen del juego habitual de los partidos» [21].

En este clima, el teniente general don Miguel Primo de Rivera, que era a la sazón capitán general de Cataluña —una de las regiones más neurálgicas del sindicalismo anarquista— decidió reunirse en Madrid con un grupo de generales para dar, «de acuerdo con el Rey», un golpe de Estado. Y el 13 de septiembre, con el pretexto de que los separatistas catalanes habían arrastrado por las calles la bandera nacional, se alzó contra el Gobierno, el cual, débil e indeciso, presentó su dimisión. El Rey llamó a Primo de Rivera, encargándole la constitución de un Directorio militar, que formó con generales de su confianza al llegar triunfante a Madrid en el expreso de Barcelona. El orden público y la paz social fueron pronto logrados pero un decreto de incompatibilidades y destierros, dictado en diciembre de 1923, cayó sobre el marqués de Cortina, don Rodrigo Soriano, y sobre don Miguel de Unamuno. Al todavía rector de Salamanca le desterraron a Fuenteventura, como ya sabemos por páginas anteriores, así como de su evasión en un barco francés para refugiarse en Hendaya hasta su regreso a España en 1930, una vez caído Primo de Rivera.

El 3 de diciembre de 1925 formaba el dictador un Directorio civil —sólo mantuvo a Martínez Anido en Gobernación— en el que entrarían dos de sus más eficaces ministros: José Calvo Sotelo, en Hacienda, y el conde de Guadalhorce, en Fomento. El desembarco de Alhucemas, la rendición a los franceses de Abd el Krim y la paz, por fin, en Marruecos, así como la política de obras públicas, fueron sus principales triunfos. Si su política laboral logró el apoyo del partido socialista incorporando a los puestos oficiales a dirigentes como Largo Caballero y Manuel Llaneza, «en la política intelectual y universitaria no tuvo Primo de Rivera —sigue hablando mi amigo Gaspar— el enfoque ade-

---

[21] Entrada de Gaspar Gómez de la Serna en *Diccionario de Historia de España (desde sus orígenes a la caída de Alfonso XIII)*, Ediciones de la Revista de Occidente, 1950.

cuado que necesitaba. Colisiones con la Junta del Ateneo madrileño, sanciones, encarcelamientos, que recayeron sobre significativas personalidades como Unamuno, Valle-Inclán y Marañón [22] y las luchas universitarias encabezadas por el estudiante Sbert» no permitieron que la generación joven se entusiasmara con los proyectos políticos del general, serios pero nada revolucionarios.

En 1929 los disturbios estudiantiles llevaron al Gobierno a cerrar la Universidad y, en protesta por esta medida, renunciaron a sus cátedras varios ilustres profesores, como Jiménez de Asúa, Fernando de los Ríos y mi padre, que había empezado un curso sobre «Qué es Filosofía», cuyo contenido y vicisitudes comentaremos más adelante.

A esa altura de su acción de gobierno, Primo de Rivera se sentía abandonado de la opinión, del Rey y de los capitanes generales, a quienes consultó si contaba con su apoyo, y en caso negativo prometió dimitir. Ante la tibieza o el silencio de su respuesta, el 30 de enero de 1930, el general y todo su gabinete presentaban su dimisión al Rey, que por lo pronto, nombró a su fiel general Berenguer jefe del Ejecutivo.

Pero es un hecho que durante esos «siete años sin ley» —como calificó mi tío Eduardo a la dictadura— la vida intelectual fue desarrollándose con bastante normalidad. Fueron los años en que se formó y actuó la estupenda generación que luego se llamó del 27. Existía la censura previa para los periódicos y espectáculos, pero ejercida con una ingenuidad que ya la hubiéramos querido tener en la larga noche del franquismo. Compuesta la platina de cada página del periódico, lista ya para imprimir, se enviaba una galerada al censor y si éste veía algo que no le gustaba se suprimía machacando los tipos de la zona vetada, con lo cual el lector sabía que algo había en aquel asunto.

Según mis datos nunca se censuró nada, por ejemplo, a la *Revista de Occidente*. Y no existía, como después con Franco, la vil prohibición de que un determinado autor escribiera en ninguna publicación y fuera así condenado al silencio o al forzoso ostracismo.

A los pocos días de su dimisión, el dictador marchó a París, donde falleció, pienso que de pesadumbre, un mes después. Fue enterrado en Madrid en medio de un gran duelo y de la indiferencia oficial.

Yo me fui enterando de la dictadura cuando mi padre renunció a su cátedra, pero mi recuerdo más vivo es de cuando se decretó, ha-

---

[22] Se acusó injustamente al doctor Marañón de participar en una conjura que iba a estallar el 24 de junio de 1926. Le fue impuesta una multa de 100.000 pesetas y sufrió prisión en la cárcel Modelo de Madrid, del 23 de junio al 24 de julio, en que fue sobreseído su proceso. Se entretuvo, como él mismo ha contado, en traducir *El Empecinado* de Federico Hardmann.

cia 1926, a la vez que en los demás países del continente europeo, el cambio de sentido de la circulación, porque nos ponían en el colegio, al salir, unos cartelones que decían en grandes letras: «¡Circular por la derecha!», lo cual, pensándolo bien, era la consigna general de aquel régimen.

*Epílogo a* De Francesca a Beatrice

En mitad del año 1924 Ortega publica en las Ediciones de la Revista, como tercer volumen de la colección iniciada, un libro de Victoria Ocampo, *De Francesca a Beatrice,* con un epílogo suyo. Ahora que hemos leído la *Autobiografía* de la escritora argentina vemos claro por qué. «Ortega —cuenta Victoria— se condujo conmigo de manera generosa e imprudente. Imprudente..., pero, ¿deliberadamente o no? Julia V. me dijo (nunca le había mencionado mis relaciones con J.) lo que opinaba Ortega de ese aspecto de mi vida. Creía que perdía yo el tiempo al encapricharme con un hombre de nivel intelectual inferior al mío [...] El resultado de esa torpeza (rara en Ortega), o de esa falta de tacto, fue grave: dejé de escribirle totalmente. Perder a Ortega era perder el único punto de apoyo serio que tenía en el mundo maravilloso de la literatura donde aspiraba a entrar. Esa pérdida me angustiaba. Yo sabía que él estaba dispuesto a ayudarme con todas sus fuerzas (y sus fuerzas eran grandes): lo probó. Por eso digo que fue generoso, pues en respuesta a mi silencio terco, después de su partida (y me consta que sufría y se lo dijo a María de Maeztu) no sólo citó unos párrafos de una carta mía en el segundo tomo de *El Espectador,* agregando elogios que mi carta no merecía: publicó *De Francesca a Beatrice* como segundo tomo de la colección "Revista de Occidente" y escribió un epílogo. ¿Quién era yo entonces? ¿Una mujer joven y lo bastante linda para justificar esa bondad? ¿O realmente veía algo más en la que llamaba Gioconda de la Pampa?

Son gestos que no se olvidan».

«La excursión ha sido deliciosa —dice Ortega a la autora—. Nos ha guiado usted maravillosamente por esta triple avenida de tercetos estremecidos poniendo aquí y allá, con leve gesto, un acento insinuante que daba como una nueva perspectiva al viejo espectáculo. Claro que algunas veces nuestra mirada dejaba las figuras de Dante para atender a los gestos de usted, después de todo, lo mismo que hizo a menudo el poeta con su mejor guía».

Luego Ortega se adentra en el papel de la mujer en la historia y en cómo la segunda Edad Media es creación de «la audacia genial de unas damas de Provenza» que inventan la *lei de cortezia,* «el nuevo imperio de la *mesura,* que es donde alienta la feminidad». Y va analizando el alma femenina; cuándo una mujer es el ideal del encanto para un hombre puesto que «todo hombre dueño de sensibilidad bien templada ha experimentado a la vera de alguna mujer la impresión de hallarse delante de algo extraño y absolutamente superior a él. Aquella mujer, es cierto, sabe menos de ciencia que nosotros, tiene menos poder creador de arte, no suele ser capaz de regir un pueblo ni de ganar batallas, y, sin embargo, percibimos en su persona una superioridad sobre nosotros de índole más radical que cualquiera de las que pueden existir, por ejemplo, entre dos hombres de un mismo oficio [...] La excelencia varonil radica [...] en un *hacer;* la de la mujer en un *ser* y en un *estar;* o con otras palabras: el hombre vale por lo que *hace;* la mujer, por lo que *es*».

Y volviendo a la relación directa con la autora, Ortega se dirige a ella diciendo: «Hace ocho años, señora, cuando iba a terminar mi permanencia en la Argentina, tuve el honor de conocer a sus amigas y a usted. Nunca olvidaré la impresión que me produjo hallar aquel grupo de mujeres esenciales, destacando sobre el fondo de una nación joven. Había en ustedes tal entusiasmo de perfección, un gusto tan certero y riguroso, tanto fervor hacia toda disciplina severa, que cada una de nuestras conversaciones circulares dejaba sobre mi espíritu, como un peso moral, el denso imperativo de "mezura" y selección». Y pide que se organice «una nueva salud, y ésta es imposible si el cuerpo no sirve de contrapeso al alma [...] ¿Por qué desdeñar lo terreno? [...] Lo cierto es que los inquilinos del otro mundo se agolpan presurosos, como insectos a la luz, en torno de Dante [...] para preguntarle noticias de la tierra».

*De Francesca a Beatrice* tuvo éxito y se reeditó en 1928. Y una edición francesa llegó pronto.

## La deshumanización del arte

Era un libro pequeño pero levantó y sigue levantando grandes polémicas el que publicó mi padre en 1925 con ese título. Para acertar en el diagnóstico de nuestro tiempo, que Ortega consideraba indispensable para saber cuál era el deber de ese tiempo nuestro y su propio deber, a saber, salvar la circunstancia española en que había nacido, era orientador ver hacia dónde iban el arte y la ciencia nuevos, síntomas siempre del estilo general de su generación.

«El arte nuevo —dice Ortega— divide al público en dos clases de individuos: los que lo entienden y los que no lo entienden; esto es, los artistas y los que no lo son. El arte nuevo es un arte artístico. [...] En arte es nula toda repetición. Cada estilo que aparece en la historia puede engendrar cierto número de formas diferentes [...] Pero llega un día en que la magnífica cantera se agota». Si se analiza el nuevo estilo se percibe claramente que responde a estas tendencias:

1) a la deshumanización del arte;

2) a evitar las formas vivas;

3) a considerar el arte como juego y nada más, y, por tanto, a una esencial ironía y, en fin;

4) a considerar el arte por los artistas sin trascendencia alguna.

El artista joven, el artista nuevo va contra la realidad. «Se ha propuesto denodadamente deformarla, romper su aspecto humano, deshumanizarla». Y Ortega señala que, contrariamente a lo que piensa el vulgo, no es cosa fácil huir de la realidad, sino lo más difícil del mundo.

El artista nuevo rechaza el arte del siglo XIX, centrado anormalmente en lo humano, y con su «voluntad de estilo» elige un nuevo camino. «Ahora bien —nos dice el autor—: estilizar es deformar lo real, desrealizar. Estilización implica deshumanización». Y justamente por ser lo personal lo más humano de lo humano, es de lo que huye el arte nuevo. El arte musical lo corrobora: «Desde Beethoven a Wagner el tema de la música fue la expresión de sentimientos personales. El artista mélico componía grandes edificios sonoros para alojar en ellos su autobiografía». Y fue, según Ortega, Debussy quien «extirpó de la música los sentimientos privados, en suma, deshumanizó la música».Y por ello «data de él la nueva era del arte sonoro». Lo mismo el poeta, que «empieza donde el hombre acaba. El destino de éste es vivir su itinerario humano; la misión de aquél, inventar lo que no existe»; Mallarmé fue el poeta que dio la vuelta a la poesía, que es hoy «el álgebra superior de las metáforas» con las que oculta la realidad de las cosas.

Ortega es consciente de que «este ensayo de filiar el arte nuevo no contenga sino errores [...] Me ha movido exclusivamente la delicia de intentar comprender —ni la ira ni el entusiasmo—. He procurado buscar el sentido de los nuevos propósitos artísticos». Justamente lo que se le ha reprochado es —creo yo— su falta de entusiasmo por la pintura actual, que, en efecto, no estimaba mucho (citó a Picasso —que por cierto tenía su misma potente mirada— llamándole «el indino Picasso») y se le ha reprochado, esta vez injustamente, que no desarrollara más sus ideas estéticas. Y digo que es injusto porque su "Ensayo de estética a manera de prólogo" que hizo como prefacio al libro de José Moreno Villa *El pasajero*, contiene toda una doctrina sobre el objeto estético. Y en los finales de su vida su estudio sobre *Velázquez*, del que hablaremos en su momento, demuestra su profundo conocimiento de lo que es pintar y lo que es ser pintor.

Hace casi cuarenta años, el crítico de arte Enrique Lafuente Ferrari dedicó un estudio a *La deshumanización del arte* de su admirado y maestro Ortega en el número de la segunda época de la *Revista de Occidente* que titulamos "Cuarenta años después (1923-1963)". Habían pasado casi cuarenta años desde la aparición del libro de Ortega. Lafuente Ferrari quería «tomar la altura de la situación del arte actual —habla en 1963— desde el punto de vista del análisis orteguiano», abordado en 1925. «El hecho dominante del arte de aquel momento era Picasso. Lo asombroso es que la personalidad de Picasso siga siendo en 1963 la figura señera y representativa, a pesar de que la sucesión de generaciones haya hecho aparecer nuevas tendencias —y sobre todo una radicalización de esas tendencias— que incluso miran ya de soslayo a Picasso como algo inactual y casi conservador». Pero lo que más llama la atención al gran profesor y crítico es la coincidencia de Ortega con Kandinsky, que escribió en 1911 su famoso libro sobre *Lo espiritual en el arte*. «El artista —escribía Kandinsky— debe ser ciego al espectáculo del mundo para atender a su música interior». Ortega escribía en su libro: «El artista se ha cegado para el mundo exterior y ha vuelto su pupila hacia los paisajes interiores y subjetivos». «Recordemos —añade Lafuente— que Ortega señalaba en las artes de 1925 el predominio de la imagen denigrante, lo que es nuevo método de agresión a la belleza y a la humanización». Y recuerda la hostilidad implacable de los países fascistas, así como del realismo socialista, al arte deshumanizado.

¿Qué pensaría ahora Lafuente de la actual situación del arte? Dejémosle en su elogio al libro de Ortega que comentamos.

Las Atlántidas

A mi padre siempre le interesaron mucho las culturas primitivas y primigenias porque en esos pueblos, en los que no pasa la historia porque siempre son parecidos a sí mismos, se descubren con mayor facilidad los orígenes del mando y el nacimiento de las formas de gobierno. Por casa andaban gruesos volúmenes de la revista *Le Tour du Monde,* que íbamos leyendo toda la familia, y los libros de viajes ocuparon una parte no despreciable de su biblioteca, como puede verse ahora en la Fundación, a la que se la donamos.

Por eso estoy seguro de que uno de los libros que escribió con mayor placer fue *Las Atlántidas,* que apareció en 1924. «Las Atlántidas son las culturas sumergidas o evaporadas». Nadie creía hace un siglo que culturas poderosas pudieran desaparecer y que no se supiera nada de ellas hasta que los arqueólogos decididos las sacaran con sus excavaciones de las entrañas de la tierra. Así ha ocurrido con los pueblos sumerios y acadios y así ocurrió con el descubrimiento de Troya bajo las piquetas casi mágicas del banquero Schliemann.

Esto amplía el horizonte histórico profundamente, y la excavación en busca de esos pueblos ignorados se ha convertido, además de en una ciencia, en un deporte. Ortega se interesa en su libro por la cultura tartesia, que se asentaba a orillas del Guadalquivir, y no en Cádiz, como demostró Schulten, el excavador de Numancia, en su libro, aparecido en el mismo año que escribe mi padre el suyo, titulado *Tartesos: contribución a la historia más antigua de Occidente*.

La etnología ha progresado mucho en las últimas décadas y ha llevado a que «la noción de la cultura se convierta en el término colectivo con que denominamos las funciones superiores de la vida humana en sus diferencias típicas».

Esto significaba para Ortega que el sentido histórico comienza cuando caemos en la cuenta de que la vida humana era diferente de lo que es hoy en otros tiempos y otros pueblos. Y su ampliación en el comienzo del siglo XX hacía más rico al hombre de entonces en ese sentido histórico.

En la primera edición de *Las Atlántidas* se incluyó la reproducción de varias figuras del Sudán y de China porque el autor quería transmitir a sus lectores la emoción que en su día le proporcionó verlas; era «la sorpresa ante un pasado desconocido y admirable, el choque con formas de humanidad poderosas y tan distintas de la nuestra, que al enfrontarnos con ellas sentimos una fértil y educadora vacilación». Una de esas cabezas del Sudán estaba en la sala de nuestra casa de Serrano, e imagino que andará ahora sobre algún mueble de la Fundación.

Leo Frobenius inauguró en esos días del invierno de 1924 la Sociedad de Cursos y Conferencias que había organizado la Residencia de Estudiantes. Ortega le dedicó varios artículos en *El Sol* a este máximo etnólogo de aquellos años.

## *Siguen los volúmenes de* El Espectador

No siendo fácil hacer política en esos años de la dictadura, mi padre se dedicó de lleno a sus ensayos de literatura y de filosofía. Siguieron apareciendo con cierta regularidad los tomos de *El Espectador*. El cuarto, donde iba su trabajo sobre "Las dos grandes metáforas", con ocasión del segundo centenario del nacimiento de Kant, salió en 1925. Allí Ortega explica el uso de la metáfora, necesario, no sólo en poesía sino curiosamente también en la ciencia física y matemática. Es un trabajo que los «orteguianos» consideran muy importante en el desarrollo de la filosofía de su maestro.

El tomo V apareció en 1926, y en su zona histórico literaria expone las "Ideas de los castillos", en una sección que denominaba *Notas del vago estío,* sin duda escritas en el verano de Zumaya. Y es muy de destacar su trabajo sobre "Vitalidad, alma, espíritu".

El año 1927 se publica el tomo VI, donde incluye su "Meditación de El Escorial" que había prometido en su primer libro. Termina con una bella meditación acerca de la melancolía, que es adonde conduce «el esfuerzo puro» que fue el de Don Quijote. «Derramósele la melancolía por el corazón —dice el poeta—. No comía de puro pesaroso, lleno de pesadumbre y melancolía».

Espíritu de la letra

¿Por qué publica Ortega este libro de tan bello título, aparecido en 1927, reuniendo una serie de artículos? Él mismo nos lo explica en el prefacio:

«Desde diciembre de 1926 dedico semanalmente un folletón de *El Sol* a comentar un libro o estudio que el azar de su reciente publicación trae a mis manos. Más que un menester crítico me he propuesto en esas notas sobre libros revivir y remover, espumar y prolongar los temas sustantivos que el volumen trataba o sugería. Nunca he podido leer las páginas de un libro sin que por deliciosa repercusión se levantaran dentro de mí bandadas de pensamientos, cuyo vuelo diverso ha amenizado mi vida. En estos artículos, que ahora reúno bajo el título de *Espíritu de la letra,* he procurado captar la ruta aérea de algunos de esos pájaros interiores».

Y aquí habla de libros muy diversos: *El obispo leproso* de Gabriel Miró —donde se mostró, a mi juicio, demasiado duro con el preciosista alicantino—; otro sobre la inteligencia de los chimpancés, y otro acerca del gran estudio de Menéndez Pidal sobre los orígenes del español, «un tema de ternura, se habla de un niño: el idioma recién nacido, blando y mofletudo, lechal».

Mirabeau o el político

Los que carecen de temperamento político, como en el fondo le pasaba a mi padre, sienten cierta admiración por los que sí lo tienen, convencidos de que es condición fundamental para la buena marcha de un país disponer de personas eficaces en oficio tan indispensable. Y precisamente porque es ese temperamento el más opuesto al intelectual, le interesó a mi padre pensar sobre él al publicar en 1927 su libro *Mirabeau o el político.* «Siempre he creído ver en Mirabeau —comienza diciendo— una cima del tipo humano más opuesto al que yo pertenezco, y pocas cosas nos convienen más que informarnos sobre nuestro contrario. Es la única manera de complementarnos un poco. Nada capaz para la política, presumo en Mirabeau algo muy próximo al arquetipo del político. Arquetipo, no ideal. No debiéramos confundir lo uno con lo otro [...] Los ideales son las cosas según estimamos que debieran ser. Los arquetipos son las cosas según su ineluctable realidad».

La política —nos enseñó Manuel García Pelayo— «es siempre conflicto, lucha, entre el poder y la convivencia, entre la justicia y el orden, entre la voluntad y la razón, entre la permanencia y el cambio». Una actitud opuesta a la intelectual, que contrapone la realidad y la interpretación, la verdad y la apariencia, la sorpresa y el aburrimiento, el misterio y la revelación.

«La política de Mirabeau no tiene oscuridad alguna —dice Ortega en su libro—. Como los hechos de todo un siglo se encargaron de comprobar, fue la obra más clara que se intentó en la Revolución Francesa. Si algo en el mundo tiene derecho a causar sorpresa y maravilla, es que este hombre, ajeno a las Cancillerías y a la Administración, ocupado en un tráfago perpetuo de amores turbulentos, de pleitos, de canalladas, que rueda de prisión en prisión, de deuda en deuda, de fuga en fuga, súbitamente, con ocasión de los Estados Generales, se convierta en un hombre público, improvise, cabe decir que en pocas horas, toda una política nueva que va a ser la política del siglo XIX (la Monarquía constitucional); y esto no vagamente y como germen, sino íntegramente y en detalle».

Se ha denigrado a Mirabeau como hombre que busca los placeres sin mirar la forma de conseguirlos, pero tiene «un afán indomable de crear cosas, de organizar la historia y por eso toma sobre sí, con la misma naturalidad, los grandes honores y las grandes angustias». Por eso, una vez más, mi padre ataca al hombre mediocre, «incapaz de buscar voluntariamente y soportar estas últimas; es inaceptable que discuta al grande hombre el derecho al grande honor y al gran placer». Opone así las dos actitudes vitales opuestas: magnanimidad y pusilanimidad.

El gran político «al actuar» debe tener muy claro lo que hay que hacer con el Estado en una nación, y esto exige que tenga una nota de intelectualidad. Así puede practicar en su política auténtica «a la vez, un impulso y un freno, una fuerza de aceleración, de cambio social, y una fuerza de contención que impida la vertiginosidad».

Y Ortega, aunque estamos en dictadura, aprovecha para decir que «en la España actual lo que hay que hacer es una sociedad nueva [y convertir] la sociedad actual española, prácticamente paralítica, en una nueva sociedad dinámica».

1928: SEGUNDO VIAJE A LA ARGENTINA

No había olvidado Ortega en ningún momento a la Argentina ni los argentinos le habían olvidado a él después del éxito de su primer viaje de 1916. Un éxito que afianzó a la Institución Cultural Española que lo había invitado y, por decirlo así, descubierto, y que animaría la creación de otras organizaciones culturales. Una de ellas fue la Asociación Amigos del Arte, presidida por una de esas «damas esenciales» que había conocido en Buenos Aires, Bebé Sansinena de Elizalde. Mi padre recibía además multitud de cartas personales de gente desconocida para él, cuya vida —decían— se había transformado desde que oyeron sus conferencias.

Tanto la «Cultural» como los nuevos Amigos del Arte le insistían desde el principio de los años veinte para que volviera al Plata a dar sus cursos y conferencias. Pero sus muchos quehaceres y la extensión de sus trabajos, tan importantes en ese periodo, como hemos visto, le impedían lanzarse a repetir la travesía del Atlántico. Hasta que a principios de 1928 aceptó la invitación de Bebé Sansinena para dar cinco conferencias en Amigos del Arte sobre "Meditación de nuestro tiempo" y un curso en la Facultad de Filosofía sobre "Qué es la ciencia, qué es la filosofía". Mientras tanto sus colaboraciones en el diario *La Nación*, cada vez más frecuentes, mantenían a los lectores argentinos al tanto de la evolución de su pensamiento. Estos artículos eran, en general, los mismos que daba en *El Sol* para el público español, salvo dos específicos que dedicó a los argentinos. El 6 de abril de 1924 publicaba en *La Nación* un artículo titulado "El deber de la nueva generación argentina", contestando a dos revistas bonaerenses —*Valoraciones* e *Inicial*— que se habían ocupado de él, en el que recordaba a los jóvenes argentinos que «no se puede esperar nada de una juventud que no sienta la urgencia de adquirir un repertorio de ideas claras y firmes. Una impetuosa aspiración hacia la luz, hermana de la que reside en el vegetal, me parecería el mejor síntoma de una nueva generación». El segundo artículo, del 27 del mismo mes, desbarataba los razonamientos de un colaborador anónimo de una de esas revistas, considerándolo un pragmático, lo más opuesto a lo que él era.

También en el volumen IV de *El Espectador,* aparecido en el año 1925, publicó una "Carta a un joven argentino que estudia filosofía", en la que animaba a su desconocido interlocutor a tomar la vida como un juego —cuya falta de «seriedad», de forzosidad, hacia afuera, le dota espontáneamente de una rigurosa «seriedad» interna—. «Pues bien, joven amigo mío, usted juega mal, no sabe jugar y tiene que aprender

[...] Yo espero mucho de la juventud intelectual argentina pero sólo confiaré en ella cuando la encuentre resuelta a cultivar muy en serio el gran deporte de la precisión mental».

Ortega sabía que sus nuevos oyentes habían aprendido mucho desde que sus palabras de 1916 les llevaron a estudiar en Francia y Alemania las nuevas corrientes filosóficas, no quedándose en el moribundo positivismo que reinaba en el ambiente universitario cuando llegó. Y el propio Ortiz Echagüe, director de la oficina de *La Nación* en París, le avisa, un poco ingenuamente, de que, aunque sigue habiendo en Buenos Aires expectación por oírle, esté prevenido de que hay gentes que tratarían de atacarle.

Recientemente se ha publicado un libro importante sobre la estancia de Ortega en la Argentina [23], bajo la organización sutil de José Luis Molinuevo, donde se ofrecen, por vez primera, la totalidad de sus conferencias en uno y otro viaje, partiendo de los manuscritos y apuntes fidedignos que el profesor Alberini, con gran alegría de mi padre, le hizo ver, en su tercer viaje de 1939, que se conservaban. La introducción de Molinuevo a este volumen de *Meditación de nuestro tiempo* es esencial para ver de cerca la influencia mutua entre Ortega y la Argentina. Asimismo son de gran ayuda para ese tema dos libros de título similar: *Ortega y la Argentina* [24], de cuyos trabajos nos interesa ahora el de Marta Campomar sobre los viajes de mi padre a su tierra, y *Ortega en la Argentina*, de Máximo Etchecopar, uno de sus más fieles amigos y discípulos desde que se conocieron en el tercer viaje [25].

Mi padre embarcó a principios del verano de 1928 en Vigo en el Cap Arcona, uno de los nuevos transatlánticos que había puesto en servicio la naviera Deutsche America Linien, y no regresaría a España hasta el 7 de enero de 1929. Verano y otoño de 1928 los dedicó a sus conferencias en Buenos Aires y a un viaje a Santiago de Chile que no estaba previsto. Pasamos la familia el verano en San Juan de Luz —de Zumaya y la casa de Ibarguren nos habíamos despedido con cierta tristeza el verano anterior—, en un chalet tipo vasco que alquilamos en la Pointe-Ste-Barbe, una elevación entonces solitaria, que abraza el fin de la espléndida playa. El abuelo Spottorno nos acompañaba, como todos los veranos.

---

[23] José Ortega y Gasset: *Meditación de nuestro tiempo,* edición de José Luis Molinuevo, Fondo de Cultura Económica, México, 1996.

[24] *Ortega y la Argentina,* compilado por Ezequiel Olaso, Fondo de Cultura Económica, México, 1997.

[25] Máximo Etchecopar: *Ortega en la Argentina,* Institución Ortega y Gasset, Buenos Aires, 1983.

Al regresar a Madrid, mi hermano Miguel padeció un principio de enfermedad pulmonar que nos aconsejó irnos a vivir a Aravaca, con aire más puro que el de la cercana capital, en una amplia Villa Esmeralda. Nos hicimos muy amigos de algunos otros habitantes de la colonia, especialmente de la familia asturiana Felgueroso y de los Olivié, él ingeniero militar, ella una cubana, que luego serían nuestros caseros cuando nos mudamos de Serrano a la calle de Velázquez —entonces bulevar— número 120.

Por el trabajo de Marta Campomar sabemos que Ortega sufría por el largo silencio de Victoria Ocampo. Silencio epistolar, pero no olvido, porque seguía sus libros y sus artículos de *La Nación.* Pero mi padre estoy seguro de que se llevaría una gran alegría al encontrarse una carta de ella en Montevideo. «Allí le dice —habla Marta Campomar— que vive voluntariamente apartada del resto de la sociedad y que estaría feliz de verlo a solas. Lo que se percibe de la correspondencia entre Ortega y Victoria durante ese periodo de 1928, es una mujer celosa de Bebé y del resto de las mujeres que le rodean [...] Con Victoria durante ese periodo se reinicia una relación franca donde aparecen los viejos complejos de inferioridad intelectual de Victoria y todas las rebeldías e inseguridades que Ortega pacientemente escucha y reorienta». La propia Victoria, en sus *Memorias,* recordaba que Ortega había definido muy bien esa relación en unas líneas que le escribió: «Es mi destino, Victoria, *cingler* hacia usted cuando usted está entregada. En 1916, ignoro qué la poseía, pero era usted una posesa. Ahora la encuentro *colonizada* por ilusiones de Alemania (Keyserling) y recuerdos de la India (Tagore). Me anuncia usted que soy reo de *lo más grave,* de confundir. El fundir no me espanta. Pero tanto más me espanta confundir, y si lo confundido *es lo único,* entonces me aniquila. No obstante, del fondo de mi aniquilación extraigo fuerzas para intentar corregirme, para aprender a disociar. Esté segura que ni esfuerzo ni lealtad ni porosidad habré de escatimar».

Ortega fue recibido con todos los honores y con grandes titulares de los periódicos. Se hospedó en el hotel Plaza —un hotel recién inaugurado que mantuvo su rango hasta hace pocos años— y Bebé Sansinena se había ocupado personalmente de elegir la *suite* para que fuera amplia y silenciosa, donde pudiera trabajar el pensador.

«Acudieron a sus charlas —vuelve a hablarnos Marta Campomar— el Presidente Alvear y luego Yrigoyen [...] Tuvo poco contacto oficial con la colectividad española, aunque sabemos que Avelino Gutiérrez, que ya no era presidente de la Cultural, y otros miembros de la Comisión, habían asistido a sus conferencias». Ya contamos, al relatar el auge y decadencia de su amistad con Maetzu, que éste, como embajador que era entonces de España en la Argentina, asistió a la inauguración de sus conferencias en Amigos del Arte. El discurso del decano Alberini al inaugurarse su curso de la Facultad «traza admirablemente —nos dice Molinuevo— los rasgos de lo que fue la presencia de Ortega y de la que se espera ahora un acontecimiento: quizá no haya pensador capaz de superar a Ortega y Gasset en la percepción del momento dramático de la filosofía contemporánea».

En los meses precedentes a su llegada se había creado una gran expectación y Ortega se hace eco de ello. «Contrasta —sigue diciendo Molinuevo— esto con el clima que ha dejado en España: la dictadura de Primo de Rivera, una situación de desmoralización y de deterioro social que amenaza la existencia de la sociedad misma [...] Meditar sobre la vida —añade— no sólo significa meditar sobre *nuestra* vida, sino especialmente sobre nuestra vida *actual*. Nuestro tiempo es nuestro, explica Ortega —al inaugurar el curso de Amigos del Arte— [...] y en una magnífica metáfora resume la tarea del filósofo: descorrer la cortina del balcón de nuestro tiempo y mirar qué tiempo hace, qué tiempo vamos a tener [...], nuestro tiempo es nuestro paisaje, por eso es preciso conocer su fisonomía y su topografía».

«Señoras, señores —comenzó diciendo Ortega en su primera conferencia—, no me negarán ustedes que es una delicia poner las cosas en su punto. Cierto es que hay muchas de ellas, de calibre mayor, que se acercan más al frenesí, pero ésta es una delicia sobria, débil, que conocen muy bien las amas de casa cuando rectifican la flor mal puesta en el florero, o cuando imponen verticalidad al cuadro que claudica [...] Así es que me urge anunciar que no tengo cosas muy importantes que decir al público en general, y esto no es fingida modestia, sino tal vez [...] que en esta serie de conversaciones aparezca claro, como una nota característica de nuestro tiempo, que no hay nadie en el mundo intelectual que tenga cosas muy importantes que decir al público no especialista».

Y en la quinta y última conferencia se despidió de los Amigos del Arte con estas palabras:

«Porque la ética, que ya desde su principio, desde la primera gran obra que creó hasta su nombre, el famoso libro de Aristóteles, no ha sido sino esto: ponernos en contacto con el gran repertorio de valores posibles de la humanidad. Así en las primeras frases de su libro, el maestro viejo de Grecia emplea una fórmula encantadora para definir la ética: "Busca el arquero un blanco para su flecha, ¿y no lo buscaremos para nuestras vidas?". Al amparo de este noble símil deportivo, quisiera concluir diciendo que los jóvenes mejores de la juventud argentina se resuelvan a formar equipos de selección, y eligiendo en lo alto una figura ejemplar de vida, como una constelación, hagan que su existencia palpite sin cesar hasta ella».

*Viaje a Chile*

Por segunda vez su estancia en América se prolongó más de lo pensado porque tuvo que visitar Santiago de Chile. Los chilenos, alertados por el éxito de Ortega en Buenos Aires, querían oírle también en su país. Mi padre siempre andaba indeciso, pero esta vez no tuvo otro remedio que decidirse al viaje porque el Gobierno chileno le había invitado a pronunciar un discurso en el propio Parlamento. Y daría también un ciclo de conferencias en la Universidad de Santiago, reiterando, más o menos, las que había dado en Amigos del Arte sobre "Meditación de nuestro tiempo".

Recuerdo que nos contaba su viaje de Buenos Aires a Santiago en un tren con Wagons-Lits que recorría los casi 2.000 kilómetros que separaban ambas capitales, y cómo al cruzar el puerto a la vera del Aconcagua, después de cambiar de máquina en Mendoza, que está a más de 3.000 metros de altitud, tuvo la puna o soroche, que es un mal de montaña en que se siente uno muy mal por el poco oxígeno que hay en las alturas. El empleado de coches-cama, habituado a esta angustia de los viajeros, le socorrió como era debido. Mientras, mi padre se asombraba de ver cómo jugaban al fútbol los jóvenes moradores de aquellas altitudes.

Su discurso en el Parlamento chileno fue un acto solemne, con el aplauso entusiasta de todos los diputados puestos en pie, al que se sumaron las personalidades y el público que ocupaba las tribunas.

«Yo no soy —comenzó diciendo— más que un meditador independiente y algo díscolo, un estudioso de ideas, un incitador hacia la vida, que he eludido siempre toda representación oficial y toda magistratura para mantenerme libre y ágil al servicio de mi apasionada misión [...] A esta sencilla, fervorosa y lírica misión he puesto mi vida, y como mi pretensión no trasciende de ella, el honor exorbitante que ahora se me hace, me asusta y me inquieta un poco [...] Sólo una idea me tranquiliza: la de que sirva mi figura para que esta Cámara dé un apretón de manos a una España afanosa y renaciente que, dotada de novísima energía, vuelve a estos países de que fue madre con un gesto distinto, y muy joven, de hermana mayor».

En esos días había habido un temblor de tierra en Santiago que a mi padre —según nos contó— le había sorprendido invitado a almorzar por una de las familias de la élite chilena. Todos se trasladaron al borde de la habitación, hasta que pararon las sacudidas y volvieron tranquilos a los salones. Yo imagino que mi padre, que se estrenaba en terremotos, estaría inquieto. Por eso en su discurso hizo esta alusión:

«No se dude de ello: en el dolor nos hacemos y en el placer nos gastamos. Así es cómo sentiría yo, si fuese chileno, la desventura que en estos días renueva trágicamente una de las facciones más dolorosas de vuestro destino. Porque tiene este Chile florido algo de Sísifo, ya que, como él, vive junto a una alta serranía y, como él, parece condenado a que se le venga abajo cien veces lo que con su esfuerzo cien veces elevó».

Y como despedida: «Pido, pues, anhelo, deseo y espero que en el futuro de Chile los políticos favorezcáis, animéis, corroboréis la vida intelectual [...] Y añado que, a pesar de ser tan breve mi permanencia en Chile, me voy de esta tierra colonizado, con nostalgia, y con un afán de retorno».

Maravillado con la belleza de la mujer chilena, quedó siempre con la duda de si ganaban el juicio de Paris las chilenas o las argentinas.

## La Pampa, promesas

Pero Ortega no puede resistir hacer público su análisis del hombre argentino, de este pueblo joven sobre el que ha meditado profundamente en sus muchas tardes de Buenos Aires, esa «ciudad absurda y abstracta que le produce melancolía y atractivo», como le dice a Victoria Ocampo en una de sus cartas desde Mendoza de 1928; le añade que está «escribiendo para *La Nación* un artículo sobre "La Pampa, promesas", el cual tendrá la virtud de excitar tus mejores iras».

Y efectivamente, en el tomo VII de *El Espectador*, que apareció en 1930, incluye un largo ensayo, fechado en septiembre de 1929, con ese título en su primera parte y dando a su segunda parte un título que levantaría ronchas a muchos argentinos: "El hombre a la defensiva".

Resumamos lo que dice mi padre, que explica las andanadas de ataques que se vinieron sobre él en la prensa y en las conversaciones de la gente del Plata.

«Ahora en el tren, camino de Mendoza —¿sería éste su viaje, ya descrito, hacia Santiago de Chile?— solo conmigo mismo, he sentido en mí, incontrastable, la invasión de la Pampa, mi nuevo paisaje tras largos años de insensibilidad». Y con su afición a analizar el organismo que son siempre para él los paisajes, observa que «la Pampa, en cuanto paisaje, posee una estructura anómala. Todo paisaje tiene primero y último término. Del discanto entre ambos resulta su música [...] Mas la Pampa vive en su confín [...] El paisaje bebe allí cielo, se abreva y esos boscajes son la constante y omnímoda promesa. La Pampa se mira comenzando por su fin, por su órgano de promesas». Y señala que «acaso lo esencial de la vida argentina es eso —ser promesa— [...] y el que llega a esta costa ve ante todo lo de después, la fortuna si es *homo oeco-nomicus,* el amor logrado si es sentimental, la situación si es ambicio-so... Cada cual vive desde sus ilusiones como si éstas fuesen ya la reali-dad».

Pero el tren prosigue su marcha al confín. «Por el camino una *tro-pilla* envuelta en su polvareda, que es como su atmósfera y avanza con ella, lo mismo que en Homero el Dios camina embozado en la nube».

Pero esas promesas muchas veces no se cumplen y entonces el alma criolla está llena de promesas truncadas y siente que «frente a la Tie-rra Prometida es la Pampa la tierra promisora». Ortega cree que el vie-jo criollo siente que «se le ha ido la vida toda en vano por el arco de la esperanza, es decir, que se le ha ido sin haber pasado».

Por eso es difícil la intimación con el hombre argentino. «En la re-lación normal el argentino no se abandona; por el contrario, cuando el prójimo se acerca hermetiza más su alma y se dispone a la defensa». El argentino actual es un hombre a la defensiva [...] y «ocupa la mayor parte de su vida en impedirse a sí mismo vivir con autenticidad. Esa preo-cupación defensiva frena y paraliza su ser espontáneo y deja sólo en pie su persona convencional».

La verdad es que la Argentina de 1928 era muy distinta de la de 1916. Máximo Etchecopar nos lo explica: «En ese año con el aplastan-te triunfo electoral de Hipólito Yrigoyen y de su partido, la Unión Cívi-ca Radical, aquel primer empellón de las clases populares que veía Or-tega en 1916 se ve ahora acrecido del modo más palmario y rotundo. [...] ¿Cómo lograr —se pregunta Etchecopar— que esos dos extremos viciosos que son el populismo y los regímenes militares, regímenes de fuerza ambos: fuerza masiva uno, crasa fuerza material el otro, no ha-gan imposible el funcionamiento normal del estado de derecho? Lo que, certero, señaló y anticipó Ortega en 1928 que es inevitable: du-rante unos años la Argentina sufrirá de histórica indigestión».

Pero los ataques de los jóvenes escritores argentinos son tan viru-lentos, como anticipó Victoria Ocampo en un artículo que publicó, defendiéndole, en *La Nación,* que Ortega se siente obligado a escri-bir a su vez un artículo en ese diario, el 1 de abril de 1930, que titula: «Por qué he escrito "El hombre a la defensiva"». Justamente porque su deuda con la Argentina es inmensa y «la forma de pago no podía para mí ser dudosa, tenía que ser homogénea a la deuda. Y si la Ar-gentina ha contribuido a hacer mi vida, yo tengo que contribuir, bien que en la cuantía mínima posible a un escritor, a hacer la vida de la Argentina».

No le correspondían alabanzas sino decir con rotundidad lo que pensaba del hombre argentino. «En este sentido el hombre argentino

342

está desmoralizado, y lo está en un momento grave de su historia nacional; después de dos generaciones que ha vivido de fuerza, tiene que volver a vivir de su propia sustancia en todos los órdenes: económico, político, intelectual». Y éste era el deber que mi padre sentía de llamar al argentino hacia sí mismo, con esas páginas, «drásticas, enojosas, antipáticas», que, como Beethoven llamó a una de sus sonatas: *Hacia la alegría por el dolor*, podían titularse: *Hacia la gratitud por el insulto*.

CAPÍTULO VIII

# LA PLENITUD

## LA ILUSIÓN POR LA REPÚBLICA

Se instaló con gusto en la casa de Aravaca aunque estaba separado de sus libros. Pero Lesmes, el chófer, le acercaba casi diariamente en nuestro Georges Irat a Serrano para que se llevara los que necesitaba. Le conducía, además, a la universidad, las mañanas que tenía curso, y a la *Revista* (término abreviado con que designábamos a las oficinas de la *Revista de Occidente*). Recuerdo que una noche, poco después de regresar de América, vino a visitarle Ramón Gómez de la Serna con gran número de amigos y tertulianos de su Cripta de Pombo, porque había organizado una cena para inaugurar un autobús gigante que explotaba un conocido suyo, en el restorán Casa Camorra que había en el cercano Alto de las Perdices. Mi madre tenía instalado un gallinero en la casa alquilada y Ramón se acercó a él, cacareando como un gallo mañanero porque —decía— así se despiertan las gallinas creyendo que está amaneciendo y ponen un huevo suplementario.

En los primeros días de febrero de ese año 1929, mi padre comenzó un curso público en la Universidad en el que podían matricularse, por tanto, no sólo estudiantes sino además gente de fuera. El tema era atractivo: *¿Qué es filosofía?*, algunas de cuyas ideas ya había desvelado en sus recientes cursos de Amigos del Arte y de la Universidad bonaerense. El curso iba a ser de once lecciones en las que Ortega quería exponer su original pensamiento sobre la *razón histórica*. La matrícula desbordó las previsiones y tuvo que darlo en un aula grande del caserón de San Bernardo. Es curioso advertir que en ese mismo año Heidegger publicaba su libro *Was ist Metaphysik?* Ambas obras transcurren por caminos distintos pero coinciden en la necesidad de dar un nuevo destino y enfoque a la filosofía.

Sólo queremos reproducir ahora los últimos párrafos de la primera lección de este curso, importante en la obra de Ortega: «Toda la batalla —que, por cierto, será bastante dura— en que andamos trabados a la fecha consiste precisamente en salir de nuevo a una filosofía plenaria, completa; es decir, a un máximum de filosofía [...] La serie suficiente de las causas que explican semejante hecho nos ocupará el próximo día». El subrayado es mío porque ese día no fue el viernes siguiente previsto, sino varias semanas después ya que los violentos incidentes universitarios llevaron al gobierno de Primo de Rivera a cerrar la Universidad madrileña y, como reacción moral a semejante atropello, Jiménez de Asúa, Sánchez Román, Fernando de los Ríos y mi padre renunciaron temporalmente a sus cátedras.

La FUE (Federación Universitaria Española) —que era la organización no autorizada de la mayoría de los estudiantes— creó una especie de universidad volante donde las clases se daban en lugares privados distintos, entre ellos el salón de la *Revista de Occidente*. Los amigos de Ortega organizaron la continuación de su curso, primero en la Sala Rex, donde mi padre dio cinco lecciones —de la segunda a la sexta,— pero era tan numeroso el público que quería seguirlas que hubo de trasladarse al teatro Infanta Beatriz, en la calle de Claudio Coello, cuyo aforo era de unas 800 personas y que se llenó hasta la giralda. Allí daría el conferenciante las cinco últimas lecciones, de la séptima a la décimoprimera. La matrícula valía 30 pesetas —15 para los estudiantes— y podía formalizarse en las oficinas de *El Sol*, en las de la *Revista de Occidente* o en la Casa del Libro.

## La pérdida de El Sol

Me veo obligado a interrumpir a mi vez el relato de este curso interrumpido porque en esos momentos los intentos de los monárquicos recalcitrantes para hacerse con la propiedad de *El Sol* se acentúan. Urgoiti había dimitido como director de La Papelera, pero sin dinero suficiente para tratar de comprar a la compañía las acciones del periódico —que estaba, por cierto, empezando a dar beneficios, con una tirada media de 80.000 ejemplares y 110.000 su colega vespertino *La Voz*—, se dedicó plenamente, todavía con ilusión, al periódico que había fundado. Había estudiado los defectos que se detectaban en la redacción y, dado el exceso de trabajo personal de ambos directores, Félix Lorenzo y Fabián Vidal, creía conveniente, sobre todo en el diario matutino, crear el puesto de un redactor jefe que asumiese parte de esa labor. Había además problemas con la remuneración de los periodistas, en sus distintos niveles, y Urgoiti quería evitar a toda costa que tuvieran que trabajar fuera para completar sus ingresos. Para reorganizar todos esos problemas nombró administrador a Vicente Saracho, que era desde siempre muy estimado por don Nicolás.

Su propuesta de modificaciones se concretó en un escrito del 22 de septiembre de 1928 y parecieron dar resultado al aumentar la venta, en particular, la de Madrid, que tanto le preocupaba.

Ese mismo año de 1929 —nos dice Mercedes Cabrera en su excelente libro ya citado— «la deuda de *El Sol* con La Papelera se había cancelado definitivamente y, de acuerdo con el contrato vigente desde 1924, ésta se convirtió no sólo en accionista directo de *El Sol* al revertirle las 386 acciones que quedaban en cartera, sino en accionista mayoritario ya que Urgoiti controlaba, directa o indirectamente por razones familiares, sólo 294». Naturalmente en el nuevo consejo de administración entraron tres miembros de La Papelera.

Sectores importantes de ella, como José Félix de Lequerica, se quejaban al presidente, el conde de Aresti, de que *El Sol* atacaba muy frecuentemente las instituciones, en especial la monarquía, contraviniendo las normas para las que fue creado, lo cual era una crítica directa a su fundador. Éste creyó conveniente redactar una declaración sobre la actitud de su periódico, que se publicó con el título de "Lo que piensa y defiende *El Sol*" en la primera plana del número del 23 de marzo de 1929. Para redactarla, Urgoiti se encerró dos días en la biblioteca del Casino de Madrid y discutió después su escrito con Félix Lorenzo, con Ortega y algún otro colaborador. Hay que añadir que, como todos los números, éste fue visado por la censura sin que pusiera ninguna objeción. Resumimos lo que pensaba y defendía *El Sol* en aquel momento de 1929:

*Monarquía o República:* Nuestro programa del 1 de diciembre de 1917 decía: «Las instituciones fundamentales tienen nuestro acatamiento, si bien ha de advertirse que no tenemos vocación de guardias de Corps». Ampliamos hoy esta declaración diciendo que no consideramos consustanciales a la Monarquía y a España, ni damos, por consiguiente, importancia básica a la forma de gobierno. El país otorgó su aprobación a la forma monárquica y él la ratificará o rectificará cuando lo crea oportuno. En todo caso, debe existir un Poder moderador pero somos adversarios de toda potestad irresponsable, llámese Rey o Presidente.

*Poder ejecutivo:* En nuestra opinión, es necesario asegurar en lo posible la estabilidad del Poder ejecutivo. A esto tiende lo que decimos ahora y lo que diremos después al ocuparnos del Poder legislativo.

El jefe de Estado formará un gobierno de significación política coincidente con la mayoría elegida por el país tan pronto como haya sido elegida la Cámara de Diputados. Pero como puede haber en el país personalidades de un gran prestigio difuso o de méritos unánimemente reconocidos, que por cualquier circunstancia no hayan obtenido representación en Cortes, la elección del jefe del Estado no habrá de limitarse forzosamente a los representantes elegidos, ni los ministros así nombrados necesitarán ser revalidados con una representación parlamentaria.

En el caso de que el Congreso de los Diputados, reunido en número superior a los dos tercios de sus miembros, y con el voto de más de los dos tercios de los concurrentes, manifestara su reprobación a un ministro o al Gobierno entero, el ministro o el Gobierno deberán ser sustituidos por el Poder moderador. Éste tendrá derecho de disolver el Congreso y convocar automáticamente nuevas elecciones, si por tres veces consecutivas en un cierto lapso de tiempo los representantes elegidos por sufragio directo rechazan a los del poder ejecutivo.

*Poder Legislativo:* Deben existir dos Cámaras: la Cámara o Congreso de Diputados y la Corporativa o de Corporaciones.

La primera, elegida por sufragio universal directo y secreto, por grandes circunscripciones. Todo español tendrá derecho al voto, sin distinción de sexos, a partir de los veintiún años. Igualmente podrá ser elegido Diputado. La segunda Cámara será una representación de ciertas clases sociales (Iglesia, Magistratura, Ejército...) en número muy restringido, y en su mayoría la formarán los elegidos por Asociaciones comerciales, industriales, obreras; Sindicatos, corporaciones gremiales y Cooperativas, etcétera.

*El mantenimiento del orden:* En el último apartado de esta declaración de principios de *El Sol,* Urgoiti hacía una defensa del mantenimiento del orden, porque, en reciprocidad, propugnaba también la libertad de expresión y de asociación; «propugnamos el robustecimiento sin contemplaciones de todas las atribuciones coercitivas de que dispone un Estado moderno para oponerse a todo cuanto signifique alteración del orden público, proceda de donde proceda la excitación».

No creo yo que satisficiera a nadie esta toma de postura que Urgoiti hizo tomar a *El Sol,* y la mayor parte de los consejeros de La Papelera no acabaron de tranquilizarse. La dictadura iba perdiendo adeptos y el propio Rey había negado a Primo de Rivera la destitución del capitán general de Andalucía, que había intentado una rebelión contra el dictador. Hubo, pues, tiempo —todo el año 1929— para que Ortega diera su curso saltando de un local a otro como un caballo de ajedrez.

¿Qué es Filosofía?

Vamos, pues, a tratar de galopar por sus lecciones. En la primera, la única pronunciada en el recinto universitario, comenzó por desvanecer el equívoco de que iba a exponer una *introducción a la Filosofía.* «Lo que quisiera hacer —dijo Ortega— es todo lo contrario: es tomar la actividad misma filosófica, el filosofar mismo y someterlo radicalmente a un análisis. Que yo sepa, esto no se ha hecho nunca, aunque parezca mentira». En seguida se plantea el sentido de la verdad. Las verdades —afirma— poseen «una doble condición sobremanera curiosa. Ellas por sí preexisten evidentemente, sin alteración ni modificación. Sin embargo, su adquisición por un sujeto real, sometido al tiempo, les proporciona un cariz histórico: surgen en una fecha, y tal vez, se volatilizan en otra». La historia «si quiere algún día ser en serio una ciencia tiene que explicar por qué tal filosofía o tal ley fue descubierta por una persona concreta en una época determinada; por ejemplo, por qué Newton descubrió la ley de gravitación universal o Arquímedes su famoso teorema».

Para el conferenciante el error, que viene de Descartes, es creer que «el hombre es un puro ente racional incapaz de variación», y la historia sólo sería la serie de errores y equivocaciones cometidas por ese hombre impasible. La actual nueva sensibilidad nos lleva a considerar como la gran tarea filosófica actual unir el valor relativo y el eterno del hombre de cada época. Ortega había iniciado un método para ello que los alemanes le han bautizado con el nombre de *perspectivismo*.

Pero la segunda conferencia, como dijimos, no pudo darse hasta el viernes 5 de abril, más de dos meses después, mientras se encontraba el local, que fue la Sala Rex, en el edificio que da a las calles Mayor y Arenal y que confluyen en la Puerta del Sol madrileña. Su aforo era de unas cuatrocientas personas y no bastaría para tanto oyente como quería asistir.

Sus primeras palabras fueron estas: «Por razones que no es urgente ni siquiera interesante comunicar ahora he tenido que suspender el curso público iniciado por mí en la Universidad. Como aquel intento no iba inspirado por razones ornamentales y suntuarias, sino por un serio deseo y como prisa de dar a conocer nuevos pensamientos que no carecen, a mi juicio, de interés, creí que no debía dejar estrangulado aquel curso en su nacimiento y supeditarlo a interferencias anecdóticas, al fin y al cabo muy poco sustanciosas. Por estos motivos me encuentro hoy ante ustedes en este lugar». Lugar en el que daría hasta la sexta conferencia.

El pensador dedicó esta segunda conferencia a explicar con mayor precisión que con la que lo había hecho en otras ocasiones, su teoría de las generaciones históricas, que explica por qué cambian los tiempos.

«Para que algo importante cambie en el mundo es preciso que cambie el tipo de hombre [...]; es preciso que aparezcan muchedumbres de criaturas con una sensibilidad vital distinta de la antigua y homogénea entre sí. Esto es la generación». Diferencia así Ortega su idea de la generación histórica de la de generación biológica que, naturalmente, se renueva anualmente. La generación histórica se renueva, más o menos, cada quince años, y por ello en el mismo hoy conviven «en esencial hostilidad» gentes de veinte, de cuarenta y de sesenta años. «Todos somos contemporáneos —aclara el conferenciante—, vivimos en el mismo tiempo y atmósfera, pero contribuimos a formarlos en modo diferente. Sólo se coincide con los coetáneos [...] Alojados en un mismo tiempo externo y cronológico conviven tres tiempos vitales distintos. Esto es lo que suelo llamar el anacronismo esencial de la historia [merced al cual] se mueve, cambia, rueda, fluye».

La idea de generación presidió todo el pensamiento histórico de Ortega. Él mismo recordó que Lorenz, Harnack y Dilthey insinuaron algo sobre este asunto, pero la forma radical de tomarlo fue obra suya. Ya lo había desarrollado, como hemos dicho, en *El tema de nuestro tiempo*, y lo volvería a tratar en profundidad más adelante, como veremos, en su curso *En torno a Galileo*.

La filosofía desde 1840 a 1920 se había dedicado a ser la «criada para todo» de la ciencia, especialmente de la física; pero cuando los físicos mismos vieron el carácter incompleto de sus verdades, que tan ágilmente habían descubierto, tuvieron que acudir a la filosofía, que ha de volver a ser la ciencia de «todo cuanto hay», y no sólo, como la ciencia estricta, el comportamiento de la materia. La verdad científica es simbólica y la filosófica ha de buscar dónde radican las suyas. Pero ese «todo cuanto hay» es desconocido. Por eso «el filósofo, a diferencia del científico, se embarca para lo desconocido como tal», que es el conocimiento del Universo.

Yo me imagino esa realidad como una masa que sólo es tangente a la teoría científica en puntos determinados, que son las leyes físicas y naturales. El avance científico debe consistir en obtener mayor número de puntos de tangencia, pero nunca podrán esas leyes, más perfectas y exactas cada vez, describir la masa ingente del Universo.

El propósito didáctico de Ortega es ir acercándose a la verdad en círculos sucesivos de radio menguante, en la ruta espiral cada vez más precisa. Así llegaría hasta la última lección, la undécima, dada el viernes 17 de mayo, en la que desembocó en las ideas de su nueva filosofía. Los límites de la antigüedad y de la modernidad sólo se superan si al mismo tiempo se conservan. «Si nuestro pensamiento no repensase el de Descartes, y Descartes no repensase el de Aristóteles, nuestro pensamiento sería primitivo, tendríamos que volver a empezar y no sería un heredero. Superar es heredar y añadir». Y explica entonces, con la magnificencia de un descubridor, la nueva tierra filosófica a la que ha llegado, que «la realidad radical es *nuestra vida*, la de cada cual. Intente cualquiera hablar de otra realidad como más indubitable y primaria que ésta y verá que es imposible. Ni siquiera el pensar es anterior al vivir, porque el pensar se encuentra a sí mismo como trozo de mi vida, como un acto particular de ella». Desemboca así en la filosofía de la razón vital, de la cual la razón pura es sólo una parte para ciertos objetos de la teoría del conocimiento.

En las crónicas que diariamente daba *El Sol* de estas conferencias, consta el aplauso prolongado que dedicaron a Ortega sus entusiastas oyentes. Como decían los compiladores (léase principalmente a Paulino Garagorri) de la edición en libro, en 1957, de este famoso curso, «fue el primero de filosofía pura explicado en España fuera de una Universidad, ante el público más heterogéneo que cabe imaginar, constituido no sólo por *profesionales* y estudiantes de filosofía y *dilettanti* de placeres espirituales, sino también, y en mayor número, por hombres ignorados cuya afición a semejantes temas no podría sospecharse [...] Era la revelación casi mágica de una realidad española diferente de la que alimentaba nuestro pesimismo y nuestra pereza».

## La rebelión de las masas

En los folletones de *El Sol,* Ortega había ido publicando, como ya hemos contado, desde 1926, la que iba ser su gran obra sociológica al tiempo que la más famosa, *La rebelión de las masas,* que apareció en forma de libro en ese año de 1929. Ha sido el libro de Ortega más reeditado y más vendido, no sólo en castellano sino en otras lenguas. Recientemente el profesor norteamericano Thomas Mermall, catedrático de Literatura Española en el Brooklyn College y en el Programa Doctoral de la City University of New York, ha publicado una edición erudita con una espléndida introducción que vamos a utilizar profusamente por ser la más completa y actualizada de esta obra tan fundamental en el pensamiento orteguiano [1].

Aunque el propio autor, en el «Prólogo para franceses» que hizo para la edición gala de su libro en 1937, afirme que los folletones aludidos comenzaron a aparecer en *El Sol* en 1926, nos quedamos con la afirmación exacta de Mermall de que esos folletones se publicaron entre el 24 de octubre de 1929 y el 10 de agosto de 1930; y a pesar de que la obra estaba lista para publicarse en 1929, el autor retrasó su aparición hasta el 31 de agosto de 1930 para que salieran antes sus últimas entregas en el periódico. Yo añadiría que había una razón: no poder renunciar, en su difícil economía, a los emolumentos del folletón. No parece que al pasar del folletón al libro variase mucho el autor su texto, aunque Mermall anota todas las pequeñas incidencias y, a veces, las reiteraciones de artículos que daba antes en *El Sol.*

---

[1] *La rebelión de las masas,* edición de Thomas Mermall, Castalia, Madrid, 1998.

Quedemos, pues, con la fecha de 1929, que era aquella en que terminó de imprimirse el libro —aunque no apareciera por las librerías hasta el año siguiente— y que es la que consta en su primera edición. Muy pronto fue traducido al alemán —1931— en la editorial Deutsche Verlag Anstalt, que dirigió hasta el nazismo el doctor Kilppert, gran entusiasta de Ortega, a quien había comenzado a editar con *El tema de nuestro tiempo,* y siempre en las admirables traducciones de Helena Weyl. En Inglaterra aparecía al año siguiente —1932—, y posteriormente se tradujo a varios idiomas europeos, aunque la edición francesa no aparecería hasta 1937 y la italiana, hasta 1945, después de terminar la II Guerra Mundial.

Tras esa gran guerra —nos dice Mermall— «la popularidad del libro, al igual que ocurriría con el resto de la obra orteguiana, alcanzó mayor repercusión en el extranjero —sobre todo en Alemania— que en España. Según Franco Meregalli, entre 1965 y 1977 se han traducido o reeditado varias obras de Ortega con notables resultados: veintidós al alemán, veinte al japonés, doce al inglés en los Estados Unidos, seis al italiano, dos al portugués. Hasta la fecha —precisa Mermall— en los Estados Unidos se han vendido más de 100.000 ejemplares».

¿Pero cómo fue recibido este libro en el extranjero en un momento en que comenzaba a crecer el prestigio internacional de mi padre? Thomas Mann, en el *New York Herald Tribune* del 13 de septiembre de 1931 elogia *La rebelión* como «una obra de excepcional acierto sobre la psicología del hombre-masa, desde el punto de vista cultural, el fenómeno más amenazante de nuestro tiempo»; y Hermann Hesse, por esas mismas fechas, recomienda la obra encarecidamente, «porque es uno de los libros en los que una época lucha por tomar conciencia y trata de dibujar su propio rostro [...], obra de uno de los pocos hombres que tienen un conocimiento verdadero de la esencia de la historia y con ello de la situación de la humanidad actual». No fueron muchas las reseñas de este libro en su propia patria, pero esto no era inesperado porque nunca gozó Ortega —ni los grandes escritores de su tiempo— de demasiada atención por parte de los críticos españoles. Pero con la máxima frecuencia las críticas dentro y fuera de España, incluso las elogiosas, censuraban la falta de claridad en la definición orteguiana de las «aristocracias», que llevaría al lector a confundirlas con la «nobleza», clase social cuya influencia había prácticamente desaparecido tras la Revolución Francesa. Ortega se ha referido siempre a esas minorías de los «hombres mejores», sin los cuales las masas no tienen a quién seguir y admirar. Así Francisco Romero, en la Argentina, no obstante su afirmación de que «en ninguno de sus libros se aproxima Ortega tanto como en éste a la realidad cotidiana, al hecho vivo y concreto. En ninguno es su prosa tan vivaz y directa», se propone «corregir la óptica orteguiana con respecto a la relación minorías-masa».

La atención de los críticos italianos fue profusa, no así en Francia, donde —señala Meregalli—, salvo unas breves notas de Jean Cassou y Pierre Jobit, se refleja «la frialdad francesa en los años veinte y treinta hacia Ortega». Sin embargo, como recuerda Mermall, «de todos es conocido el elogio de Camus, para quien Ortega sería, después de Nietzsche, el más grande escritor europeo» [2].

¿Qué es este fenómeno de nuestro tiempo, de la rebelión de las masas? «Hay un hecho —comienza el autor— que, para bien o para mal, es el más importante de la vida pública europea de la hora presente. Este hecho es el advenimiento de las masas al pleno poderío social. Como las masas, por definición, no deben ni pueden dirigir su propia existencia, y menos regentar la sociedad, quiere decirse que Europa sufre ahora la más grave crisis que a pueblos, naciones, culturas cabe padecer. Esta crisis ha sobrevenido más de una vez en la historia. Su fisonomía y sus consecuencias son conocidas. También se conoce su nombre. Se llama la rebelión de las masas».

Es un fenómeno no solamente político sino de otros y varios modos de la sociedad. Y su manifestación externa es el «hecho de las aglomeraciones». Todo está lleno, y empieza a ser problema encontrar sitio en los trenes, en los paseos, en las consultas de los médicos, en los cafés. Y Ortega se pregunta: «La aglomeración, el lleno, no era antes frecuente. ¿Por qué lo es ahora?».

La sociedad es una ecuación entre minorías y masas. Pero esa división social —las «minorías selectas» y las muchedumbres— no es una división en clases sociales. El hombre selecto no es ni el poderoso ni el petulante; es, por el contrario, el que se exige mucho a sí mismo. No es la «nobleza» pero puede haber nobles que, independientemente de su sangre, sean hombres egregios, lo mismo que pueden existir éstos entre los obreros que antes eran ejemplo claro de lo que llamamos «masa».

Hasta ahora «la vieja democracia vivía templada por una abundante dosis de liberalismo y de entusiasmo por la ley [...]; hoy asistimos al triunfo de una hiperdemocracia en que la masa actúa directamente sin ley, por medio de materiales presiones, imponiendo sus aspiraciones y sus gustos». Y Ortega señala que esa imposición no es sólo en el

---

[2] Aunque se salga del límite histórico de este libro —1955—, fui a ver a Camus a su despacho de director literario de Gallimard, en 1962, cuando preparaba la salida de la 2ª época de la *Revista de Occidente*, y me reiteró sentirse discípulo, por lectura, de mi padre.

orden político sino en todos los demás órdenes, especialmente el intelectual, y termina el primer capítulo con esta frase: «Lo característico del momento es que el alma vulgar, sabiéndose vulgar, tiene el denuedo de afirmar el derecho de la vulgaridad y lo impone dondequiera».

El nivel histórico ha subido, y hoy las masas pueden gozar de muchos de los privilegios que tenían antes las aristocracias, subversión que lleva consigo un fabuloso crecimiento de la vitalidad de los europeos y que sea equívoca esa idea de la decadencia de Europa.

El hombre ha sentido siempre el nivel de su tiempo. Para unos, su época era la culminación y el punto más alto de la historia. Para otros, su época era inferior a alguna de las antiguas. Pero para Ortega la realidad histórica es un puro afán de vivir «hermana de la que inquieta al mar, fecundiza a la fiera, pone flor en el árbol, hace temblar a la estrella». En contra de muchos diagnósticos de decadencia, Ortega cree —lo dijo en *La deshumanización del arte*— que la disociación entre pretérito y presente, que es sentida en toda época, en la nuestra no sólo se ha dilatado sino que además «va incluida la sospecha, más o menos confusa [...], [de] que de pronto nos hemos quedado solos sobre la tierra los hombres actuales; que los muertos no se murieron de broma, sino completamente; que ya no pueden ayudarnos. El resto del espíritu tradicional se ha evaporado. Los modelos, las normas, las pautas, no nos sirven [...] El europeo está solo sin muertos vivientes a su vera: como Pedro Schlemihl, ha perdido su sombra. Es lo que acontece siempre que llega el mediodía.

«No estamos en la plenitud de los tiempos [...] y nuestra época se sentiría fortísima y a la vez insegura de su destino, orgullosa de sus fuerzas y a la vez, temiéndolas».

Pero en lo que muy pocos hicieron hincapié es en que el libro se componía de dos partes de igual rango: «La rebelión de las masas» propiamente dicha, y una segunda titulada «¿Quién manda en el mundo?». El propio Ortega, en una conferencia que dio en Alemania en los años cincuenta, aclaró sus propósitos con estas palabras, que tomamos del manuscrito que preparó para su disertación (y que en la colección El Arquero que iniciamos en las Ediciones de la Revista de Occidente poco después de su muerte, la incorporamos en facsímil):

«Hace un cuarto de siglo escribí mi libro *La rebelión de las masas*, al que se ha prestado en todo el mundo una atención excesiva. Es excesiva porque, aun conteniendo el libro algunas visiones certeras y una lista de profecías que, por desventura, se han cumplido, como libro vale bastante poco. De suerte que el favor que ha gozado, y sigue gozando en todo el mundo, significa para mí, dicho francamente, una objeción contra el mundo. Pero si ahora hago a él referencia es sólo para advertir que aquel libro no habla sólo de las masas y de su rebelión, sino que lleva dentro una segunda parte no suficientemente reconocible en las ediciones alemanas, por no haberse destacado su título particular, y que es este: *¿Quién manda en el mundo?* En esta segunda parte enunciaba yo que venía muy cerca la hora en que pueblos de Occidente corrían el riesgo de sucumbir si no lograban superar la forma de vida colectiva en que desde hace siglos vivían, a saber, la Nación, etcétera —lo mismo que Grecia y Roma sucumbieron por no saber trascender en tiempo oportuno la Idea del Estado-Ciudad, de la *Polis* y la *Urbis*».

«Ortega —dice Mermall al final de su larga introducción— fue el gran clarividente de la desmoralización de la vida europea previa al fracaso del fascismo y del bolchevismo —vías anacrónicas y contraproducentes para dar solución a la crisis europea—; amonestó contra los desvaríos de un nacionalismo a ultranza [...] Para hacer frente a estos peligros abogaba por una Unión Europea, cuya realización se encuentra hoy en marcha, aunque con grandes dificultades [...] La mayor aportación de Ortega es el haber descubierto y perfilado un tipo de hombre *nuevo,* producto de la increíble aceleración del progreso material y la difusión de los derechos políticos. Este hombre no es el tradicional representante del vulgo, ni el burgués decimonónico, sino un fenómeno social *sui géneris* del siglo XX, la persona que no admite instancias superiores y se complace en su derecho a la mediocridad. La imposición de sus gustos y preferencias en todos los niveles de cultura, ora mediante la hiperdemocracia, ora a través de un Estado de poderes ilimitados, pone en peligro tanto al individuo y sus inviolables derechos como a las jerarquías espirituales».

Mermall señala que «en los últimos años ha tenido el tema orteguiano de la rebelión del hombre medio contra los valores aristocráticos el mayor éxito en los Estados Unidos [...] Por una de esas frecuentes ironías del éxito literario, el famoso texto de Ortega fue bien acogido en la sociedad que el mismo autor llamará "el paraíso de las masas"». Y califica de escandaloso que lo más próximo a una edición crítica de *La rebelión de la masas* no haya sido española «sino la versión inglesa de Anthony Corrigan con un prólogo del premio Nobel Saul Bellow, gran admirador de Ortega». Es claro que ahora la edición crítica mejor es ésta de Mermall, «también americano».

## Tomo VII de El Espectador

A finales de 1929 —aunque lleva fecha del año siguiente— aparece un nuevo tomo de esta serie. Ahí incluye los artículos sobre la Argentina y los argentinos de que hemos hablado; pero el ensayo que produjo mayor impacto fue «El origen deportivo del Estado», donde establece una nueva jerarquía de las actividades propias del hombre al considerar la actividad deportiva como «la primaria y creadora [...], la más elevada, seria e importante de la vida», frente a la actividad laboriosa, derivada de aquélla. Para Ortega lo más necesario en la vida es justamente lo super-fluo, y por eso la palabra de nuestra lengua que le parece una de las más bellas del diccionario es la palabra *incitación*. Incitación no es lo mismo que causa. En la física la causa produce un impulso en principio igual a ella, pero la incitación produce fenómenos mucho mayores y novedosos. Y pone como ejemplo la corveta del caballo apenas le roza la espuela su ijar. «¡Pobre la vida —señala el autor— falta de elásticos resortes que la hagan pronta al ensayo y al brinco!»

Es erróneo creer que el hombre hace sus creaciones por utilidad y no ver que en su origen todas parten de la gracia. Fueron los clubes ju-veniles de Grecia y Roma los que iniciaron cosas tan nuevas como la guerra o el carnaval, que son la «génesis histórica e irracional del Es-tado», que tiene así un origen festivo y deportivo y por eso es cruel y guerrero.

El primer envite político de Ortega contra la dictadura fueron los artículos que publicó en *El Sol* desde el 18 de noviembre de 1927 a fe-brero del año siguiente, con el título de *La redención de las provincias*. Más tarde, en 1931, lo dio en forma de libro con un prólogo que nos explica las vicisitudes que tuvo su intento. «Recoge este libro —dice— una serie de artículos escritos y publicados cuando con más brío dicta-ba la primera Dictadura. Pesaba sobre España un silencio violento. Por lo mismo, los oídos buscaban en el aire el nutrimiento de alguna palabra. Yo quise aprovechar este estado de la atención pública para hacer lo que entonces cabía hacer: deslizar en el calderón dictatorial una voz tenue de pedagogo político [...] Pero era preciso caminar pa-sitamente, insinuarse por entre los barrotes rojos que eran los lápices de los censores». A pesar de esas cautelas el dictador tuvo varios días metido en el bolsillo el capítulo 10, titulado «La idea de la gran comar-ca». Primo de Rivera acabó por publicar una nota en la que declaraba su deseo de ver a Ortega continuar la serie, pero que juzgaba ese artícu-lo innecesario para el desarrollo de las ideas del autor. «Esta audacia del dictador —dice Ortega en su prólogo— que le llevaba hasta deci-dir sobre las ideas aún inexpresas que un escritor tenía en su cabeza, dio a la época aquella un carácter de única en los fastos universales, única por el tamaño de su tragicomicidad».

Leídos hoy esos artículos, en los que propone la gran reforma de la vida nacional desarrollando y poniendo en pie a las provincias, signifi-can una anticipación de la actual organización autonómica de España. Leamos: «Yo imagino que cada gran comarca o región se gobierna a sí misma, que es autónoma en todo lo que afecta a su vida particular;

más aún: en todo lo que no sea estrictamente nacional. La amplitud en la concesión de *self-government* debe ser extrema, hasta el punto de que resulte más breve enumerar lo que se retiene para la nación que lo que se entrega a la región [...] La vida local sería regida por una Asamblea comarcana, de carácter legislativo y fiscal, y por un Gobierno de región emanado de aquélla».

No obstante sus choques con la dictadura —su abandono temporal de la cátedra y las interrupciones del curso sobre «¿Qué es filosofía?»— no le desanimaron para seguir sus artículos veladamente políticos. En abril de 1929, un grupo de escritores tuvo la idea de organizar un movimiento de carácter político, «de la más amplia ideología dentro del horizonte de libertad, y de tono y significación distintivamente intelectuales». Son todos los firmantes más o menos coetáneos: es la Generación del 27, que busca «dirección y apoyo, y reclama su indispensable consejo» en un hombre de la generación anterior, luego llamada del 14. Ese hombre «era José Ortega y Gasset [...] un hombre de excepcional mentalidad, pulcra historia, sin contaminaciones con ningún pasado político y eficaz ideólogo porverinista». «Ortega les contesta, alegre por ese movimiento, y acepta el apoyo y el consejo, pero no la dirección, porque quiere quedar libre para el inmediato porvenir en el que vislumbra necesaria su actuación política»[3]. Sus palabras las recogieron los firmantes en su manifiesto o presentación.

Aquel verano lo pasamos en un lindo hotel del pueblecito francés de Gavarnie con la familia Pittaluga. Visitamos a pie el circo de ese nombre al pie del Monte Perdido y que se apoya por el lado español del Pirineo en el valle de Ordesa, hoy parque nacional, mucho más grandioso y difícil —entonces— de visitar. Nos hacía gracia el nombre del hotel que había en el descenso hacia Pau, que se denominaba «Hôtel du Point de Vue de la Brèche de Rolland et aux repos des voyageurs», porque desde él se veía el mordisco que los agentes erosionantes habían dado a un pico de la cordillera. Mi padre pasó unos días en Cauterets cuidándose el hígado.

La dictadura parecía tener los días contados cuando volvieron a Madrid. Y vino a complicarle seriamente las cosas la gran depresión económica que se produjo en Estados Unidos y el viernes negro del 18 de octubre en que se hundió la Bolsa de Nueva York. En España los acon-

---

[3] Firmaron el manifiesto, entre otros, Francisco Ayala, Prieto Bances, Corpus Barga, Chaves Nogales, Antonio Espina, Federico García Lorca, Benjamín Jarnés, Ángel Lázaro, José López Rubio, Antonio de Obregón, Rodríguez de León, Cipriano Rivas Cherif, Salazar y Chapela, Pedro Salinas, Fernando Vela, Luis García de Valdeavellano y Francisco Vighi.

tecimientos se precipitaron. Como ya dijimos, el 30 de enero Primo de Rivera presentó su dimisión al Rey, que la aceptó, y el 1 de febrero nombró a su general Berenguer jefe de Gobierno. Una de las primeras medidas del nuevo ejecutivo es reponer en sus cátedras a todos los prestigiosos catedráticos que habían dimitido, entre ellos, mi padre. Ortega escribe algunos artículos en *El Sol*, entre ellos "Organización de la decencia nacional", donde pide, una vez más, la formación de un partido nacional que pueda construir el nuevo Estado desmantelado por los siete años de dictadura.

Mientras tanto sigue la ofensiva de los monárquicos accionistas de La Papelera, que acaban comprando las acciones de la Sociedad de *El Sol*, incluidas las de Urgoiti y su familia. El tono del periódico era cada vez más contrario a la Monarquía, aunque la puntilla vino a dársela —con el visto bueno de los Urgoiti— el resonante artículo de mi padre que apareció el 15 de noviembre de 1930 con el título "El error Berenguer", pero que todos sus lectores recordarían por su última frase: *Delenda est Monarchia*.

«No, no es una errata —comienza diciendo— [...] El buen lector, que es el cauteloso y alerta, habrá advertido que en esa expresión el señor Berenguer no es el sujeto del error, sino el objeto, que Berenguer es un error [...] Porque el Rey, es decir el Régimen, ha creído posible pensar que "aquí no ha pasado nada"» y se puede establecer la ficción que es el Gobierno Berenguer. Por el contrario, la normalidad constitucional se había roto y había que reconstruir, de arriba abajo, el Estado español. Y termina diciendo:

«¡Españoles, vuestro Estado no existe! ¡Reconstruidlo!
*¡Delenda est Monarchia!*»

Era una paráfrasis de la expresión *Delenda est Carthago* con la que Catón el Viejo terminaba sus discursos manifestando el deseo de que se terminara con el poder cartaginés.

Éste sería el último artículo resonante de Ortega en su querido periódico, porque lo último que salió fueron sólo unas líneas, el 25 de marzo de 1931, con las que daba su «Adiós a los lectores de *El Sol*», que decían:

«Desde la fundación de este periódico, en 1917, escribo en él, y en España sólo en él he escrito. Sus páginas han soportado casi entera mi obra. Ahora es preciso peregrinar en busca de otro hogar intelectual. Ya se encontrará. ¡Adiós, lectores míos!».

El periódico era ya propiedad de los monárquicos en torno al duque de Maura; Urgoiti ya no estaba allí y Ortega, en solidaridad con el gran empresario, se retiraba también..

*Misión de la Universidad*

El día 9 de octubre de 1930 dio Ortega una conferencia en el paraninfo de la Universidad, invitado a ello por la FUE. El texto se publicó primero en varios números de *El Sol* de ese mismo mes y primeros de noviembre, y apareció poco después en forma de libro, más ampliado, en las Ediciones de la Revista.

Va a la conferencia con mucho entusiasmo pero poca fe. Su entusiasmo viene porque «la hora es feliz. No saben bien ustedes los jóvenes, la suerte que han tenido: llegan a la vida en una ocasión magnífica de los destinos españoles, cuando el horizonte se abre, y muchas, muchas grandes cosas van a ser posibles, entre ellas un nuevo Estado y una nueva Universidad [...]; pero mi fe claudica [...] porque esas reformas tienen que ser hechas por alguien [...], y como he venido aquí para ejercitar la más estricta sinceridad [...] mi duda vehemente es que exista ese grupo en este fugaz momento».

»Para que exista es preciso —añadirá— extirpar la chabacanería que ahoga a los españoles y en cambio que estén en forma —como los buenos deportistas— las gentes que puedan formar esos grupos de reforma». Y no duda en afear a los estudiantes lo siguiente: «En nuestras juntas de Facultad se respira a menudo la chabacanería y cuando aun en días normales se cruzan esos pasillos y se oyen gritos y se ven las gesticulaciones de ustedes los estudiantes, se va mascando chabacanería».

La sociedad necesita buenos profesionales que la Universidad debe formar. «Pero necesita —añade el autor— más que eso: asegurar la capacidad en otro género de profesión: la de mandar». Por mandar entiende Ortega «no tanto el ejercicio jurídico de una autoridad como la presión e influjo difusos sobre el cuerpo social». Para ello considera ineludible crear de nuevo en la Universidad la enseñanza de la cultura, entendiendo por ésta el sistema de ideas vivas que conforman nuestro tiempo. Ahora manda la burguesía, pero «si mañana mandan los obreros [...], tendrán que mandar desde la altura de su tiempo; de otro modo, serán suplantados».

La universidad enseña a ser profesional y, al tiempo, atiende a la investigación. Pero no atiende a la cultura, y esos profesionales o los propios investigadores, cuando se salen de su ciencia son los «nuevos bárbaros», incultos porque van retrasados, arcaicos y primitivos, «en comparación con la terrible actualidad y fecha de sus problemas». Y dirigiéndose a sus jóvenes oyentes, les dice: «El mal es tan hondo y tan grave que difícilmente lo entenderán las generaciones anteriores a la vuestra, jóvenes». Y recuerda que el libro de un chino, Chuang Tse, que vivió en el siglo IV a. C., «hace hablar al Dios del Mar del Norte», que se pregunta: «¿Cómo podré hablar del mar con la rana si no ha salido de su charca? ¿Cómo podré hablar con el sabio acerca de la Vida si es prisionero de su doctrina?»

La ciencia es, para Ortega, «el mayor portento humano; pero por encima de ella está la vida humana misma que la hace posible». La universidad, al formar a sus profesionales, debe enseñar en la medida en que los alumnos puedan aprender por un principio de economía pedagógica. No formar científicos, sino enseñar al que no sabe en qué consisten las ideas científicas —físicas, biológicas, históricas— con la profundidad necesaria para ser comprendidas y aprendidas por el estudiante que forme así el cosmos del mundo en que vive.

En suma, la enseñanza universitaria «debe partir del estudiante, no del saber ni del profesor». Esto supone partir de lo que él necesita saber para vivir pero también de su capacidad de saber. Y eso que tiene que saber, aparte de sus asignaturas profesionales, «primero y por lo pronto», es esto:

1. La imagen física del mundo (Física);
2. Los temas fundamentales de la vida orgánica (Biología);
3. El proceso histórico de la especie humana (Historia);
4. La estructura y funcionamiento de la vida social (Sociología);
5. El plano del Universo (Filosofía).

Junto a esa enseñanza de la «cultura» de su tiempo, la universidad le enseñará a ser un buen profesional.

## LA AGRUPACIÓN AL SERVICIO DE LA REPÚBLICA

Cortando con su famoso artículo toda posibilidad a la Monarquía, mi padre siente cierta ilusión, y hasta entusiasmo, por la capacidad de una República para hacer una España a la altura de los tiempos. Y decide, con Marañón y Pérez de Ayala, publicar un manifiesto, aparecido todavía en *El Sol* el 10 de febrero de 1931, constituyendo la Agrupación al Servicio de la República, que hay que proclamar porque «la Monarquía no ha cumplido y debe ser sustituida por un Estado *nacional*».

La Agrupación se funda, no como un partido político, sino al servicio a la República y para preparar su triunfo en unas elecciones constituyentes. Por ello se puede estar en la Agrupación y pertenecer a un partido político.

El primer acto público tiene lugar en Segovia, el sábado 14 de febrero, el mismo día en que el gobierno del general Berenguer se declaraba en crisis. «La elección de Segovia se debe en parte a diversos motivos, pero el principal es que su Presidente honorífico, don Antonio Machado, vivía en aquella ciudad y presidió el acto. El mitin se había anunciado para última hora de la tarde y el teatro Juan Bravo estaba repleto de público de Segovia y Madrid. En la embocadura del telón aparecían las ya famosas palabras de Ortega, *Delenda est Monarchia*».

Pero el mitin se retrasa media hora porque ha llegado un telegrama de Gobernación suspendiendo el acto. El telegrama resultó falso y pudo empezar el acto con unas palabras de Rubén Landa, que era el responsable local de la naciente Agrupación. A continuación habló Machado para presentar a los conferenciantes. «Don Antonio —recuerda un testigo—, en el centro del escenario, con una mesita delante, en situación presidencial y con palabra grave y sabrosa, haciendo la presentación de aquellas tres grandes figuras de la actualidad española, agigantadas por entonces».

«La revolución —dijo Machado— no consiste en volverse loco y lanzarse a levantar barricadas. Es algo menos violento pero mucho más grave. Rota la continuidad evolutiva de nuestra historia, sólo cabe saltar hacia el mañana, y para ello se requiere el concurso de mentalidades creadoras [...] Saludemos a estos tres hombres como verdaderos revolucionarios, como los hombres del orden, de un orden nuevo».

Pérez de Ayala —que iba, como él decía graciosamente, de telonero— definió lo que es la libertad y el derecho a ser como somos. Hablando del papel de los intelectuales, que ellos venían a representar, dijo: «La cabeza es para discurrir y los pies, para andar. Si se quiere que sea la cabeza la que ande, entonces se anda de cabeza. Y si se quiere que *a priori* los pies discurran un método, entonces se va al ocaso y se discurre con los pies, y el resultado será una cosa sin pies ni cabeza. Tal es el espectáculo que nos ofrece el régimen político español: un estado oficial que anda de cabeza y discurre con los pies [...] sólo hay equilibrio: ni monarquía ni anarquía. Nada más que la República. Nada más y nada menos».

Marañón definió el quehacer de los intelectuales en esta hora, que es «recoger una parte de la opinión española y ponerla enfrente de sí misma como si fuéramos su espejo o su conciencia [...] No buscamos el éxito momentáneo [...] y nos proponemos, en suma, no hablar a los españoles sino hablar con ellos [...] Hemos dejado —terminó diciendo— la gran fragata vetusta que por sus propias culpas se va al fondo. No nos ataba a ella ni el servilismo ni la gratitud, y nos alejamos, ligeros, del remolino de la catástrofe con la esperanza de que se salve con nosotros la España humilde, honesta, veraz [...], puente de enlace entre un pasado deslumbrante y un porvenir libre, tolerante, eficaz».

Ortega cerró el acto con un discurso que al oyente emocionado le pareció «el más bello de los que he podido imaginar, cautivador en el concepto, en el gesto y la palabra». Ortega explicó que se celebraba en Segovia como símbolo de que el nuevo Estado que hay que hacer debe partir de las provincias, antes abandonadas, y que deben ponerse en pie. Y terminó con estas palabras: «Os pido que nos ayudéis a hacer una España magnífica».

Presentaron los estatutos al Gobierno del almirante Aznar —que había sucedido a Berenguer— el 11 de marzo de 1931 y fueron rechazados ocho días después. Los firmaban, aparte de los fundadores, gente conocida, como los doctores Teófilo Hernando, Carlos Jiménez Díaz, Eduardo Bonilla, Antonio Madinaveitia, junto a José María Semprún, Baraibar, Francisco Villanueva. No serían aprobados hasta el 21 de abril de 1931, ya llegada la República. Como el primer Gobierno de ésta convocó Cortes constituyentes, la Agrupación se convirtió momentáneamente en partido político para poder presentarse, y serían unos trece los diputados que llegaron a la Asamblea, donde decidieron constituir una minoría para «aportar a las Cortes lo que estimen conveniente al interés nacional [...] y ejercer, modesta pero concienzudamente, un control sobre la obra total de aquellas»[4].

No vamos a relatar con detalle la venida de la República. El Gobierno Berenguer, en su primera reunión del 1 de febrero, puso en libertad a los estudiantes detenidos, restableció en sus cátedras a los profesores sancionados y dio una amnistía bastante amplia, pero que no satisfizo a todos. Sin embargo permite, como vimos, regresar a España a Unamuno, que es vitoreado en su viaje hasta Salamanca. La declaración ministerial promete restablecer la «organización política de los pueblos civilizados». Permitirá discursos políticos, como el de Sánchez Guerra en la Zarzuela, muy esperado pero que no convenció a todos porque no se declaró republicano y, sin embargo, criticó a fondo al Rey con su famosa cita: «No más servir a Señor que en gusano se convierte».

El Gobierno promulga un decreto restableciendo las garantías constitucionales y anuncia la futura convocatoria de elecciones municipales. Mientras tanto el general Mola es nombrado director general de Seguridad y la censura sigue viva.

Pero esa que se llamó «dictablanda» permite que se vayan formando distintos grupos políticos republicanos. Miguel Maura se declara republicano en un discurso en el Ateneo de San Sebastián, y Alcalá Zamora lo haría meses después, en el mes de abril, en un discurso en Valencia, como republicano, de una República conservadora. A finales del mismo mes Indalecio Prieto, dirigente socialista, habla en el Ateneo de Madrid exigiendo responsabilidades políticas a la Monarquía y

---

[4] Tomo estos datos del estudio de mi hijo, Andrés Ortega Klein, en la revista *Historia 16*, núm. 48, abril de 1980.

el paso a la República. Melquiades Álvarez habla en el teatro de la Comedia dos días más tarde pidiendo elecciones constituyentes inmediatas para que el pueblo decida sus destinos.

El hecho más importante fue el pacto de San Sebastián, celebrado en la capital donostiarra el viernes de su Semana Grande de agosto en el círculo republicano. Asisten Azaña y Lerroux en nombre de la Alianza Republicana, Marcelino Domingo, Albornoz y Galarza por los radicales socialistas, Alcalá Zamora y Miguel Maura por la Derecha Liberal Republicana, Casares Quiroga por la Federación Republicana Gallega y Carrasco Formiguera, Mallol y Aiguadé en representación de tres grupos catalanes. Además, en calidad de invitados, participan Sánchez Román, Indalecio Prieto, Fernando de los Ríos y mi tío Eduardo Ortega y Gasset. Se acuerda una acción conjunta de los republicanos a la que se sumarían después los socialistas. Y aunque no se permite publicar su manifiesto en los periódicos, es profusamente difundido. Como consecuencia de ello y aprovechando el restablecimiento de las garantías constitucionales, se celebra en el mes de septiembre un mitin republicano en la plaza de toros de Madrid, con un éxito rotundo que sorprendió a los monárquicos. En el octubre siguiente se constituye el primer Gobierno de la posible República, venga ésta por triunfo electoral o por movimiento revolucionario. Se ha formado para estos casos un Comité Revolucionario presidido también por Alcalá Zamora, al que se incorpora después Largo Caballero.

La organización del 12 de diciembre con la sublevación en Jaca de los capitanes Fermín Galán y García Hernández es muy deficiente y sólo por la tarde puede salir una columna hacia Huesca, dando tiempo a que las fuerzas gubernamentales derroten a los rebeldes en las proximidades del santuario de Cilla, cerca de Ayerbe. Galán y García Hernández se entregan a los victoriosos y son condenados a la última pena en juicio sumarísimo. Es el propio Galán quien da las órdenes de disparar al pelotón que va a ejecutarle.

Al mismo tiempo el comandante Ramón Franco —que se había fugado de las prisiones militares—, ayudado por el general Queipo de Llano, toma Cuatro Vientos e intenta bombardear el Palacio Real, pero observa, de un lado, que la huelga general acordada por el Comité Revolucionario no ha tenido lugar, y de otro, ve la Plaza de Oriente llena de niños que serían heridos por el bombardeo. Regresa a Cuatro Vientos y, visto el avance de las tropas que ha mandado Berenguer, decide, junto con Queipo, huir a Portugal en sus propios aviones. La censura y el estado de guerra vuelve a decretarse, a pesar de lo cual nacen en Madrid dos nuevos diarios: *Ahora*, del ingeniero Montiel —un periódico muy bien hecho, dirigido por aquel gran periodista que fue Chaves Nogales— y *La Tierra*, un vespertino de extrema izquierda.

El gobierno, al principio, no le da importancia, pero la intentona de Jaca y Cuatro Vientos le aconseja detener a sus miembros apresándolos en la cárcel Modelo. (Se formaron largas colas para visitar a los presos, y recuerdo que mi padre fue a saludarles, sobre todo a Fernando de los Ríos, su amigo. Pero, aunque tuvo que juzgarles un tribunal de Guerra y Marina por ser Largo Caballero miembro del Consejo de Estado, fueron absueltos, y su salida fue un acontecimiento popular.)

El gobierno, preocupado por los focos sublevados que han surgido en provincias, trae rápidamente fuerzas del Tercio que acaban con aquéllos. El general Mola efectúa numerosas detenciones de prohombres republicanos, entre ellos Miguel Maura, Fernando de los Ríos y Largo Caballero.

Pero el gabinete Berenguer convoca elecciones municipales con una ley muy favorable al Gobierno, y tanto los republicanos y socialistas como políticos monárquicos como Romanones y Cambó se niegan a participar. Esta situación obliga a Berenguer y sus ministros a dimitir el 14 de febrero y el Rey nombra jefe del nuevo Gobierno al almirante Aznar. En él entran Romanones, como ministro de Estado, Ventosa en Hacienda, el marqués de Hoyos en Gobernación y el propio Berenguer en Guerra. Aunque suspende en seguida las garantías constitucionales, las repondrá al convocar elecciones municipales para el 12 de abril. El gobierno y los grupos monárquicos confían en triunfar, pero la noche de ese domingo ven con sorpresa un triunfo aplastante de los candidatos republicanos en todas las capitales de provincia, y aunque intentan consolarse con el mayor número de concejales obtenido por el voto rural y caciquil, el propio Romanones visita al Rey y le aconseja que abdique y salga de España con su familia. En numerosas capitales se declara sin más la República el mismo lunes 13 —nuestro amigo José Tudela la proclama en Soria, como vimos anteriormente—. El Gobierno está dividido. La Cierva quiere resistir con el Ejército, pero Romanones, en el penúltimo Consejo de Ministros, celebrado en la tarde del día 13, pierde toda esperanza al oír al general Sanjurjo, jefe de la Guardia Civil, decir lo siguiente: «Tengo el sentimiento de manifestar que, después de la elección de ayer, la actitud de los guardias civiles va a ser muy distinta».

El Rey acepta los consejos de Romanones y se prepara a partir. En la tarde del 14 de abril, Romanones se entrevista con Alcalá Zamora en casa del doctor Marañón, poco después del mediodía. Marañón lo ha contado en un artículo que publicó después —el 23 de mayo— en *El Sol*. Romanones quería diferir hasta la semana siguiente la salida del Rey, pero Alcalá Zamora exigía que se fuera antes de ponerse el sol del día 14. El conde quedó desarmado al decir el presidente del gobierno republicano: «No insista usted, poco antes de acudir a su llamamiento he recibido la adhesión del general Sanjurjo, director general de la Guardia Civil». Quedó entonces acordado que el Rey se iría aquella misma tarde a Cartagena en automóvil para, en un barco de la Armada, trasladarse a Francia. El resto de la familia real saldría al día siguiente en tren por Irún para unirse en París con don Alfonso. No había abdicación, sino una resignación del poder real en su último Gobierno para que éste lo transmitiese a la República. La misma noche del 14 de abril quedaba proclamada la República con todo el Gobierno republicano y socialista saludando a la multitud desde el balcón de Gobernación de la Puerta del Sol.

No dejemos de decir que, en plena campaña electoral, Urgoiti lanzó su periódico trisemanal *Crisol,* que luego se convertiría en diario con el nombre de *Luz* y donde encontró nuevo hogar mi padre para sus colaboraciones. La primera de ellas sería un artículo, aparecido pocos días después del 14 de abril, optimista, que titulaba "Saludo a la sencillez de la República". Mi padre, mi madre y yo —acompañados, por cierto, por la condesa de Yebes— recorrimos por la tarde del 14 de abril en coche las calles enfervorizadas de la capital, en las que algunos que le reconocían, le vitoreaban[5].

Volviendo a la Agrupación, no se sabe bien, al perderse en la guerra civil todos los archivos, cuántos miembros se adhirieron a ella: se calcula unos 15 o 20.000, pero la organización en Madrid fue deficiente y muchos de esos socios se quedaban sin respuesta a las cartas que escribían pidiendo orientación y consejo.

Sus trece diputados se lograron gracias a presentarse los candidatos en las listas de la conjunción republicano socialista. Mi padre salió por León y por Jaén, y eligió la diputación por la primera. Gentes valiosas en aquella «minoría en superlativo» fueron el médico turolense Vicente Iranzo; Justino Azcárate, el cordobés Juan Díaz del Moral, el ingeniero granadino Juan José Santa Cruz y Manuel Rico Abelló. Cuando la Agrupación se disolvió, por iniciativa de Ortega, el 29 de octubre de 1932, varios de sus miembros se fueron al Grupo Republicano Independiente y aceptaron cargos políticos que Ortega les tenía prohibido mientras pertenecieran a la Agrupación. Azcárate, por ejemplo, fue subsecretario de Gobernación en 1933. En la Guerra Civil sería prisionero de Franco y le canjearon por el falangista Raimundo Fernández Cuesta. Pero el que brilló más después como ministro de Marina, luego de Guerra y de Industria y Comercio, fue Iranzo, uno

---

[5] Sigo en estas notas el certero relato de la enciclopedia *50 años de vida política española,* Ediciones Giner, Madrid, 1975.

de los políticos más honestos y más eficaces de aquella República, del que hablaré más adelante.

La primera intervención de mi padre, como jefe de la minoría, en las Cortes constituyentes, fue el 30 de julio de 1931 sobre el papel de la minoría de la Agrupación, que se centraría en los grandes designios que iba a definir la nueva Constitución, y además en que la Cámara cumpliera con seriedad su papel. «Padecen gravísimo error los que presumen que podemos hacer la democracia que nos venga en gana. Tenemos que hacer la democracia que hoy es posible y sólo esa. Es preciso que no perdamos tiempo, que no se reproduzcan escenas lamentables en el Parlamento que recuerden los pretéritos». Y añadió esta famosa frase, que levantó grandes y prolongados aplausos: «Porque es de plena evidencia que hay sobre todo tres cosas que no podemos venir a hacer aquí: ni el payaso ni el tenor ni el jabalí».

Al final de su discurso hizo el elogio de la ley de Reforma Militar que había hecho Azaña y pidió —como vimos al hablar de su mutua relación— un aplauso para el ministro de la Guerra, al que entonces la Cámara dio una enorme ovación.

No dejó de dedicar unos párrafos a la actitud de los diputados catalanes, recordando lo que decía un pensador famoso de que en la historia pasa siempre lo mismo, sólo que un poco de otro modo: «Tenéis que ser los mismos, sólo que un poco otros. Señores Ministros: tenéis que suceteros a vosotros mismos». Una grande y prolongada ovación rubricó la demostración que había hecho mi padre de ser también un orador parlamentario.

Pero su discurso más importante fue el que dedicó al Proyecto de Constitución en su conjunto, el 4 de septiembre de aquel primer año republicano. Elogió el trabajo de la Comisión Constitucional y volvió a insistir sobre la necesaria autonomía de las grandes regiones, «cada cual con su Gobierno local y con su asamblea comarcana de sufragio universal». Y censuró que el proyecto, sin quererlo, «da una prima al nacionalismo». «En cambio, si la Constitución crea desde luego la organización de España en regiones, ya no será la España una la que se encuentre frente a frente de dos o tres regiones indóciles, sino serán las regiones entre sí las que se enfrenten, pudiendo de esta suerte cernirse majestuoso sobre sus diferencias el Poder nacional, integral, estatal y único soberano».

Naturalmente no tenemos espacio para desarrollar todas sus consideraciones sobre la necesidad de un Estado fuerte y sobre la claridad que debe establecerse para los distintos poderes. El encanto de sus palabras hizo que el presidente prolongara el horario del orador, que pudo entonces hablar de la verdadera definición de España como un pueblo de trabajadores y de las debidas relaciones con la Iglesia. Aplausos unánimes se prolongaron largo rato. Estábamos veraneando en El Escorial y me enteré de su éxito por los elogios que veía hacer a algunas familias amigas.

Hablaría después en la noche larga del 25 de septiembre y cuando la discusión del Estatuto catalán. Discurso memorable fue también el del notario don Juan Díaz del Moral cuando se discutió la reforma agraria. La *Revista de Occidente* recogió ambos discursos en un tomito con el título de *La Reforma Agraria y el Estatuto Catalán*.

## EL DESENCANTO CON LA REPÚBLICA

Tuve yo siempre la impresión de que la dedicación a la política de mi padre fue siempre para él un deber penoso. Deber, porque se sentía obligado a que España llegara a ser una nación moderna, y penoso, porque siempre vio como intelectual los grandes defectos de la gente política. La monarquía de Sagunto sólo se basaba en intereses particulares que predominaban sobre los intereses nacionales y no podía hacer ya nada por este país. Había que ir a la República.

Su alegría fue grande por la forma en que vino el nuevo régimen, por unas elecciones municipales que hicieron triunfar mayoritariamente —¡nacionalmente!— a los candidatos republicanos y socialistas. Vino sin lucha, porque los conatos revolucionarios habían fracasado. «Una cosa es respetar y venerar la noble energía con que algunos prepararon la evolución y otra suponer que ésta se ha ejecutado» —dijo en un artículo que tituló "Un aldabonazo" en *Crisol* el 3 de septiembre de 1931—. «Llamar revolución al cambio de régimen acontecido en España es la tergiversación más grave y desorientadora que puede cometerse». Y así como creía que «el tiempo presente, y muy especialmente en España, tolera el programa más avanzado [...] lo que España no tolera ni ha tolerado es el radicalismo», y por eso pide que «las Cortes constituyentes deban ir sin vacilación a una reforma, pero sin radicalismo, esto es, sin violencia ni arbitrariedad partidista». Y terminaba su artículo con estas palabras que quedaron en la historia política de nuestro país: «Una cantidad inmensa de españoles que colaboraron en el advenimiento de la República con su acción, con su voto o, con lo que es más eficaz que todo eso, con su esperanza, se dicen ahora entre desasosegados y descontentos: "¡No es esto, no es esto!"».

Éste sería su primer aviso público al Gobierno, porque previamente había hablado varias veces con los miembros de él que más estimaba. Pero, aprobada la Constitución y elegido el presidente de la República —Alcalá Zamora—, consideró necesario pronunciar una conferencia en el amplio local del cine de la Ópera de Madrid, sobre la deseable

«Rectificación de la República». Tuvo lugar el 6 de diciembre de aquel primer año del nuevo régimen.

«Van transcurridos siete meses de vida republicana y es hora ya de hacer su primer balance y algunas cosas más. Durante esos siete meses la República ha estado entregada a unos cuantos grupos de personas que han hecho de ella, libérrimamente, lo que les recomendaba su espontánea inspiración. Tenían derecho a ello porque fueron la avanzada del movimiento republicano en la hora de máximo peligro [...], pero pronto comencé a hacer señas a los de arriba para insinuarles que en mi humildísima opinión tomaban vía muerta». Hizo después un ataque a la chabacanería, al chiste envilecedor, a las ridículas disputas de casinillo que impiden al ciudadano estar, como el deportista, «en forma» moral »para orientar al pueblo en su renacimiento».

La verdad para él es que si se compara «nuestra República en la hora feliz de su natividad, con el ambiente que ahora la rodea, el balance arroja una pérdida [...] y esto tiene una consecuencia inmediata e inexcusable: que es preciso rectificar el perfil de la República».

Mi hermano Miguel estuvo en el cine de la Ópera, pero mi madre y sus otros dos hijos oímos la conferencia en el despacho de la *Revista* en un transmisor que nos había instalado Ricardo Urgoiti, fundador de Unión Radio. Esta emisora radiaba el discurso de mi padre en Madrid, y como algunas emisoras locales conectaron con ella, fue la primera vez que un acto político se pudo oír en toda España. Nos alegraba escuchar los aplausos y los ¡muy bien! que subrayaban alguna afirmación del conferenciante.

Era un error querer que la República tuviera que ser conservadora y burguesa. No se puede conservar nada antiguo porque los problemas con que se encuentra ahora el Estado son más graves y nuevos que nunca, y no sirven las soluciones de antaño. Y burguesa tampoco, en un país cuya historia se ha caracterizado por «la anormal debilidad de la burguesía». Luego censuró a esas gentes que consideraban que sólo había habido un cambio de gobierno. Esos grupos monárquicos, «los grandes capitales, la vieja aristocracia, la Iglesia, no se sentían supeditados a la nación, fundidos con ella, en una radical comunidad de destinos, sino que era la nación quien en la hora decisiva tenía que concluir por supeditarse a sus intereses particulares. [...] Y el error que estos meses se ha cometido es que, al cabo de ellos, cuando debíamos todos sentirnos embalados en un alegre y ascendente destino común, sea preciso reclamar la nacionalización de la República, que la República cuente con todos y que todos se acojan a la República».

Después de echar de menos la creación de un Consejo de Economía que nos diga cuál es el estado económico de España y sus posibilidades reales, «dejó el Gobierno que cada ministro saliese por la mañana, la escopeta al brazo, resuelto a cazar algún decreto, vistoso como un faisán, con el cual contentar la apetencia de su grupo, de su partido, o de su masa cliente», afirmación que levantó grandes aplausos y que la gente consideraba dirigida a don Álvaro de Albornoz. Añade que la única solución es la creación de un gran partido nacional, para el cual «hay alguna persona señera, todo brío y nervio, a quien tanto debe la República, y que sólo con rasparse los residuos de un vocabulario extemporáneo derechista, incompatibles con su temperamento y el estilo actual de su figura, podía destacar sobre el fondo de ese partido y cuajar en gran gobernante». No sé si miraría, al pronunciar esas palabras, a Miguel Maura, que ocupaba uno de los palcos, pero la gente le hizo extensiva la ovación que dedicó al orador.

Tuvo, pues, gran importancia esta conferencia y significó para el propio Ortega el cumplimiento de su deber y, en la práctica, su retirada de la política. El 29 de octubre de 1932 el diario *Luz* publicaba un «Manifiesto disolviendo la Agrupación al Servicio de la República», dejando en libertad a sus hombres para retirarse de la lucha política o reagruparse bajo nuevas banderas. Como dice su nieto en el estudio citado, «a fines de agosto de 1932, Ortega suspendió desilusionado su actuación política. Sus dos últimas apariciones fueron dos artículos en su querido y perdido *El Sol*[6] el 3 y 9 de diciembre, "¡Viva la República!", donde afirma su fe en la República pero no en ciertos republicanos y "En nombre de la nación, claridad", tras el triunfo de las derechas de Gil Robles en las elecciones, al que pedía una clara definición de su postura que no se sabía si estaba contra una política o contra el régimen. ¡*Amor fati!* —concluía— ¡España, por una vez agárrate bien a tu sino!»

## LOS ÚLTIMOS AÑOS DE LA REPÚBLICA

El veraneo de 1932 lo pasamos en Navalperal de Pinares, para buscar aire puro para la dolencia de mi hermano Miguel, en un chalet que

---

[6] Las vicisitudes por las que pasó la propiedad, las pérdidas crecientes de *El Sol* y *Luz*, que había adquirido a los monárquicos de Lequerica, Lluís Miquel, un marino catalán en la reserva emparentado con Montiel y por ello también accionista de *Ahora*, que acabó en la ruina y casi en la cárcel, son descritas con detalle en el citado libro de María Cruz Seoane y María Dolores Sáinz, *Historia del periodismo en España*, tomo III. Miquel los entregó a Azaña por intermedio de Martín Luis Guzmán, un mexicano, azañista apasionado —y excelente biógrafo de los caudillos de su país—. Mi padre dejó de colaborar en *Luz* el 8 de agosto de 1933 y sólo volvió a *El Sol* con sus dos artículos ya comentados cuando Miquel nombró director a Fernando Vela. Su última colaboración fue un único artículo en 1935 sobre la mala representación que hacían de *Don Juan Tenorio*.

nos dejó Antonio Marichalar. Allí pudo mi padre salir a cazar, a pelo y a pluma, en el valle contiguo, que comunicaba con la capital abulense. Le acompañaba el alcalde de Navalperal, un viejo socialista que tenía perros adiestrados. Yo le solía acompañar también, y allí hirió mi padre a la perdiz que luego estuvo en la casa de Serrano viniendo a comer a la mano.

En 1933 dio un curso en la Universidad de la Magdalena, en Santander, sobre «Meditación de la Técnica» que se incluyó en 1939, en el libro *Ensimismamiento y alteración*. La Universidad veraniega, creada por la República, estaba en gran forma, con cursos de Morente, Salinas y Zubiri, entre otros. Mi hermana Soledad seguía uno de ellos y nosotros vivíamos en un hotel del Sardinero.

Terminada voluntariamente su labor política, mi padre se había sumergido de lleno en sus clases de aquella Facultad de Filosofía y Letras, en la Ciudad Universitaria madrileña, organizada bajo su inspiración de la misión de una Universidad, y que llevaba con mano firme y grandes aciertos el decano García Morente. Pero naturalmente el viento de la guerra civil acabó con ella, incluso materialmente, porque fue frente de guerra en la larga batalla de la Ciudad Universitaria. Pero quizá convenga dar un breve itinerario de los acontecimientos políticos de esos últimos años de la República española.

El 19 de noviembre de 1933 se celebraron elecciones para la nuevas Cortes y triunfaron las derechas y el centro. La Acción Popular de Gil Robles obtuvo 102 diputados, los mismos que los radicales de Lerroux, pero añadiéndole otros grupos conservadores de la derecha tenía 211 diputados, que, sumados a los 163 de los partidos centristas, daban la mayoría absoluta a su combinación. Se sucedieron varios gobiernos de Lerroux y de Martínez Barrios pero tuvieron que hacer frente a una intentona revolucionaria del anarcosindicalismo en varias partes de España. No hay que olvidar que por esas fechas Hitler deviene, por triunfo electoral, canciller de Alemania, y José Antonio Primo de Rivera funda Falange Española.

Hay, entre dos gobiernos de Lerroux, un gobierno Samper. Pero gobernando Lerroux en su cuarto Gobierno se produce la insurrección de octubre de 1934 en Cataluña, primero, donde se declara el *Estat Català*, que obliga al Gobierno a declarar el estado de guerra que, bajo el mando del general Batet acabó en la noche del 6 de octubre con la rebelión de la Generalitat. Azaña, que se encontraba en Barcelona, fue detenido por la policía, acusado de participar en la rebelión, calumnia que sería pronto desmentida, aunque estuvo prisionero en el barco *Ciudad de Cádiz* y sólo el 28 de diciembre fue puesto en libertad.

Pero el episodio más grave de aquella revolución de octubre fue la rebelión en Asturias, liderada por los mineros y con su centro en la villa de Mieres. Menéndez, uno de los jefes más activos del socialismo asturiano, fue su gran gestor. Oviedo fue tomado por los revolucionarios y una larga y complicada operación militar —era el radical y sensato don Diego Hidalgo, ministro de la Guerra—, que contó con el asesoramiento del general Franco y con la intervención del Tercio, mandado por el general Yagüe, pudo ocupar la sacrificada ciudad la noche del 13 de octubre.

La represión fue naturalmente dura: la República estaba en peligro y pueden considerarse los sucesos de octubre como un suicidio de la causa republicana. A los gobiernos de Lerroux les sucedieron varios gobiernos del economista Chapaprieta y de Portela Valladares, que convocó elecciones en febrero de 1936. Las fuerzas de izquierda formaron un Frente Popular, siguiendo el éxito de sus similares francesas, que ganó ampliamente las elecciones. Azaña fue nombrado jefe de Gobierno, lo que no impidió que sustituyera a Alcalá Zamora como presidente de la República y se encargara del Gobierno Casares Quiroga. La gobernación fue lamentable y todo terminó en el asesinato de don José Calvo Sotelo, líder de la oposición en las Cortes, por un grupo de guardias de asalto, en represalia por el asesinato anterior del teniente de ese Cuerpo, Castillo.

Los militares africanos, que habían organizado con tiempo y detalle su rebelión contra la República, aceleraron entonces su sublevación, y la noche del 17 de julio comenzaban su «movimiento nacional». El general Sanjurjo, que se encontraba exiliado en Portugal, iba a ser el jefe de la sublevación, pero murió al capotar el avión que le traía a Madrid. Franco no tuvo así ningún problema para ocupar su lugar.

En 1934 la familia se trasladó a la Colonia El Viso, donde mi padre había adquirido, presionado por la ilusión del promotor, Javier Gómez de la Serna —hermano de Ramón—, un chalet situado en la calle de Serrano 161.

La editorial Espasa-Calpe tenía compuesta una edición de los principales escritos de mi padre que no pudo publicar hasta 1932 en que, por fin, hizo el autor el prólogo. «Como usted sabe —le decía a Vela—, impresa desde hace dos años yo no pude ver las pruebas. Entonces tuve que lanzarme a la política, y en dos años, salvo mis clases universitarias, no he podido dedicar un solo minuto ni a mi obra ni a mis temas. Usted recordará que poco antes de abandonar mi cátedra —allá por 1929— yo sentía una profunda necesidad de retirarme más que nunca, incluso de los amigos, retirarme a parir, estaba parturiento de criaturas graves. Pero fue necesario hacer todo lo contrario: salir más que nunca de mí y retener dentro las criaturas. Esto me ha hecho estar hasta físicamente enfermo o más enfermo que de sólito... Sin embargo, el editor me pedía un prólogo. ¡He tardado dos años en encontrar unas horas para escribirlo!».

Ese prólogo al tomo de esas *Obras* —un grueso volumen encuadernado en tela naranja— es largo e importante y nos confirma que todavía se sentía en plena forma intelectual y le parecía temprano para reunir su obra. Esta «edición compacta es idea y voluntad de un editor, no mías», porque se sentía con muchas cosas que decir todavía. «Miro atrás mi obra sin entusiasmo y veo sólo lo que vemos en el arenal o en la playa húmeda y solitaria: el pespunte de nuestros pasos, tan ridículo, con sus parejas de improntas monótonamente repetidas, en larga fila. Eso es, visto desde hoy, lo que queda de nuestros frenesíes —¡huellas, huellas!—».

Se quejaría en ese prólogo de la falta de interés del español por la vida del prójimo y del pecado del capricho y del utopismo. Por eso se lamenta de que no haya grandes posibilidades de que una obra como la suya, que, «aunque de escaso valor es muy compleja, muy llena de secretos, alusiones y elisiones, muy entretejida con una trayectoria vital, encuentre el ánimo generoso que se afane, de verdad, en entenderla».

Pero a pesar de la política, ese año 1932 salen libros y trabajos importantes suyos. Apareció, con el título de *Goethe desde dentro,* un tomo que reunía los ensayos que Ortega había publicado en la propia *Revista de Occidente* y que no habían sido recogidos todavía en el recinto más tranquilo de un libro. Vela andaba detrás de ello, pero mi padre, aunque aprobó el proyecto, se negó a releerlos por falta de tiempo, y en lugar de un prólogo hizo Vela un sabroso prólogo-conversación con su maestro. Le recriminó que muchos de los temas que reverberan ante el lector no tuvieran la continuación que pedían a gritos «porque los ha dejado en embrión, con vida y, sin embargo, impedidos de vivir». Ortega le contestó que los temas tienen asimismo su biografía: «Viven en nosotros como nosotros vivimos en el mundo, y les pasan cosas terribles a ellos con nosotros, como a nosotros con nuestra circunstancia. Tienen como los hombres su destino y pierden su frescura [...] El tema afortunado es aquel cuya *akmé* coincide con una etapa en que, casualmente, tenemos tiempo para él». Y le añade una consideración muy de mi padre: «¿No le ha ocurrido a usted alguna vez sentir la extraña seguridad de que pudo enamorarse profundamente de una mujer que encontró un día que no tenía tiempo?».

Además de sus ensayos sobre Goethe este volumen contiene un trabajo especialmente importante: "Sobre el punto de vista en las artes".

El año 1935 celebrarán mis padres sus bodas de plata, y en noviembre la Universidad festeja las bodas de plata de Ortega con la cátedra. Hablaron varios de sus colegas. Destacamos las palabras de Xabier Zubiri: «Hace dieciocho años que le conocí allá en una tarde de enero, al comenzar su lección de Metafísica del curso [...] en un aula sombría y casi desierta de la calle de los Reyes. Aún recuerdo sus palabras. "Vamos a contemplar, señores, una lucha gigantesca entre dos titanes del pensamiento humano: entre Kant, el hombre moderno, y Aristóteles, el hombre antiguo". Desde entonces la vida intelectual de Ortega no ha sido sino el decurso, dentro de su mente, de esta gigantomaquia que imperceptiblemente se iniciaba en Europa. Mientras se luchaba, algunos nos asomábamos a la lucha. Y recibimos de Ortega, unos, el primer entusiasmo filosófico, otros, el impulso hacia determinadas rutas de filosofar».

Y publica uno de los trabajos más decisivos en el desarrollo de su filosofía, *Historia como sistema;* pero lo publica en inglés formando parte del volumen *Philosophy and History* editado por el profesor Klibansky en Oxford University Press. El texto en castellano no veía la luz en Madrid hasta después de la contienda civil, en 1941.

Ese último veraneo normal de 1935 lo pasamos en Zumaya, en una casa, cerca del faro, que alquilamos al escultor Beobide, llamada Kresala. Y fue el año en que aceptó la única condecoración española que aceptara en su vida: la medalla de oro de Madrid, que le entregó en la Casa de la Villa aquel orondo alcalde, don Pedro Rico. «Porque —dijo mi padre— ¡qué demonios! Soy un madrileño hasta las cachas».

En 1934 aparecería el tomo octavo de *El Espectador,* que sería el último de esa serie tan original, mitad revista personal, mitad libro, que había inventado Ortega.

CAPÍTULO IX

# EL VIENTO DE LA GUERRA

El asesinato del jefe más virulento de la oposición, José Calvo Sotelo, no fue sino la coronación del clima de demagogia en las leyes y disposiciones que tomaban el Gobierno y las Cortes, y del crecimiento del terrorismo, de uno y otro bando, que había adoptado la costumbre fratricida del sangriento ojo por ojo y diente por diente. Así, la Falange puso, el 7 de abril del 36, una bomba en el domicilio de mi tío Eduardo Ortega y Gasset, sin que se produjeran víctimas, afortunadamente; asimismo el profesor y diputado Luis Jiménez de Asúa fue tiroteado al salir de su casa, quedando indemne, aunque murió el sufrido policía que lo escoltaba. Los jefes de los partidos políticos llevaban también escolta. Las huelgas, sin apenas contenido económico, se sucedían, con actos de vandalismo y ataques a las instituciones que los revolucionarios consideraban enemigas del pueblo, como la Iglesia. Eran los propios ayuntamientos izquierdistas los que tomaban las decisiones puramente provocadoras, como el de Cádiz, que ordenó la demolición de la estatua de santo Domingo de Silos frente a la catedral.

No es de extrañar que en este ambiente de enfrentamiento civil se hablase de una conspiración militar. Pero Casares Quiroga daba más importancia al terrorismo, que abarcaba a todas las provincias españolas, que a los rumores de conspiración militar, sobre todo después de las dos entrevistas que había mantenido con el general Yagüe. Y no le preocupó demasiado la reunión clandestina que habían tenido en Pamplona, aprovechando los sanfermines, Fanjul, Kindelán, Garcerán (en representación de José Antonio) y Mola. Allí se acordó el reparto de la sublevación: Goded en Barcelona, Franco en África, Queipo de Llano —aunque con mando, estaba indignado por la destitución de Alcalá Zamora, su pariente— en Sevilla, Mola en el norte, González Lara en Burgos, González Carrasco en Valencia y Fanjul en Madrid.

Después del asesinato de Calvo Sotelo (antes los guardias de asalto habían buscado a Goicoechea y a Gil Robles, pero no les encontraron en sus domicilios), España entera estaba aterrada, y mi padre, que estaba esos días amarillo por la enfermedad de su vesícula, también, aunque su consternación venía desde los primeros actos del gobierno popular.

El Movimiento comenzó en Melilla el día 17 de julio a las cinco de la tarde por el ejército de África, y Marruecos fue pronto dominado por los insurrectos. La mayor parte de los militares leales que intentaron oponerse fueron pasados por las armas, como el propio general Romerales y el secretario de la Alta Comisaría, Arturo Álvarez Buylla. Naturalmente ningún detalle sabíamos de lo que estaba sucediendo allí, máxime cuando el Gobierno de Madrid consideraba que se trataba de una simple revuelta. El general Franco, después de declarar el estado de guerra en Canarias —con la cautela de hacerlo en nombre de la República—, marchó, en un avión inglés que le habían fletado Juan Ignacio Luca de Tena y Luis Bolín, a Tetuán para ponerse al mando del ejército sublevado de Marruecos.

Pronto dimitiría Casares Quiroga y el gobierno de Martínez Barrios intentaría un acuerdo con los sublevados que fracasó y dio paso al gobierno de Giral, el cual entregó los fusiles al pueblo, medida decisiva que permitió —con la ayuda de la aviación republicana— tomar el cuartel de la Montaña, único reducto de los sublevados en Madrid, bajo el mando del general Fanjul, el cual, una vez concluido el asalto, fue fusilado sin juicio alguno. Era el 20 de julio cuando, con sus fracasos en Barcelona y Madrid, y su triunfo en la mayor parte de las otras provincias, especialmente en Sevilla, el Movimiento, que iba ser un simple golpe de Estado, se convirtió en una guerra civil que duraría tres años.

Desde el primer momento empezaron en Madrid los «paseos», en los que grupos de milicianos —algunos con nombres terribles, como «Las águilas de la muerte» o «Las brigadas del amanecer»— iban a buscar a sus casas a los elementos derechistas o a personas de las que querían vengarse para llevarlas a los descampados y fusilarlas (luego nos enteraríamos de que en la zona «nacional» pasaba lo mismo). Temerosos, muy lógicamente, de cualquier desafuero, el mismo día 18 de julio nos trasladamos padres e hijos a casa del abuelo, que vivía en nuestro antiguo piso de Serrano 47. La fiel Elisa y el no menos ejemplar Lesmes, el chófer, quedaron al cuidado de la casa del Viso. Nuestro coche, como la mayor parte de los de propiedad particular, fue muy pronto requisado por una partida de milicianos.

Desde la ventana del cuarto que ocupábamos mi hermano y yo oíamos los planes de asesinatos que proyectaban en la taberna de enfrente grupos de milicianos armados que iban por allí a echar un trago. Y el mismo día 20 subieron a nuestro piso un grupo de ellos buscando a mi tío Juanito Spottorno, que había sido famoso cronista de sociedad del diario *ABC* y había muerto en 1935, víctima del tifus [1]. ¿Quién sería el envidioso que quería acabar con él? Desde la terraza interior oímos ese mismo día 20 el tiroteo de fusiles y cañones en la toma del cuartel de la Montaña. Las noticias sólo nos llegaban a través de la radio. Por ella nos enteramos del triunfo en Cartagena de los marinos, que vencieron y asesinaron a los oficiales, y esa parte de la escuadra quedó en manos de la República, aunque sin mandos con pericia. Mi abuelo pensó que era un caso similar a los que había vivido cuando el cantón de Cartagena, creyendo ingenuamente que los desastres de la guerra ahora no implicaban a las familias, entrando en las casas.

Pero Alberto Jiménez Fraud nos aconsejó trasladarnos a la Residencia de Estudiantes que, por la presencia de estudiantes extranjeros —que luego serían evacuados por sus respectivas embajadas— daba una mayor seguridad y cierto respeto frente a las partidas violentas que se asomaban por allí. Mi padre, con una septicemia que le tenía amarillo y con fiebre, no saldría de la habitación que le preparó el director de la Residencia hasta que abandonó Madrid a finales de agosto —el médico de la Residencia, Paulino Suárez, le cuidaría con unción, dada su admiración por él—. Sin embargo, una de esas partidas vino a buscar a nuestro amigo el profesor asturiano y ex ministro Prieto Bances, que tuvo que huir, con sus largas piernas, fuera del recinto de la Residencia. Parece que, defraudados por no encontrarle, los milicianos dijeron: «¡Se nos ha escapado el pájaro!», y don Ramón Menéndez Pidal, que estaba también refugiado en la benemérita institución se preguntó: «¿Seré yo el próximo pájaro?».

Las mujeres fueron las más activas en aquellos días; los hombres procurábamos no salir muy lejos, aunque recuerdo que una mañana nos atrevimos a vernos en el aguaducho que había junto al Museo de Ciencias Naturales, mi amigo José Torán y yo, y nos despedimos por si acaso.

El trance más desagradable fue la pretensión de un grupo de estudiantes antifascistas —algunos con mono azul y pistola— de que mi padre firmara un manifiesto de plena adhesión a aquella República en armas. Como mi hermana Soledad tomó parte activa y eficaz en la negociación, citamos lo que ella cuenta en *Imágenes de una vida:*

«Me dan el texto de un largo y detallado manifiesto de apoyo al sector republicano de la contienda. Respetan mi negativa a dejarles entrar en el cuarto del enfermo. Subo con el texto al piso donde se aloja mi padre y se lo muestro. Me dice que no lo firma, aunque lo maten, porque contiene afirmaciones que están en abierta contradicción con

---

[1] Véase *Historia probable de los Spottorno,* ya citado.

lo que es su juicio de las cosas y la postura que ha tomado tiempo atrás...
al retirarse de la política. Vuelvo con la negativa. El ambiente se pone
grave, pero continuamos sin movernos del jardín. Salvan la situación
unos profesores amigos, de una generación más joven que la de mis
padres y de indudable ejecutoria republicana [...] Aducen que resultaría más eficaz, en apoyo de la República, lanzar a los medios internacionales dos manifiestos: uno más escueto firmado por los nombres más
ilustres —Menéndez Pidal, Marañón, Ortega— y otro que lleve las firmas de los intelectuales más jóvenes que lo han redactado, más implicado en el fragor de la lucha. Estos jóvenes andan en torno a la que
luego se llamaría Generación del 27. El grupo se retira y por la tarde
se les entrega el nuevo texto con la firma de los "tres grandes". Mi padre no traiciona su íntima conciencia afirmando su adhesión a los principios de esa República que tanto ha contribuido a establecer en España. Los textos de ambos manifiestos y sus firmantes son accesibles en
la prensa del momento».

Pero ese lance se podría repetir en más graves condiciones, y además la guerra se veía larga y sangrienta. En Madrid no había libertad
ni seguridad alguna y en Burgos es más que probable que mi padre
hubiera ido directamente, y por lo pronto, a prisión. Así que decidió
que toda la familia nos fuéramos a Francia. Las gestiones consiguientes se llevaron con todo el sigilo y obtuvo enseguida el apoyo decidido
de la embajada francesa, no en balde era *commandeur* de la Legión de
Honor. No supe yo mismo quién se ocupó de enlazar con la embajada,
pero supongo que sería el mismo Alberto Jiménez, director de la Residencia. Fue don Vicente Iranzo, padre, quien se encargó de obtener los
pasaportes —los varones en edad casi militar éramos los más difíciles—.
«Casi todos los días —ha contado públicamente su hijo Vicente— lle-
vé a mi padre a visitar al enfermo, aprovechando yo para saludarle. En
los últimos días de agosto D. José y mi padre me enteran de que están
prácticamente resueltos todos los complejos trámites para conseguir
el pasaporte y su salida, salvo el último, pero definitivo trámite: la firma *personal* (no sirve la estampilla) del Director General de Seguridad.
Por una serie de circunstancias, que ahora no vienen al caso, quedé encargado de la gestión. El día 29 de agosto, por la mañana, recibo de
manos de D. José los pasaportes, y de mi padre, la orden tajante de que
esa misma noche los devuelva, ya firmados, pues el viaje está organizado para la noche del día 30 y no puede sufrir ningún aplazamiento.
Como la hora de la firma del Director General era de 8 a 9 de la noche, quedé en estar de vuelta en la Residencia entre 9 y 9 y media. Las
cosas se complican. Mejor dicho, se retrasan, y no volví hasta bien pasadas las once. Desde entonces han transcurrido muchos años, casi medio siglo, pero la imagen de Ortega sentado en la muy austera cama de

estudiante, con cara de muy enfermo y gesto de extraordinaria fatiga la tengo ante mí como si fuera hoy. Está acompañado por su esposa, por D. Alberto Jiménez y alguna otra persona. Su mirada inquisidora me pregunta, sin palabras, y le contesto con un leve gesto afirmativo. Con gran sorpresa de sus acompañantes y mía, les ruega salgan todos de la habitación. Téngase en cuenta que en aquel entonces yo era un mozalbete, y mi aspecto, lamentable. Le entregué los pasaportes e intenté despedirme. D. José se opuso a que saliese a la calle; se habían hecho las 12 de la noche y en aquellos semidescampados que eran entonces los altos del Hipódromo, la colina de los chopos donde estaba la Residencia de Estudiantes, el paqueo era constante. ¡Con qué ternura trataba de convencerme de que me quedara a dormir en la Residencia, mi antigua casa, y con qué sentimiento me dejó partir! Su abrazo y su tono fue la primera —aunque no única— prueba de la gran afectuosidad de hombre tan admirable.

»Al atardecer el día siguiente, 30 de agosto, entonces Santa Rosa, onomástica de su esposa, en el asiento de atrás, el matrimonio Ortega y su hija Soledad, en el de delante, una fiel sirvienta, creo se llamaba Elisa y yo. En la vida, frecuentemente, hasta los momentos más serios tienen aspectos irónicos: en plena calima agosteña, como queda dicho, Elisa llevaba en las rodillas, muy bien dobladas y bien visibles, dos mantas, por si en el camino sus señores tenían frío».

A mi hermano y a mí nos llevó nuestro tío Eduardo Ortega y Gasset, al que amparaban varios milicianos del Colegio de abogados. Mi tío tenía gran prestigio entre la gente de izquierdas desde aquella bomba que le pusieron los falangistas.

«Este viaje —prosigue Vicente Iranzo— fue uno de los secretos mejor guardados, ni los mas íntimos de los protagonistas se enteraron, ni incluso alguno de los que con su firma lo habían autorizado. Desde que conocí a D. José hasta ese momento habían pasado más de cuatro años y Dios sabe si nos volveríamos a ver. Las probabilidades no eran muchas».

Pero felizmente, sí volveríamos a vernos en nuestro refugio de París, donde él tuvo también que exiliarse. Yo no sabía, en la estación de Atocha, todo lo que había hecho para conseguir el visado de los pasaportes, con cierto riesgo de su vida, pero desde que volvimos a vernos nuestra amistad ha sido muy firme y, aunque no muy frecuentada por nuestros destinos diferentes, ha transcurrido siempre con autenticidad y sin jirones. En un homenaje que le ofrecieron en Barcelona sus compañeros de Facultad, en el que tuve el honor de participar —creo que fue en marzo de 1985—, pronuncié unas palabras de las que quiero ahora destacar éstas: «Deberíamos, igual que pesamos nuestro cuerpo, pesar de cuando en cuando nuestra alma para ver si anda por buen camino y no se ha malbaratado. Pues bien, yo he ponderado el alma de Vicente y he visto que era ligera, valerosa, y que estaba estructurada en torno a una virtud no muy frecuente: la fidelidad. Una fidelidad en todos los cuadrantes de su vida, como es natural, puesto que la lleva en el alma [...] En primer lugar, fidelidad a su padre, Vicente Iranzo Enguita. El padre fue ministro en varios departamentos con los gobiernos moderados de la República. El 14 de abril de 1931 se hizo cargo del Gobierno Civil de Teruel y, cuando la guerra civil les separó —él en Zaragoza y su padre en Murcia—, fue perseguido por ser hijo de un republicano eminente. Iranzo padre había pertenecido, desde sus orígenes, a la Agrupación al Servicio de la República. Era médico y como tal fue decano del Colegio de médicos de Teruel.

»De esa relación larga y respetuosa de Iranzo padre con el mío, viene la segunda fidelidad de Iranzo hijo, la fidelidad a la figura, las ideas y la obra de mi padre [...] Por ser *amigo de Ortega* fue detenido varios meses en la zona nacional.

»Las otras dos fidelidades fueron a la institución universitaria y a sus maestros, en particular, al profesor Gimeno y al profesor Busquets».

Luego volveremos a verle durante su estancia francesa, que para Vicente fue dura pero divertida.

No hubo ningún problema en subir al carguero francés. Su capitán debía de tener órdenes de la embajada, porque trató a mi padre con toda deferencia, dándole una de las mejores cabinas y haciéndole —haciéndonos— comer en su mesa. La travesía hasta Marsella duró dos días, porque tocamos en el puertecillo de Port-Vendres, y debimos de llegar a «Marsella, la focense» el 2 o 3 de septiembre. Pasamos la noche en el clásico Hôtel de la Comtesse de Noailles y al día siguiente marchamos en tren a Grenoble.

No olvido que en Alicante saludamos a Sánchez Román, que también abandonaba la nave republicana, y vimos a Rivas Cherif, cuñado de Azaña, que iba a un puesto diplomático en Francia y que se ofendió mucho con el capitán porque le trataba sin el rango que creía tener.

Exilio inicial en Grenoble
(agosto-noviembre de 1936)

Debió de ser el propio profesor Chevalier, de la Universidad de Grenoble, amigo de mi padre, quien nos buscó en La Tronche —un pueblecito muy cercano a la capital del Delfinado— una pensión agradable y barata donde pasaríamos casi cuatro meses, de agosto a noviembre del 36. Creo que explicaba una cátedra de Filosofía pero dominaba también la historia del derecho porque su libro sobre *El Imperio Británico*, que leí con fruición, es excelente. En él insiste en el genio políti-

co de los ingleses, que dan siempre a sus leyes un margen y una elasti-
cidad que facilitan su aplicación y su vigencia. Nos resolvió el libre acceso a la biblioteca universitaria, lo que mi padre agradeció, pues una
de sus grandes tribulaciones en todo el itinerario de sus exilios fue no
tener sus libros a mano y tener que acudir a las bibliotecas o a sus amigos cultos.

Mi padre seguía enfermo, pero no dejaba de pensar en cómo solu-
cionar su angustiosa situación económica. Sólo había traído unos francos que aseguraban una corta estancia en la pensión de La Tronche. En
ese momento se produjo el milagro: su admirada Victoria Ocampo,
que andaba localizándole desde Buenos Aires —y a quien él había escrito pidiéndole ayuda—, le envió dos mil pesos —la moneda más fuerte de esos años— que nos salvaron la vida y nos permitieron preparar
el viaje a París, donde buscamos un refugio más estable; pesos que
devolvería puntualmente con sus artículos en la prensa argentina.

Todas las mañanas tomaba yo el tranvía para ir a Grenoble a adquirir el periódico, *Le Petit Dauphinois,* que era objetivo y daba las noticias
de ambos bandos de la guerra civil vecina. Y algún día que mi padre se
sintió mejor fuimos a visitar la Cartuja, donde nos encontramos al profesor De Diego, de la Escuela de Caminos madrileña. Y aunque la sombra de Stendhal vagaba, naturalmente, por su ciudad —nada querida
por cierto—, no pudimos ver el museo dedicado al gran novelista porque estaba en obras.

## Tres años en París
(noviembre de 1936-octubre de 1939)

A mediados de noviembre nos fuimos a París. Las dos primeras noches las pasamos en un hotel de los Bulevares —que más parecía lo
que yo creía entonces que era una casa de citas, con sus cortinajes y pa-
redes rojas—, pero mi madre y mi hermana se dieron tal diligencia en
encontrar un apartamento amueblado de alquiler que al tercer día ya
estábamos en él. Era en la rue Gros 43, esquina a la rue Lafontaine, donde confluyen los barrios de Passy y de Auteuil. Me parece recordar que
era un tercer piso, con todas las ventanas a la calle y con tiendas cercanas para la compra corriente. Estaba cerca del Sena, donde el barrio
ya se degradaba, pero por arriba tocaba a la avenue Mozart, elegante y
movida. Un cine, el Ranelhag, en la calle cercana del mismo nombre,
nos permitió alguna rara tarde ver alguna película interesante, como
*Fantôme à vendre* de René Clair.

El piso, amueblado con cierto gusto muy francés, nos vino, al principio, sobrado para la familia pero pronto se fue llenando de refugia-

dos que llegaban a París desde la zona republicana, unos, familiares y otros, amigos. Tantos que al año siguiente mi padre alquiló también el piso superior —idéntico al nuestro— porque, según afirma mi hermana, llegamos a ser dieciséis personas a dormir y diecinueve a comer. Naturalmente no teníamos asistenta y, como ya he contado, mi madre, con su espléndida salud y su sana alegría, iba a la compra, hacía la cocina y aún tenía tiempo para escribir a amigos y parientes que habían quedado en alguna de las zonas en lucha. Sí recuerdo que el PTT, el cuerpo de Correos francés, era muy izquierdista y veía con malos ojos la correspondencia hacia la zona nacional.

Si llegábamos a casa un poco más tarde había que saludar a la portera, metida en su cuchitril oyendo la radio, con un sonoro *Bonsoir, Madame la concierge,* lo que recordé muchos años después, al publicar el único libro de versos del ingeniero y poeta Francisco Vighi —desterrado por Franco a Málaga—, *Versos Viejos,* en su poema *París, 1930:*

> Luz y asfalto,
> *arts et métiers,*
> cocotas en la Sorbona
> sabios en el cabaret.
> Un *pardon* que nunca acaba.
> Un continuo *s'il vous plaît.*
> Demasiado chauvinismo.
> Demasiada *politesse,*
> porque yo nunca he podido
> *dire «madame»* a la *concierge.*

Mi padre tenía buen cuidado en saber a quién recibía. No quiso hacer declaraciones; por eso los periodistas estaban excluidos de antemano. Y se negó también a recibir a gente que tuviera, en aquel momento, un puesto oficial en cualquiera de ambos bandos, aunque fueran amigos y estimados. Así no quiso recibir a su discípulo y colega José Gaos, que llegó a París como director del pabellón español de la Exposición Universal que iba a celebrarse pronto. Y por supuesto no se acercó a la embajada, reconocida por Francia, que regentaba en esa ocasión Araquistáin.

Los amigos franceses no le hicieron mucho caso, salvo el especialista en mística española Jean Baruzi, que nos invitó una tarde a su piso de la plaza Víctor Hugo. Su amigo Bergson estaba muy enfermo —creo que murió poco después— y sólo Paul Hazard le animó a hablar en sus conferencias del Collège de France.

La primera en llegar fue mi tía Ángeles Gasset —que como era joven, más bien la traté siempre como prima—, hija de don José Gasset, que fue un refuerzo para mi madre por su empuje en las faenas de la casa y por mantener el buen humor en aquel reducto. Luego vinieron la mujer y los tres hijos de mi tío Manolo —que quedó en Madrid refugiado en la embajada de Panamá—, ella de la familia Rosales, a quien habían asesinado en su feudo de Argamasilla de Calatrava a treinta y cinco miembros. Más tarde llegarían mi abuela Dolores y mi tía Rafaela, y por último, mi abuelo Spottorno. Los abuelos recordaban, al ver que se celebraba en esos días la nueva Exposición Universal, su visita de jóvenes a la Torre Eiffel, que fue el gran tanto de la primera.

Cada tres meses debíamos ir mi padre y sus varones, que estábamos como refugiados, a la comisaría de Policía para renovar el *récépissé* que nos permitía seguir en esa condición, hasta que un día el comisario se excusó ante mi padre por no haber caído en la cuenta de que tenía la Legión de Honor y no necesitaba permiso alguno para vivir en Francia y trabajar en ella.

Mi padre empezó a escribir —siempre en la mesa del comedor— artículos para *La Nación* argentina, para defender su economía doméstica. Y al leerlos hoy diría que no son de lo mejor de su pluma. Podemos citar "El derecho a la continuidad" (enero del 37), "Gracia y desgracia de la lengua francesa" y "Bronca en la física" (septiembre del 37).

El historiador holandés Huizinga, buen amigo de mi padre y del que había publicado en las Ediciones de la Revista su famoso libro *El otoño de la Edad Media,* le animó a visitar Leiden, en cuya Universidad profesaba. Y allá nos fuimos mi padre y yo, con la ilusión de tener tiempo para redactar el «Prólogo para franceses» que iba a llevar la edición francesa —¡por fin!— de *La rebelión.* Stock, su editor, tenía mucho interés por la actualidad de todo lo español y el traductor, Louis Parrot, había trabajado con acierto.

Huizinga nos buscó una deliciosa pensión, Het Witte Huis (La Casa Blanca), en el pueblecito cercano a Leiden que se llama Oesgeest. «El puro azar que zarandea mi existencia —dice en ese prólogo— ha hecho que yo redacte estas líneas teniendo a la vista el lugar de Holanda que habitó en 1642 el nuevo descubridor de la *raison.* Este lugar, llamado Endegeest, cuyos árboles dan sombra a mi ventana, es hoy un manicomio. Dos veces al día —y en amonestadora proximidad— veo pasar los idiotas y los dementes que orean un rato a la intemperie su malograda hombría». Yo le copié sus folios y le acompañaba a la excelente biblioteca de la Universidad. Paseamos con Huizinga y otros profesores por el camino que bordea el canal y al que daban cuerpo las casas de los holandeses. Mi padre, que como buen español, hacía grandes gestos con sus brazos mientras hablaba, imaginaba que las vecinas, que lo veían sin ser vistas por el espejito inclinado que había en el quicio de alguna ventana, pensaban, entre curiosas y asustadas: «¡Los españoles! ¡Los españoles!».

La hija de Huizinga me invitó a una excursión por los serpenteantes canales en torno a Leiden en un barquito desde el que nos tiramos al agua. También recuerdo la amabilidad que tuvo con nosotros el diplomático español López Oliván, que era juez del Tribunal Internacional de La Haya, lo que le hacía independiente de los dos bandos en guerra. Pero no le haría ningún favor a Franco porque, terminada la contienda, éste lo expulsó de la carrera. Nos mandó su coche a Leiden para cenar en su residencia de La Haya.

Estando todavía en Het Witte Huis se presentó en nuestro piso de la rue Gros Vicente Iranzo, hijo. Él lo ha contado en su citado homenaje:

«Una magnífica y soleada mañana del verano de 1937, desembarqué en la estación del Quai d'Orsay, de París, ciudad de que tanto había oído hablar y leído, pero que nunca había recibido mi visita. Al salir a la superficie, los andenes estaban en el sótano, pregunté a un guardia cómo se iba a la Rue Gros, donde vivía la familia Ortega. Muy atento, me dijo que tomara el autobús nº tantos. Casi sin dejarle terminar, le respondí que yo quería ir a pie. Me advirtió de la gran distancia y me indicó el itinerario. En vez de tomar el autobús que me indicaba, un castizo diría que tomé el "2", mucho más barato. Poco antes de mediodía llamaba a la puerta de D. José, abrió Dña. Rosa, preguntó qué quería, le respondí que ver a D. José y me replicó que volviera dentro de unos días, pues estaba en Holanda.

»El no haber tomado el autobús, que el municipal me había indicado, no fue por fobia al transporte urbano, al que soy muy proclive, sino porque el estado de mi tesorería no me lo permitía. Si para autobús no llegaba, para comer... ya se imaginan.

»Ante esa situación pregunté a Dña. Rosa si me conocía. Con modales muy corteses (los suyos eran exquisitos) me respondió que no. Al decirle quién era, me hizo pasar inmediatamente, se emocionó mucho y me dijo que de aquella casa no volvía yo a salir. El que no me hubiera reconocido no resultaba sorprendente, pues mi atuendo no era, precisamente, de visita de cumplido: iba sin camisa y con alpargatas. Allí me alojó Dña. Rosa con no menos cariño que lo hubiera hecho mi propia madre. Aquella tarde paseaba yo por París con un elegante traje de Ortega hijo, que si bien en alguna dimensión resultaba evidentemente corto, quedaba generosamente compensada la diferencia por lo mucho que sobraba en otras. Además, Dña. Rosa me dio unos francos para que tomará el autobús. Por otra parte, escribió a su esposo y le comunicó la llegada de tan distinguido e inesperado huésped.

»Tres días después recibía la siguiente respuesta:

Rosa mía:

En este momento me llega tu carta y te escribo sólo para decirte que hagáis por el chico de Iranzo todo lo que humanamente pueda hacerse. Llevadlo a casa para que no gaste un céntimo. Yo me ocuparé desde mañana dónde le pueda colocar, aunque ya sabemos lo dificilísimo que es.

Abrazos, besos, *Pepe.*

»Y una posdata:

¿No dice este chico si hay manera viable de sacar a su padre?

»¿Hay quien pueda todavía discutir la afectividad de D. José?

»Pocas fechas después, regresaba a París D. José y empezaba para mí un apasionante capítulo de mi existencia: el descubrimiento de sus insuperables cualidades y sobre todo de las humanas».

Desde que mi padre y yo volvimos a París, mi amistad con Vicente nació y se consolidó. Pronto —debido al apoyo de algunas francesitas a las que conquistó— encontró trabajo, primero en el propio París, y luego como lector de español en Burdeos.

En Holanda, mi padre y yo tuvimos un estupendo viaje con Ase, su editor holandés —que luego fusilaron los nazis— en su coche deportivo, en el que nos llevó hasta Amsterdam y los pólderes.

Visitamos asimismo, con su director —cuyo nombre he olvidado—, que era muy orteguiano, las instalaciones en Rotterdam del *Niuwe Rotterdamsche Courant,* cuya modernidad removió mis incógnitas aficiones a la edición.

Un pequeño inciso: Como habrá observado el lector, no hablo en estas páginas de mí cuando en el relato no aparece mi padre. Así, sólo en mis posibles *Memorias* hablaré de mis aventuras y vicisitudes en la zona «nacional», a donde fui desde París en diciembre de 1937, cuando habían llamado a mi quinta. No tenía otra solución —haber vuelto a la zona republicana, suponiendo que ésa hubiera sido mi intención, significaba para mí, por lo menos, la prisión—, y no quería quedarme exiliado en un exilio, además, solitario, sin el apoyo económico que tenían muchos republicanos exiliados. Mi padre había aceptado sin demasiada ilusión mi ida a Burgos y tanto él como mi madre quedaron muy entristecidos sin sus hijos varones. Sí añadiré que acabé destinado a una batería en el frente de Teruel como soldado raso.

No quiero olvidar a Mlle. Louise-Noélle Malclés, jefe de la Biblioteca de la Sorbona. Desde la conferencia inaugural que dio mi padre en Madrid, en un Congreso Internacional de Bibliotecarios en 1935, tenía una admiración —casi enamoramiento, diría yo— por él, y le puso despacho y libros a su disposición (y a la de su amigo Zubiri, cuando vino a París).

En la primavera mis padres dejaron el piso de la rue Gros para pasar de nuevo la estación en Leiden, donde mi padre dio unas conferencias remuneradas. El verano de ese año 1938 lo pasaron en San Juan de Luz —allí estaban refugiados Antonio Marichalar y Justino de Azcárate—, pero al volver a París mi padre se encontró muy mal y se hospedó en casa de Mlle. Malclés, donde Marañón y Hernando le diagnosticaron una obstrucción del colédoco. Ya hemos contado, hablando de la relación de Marañón y Ortega, cómo este gran médico consiguió convencer al cirujano doctor Gosset que le operase, aunque no quería porque veía al enfermo muerto. El muerto se salvó y estuvo reponiéndose, de febrero a abril, en Portimão. Al volver a París tomaron un piso amueblado en el número 11 de la rue Bassano.

La guerra en España había terminado en abril de 1939 pero mientras tanto la amenaza de una segunda guerra europea crecía peligrosamente. En París todo el mundo creía que Francia sería derrotada rápidamente por las tropas de Hitler. La línea Maginot no serviría para nada. Aunque la reunión de Múnich abrió un portillo a la esperanza de paz, mi padre no quería estar en París cuando entraran los alemanes. Y decidió irse a Buenos Aires. Era la primavera del 39; mis padres y mi hermana Soledad tomaron el tren en la Gare du Nord, hacia Cherburgo, donde embarcarían en el vapor Alcántara de la Royal Mail inglesa. Ortega iba invitado por Amigos del Arte a dar unas conferencias. El exilio parisino había acabado y desde la ventanilla del tren saludaba a los amigos que habían ido a despedirle: Marañón, Hernando, Azorín...

## Tres años en una Argentina inhóspita (1939-1942)

Cuando estaban desembarcando en Buenos Aires, donde los esperaban Bebé Sansinena de Elizalde y otros miembros de Amigos del Arte, oyeron las sirenas de los dos grandes diarios bonaerenses —La Nación y La Prensa— que atronaban el aire anunciando el comienzo de las hostilidades en Europa. Utilizar las sirenas tenía una multa cuantiosa, pero el acontecimiento merecía la pena pagarla.

Se instalaron en un piso amueblado de la calle Esmeralda 1355, porque mi padre no gustaba de vivir en hoteles por grandes que fueran. Una ventaja para mi madre fue que en Buenos Aires podía tener una «mucama» para el trabajo de la casa y de la comida. Pero —lo he dicho al presentarla al lector— se puso en seguida a traducir libros del francés (que dominaba), como Místicos y magos del Tíbet de Alejandra David-Neel, la primera mujer que entró en aquel misterioso rincón del Himalaya.

Mi padre llegaba enfermo y maltrecho; no esperaba mucho ahora de los argentinos, que te atienden —le oí decir— cuando ven en tu solapa el billete de vuelta a tus lares. Máximo Etchecopar, un joven abogado de la alta sociedad argentina, que sería su gran amigo y confidente en aquellos tres años de exilio en el Plata, publicó, como ya indicamos, un libro [2] imprescindible para sentir el estado de ánimo de Ortega entonces. «Vano sería disimular —dice Etchecopar— la terrible desazón, la diaria incertidumbre, la zozobra, el sufrimiento —sufrimiento físico y moral— de los días de Ortega en aquellos años argentinos de 1940 y 1941 [...] Menos que ningún otro podía intentarlo quien como yo ha tenido el privilegio raro de compartir la intimidad de Ortega y de su casa en ese periodo cruel de su vida».

Esa amargura, que nunca había tenido un hombre jovial como él, se confirma en la carta que escribió a Victoria Ocampo el 9 de octubre de 1941 y que conocimos al publicarla su gran amiga en la revista *Sur* en 1965:

«Puedo decirte que desde Febrero mi existencia no se parece absolutamente nada a lo que ha sido hasta entonces y que, sin posible comparación, atravieso la etapa más dura de mi vida. Muchas veces en estos meses he temido morirme, morirme en el sentido más literal y físico, pero en una muerte de angustia. Hoy están en el mundo muriendo del mismo modo muchos hombres de mi condición. Es un hecho que la gente no conoce suficientemente. No sería, pues, el mío sino un caso más»[3]. En una carta anterior lo explicaba: «Cuando las bases de nuestra vida se han roto o están gravemente enfermas, no es posible contar lo que nos pasa ni al mejor amigo porque no puede, sin más, entenderlo. Sería, sobre lo que sufrimos, falsificar nuestro sufrimiento y traicionarlo. No: hay que callar, aguantar y sumergirse en un rincón. Cada vida es intransferible y, por lo mismo, inefable».

No obstante esa tesitura de su alma —porque afectaba al fondo de sí mismo—, Ortega no dejaba de trabajar y de proyectar posibles soluciones a su siempre estrecha situación económica. Pero, como veremos, ni sus intentos de tener una cátedra en la Universidad de Buenos Aires ni sus proyectos de hacer una editorial —la Editorial Azor— acabaron en buen puerto, y unido esto a la sorprendente traición de su querida Espasa-Calpe —que fue su gran disgusto— y a las inesperadas dificultades para su colaboración en *La Nación,* nos explican ahora ese estado profundo de desánimo. La verdad es que mi padre era un vagotónico con oscilaciones de su vitalidad, pero los periodos depresivos

---

[2] Máximo Etchecopar: Obra cit.

[3] *Sur,* núm. 298, Buenos Aires, septiembre de 1965.

pasaban pronto y cualquier incitación le ponía de nuevo en forma. Mas esos sucesivos fracasos, consecuencia del miedo de los argentinos a decidir el apoyo a los españoles exiliados —contrariamente a lo que había hecho, tan inteligentemente, el presidente Cárdenas en México—, fue una gran pérdida intelectual para la propia Argentina.

Era un país que en 1916, cuando el primer viaje de Ortega, estaba gobernado todavía por la oligarquía, bien incrustada en la tierra. Pero justamente ese año en que, por la Ley Sáenz-Peña de 1912 —que concedió el voto universal a todos los argentinos—, triunfó el partido popular de Yrigoyen, se produjo una inmigración extraordinaria de españoles, siriolibaneses y otros pueblos, y la masa votante no estaba todavía arraigada en la nación. Ortega lo había pronosticado al decir en 1928: «En este momento domina el hombre abstracto que el mar ha traído, sobre el hombre histórico que la tierra ha plasmado. El *prestissimo* de aquella historia no ha dado tiempo a la tierra para que digiera el aluvión atlántico. Es inevitable: durante unos años la Argentina sufrirá de histórica indigestión».

Pero su laboriosidad no cejaba, y quince días después de llegar comenzó sus conferencias en Amigos del Arte sobre *El hombre y la gente,* que sería el ámbito principal de su original sociología. Una vez más eran los argentinos los primeros en escuchar las primicias de su filosofía. Al tiempo dictó en la Facultad de Filosofía un curso sobre *La razón histórica.*

«A medida que se prolongaba la permanencia de Ortega en Buenos Aires —escribe Etchecopar— crecía también su convicción del magro reconocimiento público que su labor intelectual y su presencia misma suscitaban en la ciudad. Quienes con más frecuencia le veíamos, hacíamos lo que buenamente estaba a nuestro alcance para disuadirle de idea tan fosca y tenaz. Como me esforzara en convencerle de lo contrario, me respondió: "No lo creerá usted [...] sin embargo, mi persona y mi obra representan mucho más para mis compatriotas, que me son adversos [...], que para el más fervoroso y entusiasta entre mis amigos porteños. Esto no lo dude usted [...] además, no es insólito que ello ocurra [...] así tiene que ser"».

Veía a muy poca gente, alguna vez a Ramón Gómez de la Serna, a los jóvenes porteños, como los Elizalde hijos y Máximo Etchecopar, y, más raramente, a María de Maeztu y a Luzuriaga. Morente había vuelto ya a España, prendido de santidad, como vimos. Enrique Larreta insistió mucho en que el matrimonio Ortega pasase unos días en su finca pampeña Acelain, y por fin se decidió a hacer el viaje a finales del año 40.

En sus *Obras completas*[4] se conserva un recuerdo literario de esa visita. Son palabras que pronunció en la comida que le ofrecieron los ca-

---

[4] *Obras completas,* tomo IX, pág. 456.

zadores portugueses el 5 de abril de 1945. Está hablando de que, al aparecer el cazador en el campo, toda la vida animal, extensa y variada, se centra en él: «Yo he tenido —dice— ocasión de contemplar esa vida invisible en torno del que caza [...] fue en la Pampa y en la estancia —nombre que allá dan a las grandes propiedades rústicas— del prócer argentino Rodríguez Larreta, que es a la vez muy destacado escritor. Es tierra tan plana que Darwin al visitarla, hace más de un siglo, escribía: *Camino y dirección son sinónimos en este país llano.* Es decir, que un vehículo puede avanzar por donde quiera. Esto nos permitió una noche rodar con un automóvil fuera de todo camino [...] Y entonces vimos que avanzábamos entre centenares de esmeraldas, de rubíes, de topacios, que brillaban misteriosos, como estrellas terrestres, todo en derredor. Eran los ojos de innumerables animales —raposas a docenas, guanacos, ñandúes, liebres, bizcochos, que son los conejos pamperos— pero todos atentos a nuestro paso [...] ocultándose en el yerbaje o paralizados por el espanto [...] Era como una radiografía de lo que a plena luz del día, y por lo mismo invisible, suele rodear al cazador en su marcha venatoria».

Como cuenta Etchecopar, que también iba invitado: «Los días que pasaron en Acelain fueron deliciosos al calor de la hospitalidad del dueño y de su familia».

Mi padre llegaba, pues, a Buenos Aires con muy pocas esperanzas de ser atendido. La colonia española y la propia sociedad importante argentina estaban divididas en su juicio sobre la guerra de España. Ya Morente, antes de su regreso a España para tomar los hábitos, le había advertido de que incluso Alberini y Francisco Romero, a pesar de su orteguismo, no veían con buenos ojos que la Facultad de Filosofía le concediera una cátedra, fuera como doctor *honoris causa,* fuera como profesor invitado. Y, aparte de encargarle cursos de conferencias, no pudo Ortega profesar en aquella Universidad, lo que sería un mal para ella. Pero tampoco fueron bien los asuntos editoriales.

Mi padre había decidido ese exilio en Argentina confiado en que la editorial Espasa-Calpe —de la que había sido asesor intelectual desde su fundación en 1917— muerta en Madrid durante la guerra, estaba renaciendo en Buenos Aires, y él seguiría en ella. Marta Campomar, vicepresidente de la Fundación Ortega y Gasset Argentina, ha publicado recientemente un detallado estudio sobre las relaciones entre mi padre y Espasa-Calpe Argentina [5]. Ortega defendía a Calpe de los ataques que hacían contra ella los sectores más izquierdistas de la sociedad

---

[5] Artículo "Ortega y el proyecto editorial Espasa-Calpe Argentina", *Revista de Occidente,* 4ª época, núm. 216, mayo, 1999.

argentina. Olarra, el gerente que habían mandado de Madrid —y que había llevado esa gerencia allí antes de la guerra—, era un obediente servidor del consejo de administración de la compañía, con sede en Bilbao, y que en esos años —1940— era decididamente franquista. Olarra carecía de tacto, y ya se había peleado con su compañero Losada, quien fundó su propia editorial, que pronto tuvo gran renombre. Los editores creían que España había perdido su hegemonía en el negocio del libro en castellano y luchaban por adquirirla. Mi padre autorizó a Espasa la edición de sus libros y de los que había publicado en las Ediciones de la Revista de Occidente en Madrid hasta 1936. Le concedió además la edición de una colección nueva, que iba a llamar «Conocimiento del hombre», donde irían títulos de primer orden y que harían recuperar a Espasa su rango editorial. A cambio, él tendría un sueldo de asesor, de unos 1.000 pesos mensuales, que le permitiría vivir pudiendo dedicarse con plenitud a su obra filosófica, sin tener que depender de colaboraciones en la prensa ni de los ingresos por regalías de sus libros.

Uno de esos nuevos proyectos era el de Victoria Ocampo y el grupo en torno a *Sur* de crear una Editorial Sudamericana en la que participaría Rafael Vehils, un hombre de negocios valenciano que presidía esos años la Institución Cultural Española. María de Maeztu le anima por escrito advirtiendo —dice María Campomar— «que su obra estaría más segura allí que en cualquier parte». «La candidez de María —añade— no percibe la sutil independencia que siempre mantuvo Ortega respecto a Victoria en materia de negocios editoriales». Esa Editorial Sudamericana nacería, no impulsada por Victoria Ocampo, sino por López Llausas, un editor catalán exiliado que la llevó a altos destinos.

Olarra consulta a su consejo de administración esa posible asesoría de Ortega y el consejo se la deniega. Pero, y aquí está la traición malévola de Olarra, que lo sabe en enero del 41, no se lo dice hasta dos meses después. Fue éste el mayor disgusto en la vida de mi padre: todos sus proyectos se venían abajo. Olarra además no quería devolver los derechos sobre sus libros y sobre los de las Ediciones de la Revista de Occidente. Mi padre tenía que ocuparse de reconstruir los adelantos y liquidaciones, cosa que le abrumaba, y tuvo que pedir ayuda a su amigo Etchecopar.

Intenta entonces hacer su propia editorial, que iba a llevar el nombre de Editorial Azor, para lo cual solicita un crédito de un Banco argentino por 100.000 pesos, que se malogra porque Olarra informa que los derechos de esos libros que proyecta Ortega pertenecen ya a Calpe. Sin embargo, quizá a consecuencia de las cartas que ha escrito a su amigo Serapio Huici, Olarra súbitamente devuelve los derechos de la Biblioteca y los libros que la integran.

El conflicto con Espasa no acabaría limpiamente nunca. Huici le ha contestado no queriendo dar importancia a esa denegación, pero el hecho es que Ortega se queda de nuevo sin otros ingresos que los aleatorios que produzcan sus libros y sus renovadas colaboraciones en *La Nación*, que había abandonado desde 1937. Le animó saber que su artículo "El intelectual y el otro" fue muy bien acogido.

Durante los primeros meses de su llegada a Buenos Aires en 1939, cuando sus temores sobre la acogida que iban a darle los argentinos no habían podido confirmarse todavía, tuvo la suficiente alegría para escribir su *Meditación del pueblo joven*, en que venía a decirles a los argentinos que los años de libre frontera y fácil riqueza se estaban acabando e iba a ser más duro su porvenir, como el de todo pueblo que va perdiendo la juventud. Y redacta asimismo su *Balada de los barrios distantes*, muy lírica y sentida.

Pero su gran intento de ensayar lo que pudiéramos llamar «un nuevo género literario», fueron sus cuatro charlas radiofónicas —creo que por Radio Belgrano— sobre el tema *Meditación de la criolla*. Era algo nuevo porque el orador y el oyente no se veían, ni tenían público a su alrededor como lo hay en un teatro o en una conferencia. Era una relación íntima, sin conocerse, entre un hombre que habla y una mujer —porque iba dirigido a las mujeres— que escucha. Parece que tuvo gran audiencia y recibió muchas cartas de esas oyentes.

También corresponde a esa actitud jovial lo que cuenta Etchecopar de un incidente en una de sus primeras conferencias: «El orador había dado comienzo a sus palabras [...] de una manera insólita, simplícisima: "Señores: se trata de lo siguiente" [...] Había andado ya unos minutos en la marcha de su disertación, cuando la primera fila se movió, se apretujó, a fin de dar cabida a un recién llegado. Era este Manuel de Falla. Mientras el célebre músico se acomodaba en su asiento, Ortega ha dejado de hablar. Retoma acto seguido la palabra y lo hace de este modo: "Ilustre maestro Falla, decía yo, etcétera". El viejecito impar se quedó inmóvil, las manos sobre las rodillas, como colegial sumiso».

Aunque se habían mudado a la avenida Quintana 520, a un apartamento más amplio y luminoso cerca del popular cementerio de La Chacarita, con la marcha de mi hermana Soledad a España, entre otras cosas para ser la madrina de la boda de mi hermano Miguel en Sevilla, y aunque éste los visitó unos días en 1941, la tristeza de mi padre era cada día mayor. Su madre había muerto en Puente Genil en abril de 1939, y su hermana Rafaela murió en 1942 en nuestra casa oficina de Bárbara de Braganza. Le entró así la necesidad de acercarse más a su tierra y decidió trasladar su exilio a Portugal. El 9 de febrero de 1942 embarcaba el matrimonio en el vapor español Cabo de Hornos. Sus amigos bonaerenses, Etchecopar y María Elena Mejía —hoy marquesa de Grijalva, que tanto le había atendido llevándole y trayéndole con su coche en sus travesías de Buenos Aires, hasta el punto que le llamaban en broma *Lesmes,* recordando a nuestro chófer eibarrés— [6] les despidieron en el muelle. Una vez más mi padre iba a cruzar el Atlántico en plena guerra —ya lo había hecho en 1916, como vimos—; unas aguas peligrosas por las que ni entonces ni ahora en 1942 navegaba barco alguno de pasajeros aliado, por temor a los submarinos alemanes.

Esta vez el viaje iba a ser más largo porque los ingleses obligaban a pasar por Trinidad, donde tenían el control de los viajeros y de sus equipajes. Etchecopar conservó algunas cartas que le dirigió Ortega durante la travesía.

«Curaçao, 28 febrero 1942

Querido Máximo: ¡llevamos 19 días de viaje y nos encontramos en el punto más hondo y neurálgico de él! Desde Montevideo la navegación ha sido excelente de mar y temperatura, pero de una monotonía superlativa. El pasaje no existe como no sea para quitarle a uno el reducto de la soledad. Los torpedeamientos recientes en estos parajes han hecho el paso por esta región sumamente peligroso y no ve uno el momento de estar fuera del Mar Caribe, con la proa ya dirigida resueltamente a Europa... Mañana nos vamos a la Guaira y el martes estaremos en Trinidad, donde el control inglés nos detendrá por lo menos dos jornadas. La llegada a Lisboa no creo que sea antes del 15»

El Cabo de Hornos tocó en Vigo, donde subí a bordo para abrazar a mis padres, a los que no había visto desde 1938. Hice que les subieran una merluza a la gallega que yo sabía que les iba a gustar mucho, sobre todo a mi padre. Y el barco llegó a Lisboa a mediados de marzo de 1942. Mi hermana Soledad y Dolores Castilla les esperaban, y habían alquilado un piso amueblado, cerca del Parlamento, donde rindieron viaje, fatigados pero contentos, aunque la casa de mi padre en Lisboa, y su domicilio permanente, fue en seguida un amplio piso en la Avenida 5 d'Outubro número 10, donde le enviamos la mayor parte de su biblioteca.

---

[6] En su *Meditación de la criolla* mi padre dedica un largo párrafo a esta mujer. «Hace pocos días una criatura admirable, amiga de mi mujer y de mi hija, que me ha cuidado en las primeras semanas, aún valetudinario, de mi vida aquí [...], colegí de su conversación que, allá en la lontananza de los siglos, había entrado en su casa sangre incaica [...] por Tupac Yupangui, soberano del Perú, y por un Diego de Avendaño, conquistador del Perú [...] nada menos...»

## Cuatro años gratos en Portugal (1942-1945)

En cuanto pude, fui a verles. Recuerdo que uno de los viajes lo hice con mi amigo José Torán en una pequeña y destartalada furgoneta que se pinchaba frecuentemente por la dificultad entonces de encontrar neumáticos nuevos. Los intelectuales españoles no prestaron nunca demasiada atención a la cultura lusitana y yo no sé si mi padre sintió algún arrepentimiento por ese olvido, ahora que llegaba a Portugal. El que iba mucho por tierras lusitanas era don Miguel de Unamuno. Mi padre le preguntó un día por qué, y don Miguel contestó rápido: «Porque, como Rector de la Universidad de Salamanca, tengo pase gratis en los ferrocarriles portugueses».

La guerra seguía sacudiendo las tierras y los mares de la mayor parte del mundo pero aquí las noticias parecían más favorables a los aliados que las que solía dar la prensa española. Portugal tenía el estatuto de beligerante y los ingleses —sus amigos tradicionales— no tardaron un minuto en incautarse de todos los barcos de bandera alemana que estaban en puertos lusos en el momento de iniciarse las hostilidades.

Mi padre iba todas las mañanas a dar un paseo por la Plaza do Rossio y subía la rua Garret hasta el Chiado para dar una vuelta por las librerías, sobre todo la librería Bertrand, que recibía las novedades francesas e inglesas con inusitada rapidez. Hojeando esos libros se le acercó un día un portugués de mediana edad que le había reconocido y se presentó: «Soy Pedro de Moura e Sá, asesor literario de esta librería. No sabe la emoción que me produce verle en persona porque soy un entusiasta lector de sus obras».

De ese encuentro saldría una larga amistad y la creación de una tertulia, cosa que mi padre había echado de menos en sus precedentes exilios. El propio Moura, que era escritor esporádico, porque su pasión era leer, lo ha contado en un artículo que dedicó a su amigo Carlos Queiroz, muerto prematuramente:

«Todas las noches subía don José los cuatro pisos de la casa mágica del Dr. Martins Pereira y allí redescubría para nosotros los mundos de la cultura, de la experiencia de la vida, todo a una luz auroral porque ninguno de los amigos tenía situación universitaria o categoría oficial de escritor o intelectual». Desmenucemos un poco esa tertulia, que constituyó un poco el eje de su vida en Lisboa.

El doctor Martins Pereira era un médico muy estimado por la sociedad lisboeta —algo así, pero a menor nivel, como Marañón en España—. Su mujer, la señora Octavia, le cuidaba sus frecuentes y pasajeras depresiones. Era, además, como una madre para Pedro de Moura, cuya familia había ido desapareciendo. A veces la señora Octavia convertía la tertulia en un almuerzo o cena, que animaba la conversación. Solía acudir también el matrimonio Suárez Franco; él, José, un importante comerciante en vinos; ella, María Carlota, una aparatosa belleza que sabía estar en su sitio. Asimismo acudía el matrimonio Pina; él, Luis, un coronel del Estado Mayor especialmente culto, que, justamente, estaba traduciendo al portugués *La rebelión de las masas* de mi padre. Era además un experto en los estrategas que sirvieron a Napoleón, especialmente Jomini, uno de los mejores y más olvidados. Ella, Marta, era una interesante mujer que hablaba un español perfecto por haber estudiado de joven en un colegio religioso de San Sebastián. Y venía, hasta su grave enfermedad, ese Carlos Queiroz para el cual Ortega fue un enorme descubrimiento. «Carlos —seguimos leyendo a Moura—, con su capacidad ilimitada de admiración, era inevitable que despertase en él como un *géiser* a presión. Así se formó lo que en la biografía de Ortega tiene que figurar como *el mito de Lisboa* [...] Ortega llegó a Lisboa en 1942, después de una pequeña experiencia que supongo desilusionante en la Argentina, con las mallas vitales que le ligaban al pasado completamente deshechas. Esto acentuaba su sentimiento de robinsonismo. Por otro lado una enfermedad larga, coronada por una operación muy grave, le daba esa sensación de barco que la enfermedad trae consigo. Por todos esos motivos, Ortega estaba más predispuesto para aceptar un mundo mítico que un mundo real, oficial, constituido por universitarios, escritores y filósofos.

»Durante años, en el mágico cuarto piso de la Rua Alexandre Herculano, Ortega y el pequeño grupo de amigos segregamos nuestro mundo, la red de que estaban hechas las figuras y las situaciones y daban dinamismo histórico a nuestra circunstancia. Es preciso entender esto para comprender la aparente falta de contacto de Ortega con la vida portuguesa, sólo quebrada por algunas conferencias[7] y un curso universitario interrumpido por la enfermedad, una gripe de mal carácter que le provocó una parálisis temporal de las dos piernas durante muchas semanas. Ortega en Lisboa no fue un filósofo ni escritor ni profesor; fue un poeta, en el sentido de constructor de mitos».

Moura sólo se interesaba por la literatura y descubrió con Ortega el mundo del pensamiento y de la filosofía. Y Moura recuerda que en la conversación, Ortega le decía: «Ahora tiene usted diez minutos para ordeñarme de filosofía».

Mi padre había conocido a Marta, antes que en casa del doctor, en un *salón de chá,* que —creo— han ido desapareciendo convertidos

---

[7] En la Universidad de Lisboa iniciaría un curso sobre "La razón histórica" y hablaría en una conferencia sobre la "Idea del teatro". Hay que decir que mi padre estimaba mucho a los actores lusitanos.

en cafeterías. Como dije en mi única novela, que transcurre en atmósferas portuguesas, el té, más que el porto, es la bebida nacional, que viene de todas las procedencias, tiene todos los sabores y es de todos los colores. Por aquellos años en esos lugares, bien atendidos y confortables, se desarrollaba la vida tenue del portugués. Cada año estaba más de moda uno, y en ese año de 1942 el preferido era el denominado A Carabela. Allí es donde mi padre se interesó por una dama que entraba, Marta Pina, que poco después Moura le presentó. Como le dije una vez a ella, ya viuda, en 1980, «puede servirte de orgullo que te considerara como la mujer más extraordinaria que había conocido en su vida. ¡Y conoció a varias de buen linaje!».

Mi padre compartió la amistad con José Torán, que venía frecuentemente a Lisboa, no sólo por vernos sino también buscando trabajos para sus grandes proyectos de ingeniería. Recuerdo que una noche en que ambos acudían a una cena donde iban a estar señoras interesantes —entre ellas Marta y su hermana de padre, Inés, soltera todavía— mi padre le aconsejó a nuestro amigo que se pusiera una corbata llamativa «porque —decía— la corbata es lo último que le queda al hombre del gallo que fue».

Pero aparte la gente de la tertulia, mi padre veía a algunos españoles que vivían en Lisboa, como Gregorio de Diego, un salmantino que había hecho fortuna con las pieles y que le llevó varias veces de excursión por sus dehesas cerca de Lisboa. También recibió —siempre con cuentagotas— a amigos de España que venían a verle. Recuerdo al conde de Yebes, que vino a traerle el primer ejemplar de su libro *Veinte años de caza mayor*, que llevaba su famoso prólogo.

El primer verano lo pasaron en Cascais, en una casa frente al palacio de la Presidencia de la República —creo que era presidente entonces el general Carmona—, en el camino que lleva a la Boca do Inferno, donde el mar se rompe en espuma. Los otros, en lo alto de Estoril, en la «Casa dos Tres Arcos», cercana a la de don Juan de Borbón y a la del banquero March. Sus hijos y sus familias —Miguel tenía ya descendencia y Soledad había contraído matrimonio reciente con el arquitecto y agricultor José Varela Feijoo— compartieron esos veraneos, y yo pienso que mi padre, aunque estorbásemos su soledad, estuvo contento.

Algunos de sus visitantes eran discípulos suyos, como José Antonio Maravall y Luis Díez del Corral, que —estamos ya en 1945 y los aliados han ganado la II Guerra Mundial— le animaban a volver a España.

A pesar de ese mundo mítico del que hablaba Moura, durante esa estancia mi padre escribió su libro más técnicamente filosófico y difícil, *La idea de principio en Leibniz y la evolución de la teoría deductiva,* que vería la luz editorial póstumamente, en 1958, en Emecé de Buenos Aires. También, un ensayo de mayor público sobre *Velázquez* como preámbulo a una bella edición ilustrada, internacional, que publicó la Iris Verlag de Zúrich en 1959.

Y escribió dos prólogos que demostraban su recuperada jovialidad: el que hizo para el libro del conde de Yebes, ya mencionado, y el que puso a las *Aventuras del Capitán Alonso de Contreras* que editamos en las Ediciones de la Revista. Este libro iba a iniciar una colección, imaginada por él, que se titularía «Aventureros y Tranquilos», de memorias de gente de una y otra condición. Pero, por razones diversas, no pasó de ese volumen. Mi padre no quiso firmar ese prólogo, que aparece como escrito por «los editores».

Quería escribir una *Historia de Portugal contada por el viento*, porque fue el viento el que empujó las carabelas a destinos inesperados —recuérdese el misterio de la desaparición del rey don Sebastián— y ahora —les decía a sus amigos de tertulia— «el viento se ha metido en sus cabezas». Era otra vez el *mito de Lisboa*.

CAPÍTULO X

# LOS ÚLTIMOS DIEZ AÑOS
# (1945-1955)

## EL RETORNO A ESPAÑA

Lo pensó, naturalmente, mucho. Sus hijos le animábamos a que volviese, al menos una temporada, a España. Y lo que le decidió fue, una vez más, el mismo estado de espíritu que trascendía de la definición de su filosofía que había dado en su primer libro, en 1914: «Yo soy yo y mi circunstancia, y si no la salvo a ella, no me salvo yo», que concluía, en latín, con esta frase: *Procura el bien de aquel lugar donde has nacido.*

Quería intentar de nuevo, sin hacerse demasiadas ilusiones, influir en sus compatriotas, heridos por una terrible guerra entre hermanos y una lamentable posguerra. Y ahora, en 1945, parecía más lógico que se aflojasen las mallas de la censura, siendo Franco el único gobernante que se encontraba aislado de los triunfantes aliados. No habían llegado aún los acuerdos con los Estados Unidos y la Santa Sede que le permitieron al dictador volver a cerrar el baúl de las libertades.

Así que se preparó el viaje a España con la mayor discreción. Yo visité al ministro de la Gobernación, para que no hubiera ningún tropiezo en la frontera de Fuentes de Oñoro —como así sucedió—, y mi amigo Torán vino a buscarnos a Lisboa en un flamante Packard coupé, de segunda mano, que se había comprado y en el que nos ubicamos muy bien mis padres, mi amigo y yo, y el equipaje. Pienso que el «Gran Gatsby» que era en el fondo mi amigo había adquirido ese automóvil precisamente para este viaje, que él sentía, acertadamente, como muy importante.

Salimos en los primeros días de agosto, hacia las diez de la mañana, y después de pasar la frontera sin ningún incidente —el vista de aduanas no demostró ninguna sorpresa— almorzamos en el parador de Ciudad Rodrigo y seguimos viaje —no sin algún pinchazo— al Coto de Castilleja en Mayorga de Campos, donde nos esperaban Soledad y su marido José Varela.

Esta finca, que mi cuñado había desarrollado poniendo en regadío varias hectáreas junto al río Cea que la cruzaba, había dejado de ser la explotación tradicional de cereal de aquella Tierra de Campos para adoptar más amplias vocaciones agrícolas. El vino —un vino excelente llevado por un especialista bordelés— se criaba con esmero y la caza era una de sus ocupaciones felicitarias.

Mi padre no parecía cansado del viaje, ni trascendió en su rostro ninguna de las emociones que sin duda habría sentido al ver los viejos pueblos castellanos y atravesar las capitales de Salamanca y Valladolid. Se interesó al saber que Castilleja estaba construida sobre una antigua villa romana que, según le explicaba mi cuñado, asomaba en restos de mosaicos y de columnas siempre que se hacía alguna obra.

Según cuenta mi hermana, vino gente de Mayorga preocupada porque unos periodistas buscaban a un señor importante que estaba por la región. Pero se consiguió que no se enteraran de quién era el viajero y se pudo evitar la publicidad.

No sé si paramos en Castilleja dos o tres días, pero salimos en seguida para Zumaya, donde mis padres iban a pasar gran parte del verano en la pensión Uranga, también llamada Casa del Estanco, en la carretera de San Sebastián. Creo recordar que hizo buen verano y, con el coche de unos y otros —estaba allí su amigo José María Rodríguez-Acosta—, hacía pequeñas excursiones a los pueblos vascos cercanos como Deva, Zarauz, Azpeitia y Azcoitia, y a veces se llegaba hasta San Sebastián, donde trabó amistad con el doctor Bergareche, uno de los médicos más estimados en Donostia, que le había presentado el padre Zaragüeta.

En octubre volvieron a Madrid. No recuerdo bien dónde vivieron en sus fugaces estancias madrileñas. Sé que se albergaron en la casa oficina de la Revista en Bárbara de Braganza 12, y luego en un piso más digno y amplio de la calle de Rey Francisco 11, donde habían vivido de recién casados el matrimonio Varela Ortega.

Su placer mayor fue poder rehacer su tertulia de la *Revista de Occidente*, que en menor escala le permitió la charla y ser receptáculo de noticias. Fueron apareciendo viejos contertulios que se habían salvado por suerte de la catástrofe incivil, como Antonio Espina, al que la guerra le cogió de gobernador de Mallorca y que pudo evitar milagrosamente el fusilamiento, Ernesto Halffter y, sobre todo, veía diariamente a Fernando Vela, que trabajaba conmigo en la editorial, como en los antiguos tiempos. Y refrescaban la reunión los «nuevos tertulianos» como Julián Marías, Paulino Garagorri, Díez del Corral y Pepe Ruiz Castillo.

La noticia de la entrada de mi padre en España fue, claro, difundida por todos los periódicos, con uno y otro matiz, falsificando unos los motivos de su llegada y otros censurándola como claudicación. Pero la gente en general recibió esa visita con alegría y cierta esperanza de que significase alguna apertura del régimen. La condesa de Yebes le ofreció un cóctel de bienvenida en su casa de Madrid, al que asistió mucha gente conocida, entre ellos, Eugenio d'Ors.

Pedro Rocamora, nuevo director general de Propaganda, quería devolver al Ateneo madrileño su viejo y acreditado nombre y una relativa independencia de sus órganos de gobierno. Y pensó que su decisión tendría plena acogida si se inauguraba esa nueva vida del Ateneo con una conferencia de mi padre. Era una forma para éste de hacerse presente de nuevo en la vida cultural española, así que aceptó el envite.

Como en abril había dado, en la sala del diario *O Século* en Lisboa, una charla sobre «Evolución y espíritu del teatro portugués», no le fue muy trabajoso hablar en Madrid sobre la «Idea del teatro». La conferencia se celebró el 5 de mayo —estamos en 1946—, con gran expectación y lucha del público por entrar al local.

Por deseo propio, nadie le presentó, y entró en el escenario de la sala grande del Ateneo entre los aplausos de la mayor parte de la asistencia (porque un reducido número de ella iba a ver sin previo entusiasmo): «No hay para qué hacer excepcionales aspavientos —dijo Ortega—. El Ateneo de Madrid, que ha vuelto a su antiguo nombre, como al puño vuelve el gerifalte, ha querido que inaugure esta nueva etapa hablando a ustedes de algo. Hace muchos años, muchos años, tal vez un cuarto de siglo, que yo no hablaba en esta casa donde hablé, o mejor dicho, balbucí por vez primera, y hace también sobrados años que ando vagando fuera de España, tantos años que, cuando partí, podía con ciertos visos de verdad creer que aún conservaba una como retaguardia de juventud, y ahora, cuando retorno, vuelvo ya viejo. Toda una generación de muchachos ni me ha visto ni me ha oído; este encuentro con ella es para mí tan problemático que, después de verme y oírme, sientan el deseo de repetirse, salvando las distancias, los versos del romance viejo que refieren lo que las gentes cantaban al Cid cuando éste, tras largos años de expatriación en Valencia, tierra de moros a la sazón, volvió a entrar en Castilla y que comienzan:

> Viejo que venís el Cid
> viejo venís y florido...

Siguió después hablando de la continuidad propia del hombre y de que cuando en su país ha habido alteraciones, se vuelve otro *(alter)*. «Conviene, pues, poner a ésta radicalmente término y que el hombre vuelva a ser sí mismo o, como suelo decir con un estupendo vocablo que nuestro idioma posee, que deje de alterarse y logre ensimismarse [...] Y España ha salido de esta etapa turbia y turbulenta con una sorprendente, casi indecente salud [...], se entiende salud histórica, no pública».

Aquel verano fuimos a San Sebastián donde habíamos alquilado una casa llamada Villa Furu, que estaba en el camino de Ategorrieta, a unos escandinavos. Mi padre —yo solía acompañarle— iba casi todas las mañanas a una tertulia que había formado el doctor Bergareche en torno suyo, en el café del teatro Reina Victoria. Recuerdo haber visto allí algún día a Zubiri y a Zuloaga.

El año 1947 lo pasó casi todo en Portugal porque tuvo la grave parálisis de ambas piernas, consecuencia de una mala gripe, que le duró varios meses. El doctor Martins Pereira lo cuidó acertadamente a base de unas dosis masivas de vitamina B. Para reponerse volvió a pasar el verano en Villa Furu.

Su última aventura intelectual fue en 1948 con la creación del Instituto de Humanidades organizado por él y Julián Marías. Oficialmente era una actividad de *Aula Nueva*, una academia de preparación para el examen de estado, que era entonces la coronación del bachillerato, que fundamos mi hermana Soledad —que explicaba Geografía—, Maruja Vergara, que daba las clases de Historia, su hermana Rosa, que explicaba Filología, Julián Marías, que daba Filosofía, y yo, que daba la preparación de Matemáticas. Su sede era un piso entero —de unos 600 metros cuadrados—, en el edificio de Serrano esquina Ayala, solar en el que luego se construyeron unos grandes almacenes. El alquiler era de 800 pesetas mensuales y aunque no ganábamos dinero como empresa, teníamos unos pequeños ingresos como profesores.

## DISCÍPULOS DE ORTEGA

Ya sabe el lector que en este libro no hablo de los discípulos de mi padre, salvo en contadas ocasiones en que surgen en el horizonte de su vida. Pero parece oportuno reproducir el intento de clasificación que hizo uno de los más preclaros, Antonio Rodríguez-Huéscar [1].

«En un sentido amplio, se podrían establecer, por lo menos, las siguientes categorías:

»1. Los que, aunque no puedan llamarse con propiedad discípulos, fueron, por propio y espontáneo impulso —y no por imposición académica— "alumnos" y oyentes de Ortega, desde las viejas generacio-

---

[1] En *Semblanza de Ortega*, edición de José Lasaga, Anthropos, Madrid, 1996.

nes citadas por Onís o testimoniadas por los propios interesados, hasta los más jóvenes.

»2. Los no estrictamente filosóficos, pero sí de campos más o menos afines a la filosofía, y que mantuvieron con Ortega una estrecha relación realmente discipular, como F. Vela, García Valdecasas, S. Lisarrague, J. A. Maravall, Luis Díez del Corral, o no tan estrecha, pero bien abierta a su influjo, como Laín Entralgo, Lafuente Ferrari, García Pelayo, etcétera.

»3. Los cultivadores de otras disciplinas menos próximas a la filosofía, pero también estrechamente vinculados como Emilio García Gómez, los doctores Marañón, Germain, Sacristán, Hernando, el matemático Rodríguez Bachiller, y tantos otros.

»4. Los dedicados a la filosofía que, sin ser estrictamente discípulos, han recibido la influencia de su pensamiento e incluso, en algunos casos se han ocupado de él. Citaré, entre los españoles, a J. Xirau, Cardenal Iracheta, Manuel Mindán, Juan Zaragüeta, García Bacca, P. Laín, Aranguren, Ferrater Mora, y, entre los hispanoamericanos, a F. Romero, Larraín Acuña, Arturo Gaeta, A. García Astrada, Miró Quesada, Juan Adolfo Vázquez, Hugo Rodríguez Alcalá, etcétera.

»5. Los discípulos filosóficos, en el más estricto sentido de la palabra: García Morente, X. Zubiri, J. Gaos, L. Recasens Siches, Eliseo Ortega, María Zambrano, Manuel Granell, Julián Marías, Paulino Garagorri (y yo mismo).

»6. Los discípulos de discípulos: Fernando Salmerón (de Gaos), F. Soler, María Riaza, Helio Carpintero (de Marías), Mayz Vallenilla (de Granell), Javier Muguerza, García Cabán, Jaime de Salas (míos), etcétera.

»Yo agregué hace tiempo a todos estos grupos otras dos categorías de "discípulos" —aquí va la palabra entre comillas— de Ortega, a las que, con cierto humor, llamé "molierescas": la de los "orteguianos" sin saberlo y la de los que lo son a pesar suyo».

Naturalmente quedan fuera los «nuevos orteguianos», surgidos después de su muerte, y que en esa fecha estaban en germinación.

Es natural que, para este nuevo empeño mi padre eligiera la compañía de Julián Marías. Marías había luchado por propagar la nueva filosofía de su maestro desde 1940 en que publicamos en las Ediciones de la Revista su magna *Historia de la Filosofía* que, aunque rechazada por los profesores demasiado franquistas de entonces, tuvo un éxito editorial sorprendente por la claridad y novedad de su exposición. Pero además, Marías atacó duramente a los miembros de diversas congregaciones católicas que querían ver a Ortega dentro del índice de libros prohibidos del Vaticano. Especialmente agrio fue el padre Ramírez, dominico, al que contestó Marías con su valiente libro *Ortega y tres antípodas* que sacamos en la Revista.

Su actuación posterior no corresponde abordarla en este libro, que termina en 1955.

## EL INSTITUTO DE HUMANIDADES

El manifiesto presentando este nuevo proyecto cultural fue compuesto a mano en el tipo habitual que se empleó en la *Revista de Occidente.* Con ello se quería señalar su carácter de continuidad con aquella famosa revista, desaparecida por la guerra y aún no reanudada a causa de la censura de Franco. Toda su primera parte era una introducción al concepto de «humanidades», tan variable a lo largo de la historia. Pero ahora esa palabra, liberada de adjetivos, «nos consigna directamente a los fenómenos en que la realidad humana aparece, y ello sin limitación alguna y sin prejuzgar la más tenue interpretación [...] Quisiéramos emprender una serie de estudios sobre las diversas dimensiones en que se desparrama el enorme asunto *vida humana*».

Por eso aparecerán en los programas del Instituto temas de Filología —la nueva *Teoría del decir*—, la nueva Etnología, y una Historiología cayendo en la cuenta de «que la historia tiene que tener razón», y la Sociología, dentro de la cual estará la nueva economía.

«No nos dirigimos al público —dice más adelante el prospecto—, no lo buscamos. Se trata de formar un grupo de colaboración completamente privada, que no pretende ejercer la menor influencia sobre la vida nacional ni practicar proselitismo, y si imprimimos y repartimos este prospecto es porque no hallamos otro modo de poder llegar a las contadas personas que, desconocidas de nosotros e ignorándose mutuamente, pueden interesarse en trabajar juntas sobre estas cuestiones y con los mismos métodos. Junto al grupo de colaboradores, el Instituto tendrá un cuerpo de oyentes que considera como un órgano de extrema importancia en la convivencia a que aspira. Cuando el tema atraiga a un gran número de oyentes que no quepan en los locales exiguos de *Aula Nueva,* se trasladará a local de ocasión más amplio».

Señala después el prospecto que el nuevo Instituto es impecune —como las personas que lo forman— y debe por eso cobrar matrícula a los oyentes a sus cursos y a los coloquios discusiones.

El Instituto de Humanidades siente el orgullo de su propia ignorancia bajo el signo de la calma a diferencia de la angustia: «No es en la angustia sino en esa calma que la supera y pone en ella orden, donde el hombre puede verdaderamente tomar posesión de su vida [...] y propiamente se humaniza».

El programa del primer curso, que empezaría excepcionalmente en el mes de diciembre de ese año de 1948, establece, entre otras normas de funcionamiento que los estudios se distribuirán en tres formas de actuación: cursos, investigaciones y coloquios discusiones.

«Las investigaciones, dirigidas por una o más personas competentes, serán llevadas a cabo por quienes muestren deseo de colaborar, previa selección a cargo de los organizadores y los directores de cada una» —indica el prospecto—, y «la participación es gratuita».

«Salvo caso excepcional, todas estas reuniones tendrán lugar en el domicilio de *Aula Nueva,* calle de Serrano 52, piso segundo izquierda.

»Para evitar colisión con otros quehaceres de los participantes —colaboradores y oyentes— procuraremos que cursos y coloquios se verifiquen a *prima nocte,* entre siete y diez».

«La matrícula para los cursos de cuatro lecciones importará 100 pesetas. La asistencia a los cursos de doce lecciones implicará el pago mensual de esa misma cantidad.

»El Instituto facilitará la participación de los jóvenes y de los obreros que se interesen en seguir los estudios, proporcionándoles matrículas de coste más módico o completamente gratuitas».

El primer programa contemplaba los siguientes cursos:

"Sobre una nueva interpretación de la historia universal". Exposición y examen de la obra de A. Toynbee, *A Study of History.* Curso de doce lecciones, por José Ortega y Gasset.

"La situación del arabismo en comparación con la de la filología clásica". Curso de cuatro lecciones, por Emilio García Gómez.

"El método histórico de las generaciones". Curso de doce lecciones, por Julián Marías.

"La cultura de mohenjo-daro". Curso de cuatro lecciones, por Benito Gaya.

En cuanto a las primeras investigaciones versarían sobre:

"Trabajos sobre el método histórico de las generaciones", dirigidos por Julián Marías.

"Los orígenes de la leyenda de Goya", estudios bajo la dirección de José Ortega y Gasset y Valentín de Sambricio, autor del reciente libro *Tapices de Goya:*

También hubo coloquios en torno a diferentes temas. El celebrado sobre Goya atrajo a tanta gente que se celebró en la sala de reuniones de la Cámara del Comercio, y el coloquio sobre los modismos, donde se destacó Julio Caro Baroja, logró asimismo gran audiencia.

*El curso sobre Toynbee*

Al curso de Ortega sobre Toynbee, acudió gran público en los salones del Círculo de la Unión Mercantil, en la Gran Vía.

Aunque mi tiempo estaba muy apretado —todas las mañanas mi trabajo de agronomía, por la tarde me ocupaba de la editorial y una o dos horas de clase en la academia Krahe, donde preparaba a los alevines aspirantes a ingresar en la Escuela de Agrónomos—, toda la organización y marcha del Instituto cayó sobre mí: la impresión y distribución del folleto, organizar el cobro de matrículas, conseguir los locales del Círculo para las conferencias de mi padre —en lo que me ayudó mucho el ingeniero de Minas Félix Cifuentes, asiduo asistente a la tertulia de Bárbara de Braganza— y vigilar el desarrollo del curso. Fue un éxito.

Toynbee, ilustre helenista, había realizado una obra ingente. Nueve volúmenes formaban su nueva interpretación de la Historia universal. Se trataba para Ortega, por un lado, de exponerla y disertar sobre la falta de sentido histórico de los internacionalistas como Toynbee, y por otro lado, analizar particularmente «la vida constituida como *ilegitimidad* [...] de la cual son dos gigantescos ejemplos los tiempos declinantes de la República romana y los tiempos en que estamos nosotros mismos alentando». Tanto en este como en los sucesivos trabajos de mi padre suena ya la edad y su paralela experiencia de la vida, tan sabrosa y contrastada cuando, como él, ya no se es joven. Ya que la obra de Toynbee todavía no estaba traducida al español, Ortega, en una de sus conferencias, mostró al público la montaña de papel impreso de la edición original inglesa.

En una de sus conferencias tuvo que calzarse las botas de la juventud para contestar violentamente a algunas «sabandijas» periodísticas «que han creído que podían desacreditar estas lecciones y denigrar este auditorio notificando que a ellas asisten toreros». También opinó públicamente, en la propia Universidad, algo parecido el matrimonio Ballesteros. Asistía, en efecto, como puntual alumno, Domingo Ortega, y su tocayo (de apellido) y amigo tuvo que reiterar una vez más la importancia en nuestro país de esa antiquísima ocupación felicitaria de «correr los toros». «Sería intolerable —dijo— que cuando yo me esfuerzo [...] en exponer algunas hondas verdades, algunos se entretuviesen en interpretar pueril y aldeanamente mis palabras como si estas disfrazasen alusiones, que serían ridículas, a la vida pública española [...]; lo que digo ahora ya lo escribí el año 1928 en mi libro *La rebelión de las masas*».

En otro lugar habló de sus silencios: «Yo he callado —y muy radicalmente— porque en España no se podía hablar y fuera de España no quería hablar [...] algún día manifestaré por qué callé [...] He querido demostrar que sé no existir, tal vez la ciencia más difícil de todas. Pero ahora creo que ha llegado el momento de cancelar esa conducta taciturna y comenzar nueva labor iniciándola desde dentro de España, aunque no se refiera sólo ni principalmente a España sino a todo el Occidente y aun al mundo todo [...] Y quisiera hacerlo porque creo que, en efecto, España puede decir algo [...] importante a los demás pueblos sobre lo que pasa en el mundo y esta actitud le viene de que es, junto con Portugal, el pueblo más viejo de Europa y que las ha visto ya de todos los colores».

Justamente para ello había proyectado el Instituto de Humanidades y —aquí empieza su duda— «si el Instituto logra confirmar su existencia», hablaría sobre la nueva concepción de los temas sociológicos, que sería un curso totalmente nuevo para los oyentes españoles sobre *El hombre y la gente*[2].

Mi padre, cansado ya de los veraneos en el norte, pasó el de 1948 en La Granja, en el hostal de la Calandria que había construido, en el viejo convento de ese nombre, mi amigo Antonio Jiménez Landi. Este amigo ha sido una de las personas más estimables que he conocido y, animado por él, pusimos la librería de la Revista de Occidente en Serrano 29. El local tenía un sótano donde Jiménez Landi quiso empezar el negocio de las galerías de arte mientras la planta a pie de calle trabajaba exclusivamente los libros de la Revista. Con el tiempo ninguna de ambas cosas tendría rentabilidad y lo traspasamos a un verdadero librero, León Sánchez Cuesta, famoso por su Librarie Espagnole de París. En ese piso inferior se dieron algunas conferencias notables, como la de Fernando Vela sobre el azar, seguida de una sesión de juegos de manos del experto aficionado, el capitán de fragata Juan Moreu.

Yo iba a ver a mis padres unas dos veces por semana, en coche desde Madrid, y paseaba con mi progenitor por el camino de la Casa de Vacas del antiguo convento. Un camino casi llano, con suave sombra, donde mi padre, estoy seguro, tomaría calladamente muchas decisiones para el año siguiente —1949—, que iba ser importante para él y para el Instituto. Pepe Ruiz Castillo, desde su vecindad próxima, acudía también con frecuencia.

## El éxito de Ortega en Aspen

Jaime Benítez fue, como rector, el creador de la Universidad de Río Piedras, en San Juan de Puerto Rico. Orteguiano entusiasta, aplicó en

---

[2] La edición en libro del curso sobre Toynbee se publicó en la serie de «Obras inéditas» del autor, en las Ediciones de la Revista de Occidente en 1960.

Río Piedras las teorías educativas de Ortega expuestas en su *Misión de la Universidad*, consecuencia de las cuales fue la creación de una Facultad de Estudios Generales que, según mis noticias, sigue vigente. Al tiempo defendió el español como segunda lengua nacional y los profesores —muchos de ellos españoles perseguidos en la Península— explicaban naturalmente en castellano. Su logro más notable fue convertir Río Piedras en el último y generoso refugio de Juan Ramón Jiménez. Cuando éste obtuvo en 1956, el Nobel de Literatura, fue el propio Benítez quien lo recogió en Estocolmo.

El profesor Hutchins, de la Universidad de Chicago, había organizado con el apoyo de la Fundación Ford la celebración en Aspen (Colorado) del centenario de la muerte de Goethe y acudió a Benítez para que lograra la participación de mi padre. Benítez, que no había conseguido nunca que su admirado Ortega fuera por Puerto Rico, supo esta vez convencerle, y fue en los Estados Unidos donde se vieron por primera vez. Recibió a mi padre en Nueva York María Díaz de Oñate, pariente nuestra por el lado de los Chinchilla, que profesaba en el Vassar College de Harvard. La figura de la reunión, en Aspen, iba a ser Albert Schweitzer, pero quien quedó con la fama y la admiración fue mi padre. Benítez, que asistía, naturalmente, lo ha contado en unas palabras que pronunció en un homenaje a mi padre de su universidad, dos meses después de su muerte, el 6 de diciembre de 1955: «Conocí a José Ortega y Gasset en un pintoresco y deshabitado pueblecito del lejano Oeste de los EE.UU. Bajo la inspiración de Robert Hutchins se celebraba en Aspen el centenario de la muerte de Goethe, en el verano de 1949, con el concurso de gran parte de la intelectualidad de Norteamérica y la participación destacada de Albert Schweitzer y José Ortega y Gasset. Era su primer y único viaje a Estados Unidos. Por mi parte iba exclusivamente para verle cara a cara. Entre los vivos era la persona a quien yo más debía intelectualmente y le guardaba esa gratitud esencial que sienten los discípulos por sus grandes maestros.

»Concurrí a Aspen con gran expectación y alguna angustia ¿Cómo resultaría todo aquello? [...] Pero el encuentro fue feliz, cordial y sin tropiezos. Ortega estuvo sumamente generoso y trabamos gran amistad. La conferencia nos preocupaba a todos: bajo una carpa de lona, ante cinco mil espectadores, de los cuales no más de diez hablaban español, y luego de unas palabras de Hutchins, Ortega se adelantó al proscenio. Nunca he visto un público atender mejor a orador alguno, que el que escuchó, sin entender lo que decía, la voz acompasada y limpia del filósofo español. La traducción —párrafo a párrafo— de Thorton Wilder fue excelente, obligando al auditorio casi a pensar en español».

Mi padre guardó un alegre recuerdo de esta reunión, en la que hizo buenas amistades, entre ellas con Gary Cooper, al que contó el relato de la camisa del hombre feliz, de resultas del cual se intercambiaron sus camisas. (La verdad es que no sabemos qué fue de ella.) Charló también muy gratamente con profesores alemanes amigos suyos, sobre todo con Ernst Robert Curtius, que fue el primero en descubrir la valía del joven pensador español, al que calificó como «uno de los doce pares del pensamiento europeo».

Como no disponía de tiempo para ir a Puerto Rico, las autoridades de la isla, encabezadas por el gobernador, don Luis Muñoz Marín, le invitaron a pasar dos días en el Waldorf Astoria de Nueva York y a una recepción con la gente portorriqueña importante de los Estados Unidos.

Me perdonará el lector que vaya un momento hacia atrás. Pretendo en este libro hablar de mí sólo cuando tengo algo que ver con actuaciones de mi padre. Pero sí debe saber el amable lector que el 6 de junio de 1949 —unos meses antes del viaje de mi padre a los Estados Unidos— me casé con Simone Klein, una viuda francesa nacida en Barcelona pero que había vivido en Madrid desde los nueve años. Si estuviera escribiendo mi autobiografía contaría todo lo que valía y la suerte que tuve de tenerla en mi vida. Pero si hablo de esa boda es porque fue la única de las de los tres hermanos a la que pudo asistir mi padre. Cuando se casó mi hermano Miguel mis padres estaban en la Argentina y cuando se casó mi hermana Soledad estaban en Lisboa. Como Simone quería que la ceremonia se celebrara en la capilla de San Luis de los Franceses, en el Centro, hubo que trasladar el expediente de la iglesia de la Concepción, donde le correspondía por su domicilio de la calle Velázquez. El que tenía que aprobar los papeles era el párroco de esa iglesia de la calle Goya, que era un hombre muy grueso que llamaban don Pablo y que daba muchas voces a sus subalternos. No sé por qué razón quiso que fuera el padre del novio, que acudió por cariño hacia su hijo. Don Pablo no se dio cuenta de quién era ese señor Ortega, y éste, al verle tan gordo y tan dinámico, nos dijo: «Éste no es un cura, es un Pablo Romero».

El hombre y la gente

Sin parar mucho en Madrid, mi padre hizo un viaje, con su mujer y con Miguel, a Alemania para recorrer los lugares donde vivieron los primeros años de su matrimonio; y dio en septiembre dos conferencias: una en Hamburgo sobre Goethe, y otra en la Universidad Libre de Berlín sobre *Europa meditatio quaedam* [3]. Pero en octubre estaba ya en

---

[3] Publicado en libro en la serie de «Obras inéditas», de las Ediciones de la Revista de Occidente en 1961.

Madrid preparando su curso sobre *El hombre y la gente* que debemos comentar con algún detalle.

Los libros de mi padre, al proceder en su gran mayoría de cursos públicos, no son nunca tratados sistemáticos, porque en la conferencia el orador debe divertir al oyente con algún ejemplo o relato sugerente. Es el caso del curso de *El hombre y la gente,* que venía a dar las nuevas ideas de Ortega sobre la sociología, consecuencia de sus doctrinas filosóficas, con una gracia y un garbo que no hubiera logrado en un curso académico. Cuando notaba que el público se le distraía, solía aplicar el recurso de «abrir el portón de los centauros», seres míticos que sacudían su atención.

Preveíamos que este nuevo curso de Ortega iba a atraer a más público aún que el de Toynbee, y por ello hicimos un contrato con el cine Barceló para que nos dejara su sala —con capacidad para unas ochocientas personas— todos los miércoles desde octubre de 1949 a marzo de 1950. El curso se puso de moda, y no había señora elegante que no presumiese de asistir a él. Una de ellas me confesó que no iba porque «no tenía ni cabeza ni sombrero» para poder acudir. En efecto, se lucirían los sombreros de última moda.

No tendría sentido resumir el rico contenido de estas lecciones. En 1957 aparecieron forma de libro en la serie «Obras inéditas» de la Revista de Occidente.

Pero justamente ese éxito público llevó al ministro de Propaganda, Arias Salgado, a aconsejar a los periodistas obedientes que no hablaran demasiado de esos actos, al tiempo que teníamos noticia de que quería acentuar la censura de sus ideas y, en general, de las publicaciones de la Revista de Occidente.

José María Alfaro, que fue buen amigo de mi padre, no obstante la diferencia de ideas políticas y de edad, me contó en una conversación que yo grabé cómo se frustró por esas fechas la concesión a Ortega del premio Nobel de Literatura de ese año: «Yo volvía de unas vacaciones a Colombia, donde era Embajador (debió de ser a principios del año 50). Era muy amigo del Embajador de Suecia, un gran caballero. Estos suecos miraban con mucho desdén a todo lo de España pero, estando en casa de una gran señora de allí, en el valle del Cauca —donde se desarrolla una novela de George Sand—, y fatigados del viaje en coche que nos obligó a subir y bajar Los Andes, me dijo: "Te voy a contar una cosa, porque he pensado mucho en ti estando en Estocolmo: el que se puede llevar este año el premio Nobel es Ortega y Gasset, de quien siempre me has hablado con entusiasta admiración". No hice más que volver a Bogotá y puse un despacho al Ministro, que era entonces Martín Artajo, y escribí una carta a tu padre. En su respuesta, bastante patética, decía "Te agradezco mucho lo que me dices pero las fuerzas desencadenadas no me apoyarán", como pasó. Para el Ministro éste era nombre fronterizo con el infierno o por lo menos con el purgatorio. Luego vino la intriga de la izquierda, que quería el premio para consagrar a uno de fuera, a un exiliado. Se juntaron ambas cosas, fue tremendo, y [...] no hubo nada».

Yo le dije a Alfaro que mi padre nunca se había interesado por premios ni academias, como él sabía, ni por dinero, pero el Nobel le hubiera dado fuerza frente al gobierno franquista. Cosa que no comprendieron los suecos.

Como escribió Antonio Tovar en el día de su centenario, «Ortega, rodeado de enemigos, había luchado en Madrid con el vacío, un vacío que era falta de realidad alrededor, nubes y fantasmas, negación confusa. Este ambiente encontró expresión en libros fanáticos e inactuales de algunos miembros del clero católico [...] contra cuyo espíritu el joven Ortega, pensionado por la Junta para Ampliación de Estudios, había soñado como arquero en campaña».

## Disolución del Instituto de Humanidades

Todas esas cosas, después de un veraneo en el hostal de la Calandria en La Granja, llevaron a mi padre a disolver el Instituto de Humanidades con una breve nota que mandó a los periódicos.

Había cumplido con creces su deseo, que manifestó a Ramón y Cajal en 1919 [4], de que «los españoles llegasen a ser un poco más inteligentes, más sensibles y más pulcros». Había cumplido el deber patriótico e intelectual que se había impuesto, y Europa —y todo el Occidente— se le ofrecía ahora con renovado interés por él y por sus ideas. Así que se dedicó desde Alemania a aceptar una serie de conferencias, en ese país y fuera de él, las cuales, aparte de renombre, le dieron por vez primera en su vida algún dinerillo.

## DESDE EL BAYERISCHER HOF

Se instaló cómodamente en uno de los mejores hoteles de Múnich —el Bayerischer Hof—, con habitación, salón y un despacho para trabajar. Trató de convencer al *chef* del mejor restaurante de la capital bávara para que le hiciese alguna vez un huevo frito, para lo

---

[4] Carta a don Santiago Ramón y Cajal del 29 de abril de 1919, facilitada graciosamente por el Museo Cajal de Madrid.

cual le mandé aceite virgen y las normas de esta difícil operación; pero fracasamos en el intento.

Ese año de 1951 le vinieron diversos honores: la Academia bávara de Bellas Artes le nombró miembro de honor y la Universidad de Marburgo, donde él había estudiado de joven, le hizo doctor *honoris causa*. La Universidad de Glasgow también le concedió esa distinción, cuya ceremonia tuvo lugar al año siguiente.

Pero quizá su actuación más importante fue en los encuentros de Darmstadt, en el mes de agosto, donde habló sobre «El mito del hombre allende la técnica». Le había invitado Keyserling y se produjo allí un coloquio con Heidegger. También participó en las «Rencontres Internationales de Genève», donde habló sobre «Pasado y porvenir en el hombre actual».

## Su jubilación

1953 era el año de su jubilación como catedrático de Metafísica de la Universidad de Madrid. Como sabemos, tanto Burgos como Madrid le habían excluido del claustro universitario, y por tanto el último sueldo que cobró fue en julio de 1936. Esto no significa que no fuera ascendiendo en el escalafón, donde la vacante que se produce en una categoría administrativa es cubierta automáticamente por el primero que esté en la categoría inferior; pero mi padre —ahora pienso que sintiéndose mal— andaba preocupado con resolver cuanto antes su ingreso en las clases pasivas. Yo le escribí una carta el 30 de noviembre de 1953, para tranquilizarle, que demuestra muy claramente que nunca cobró, desde julio del 36, sueldo alguno como catedrático:

> Papá mío:
> El asunto de tu jubilación no va tan deprisa como quiere el director de la agencia que se ocupa de él, porque resulta que aplicando a la letra la Ley, te jubilarían con arreglo al sueldo últimamente percibido, el cual, como fue en 1936, resultaría ahora ridículo. El propio director de la agencia y el Secretario de la Universidad, D. Cayetano Alcázar, han dicho que esto no es posible y van a tratar de que te jubilen con cargo al último sueldo que, normalmente, te hubiera correspondido cobrar en mayo de 1953. A este fin te adjunto una instancia que debes devolverme simplemente firmada en la cruz y una autorización ídem. [...]
> Besos de José.

No me has contestado a la petición de Francisco Ayala.

Sus conferencias siguen en este año de 1953. Esta vez habla en Edimburgo y en Londres, invitado en la capital londinense por la Fundación Ford. Vuelve a ir a Darmstadt para hablar sobre «Individuo y organización». Y hace su veraneo en Fuenterrabía, en el piso que alquilamos Simone y yo en villa Oria en el camino que sube a la catedral. Coincidiendo con su jubilación, la Universidad le dedicó un homenaje por sus setenta años.

## LAS CONFERENCIAS DEL AÑO 1954

En febrero da en el mismo Múnich una conferencia sobre «Cómo muere una creencia», en un curso organizado por el Centro Italiano di Studi Umanistichi e Filosofici. Pero en octubre es la gran fiesta de la cerveza, que dura todo el mes, al tiempo que se celebra un largo carnaval o *Fasching*. Todas las noches hay cenas, cotillones, bailes, y el hotel donde vive Ortega tiene fama especial en estos actos de diversión.

Mi padre, que anda bien de dinero, invita a varios amigos españoles a asistir unos días al *Fasching* de Múnich. La pareja en la que tiene mayor ilusión es la de Domingo Ortega y su esposa Pikuki, pero van también mi hermana Soledad y su marido, los Verdagué, libreros madrileños, ella, Isabel, una andaluza guapa que cuando quiere canta un flamenco auténtico, el matrimonio Arellano, y algún otro.

Poco antes del verano, Ortega habla en Bad Boll, en el Würtenberg, sobre «Las profesiones liberales», y al comenzar el otoño viaja a Inglaterra para hablar en Torquay sobre «El gerente». Pasa un veraneo bien ganado en Fuenterrabía, en la villa Frontera Enea. Fue un verano muy lluvioso.

## EL FINAL

Debió de sentirse ya mal desde principios de año. Pero aceptó dar una conferencia en la Fondazione Cini de Venecia, en el curso sobre Historia de Venecia, que iba a ser la última que diera en su vida. El conde Cini, que había hecho su fortuna con sus fábricas de cemento, había comprado la isla de San Giorgio para hacer una fundación en memoria de su hijo Giorgio, muerto en la guerra europea. Una escuela de Náutica era el ingrediente permanente, pero el lugar estaba siempre dedicado a reuniones intelectuales con los mejores líderes del pensamiento europeo. Así, el 19 de mayo de 1955 desembarcamos del avión en el aeropuerto del Lido, mi padre, Simone y yo. Nos esperaba un joven profesor de la Universidad de Padua, Vittore Branca, el gran especialista en Bocaccio, que era el secretario de la Fundación. Un *motoscafo* nos puso pronto en el hotel Regina, a la entrada del Gran Canal, donde nos habían instalado suntuosamente.

La conferencia tuvo lugar dos días después en el aula grande de la Fundación, llena de público que quería oír a Ortega. Presentó a mi padre el profesor Carnelutti, una de las mayores autoridades italianas en el campo del Derecho. Luego, cuando comentamos el acto con mi padre, éste me dijo que había sonreído interiormente al oír a Carnelutti hablar sobre él de «su statura», al pensar que era más bien bajo. La conferencia fue un éxito y el conde Cini nos hizo pasear por la laguna en su medio *yacht* y nos ofreció un espléndido almuerzo en su palacio del Canal, que resultó ser la antigua sede del dogo Loredan, donde habitó el último pretendiente carlista, al que fueron a entrevistar, como sabemos, mi abuelo Ortega Munilla y doña Emilia Pardo Bazán.

Al día siguiente tomamos el avión para Milán, desde donde mi padre embarcó para Múnich mientras Simone y yo emprendimos el regreso a Madrid.

En junio volvió a Madrid y se animó a hacer una larga excursión veraniega por la costa del Cantábrico en un coche que yo alquilé con todas las seguridades, que luego no fueron tantas. Mis padres iban acompañados del matrimonio García Gómez, Emilio y María Luisa, él uno de los intelectuales más estimados por mi padre. En Santillana del Mar los cuatro viajeros se harían una foto en el claustro de la colegiata, que sería la última fotografía de mi padre. Cansado, suspendió la excursión, dejando a los García Gómez en la Universidad Internacional de Santander, y ellos se volvieron a Madrid, durmiendo en Castilleja, en casa de Soledad y Pepe Varela, y pasaron al día siguiente por nuestra casa alquilada de Torrelodones. Mi hermano Miguel ya nos había advertido de la gravedad del estado de nuestro padre —un cáncer generalizado—, que se confirmó al examinarle en Madrid un grupo de los mejores médicos. Se le ingresó en el sanatorio Rúber y le operó el cirujano general, número uno entonces en Madrid, doctor Plácido González Duarte, que se limitó a abrirle, suprimirle algún nervio doloroso, y cerrarle la herida de nuevo. Se le hicieron varias transfusiones —algunos donantes de su grupo fuimos Carlos Rodríguez Spiteri, a quien habló de Málaga mientras tomaba su sangre, y yo mismo—. El 17 de octubre pudimos trasladarlo a su casa de la calle Monte Esquinza, y el 18 por la tarde moría sin remedio.

La noticia de la enfermedad de Ortega corrió como la pólvora no sólo en España. En el sanatorio y en casa las llamadas de América —del

Norte y del Sur— no paraban un instante, y los periódicos de todo el mundo querían todos los detalles.

La tarde del 18, cuando Ortega ya era cadáver, el ministro de Propaganda, señor Arias Salgado, prohibió a los periodistas sacar en portada del día siguiente la imagen del difunto. Sólo nuestro amigo Luis Calvo, director entonces del *ABC*, se atrevió a reproducir en su portada la mascarilla del muerto que había hecho esa misma noche el escultor Juan Cristóbal, que quedó en su taller, luego museo. Pero Arias Salgado no sabía, al dar esa orden denigrante, que en la mañana del 19 empezarían a llegar pésames de varios jefes de Estado y de Gobierno, entre ellos Adenauer, lo que movió a Franco a enviar también su condolencia. La medida nos pareció tan indignante que los tres hermanos acordamos no aceptar que ministro alguno presidiera el cortejo fúnebre, a pesar de que iba a ser el de Educación, Joaquín Ruiz-Giménez, amigo nuestro y excelente persona. El cortejo fúnebre partió de la calle de Monte Esquinza, presidido por los tres hermanos —mi cuñado José Varela en representación de Soledad— y el tío Manolo Ortega, y luego se formó una cola de automóviles y autobuses que acompañaron al féretro hasta la Sacramental de San Isidro, donde habíamos adquirido una parcela.

No existiendo indicación alguna, ni por escrito ni de palabra, de mi padre sobre dónde quería ser enterrado, dejamos a nuestra madre que decidiera, como era justo. No nos extrañó esa falta de noticias en un hombre que muchas veces se quejó de que «en España es difícil hasta morirse». También fue ella la que autorizó la entrada en la habitación del moribundo al padre agustino Félix García. Éste salió contento con la visita, pero yo pienso que mi padre, ya poco consciente, creyó ver entrar a su amigo el padre Félix, cuya amistad nacía de su simultánea admiración por san Agustín. En todo caso los tres hermanos publicamos en el *ABC* una carta dejando las cosas en su sitio.

Muchos jóvenes nos acompañaron al cementerio. Parecían descubrir el valor ético e intelectual de aquel hombre cuya misión en esta vida fue sobre todo amar a España y tratar de mejorar su nivel cultural y político.

Mientras los tres hermanos dormíamos nuestro cansancio, la noche del 18 de octubre, cuando ya los visitantes se habían despedido, unos cuantos íntimos hicieron su Oficio de Difuntos leyendo las páginas en que Ortega habla de la muerte. Estaban allí Fernando Vela, Xavier Zubiri, Julián Marías, Emilio García Gómez, Paulino Garagorri, Antonio Rodríguez-Huéscar y algún otro, a través de cuyas voces levemente empañadas oyeron unos y otros a Ortega. «Nos recordaba —escribió Rodríguez-Huéscar— que lo que llamamos la muerte es sólo una teoría; la realidad que hay debajo de ella es la soledad en que nos quedamos cuando alguien muere». Como rememoró Vela, Ortega había escrito en su juventud: «Los muertos no mueren por completo cuando mueren; largo tiempo permanecen; largo tiempo flota entre los vivos que les amaron algo incierto de ellos. Si en esa sazón respiramos a plenos pulmones y abrimos las puertecillas de nuestro sentimentalismo, los muertos entran dentro de nosotros, hacen en nosotros morada y, agradecidos como sólo los muertos saben serlo, dejándonos en herencia la henchida aljaba de sus virtudes». La verdad es que en todos los momentos importantes de mi vida he sentido siempre a mi padre dentro de ella.

En Madrid, a 27 de noviembre del año 2001

*El autor agradece los apoyos recibidos
en la edición de este libro de María Cifuentes,
Ana Esther Velázquez, Ana Bustelo,
Beatriz Cobeta y Lourdes Lucía.*

Este libro
se terminó de imprimir
en los Talleres Gráficos de Mateu Cromo, S. A.,
Pinto, Madrid, España,
en el mes de abril de 2002